金陵全書

甲編·方志類·府志

光緒續纂江寧府志（二）

（清）蔣啓勛　趙佑宸修
（清）汪士鐸等纂

南京出版社

續纂江甯府志卷十四之三

人物 先正二

上元朱桂模
江甯陳作霖 分纂

昔者聖人之作易也於同人之象辭曰君子以類族辨物此羣居之道也而紀載之體實因之蓋嘗瀏覽前志儒林敦行仕績文苑諸傳各標品目物之辨者明矣然而出處殊途則父子各見忠孝異致則兄弟分編數典易忘倒置不免類族之義畧焉弗詳及觀李氏南北史之法路氏人文畧之規上泝旁治流長源遠實前事之師也於是廣搜家乘博訪通人舉所能知藉存譜學限斷所在仍自乾嘉後畧於前非云改作若夫人有相類事有相同牽連得書取法明史其或經師負望著作等身義激懦頑功存保障一至之行各成其名者則此第敘其世系而所表見則別載焉

路鴻休 汪機 鴻休弟鴟 族子增 管霈 蔣乾 乾曾 孫紹和 陳泰庸 陳綱 增從子晉揚 晉和

端木廷楨 父長淑 子煜等 孫均等 從孫坦 族人從 恆 從恆 恆子大申

伍光瑜 曾祖遵亮 祖庭祚 父士祿 章沅 光瑜子長 齡 長華等 兕翼元 長華子承欽 從子承平

等 光瑜從子思樹

顧綬汝 子喬 族人塏 九韶 與孫國光 國光子 諟 恩湋 陳瑞符 恩湋族士傑 人龍 朱必

華 朱爚 陳榮 徐碩 周書

孔毓璋 子傳薪 孫繼廉 從兄毓文 毓文孫繼鈐 繼 鈐子廣澤 毓文從子傳勳 傳慶 王應祺 傳

慶從子繼凝 繼凝從孫昭秉 陳厚寬 葛亮楷 昭秉族弟昭緯 式之

武文衡 子洙 宗人自厚 秉衡 司徒臨 棠 烝 宜

邢堦 弟圻 王朝梗 朝杞 吳嶸 崢 球 圻從弟坦 塏 楊朝棟 孫泗 堦宗人懷西 自業 紹發

在尚 芝之 景暘 鳳陽 復生 復誠 復誠子國勳 復遇 宗楷 承 瑞年 士昕 禹吉 邦達 邦華

梅釴 弟鈐 鈁 鏐 子法 辛 從子沖 沖子曾憑 車研 研父敏來 戴衍 衍祜 衍祉 岳 夢淵 徐煜

研弟碩等　子廷雋　孫懋功等　謝學元　研族子持
謹　張承烈　承烈父謙　子秉模　秉楷

方道希子惟敬　從子超　惟寅　惟寅曾孫恩露　惟敬
孫元甲　宗人若夔

王廷享從父安修　先著　嚴元　廷享從兄天印　弟廷
言　從子麟生　鳳生　陳慶蓀　廷享子煊　嘉黼

陶紹景周際昌　際昌曾孫恩　紹景孫渙悅　王吉士等
朱鏞　孫溶　燕以均　陳涫　阮坦　孫韶
韶子若霖　渙悅子定申
汪雲官

陳文樞子光炎　陳克廣　克鳴　克寬　克家　王嘉言
光炎子瑞朝　宗人大鈞

朱紹曾伯高祖墉　叔曾祖元律　祖松年　弟續曾　族
父濤　濤曾祖堂　堂子頫　頫子逢年　濤孫桂
楷　紹曾元孫則彥

鄭製錦子塏　孫紹裘　紹裘族弟桂林　桂林子之淮
之淮從子如榛

周發春談羽儀　羽豐　何士容　楊若偕　劉志鵬　曹
言路　汪世泰　發春子之桂　之桂子之桐　之桐子開
麒　吳模　模孫坦　溫肇江　肇江子應樑　曹庚
庚子含暉　含暉子淼　士蛟　范承祖　承祖弟承典
承典子元凱　承典從弟承恩　陳經　經子汝筠　汝
梅　汝梅子之驥　姚天麟

涂逢豫 從父學詩 陳嘉謨 陳製錦 吳近光、逢豫子 長發 汪沁 沁子鋆 廷梓

黃鵬年 祖昇遇 父純熙 孫德符 從弟恩蔭 恩蔭子 榮曾 甯楷 朱本楫 朱上池 萬保廷 榮曾子家達等

汪本 父遇開 弟鳴恩 孫汝式 從孫鎮甲 金德榮 恩 鳴子鈞 嘉鎔 嘉鎔子復 汝桂 項廷桂 子鼎

胡鐘 兄鋐 子瀠 澄 孫嘉楷 嘉霖 嘉彬

葉世經 從子德豫 德中 周鎔 錢棫 張永清

吳球 子介寶 陳公綬 公綬子春祁 陳炳文 介寶子 綸紱

李光裕 弟光昱 光業 光晉 子登甲 從子鈞善 登鎮 孫琛 瑾 李師韓 師韓子芝

金世綍 父汝鏞 宗人嶒 起山 起山元孫學濬 張永 升 葉永甯 陳澍 瞿春 世綍曾孫步鑾

黃鎔 父思恕 吳鎮 鎔子晉元 蔡之銘 之銘伯祖殿 先 父元春 范敦仁 趙蘭 張純如 灼如

焦以厚 謝豫度等 以厚從弟以永 以永子若鈞 從子 若鈔 若鈔子子元 光俊 族子子安 子洵

子洵從子長齡

徐統緯從兄統綱　子國寶　從子國棟

陳廷碩弟廷頎　從子寶儉　從弟廷桂　廷桂從子燦勳等　燦勳從弟寶廉　薄彭齡

秦耀曾弟繩曾　彖曾　從孫熾盛　熾盛族父德慶

龔涵曾伯祖鏡　鏡子元超　元超從弟元忠　琛　元忠子如舍　涵從弟林勑　彬　涵子賜書　賜書族兄鯤　鯤弟芝　芝子長華

笪立樞嚴艮鰲　艮鰲孫雋鴻　立樞從弟立行　宗人錚等

姜本禮子士冠　夏員　陳鴻翥　朝誥　煜　沈樾　李志鵬

蔡世松子宗茂　嚴駿生　徐銑　葉聲揚　覲揚　鄭彤書　陳士安

侯雲松兄雲錦　弟雲倬　子敦復　董進　何瑞芝　沈琮　馬士圖　陳太占　崔溥　朱福田

朱方弟京　亮　襄　亮子學詩　朱實發　實栗　實發子遐昌　朱鵬翥　張鵬程　巴光誥　廷誥

司馬文從兄亶　弟庠　高　子鍾　鄭廷杰　張敔　敔祖遇隆　遇隆子若谷　敔兄敉等　敉子迺耆等

高子鈞

周國祥子葆元　王世培　陳崑玉

路鴻休字子儀上元人遠祖閏佐明高帝有功世襲龍江左衛百戶大父九同父汝捷皆知名事見前志鴻休旣補諸生思以著述自見謂六朝最重世族而金陵適當其地前明陪京人物都雅勳衞舊德鐘鼎相承己本名臣之後深懼數典忘祖爲儒者羞乃與其友汪檥遍訪舊宗閱其家乘益以周暉金陵瑣事顧起元客座贅語劉思敬存徵錄合爲一編自王侯而官族而名流而技藝祖孫父子以類相從命曰明代帝里人文畧凡二十二卷自言生平有三不惜借書不惜面鈔書不惜手還書不惜足晚號青岩逸叟年八十餘卒檥字道鄰父有學有隱德兄梓楩榎弟檀皆有才名家有絳雪樓兄弟讀書其中檥尤博涉古今留心鄉邦文獻晚卜居南

郭之白澤山自號白澤山樵鴻休青成梗復序之費士清家藏其稿道光中朱緒曾爲補數十條甘氏津逮樓以聚珍版排印之鴻休弟鵾字小魯亦諸生族子增字保如號益堂乾隆五十七年舉於鄉選泗州訓導知州左輔檄辦災振公明慈惠民有左青天路愛民之謡時教職以振得名者同縣管霈字晴雲乾隆甲子副貢選潁上教諭上官檄振泗州水荒知府某欲減其所查戶數霈力持不可及振亳州黠吏虛增數十戶杖之尋升鳳陽教授歲又大饑康雞子劫振金去他官皆不敢進霈獨前饑民擁道諭散之振畢卒無事選四川仁壽知縣未上卒子文郁文郁子同事見文苑傳蔣乾字健夫亦上元人乾隆元年舉人選六安州學正嘗奉檄查災誓於神潔已不染子沅湘東昂皆諸生曾孫紹和字藹人以諸生爲工部主事性淡雅工詩陳泰庸字惕亭溧水人乾隆丁酉

拔貢選寶山教諭奉檄勘災早夜按行不遑寢食尋轉貴池教諭歲又荒散振勤瘁一如寶山時卒官著有鶴雪堂詩鈔子恭寬敏孫秉鐸皆諸生泰庸同縣陳綱字薇衫乾隆十七年舉人十九年以明通榜進士選五河教諭辦振廉明民愛戴之與路增同增從子聲揚諸生聲和候選訓導與妻花死咸豐癸丑之難從孫達泉大經皆諸生采縣志文徵詩匯待徵錄因寄軒集忠烈備考

端木廷楨字蔚亭先世居溧水明湖廣參政復初裔也大父象謙字天益官彭澤知縣有惠政卒於官父長淑字又荀當象謙卒時年甚幼其生母王挈之返江甯居長干西街苦節撫孤遂占籍焉長淑端方自守以恩貢生終廷楨幼承父教爲文敏速手鈔之書盈尺充乾隆癸酉拔貢子六煋字映成炳字肇新皆諸生煋性耿介嘗因事貸戚友金會家中落罄所有以償逋或勸自留餘地煋

毅然曰甯饑寒决不負人受者感服煜字星垣號敬齋乾隆四十五年舉人五十五年進士授戶部主事綜覈利弊吏不敢欺詩以毋傅目疾請告歸遂不復出所學自經史及辭章靡不貫然不以自鳴里居三十年恂恂如諸生時杰字俊民號過庭嘉慶十八年舉於鄉明年成進士選庶吉士散館授編修植品峻潔肆力古學未幾卒煒字韡之一字棣華號蓮峯乾隆五十七年舉人選金山教諭卒於官諸生感其教育有送喪至江甯者焯字次劉號雲樵嘉慶十五年舉人友于最篤淡於仕進以書畫自娛煜子均字泰階性誠慤父卒母老貧不能娶躬執爨以供甘旨三十年如一日舉家稱其孝炳子埴字月鋤幼憨跳不可約束讀書目數行下既補諸生性耽幽寂尤工詩詞常攜琴裹精茗詣鍾山白雲寺飲一入泉操絃聽松風謖謖相和以爲樂煜子埒字序之以孝友稱杰

子堅字梅溪篤實自守皆諸生煒子璽字字卿耆學好古終年坐僧寺古柏下破帽垢衣人罕見其面遇所契者至則瀹茗論文辯析經義或有俗客來輒相對默然以諸生終廷楨從孫坦字履之號淦生廷松孫也父爕字理堂以諸生官福建巡檢坦幼穎異父愛之甚不令縱讀然經史過目輒不忘甫冠即與從叔焯同舉鄉試嘉慶十六年成進士除內閣中書道光四年充雲南副考官供職京師簡淡寡營不逐逐於聲利轉補典籍出爲湖南寶慶府同知代理新甯縣事吏才精敏上官嘉其治行將以卓異薦坦力辭遂乞養歸閉門課子學使滿洲青麐坦受業弟子也拔臨江甯坦以兒業未就不令與試時人高之晚愛浙西湖山之勝遂居於嘉興咸豐十年賊犯杭州倉卒渡錢塘江至蕭山卒同時有從恆者字秩山廷楨疏族也父心寅以孝行著事見前志從恆年四十妻亡不

娶教子極嚴弟從恂早卒其妻郭孝子鴻之女也無子從恆以已子嗣之稍忤母意輒痛撻不少貸誠於祀先祭必竟日曰非是無以妥先靈也祭器庋藏高閣雖宴饗弗敢用祭之日躬自滌濯年七十餘卒子大申避亂居杭州咸豐十年城陷死於難采縣志粉槃錄開有益齋集

伍光瑜字孚尹號屛秋上元人明欽天監博士儒之裔也六世祖浩以助振賜四品冠帶儒浩事均見前志曾祖遵亮字致遠以耆古善鑒藏稱祖庭祚字宗鯉事母孝父士祿字守旃國學生性廉讓好施予嘗修林家岡至麻田大路行旅以爲便光瑜生三月而孤嫡母陳生母楊撫之成立充嘉慶丙寅歲貢候選訓導遂絕意進取專以濟人爲務先是里中有同善堂以恤嫠生母陳卒以所遺簪珥質千金助經費嫠婦中有仕宦裔格於例難加恤乃於歲暮自出

貲濟之凡兩縣之貞烈節孝婦女俱爲請　旌入祀幷紀其事畧
以備考後復與修上元縣志焉嘉慶十九年旱災首捐五百金幷
廣爲勸募凡九閱月竣事議敘加主簿銜光瑜以餘羨白大吏發
典生息備歉用及道光三年大水取以益振乃知其所慮遠也又
於下關設拯溺船曰生生堂每歲活人無算凡修府縣兩學宫復
先賢各祠墓治鳳臺門大路濬城內支河皆不惜貲以成之上元
江甯兩縣軍船之制有運籍有快籍快丁例助運丁費快費不解
則催比急迫黠胥又啖快丁攀富民以魚肉之光瑜深憫其弊乃
倡募捐貲權子母以供運造之用請於大府仿銀當人差例不復
僉丁而百年之困以蘇厥後同縣給事中章沅以確查編審入奏
御史張曾以鄉捐生息濟運備荒兩事請勿更張挪動入奏皆本
光瑜之成法以爲言也年七十有三卒祀鄉賢祠著有補園集沅

字荆帆與弟濤先後以文名嘉慶二十三年舉於鄉二十五年成
進士由編修改御史出爲山西雁平道攝按察使多平反寃獄擢
長蘆鹽運使裁陋規肅綱紀風采甚著未幾卒官曾自有傳光瑜
子長齡字厚山歲貢生舉道光元年孝廉方正以知縣用長齡弟
長華字實生號雲卿少受業於同縣吳翼元翼元字石倉諸生磊
落好義品學兼粹長華盡得其傳嘉慶十八年舉於鄉明年成進
士　廷試一甲第三名授編修四校京闈一主浙江鄉試一督廣
東學政出爲廣西右江道歷長蘆廣東鹽運使承鹽務積弊之後
杜絕苞苴一裁以法內外肅然遷甘肅按察使値陝兵譟圍督轅
楊忠武欲盡殺以示懲長華力爭之釐戮十三人餘以次釋之師
衆大和轉雲南布政使滇藩以銅法爲重務長華體察各礦衰旺
及歷任弊端著雲南銅法志旋擢湖北巡撫清訟察吏率屬以廉

勤厲部晴雨糧價等報皆目覽心記語人曰此民生休戚之本也嗣以總督周文忠公被訐督審不力被議歸杜門不與外事無纖毫怨尤見辭色買田來安以為祭祀睦族之備又買青龍山一隴以為族葬之地未幾卒弟長英以舉人官至湖南常德府同知長松長馨皆舉人長華子承欽字式之號退齋道光丁酉拔貢舉十九年鄉試性剛介嫉惡如仇人不敢干以私咸豐中游陝西歷主關內崇化書院士皆勸學同治中歸里里人延主救生局務時局事多廢弛承欽毅然任之裁浮費復舊規不為浮言所奪不數年眾務興舉經費裕如同人議送薪水費力卻不受人至今猶思之晚選山陽教諭未上卒年七十有六著有燹餘雜詠長英子承平字伯衡道光十四年舉於鄉官海州學正水災查振挨戶無遺遷徐州府教授從事軍務凡八載漕運總督袁端敏檄司團練創建

堡寨爲八團守望益力故徐州雖當賊衝而卒無恙鄉團之功也承平以軍功歷升直隸州知州加知府銜卒贈太僕寺卿承平從弟承鈞字梓庭承組字雲峰皆諸生能古文承鈞文法三蘇古近體詩尤卓絕承組文法六一所著原亂等篇巡撫許乃釗喬松年亟賞之嘆爲有用之文皆有集藏於家光瑜從子思樹字滋園少孤事母孝好濟人急親族有告貸者必賙之議敘鹽運副著有補竹山房詩文集思樹子承緒字述之諸生采縣志鄉賢錄行述粉槃錄

顧綬汝字仙沂江甯人前明金陵世族盛推二顧而前顧復分兩派綬汝副使璘之後也父城字石頭善鐵筆綬汝傳其家法既補諸生文名甚噪客揚州主御史鄭宗彝家與汪中俱以鑒別書畫著名安定山長蔣士銓深賞之年五十一卒子炎起喬奎皆諸生喬字敬岳束修自好亦工篆刻年甫三十三卒同學友爲醵金郵

其孤道光時有名塏者字景山尚書璘之裔也慷慨好義服賈廣
東遇故鄉流離子必厚恤之有無主柩不能歸者五塏皆載還葬
之歲刻普濟良方爲母乞壽母病刲股和藥進得愈家居時見觀
音門大江天黑不辨崖岸每大風起小船取溺人貨曰撈漂乃與
武進湯貞愍立忠信堂口岸懸燈設紅船救溺自是小船不敢出
咸豐初避亂居吳親友往依者十餘人皆留養之其子弟使就塾
讀後歸里卒年七十餘同族九韶字鳳儀諸生忠誠敦篤與人交
然諾不苟館於上元湯氏雖疾亟猶課讀不輟尋卒至侍郎起元
之裔乾嘉以來知名者有與孫國光士傑人龍與孫字警庵自稱
杏邨老人以詩名著有望雲草國光字震東江寧諸生孝友勤儉
耄而好學子諟字畏堂號道存亦諸生好手錄經史參酌音釋所
居爲文莊故宅有園池花木之盛每逢佳日輒奉父遊宴雖薄肴

巵酒必侍立侑觴年四十五卒諟子恩溎字泗源諸生年四十卽不應省試嘗云教童蒙功不在治平下乃就遯園課羣童貧不能讀者咸令來學其用意與陳瑞符同坐是家益貧然終不干人夜有竊盜入室恩溎予以貲誨而遣之後察其人果改行年八十餘卒瑞符上元諸生嘗爲義塾師有富人欲延之脯脩甚豐不肯往曰此皆無力從師者委而去之可乎親友有顯者不與通音問孝子楊銓最重其品爲士傑字雲巖爲布肆主計會暇則摹帖詠詩書法勁厚著有留月讀書樓集人龍字飛雲號逸上又號汶鈞諸生豪邁尚氣節揚州鹺商欲聘爲記室辭不往宋必華其姊壻也嘗塗得錢券十餘千持以與人龍曰君貧甚聊以相濟人龍正色曰子何自待厚待我薄乎必華謝曰戲言也試君守耳復往塗中候遺者至還焉里中人兩美之人龍生平耆書遇善本輒典衣購

之或曰食不繼笑謂家人曰讀書可飽苟多得數卷能支數日不死人服其善處貧當塗馬壽齡謂其爲人是韋布中有心疏水中有骨者必華字子衡亦江甯諸生性謹慤嘗拒奔女於旅店與人龍最相善時以明宗戚勳臣後傳者又有朱熺陳榮徐碩周書皆上元人熺字郁川一字霞川齊宗之裔也居文德橋工詩文精音律篆書鐵筆皆妙尤豪於飲酒酣輒縱談史事幕遊廣西而卒榮字近光靜誠先生遇裔也父其璣博通內外科事見前志榮早孤事母孝崇尚節儉牲無特殺亦工醫嘉慶二十三年舉於鄉一上京師卽謝歸專務濟人家既饒裕贍及族姻有待以舉火者卒年七十有一著有痧證辨惑疹病簡易方瘟疫合訂傷寒雜病說碩字碩人中山王達之裔也少時家素豐盈碩獨孳孳於學遭亂中落而性剛直廉介以諸生終書字石渠亦諸生南漳儀賓韻之裔也四

家皆藏有前明誥勅咸豐前有及見之者采詩匯文徵妙香集待徵錄粉槃錄縣志
孔毓璋字鍾巋號奉峩句容人明大學士貞運之裔也父興禮字
天秩諸生毓璋性孝每晨必趨侍母陶側問所需而敬進之旣補
諸生館從兄毓文家久以子未學辭歸教之乾隆五十年大饑石
米五千緡毓璋鬻産贍及戚屬數家無凍餒嘗以片語脫人於危
人皆稱之子傳薪字雪樵乾隆五十四年拔貢生歷官直隸任邱
行唐知縣傳薪子繼廉字簡卿性寬厚寡言精算數由國學逢
臨雍大典以聖裔　恩賞州吏目援例爲縣丞分發湖
北歷署公安監利縣丞調武穴主簿時値夏漲潭子湖堤將決繼
廉露立風雨中力集民夫搶築完固咸豐三年武昌戒嚴襄理軍
需局籌措有方會鍾祥縣屬獅子口溢修費甚鉅大吏以繼廉善
勾稽檄往勘估適賊至城陷竟以是免難保升知縣加知州銜署

通山縣事以兵後請緩征免茶貢均允行尋以事降級調辦荆州河防擢通判以疾乞歸卒年七十有二子二人廣業以諸生官四川通判廣楷湖北候補典史毓文字肩吾乾隆十八年舉於鄉明年成進士累官吏部郎中主湖南庚辰鄉試洊升按察使內遷太僕寺少卿子傳雋官四川羅泉州判傳雋子繼銓字寶臣居江甯城北石橋以諸生官寶山訓導咸豐十年城陷死之繼銓子廣澤字潤生死三年江甯之難毓文弟毓昌河南靈寶典史毓昌子傳勳乾隆六十年舉人官陝西同官知縣毓文從弟毓桂以貢生官奉賢訓導毓桂子傳慶該博能文而性剛介以諸生舉嘉慶元年孝廉方正總督陶文毅公延教其子一言不合拂衣而去旋舉十三年鄉試嘗與同縣王應祺捐造三台閣以轉閣縣文運應祺字泰芝武生傳慶從子繼凝字靜齋咸豐中辦理團練以衛鄉里六

年隨向忠武軍退丹陽七年收復句容辦善後諸局留養婦女七百餘人同治三年興復書院與知縣某籌膏火費尋卒繼凝從孫昭秉字君夔耆古工詞慷慨尚義每歲暮必邀同縣陳厚寬葛亮楷施衣粥救貧乏光緒三年卒厚寬字培一咸豐十年居蘇州賊至被脅脫歸則妻張已投水死母不知所在徧訪無迹乃誓行善舉以求母還七載不懈賊平其友某自蜀送其母歸於是爲善愈力後卒於金陵亮楷字晉書亦諸生昭秉族弟昭緯字東山工畫又宗八式之居筆架岡能文工詩舉道光元年孝廉方正及兵後念族人云亾輒泣不止乃即本支有節行者錄爲一冊以紀之採訪

武文衡字商平溧水人明贈太僕卿暐之裔也歲貢生內行修潔養親無違志其父老矣非博塞終日焦然每失負從親交丐貸文衡隨而私償之率以爲常父大安以爲於家無累也文衡性耿介

非義不取坐是困甚有子將取而夭其婦誓死歸夫家眾皆曰毋重自困也文衡獨毅然整衣冠至女家叩其父母知志決命出拜越日以禮迎歸少攻舉業及與方舟交始發憤於經史近六十益刻苦晝夜不休後丁父憂以毀卒子洙字季子以七喪未舉走四方謀葬貲未幾卒於京師宗人自厚字愛渠號秀山諸生少失恃事繼母孝父勤齋好施予自厚能承其志當歲大歉鄉鄰多賴以全秉衡字蓉峰績學工文充嘉慶癸酉拔貢生平以儉自持言笑不苟選授頴上教諭遷常州教授時縣中舊姓又有司徒氏而臨棠杰宜最知名臨字于敦諸生事父母以孝聞閉戶讀書雖族人罕識其面疾臥牀蓐猶著述不輟棠字際周號補山歲貢生好學善屬文精書法有幹濟才縣中大務必與焉杰字粱公號書農拔貢生潛心經史綽有文名晚年鍵戶著書學養愈粹宜以貢選靖

安縣丞三署縣事有惠政采方望溪集文徵詩滙
邢揩字蘭軒高淳人明江西布政使珣之裔也少孤貧躬耕以養年十六外祖楊殿見其英俊勸之讀晝夜攻苦足不出戶遂通經史補縣學生性直敢言處公事如家事不避勞怨以歲貢終其身弟圻字抱眞秉資和厚博極羣書尤精左穀嘉慶十三年舉於鄉與王朝楩吳嶸俱爲名舉人知縣許心源創建學山書院與酌條規未及竣事而卒朝楩字豫材性慷慨臨事剛直乾隆九年舉於鄉嘗與修縣志後以揀選得知縣不樂仕終日垂釣於綠楊閒有隱逸之風弟朝杞諸生亦能文嶸字壽齋號霞山生而敏慧耆學工文與從兄崢齊名崢字青嵐亦淵雅人目之爲雙璧嶸事繼母孝友愛二弟品高行潔乾隆五十四年舉於鄉嶸同族球字鳴唐諸生肄業江甯尊經書院與吳坦交恂恂自好不立崖岸而潦倒

不遇後坦既貴紆道訪之見所撰傳經堂經解慨然曰此足以壽兄矣遂爲刋之又著有書經精義藏於家圻從弟坦字平坡處事風雅嘗爲族祖詩人昉立後且助以婚娶費塏字玉川諸生性爽直不善治生喜爲人排難解紛雖受其斥者無敢怨見人作阿曲態輒去之同時楊朝棟性柔和與人交善於勸勉故人樂從其言亦往往息爭焉又孫泗字登龍幼穎異能文爲諸生講學里中循循不倦尤以維持風敎爲己任鄉黨有爭輒就處分無不悅服以解後以年高得 賜檢討卒年九十有一堦宗人以孝友著者懷西字曰明事母誠敬母卒懷西年六十三葬母於沛橋去家三十里廬墓三年自業少孤家豐於財有田五百畝爲兄蕩盡自業無怨言紹發亦孝友與兄析產已久一日得鬻田數十金割半與兄不使家人知也在尙字愷生事母孝朝夕不離母沒抱尸呼阿孃

晝夜不絕聲既葬逢朔望哭於墓十餘年如一日以文著者芝字蘭畹性沈靜博雅長古文及樂府詩年八十餘猶手不釋卷著有白湖漁唱集景暘以恩貢爲淸河教諭月課諸生以詩文歸里後與修縣志居恆以孝友敎宗黨人多化之鳳陽字丹峯諸生性耿直工書著有花岡遺稿復生字荻洲好讀書尤工詩著有寶綸堂草以義著者復誠字艮生性樸慤尚義祖之鵬嘗捐田一百畝爲邨中置義倉又設祭田大宗四十畝以周宗族小宗三十畝以恤親戚至是復誠益以數十畝自其大母陳建石橋於邨溪之上久而圮復誠復建之父本岐嘗欲爲邢氏族設義倉未就而卒復誠與弟復吾卒成之乾隆三十四五年閒高淳大水壞民廬舍既而大疫復誠多所振施又爲籌醫藥葬埋費至五十年大旱復誠盡出藏粟千餘石以食眾復貸數百金以佐施議敘得直隸州同卒

年八十有二子晉國勛皆國子生國勛字允桐嘗捐修祠宇及學山書院費不貲復誠族兄弟復遇字濟生憫同族貧乏者多捐田四十畝以濟之又宗楷乾隆五十年旱捐白金二百兩以振宗楷妻孔道光三十年水大施米穀承性慷慨敬禮儒素嘗捐田百畝以給士人考費瑞年嘗重建買墅橋幷治大道四里士昕嘉慶十九年大饑捐銀二千兩以助義振又捐書院田四百畝禹吉亦以助振得名邦達字顯廷道光二十年捐田百畝以供祭祀邦華字石湖國子生善繪事有王正吉者貧而孝欲鬻妻以供甘旨邦華給錢米贍恤之邦華子祥鳳字子儀諸生工四體書采訪

梅鈫字隅庵上元人父穀成字循齋官至左都御史自宣城遷江甯遺疏請入籍　旨許之並命子祭葬謚文穆兄鈖字敬名國學生純篤沈靜早卒鈫以遺疏　恩賜舉人敦行尚義創立江

甯支祠置祭田申宗禁族人稱之弟鈔鈁鏐鈔字二如一字式堂乾隆庚午副貢性至孝侍父疾晝夜不解帶工於古文與戴祖啟戴翼子齊名著有新晴閣詩草大事論三禮方隅鈁字導和潛心算學刪定統宗圖篤好書籍不惜質衣以購亦早卒鏐字既美號石居縣學生當鈁病革時禱神請代既不起鏐痛之甚遂不應科舉以養親每晨起立榻前問安否夜分俟親寢而後退中裙廁牏躬自浣滌又通小學工八分書著有古文一卷釴子法字旭莊乾隆己酉優貢選吳縣教諭（其妻楊性賢孝嘗刲股愈姑疾）法弟辛原名渥字秋田諸生博學能文少游京師嘗傳大學士文文端後復爲掌章奏都中學者羣奉之以爲師法子紹恩字秋園紹恩子纘高事見仕績傳鏐子沖字衷淵一字抱蓀嘉慶五年舉於鄉博雅淹通耽心著述著有然後知齋經義答問莊子本義離騷經解陰符經解勾股

淺述增訂事類賦詩文集沖子曾亮事見文苑傳曾亮弟曾憑字仲卿性嚴正以幕遊江淮間每歲所得脩俸悉贍其族黨戚友卒之日來弔者多痛哭失聲 國朝以來奉 特旨入江甯籍者梅氏外又有車氏張氏焉車研字養源一字靜年上元縣學生曾祖萬育字與三官至兵科掌印給事中自邵陽遷居金陵

聖祖南巡召問治河方略卒後 諭令卽葬於江甯大父鼎晉字麗上一字平嶽以編修視學福建有廉明稱會其弟鼎豐鼎賁以浙人書案連及罹禍憂懼卒父敏來字遜躬一字望亭由進士除廣東新會知縣遷山西隰州知州書其聽事曰勿作子孫計是爲父母官著有偶然詩草研爲文極敏有洗硯癖中年以章奏幕游與上元戴衍祜同縣岳夢淵徐煜齊名衍祜字受之翼子之子也翼子事見前志百文敏總督兩江延入其幕時有閻志倫者以邨農

題逆詩於鼓樓獲送獄文敏欲窮治之衍祜曰此風痰也宜外結
拂其意遂辭出其不阿如此弟衍祉字申之工書尤善篆刻嘗遊
燕陜間爲幕府上客嗣應天津　召試充文穎館謄錄議敘
得江西新泉縣丞不諧於上官引疾歸夢淵字水軒一字峙亭品
高學博下筆千言有經濟才游歷徧天下著有海桐書屋詩鈔依
紅自惕錄子樹德字滋園樹仁字樂山樹本字耆園皆能詩煜字
蒼晴程廷祚之外孫也幕遊淮海性慷慨詩有風格弟煒字梅仙
亦耽吟著有寒香閣詩存倦遊詞鈔煒子雲部字夔生諸生研弟
碩字介石乾隆九年舉人官知縣碩弟確字絳年諸生研長子廷
儁乾隆三十五年舉人官河南知縣次子廷雅及孫懋功懋官皆
諸生又懋修懋恂懋勛懋貞懋正等亦碩之諸孫行也懋修字竹
君更名淮與弟書俱以諸生有名書字子向工詩喜與方外交終

身不娶卒無子友人謝學元弟子蔣師軾葬之於雨花山學元字幼暉江甯人少負奇氣當賊據江甯時嘗上書江蘇巡撫徐忠愍請嚴東壩溧陽廣德之防忠愍不能用後果如其言晚以歲貢選睢甯訓導卒子緒曾亦歲貢生績學耆古以不得志抑鬱卒懋恂字俊三純謹好學懋恂多病妻王刲股以進竟不起懋勛懋員均以諸生死咸豐癸丑之難懋正字養之亦諸生庚申江南營潰遇賊自經死碩族子持謙事見文苑傳持謙弟持謹字子廉一字澹修著有草草草堂詩張承烈靖逆侯勇之元孫也曾祖雲翼官至松江提督

賜第江甯大中橋側大父宗仁嗣居之遂請入籍宗仁事見前志父謙少侍

高宗讀書及卽位以舊學寵異之卒承烈襲爵官甘肅游擊率西甯甯夏固原三鎮屯田新疆平遣犯之亂進參將卒官子秉樸字

西園上元諸生與弟秉楷事母以孝聞序應襲封重違色養乃走京師求免許之坐擅遞封章褫歸遷居江浦終身怡然其所賜第至今猶謂之侯府云宋詩匯文徵待徵錄粉槃錄縣志

方道希字師范先世自桐城遷金陵父舟上元縣學生文名雄一時事見前志道希性友愛以諸生舉乾隆元年孝廉方正會弟道永官通判僕隸設詐得財事覺誣污主人以自脫道希聞之氣噎遂得疾及道永事白而道希竟卒無子以道永子諸生惟敬嗣惟敬從弟超道章之子也苞之後至超始占上元籍以舉人官英山教諭超弟惟寅字直清號厚堂諸生性淡泊與人無競晚精醫著有浣思齋學吟草惟寅子性棻性棻子慶中慶中子恩露字雨培道光壬辰副貢咸豐三年粵賊陷江甯死之惟敬孫先甲字慎之少孤力學補縣學生性耿介方氏有義莊在江甯鎮祖最難督先甲治

之佃不敢欺然歲數祲貧農無力完納而族姓恃爲養育則出已名稱貸以益之用是逋日積同縣潘忠毅與先甲爲總角交時官山西布政使數寓書招之將爲納貲爲知縣先甲既至謂忠毅曰僕逋殆二萬計若以報捐累君而徐取償於官彼地之民何罪吾不忍也事無可言此來但當與君痛飲耳忠毅知不可奪則留傳其子未幾忠毅進撫河南先甲忽心動急求歸省至則母無恙見其歸亦大慰乃不十日竟遘微疾卒先甲適及治其喪也既忠毅復招之適忠毅左遷湖南布政使粵賊已犯湘邊先甲至長沙縋城入已而解嚴聞賊下竄乃旋里語人曰事不可爲矣自長沙以下至江甯無一兵江督亦非知兵者賊豈可禦乎及城陷從容如平時與妻共酌畢賦絕命詞相對自經死詳見忠義傳中族人若夔原名五德字衣江候選縣丞亦死是難采詩匯文徵忠烈備攷縣志粉槩錄白下瑣言

王廷亭字于庭一字星源江甯人曾祖斗垣自婺源遷金陵居上新河祖之炤字開仲一字潛峰以孝友聞父文德官山西平陽府同知從父安修字後邨初名文治江甯縣學生（見采芹錄）工詩古文辭與同縣先著友善著有後邨集昌志集著字遷甫自稱蠲齋或曰盍旦子撰有墨笥之溪老生集欒裹集望影詞詩爲嚴元所許者始存卽所謂嚴許集也元字克宏上元人著嘗兄事之廷亭官至工部員外郎著有約齋集從兄天印字山立諸生工詩嘗與錢塘袁枚唱和著有懋德堂集弟廷言字顧廷少負幹才有膽略仕至直隸順德知府以疾歸居龍江家有臨江一樓曰蔬香自號蔬香老人工詞年八十有三卒著有自娛小草廷言弟友亮仕至通政副使（事見前志）友亮子麟生字孔翔一字香圃諸生性豪善飲工詩著有補梅書屋集麟生弟鳳生字振軒一字竹嶼以貲爲通判試用

浙江署平湖知縣晨起坐堂皇待民訟訟日稀時江甯奏逆民方
榮昇傳教誦經讞獄者遷擢而平湖有獄類是巡撫清安泰欲以
爲鳳生功鳳生訊其非逆請罪首事者釋其餘曰某不忍以枉民
命得官尋補嘉興府通判權知府事遷玉環同知巡撫帥承瀛檄
振杭嘉湖水災改乍浦同知究心浙西水利欲濬浙水出天目山
阻吳松江者與江蘇省集議事未行擢知歸德府旋升河北道以
病去大學士蔣攸銛總督兩江薦入都授兩淮鹽運使俄以私梟
黃玉林事罷爲六品職湖北方築漢江隄奏請鳳生監築兩江總
督安化陶文毅又令理岸鹽並定票鹽章程事皆辦旣兩省俱以
道員薦將入都卒著有浙江水利考學治體行錄宋州從政錄河
北采風錄江漢宣防錄讀史彙說沱江感舊集陳慶蓀字肖梅江
甯諸生鳳生甥也幼孤貧因父沒於粤無力歸葬心常戚後鳳生

爲返其匱而慶蓀終以家室累客吳而卒著有詞集廷享子煊字香田早歲喜爲詩隨園詩話嘗采之以病目幾失明遂棄舉子業援例爲國子生已而父没京師經紀諸費皆獨力任之而仲弟嘉黼復卒從子世銓甫五歲撫以成立又均其家財生平持己嚴肅處幽室無惰容重交誼樂敦恤嘉慶十九年大旱傾囊助振前此已入貲爲道員至是議敘紀錄二次性耆書畫精鑒別收羅之富甲於江南著有玉壺山人詩詞彙稿嘉黼初名炳字少文才名噪於時

高宗南巡以諸生獻賦　召試二等特賞文綺之　賜

居父喪以毀卒年三十二著有春潭詩文集采詩匯柏梘集古微堂集

論曰路端木伍顧孔武邢諸氏簪纓赫奕傳自前明而梅車方王各族又皆以列郡高門槪從土斷三吳顧陸六朝王謝其風格固

不減也維桑喬木恭敬所存弓冶箕裘庶幾有善承其業者與
陶紹景字京山號慕庭江甯人性至孝年十二母疾刲股療之乾隆三年舉鄉試第一選雲南大姚知縣調永善以憂歸服闋補福建松溪知縣調臺灣其在雲南民風樸陋務以德爲化及至福建民詐很健訟乃以嚴法繩之而兩境皆治嗣攝淡水同知任滿當遷遽引疾歸乾隆五十年大荒以千金遍散族人家居幾五十年温温長者口未嘗言人過嘉慶三年重赴鹿鳴年九十有六卒臨没召諸子曰吾家幸尙温飽凡遇可以濟人事勿吝貲財貽錢虜羞素工制義與同縣周際昌齊名刋有陶周合藁際昌字鈞溪由舉人考取內閣中書性倜儻居京師十餘年未嘗干要人與人交有不可意卽閉門絶之以此積與俗忤年五十餘卒曾孫恩字春橋諸生紹景孫渙悅字觀文一字怡雲嘉慶十二年與弟濟愼同

舉於鄉官至戶部郎中陽湖洪亮吉其契友也著有自怡軒小稿時與亮吉友善者句容則有王吉士王廷俞沈衣言朱鏞鏞姪潞駱三奇楊鳳翔皆諸生鏞字鈞谷好金石陽湖孫星衍亦重之及亮吉在京師則江甯孫溶嘗爲之主溶乾隆四十五年舉人充四庫館總校又燕以均字山南亦江甯人以詩與之唱和已而亮吉被謫戍則江甯陳湋送至保定臨潼知縣上元阮坦迎候資給其題萬里荷戈集者則上元孫韶及渙悅也韶字九成諸生以春雨詩爲儀徵阮文達所賞人呼孫春雨著有春雨樓詩略子若霖字雨邨亦諸生性冷靜工詞著有紅豆邨人詞鈔渙悅子定申字子靜生長素封造次必以禮法與上元方先甲汪雲官李鈞善爲執友道氣盎然豪於飲雖醉無惰容無失言以諸生舉咸豐元年孝廉方正癸丑之難死於賊雲官字紀君兆虹之子也兆虹見前志亦

諸生孝友篤學書有重名先甲鈞善自有傳采詩匯縣志北江集粉槃錄

陳文樞字鄴侯號西山上元人乾隆十八年副貢以敎習議敘知縣分發湖北補漢陽知縣升武黃同知署武昌知府廉明寬厚以善敎民引疾歸武昌民爲立去思碑子光炎諸生稍後以循吏名楚中者有陳克廣字容原亦上元人乾隆五十三年舉於鄉官湖南江華知縣剛正不阿聽斷明恕時有疑獄莫能決上官檄克廣覆訊訟者曰此平昔不濫刑之陳官也我輩不忍翻供矣讞遂定尋坐事罷歸歷掌泰州宿松書院士林推服家居鷲峰寺側徑極幽邃築玉京仙館以居多植芙蓉與契友王嘉言吟嘯其中年八十有五卒嘉言字箴堂江甯人乾隆五十四年舉人金壇敎諭著有緘菴憶說克廣弟克鳴字芑南嘉慶三年舉人性和厚文名甚著克寬字敬甫嘉慶二十一年舉人選授贛榆敎諭升國子監典

籍凡遇鄉黨善舉必力任之後因水災辦東關水閘以勞疾卒克家字菊人與克廣子兆騏克鳴子兆書皆諸生光炎子瑞朝字松雲六歲喪父事母至孝母病風痺瑞朝侍疾維謹每冬月常伴母宿妻李亦先意承志二十年如一日比居喪年已五十餘猶作孺子慕焉以歲貢生終瑞朝子逢年事見忠義傳宗人大鈞字子韶諸生家雖貧而不妄取同治初改建府學於冶山及興舉樂舞大鈞皆與焉光緒元年有司以孝廉方正舉尋卒著有近思錄集解海上行吟草采文徵詩匯待徵錄

朱紹曾字曾門一字衣言上元人六世祖應昌從其父廷佐自吳遷金陵居盧龍山下遁跡不仕伯高祖墉號鹿岡倜儻有文武才嘗佐將軍蔡毓榮幕多所匡益晚授徒瓦官寺以自晦高祖圻諸生曾祖元英以二甲第一名進士官編修皆知名事見前志叔曾祖元

律字夔聲諸生家貧售其居宅葬父母兄嫂九棺徒步風雪中備極艱苦晚稱嶰谷老人祖松年字枚長亦諸生慈厚好義事繼母陳甚謹食未奉母者不敢嘗昆季羣從百數力任家事貲財盡匱童僕散猶必檢身務還之有司以賢良方正薦辭不就父瀾仕至清河道事見前志紹曾以國學生充方略館謄錄議叙得雲南維西通判遷魯甸歷中甸同知擢順甯知府建育賢堂以課士尋遷迤東道嘉慶元年雲南牛肩山野猓劫掠督兵征之官兵惟恃鳥鎗賊多仰臥俟鎗子過發弩傷官兵紹曾乃每伍設火兵一人司鎗筒其四人空身持矛入箐追殺遂破其砦廣西苗掠師宗紹曾勦之於魯克嶆大捷總督勒保命援捧鮓造船渡魯布革江解其圍調補直隸霸昌道歷山西按察使安徽湖南布政使署湖南巡撫事內召授太常寺卿以事被議歸遇鄉里凶歉辦災振不遺餘力尤

篤於族戚歲分金以贍貧乏詩文揮灑立就著有華峰文集滇行日記威遠紀略弟續曾字序之一字芝園以國學生充四庫館謄錄議敘布政司經歷借補湖北襄陽縣丞署應山知縣有嫠與傭姦毒斃其孤孫誣告孫婦殺夫續曾廉得實雪其寃歷知穀城孝感縣時湖北協濟臺灣軍餉十萬石大府議碾倉穀給之續曾以軍儲跂俟碾運需時穀陳弗膏弗饜軍食後時買補又將擾民市米解兌旬餘集事升山東沂州府通判遷甘肅西甯府通判擢知靈州改廣西上思州知州上思武舉班壽昌言州南十萬山太平洞姦民結添弟會冊列五百人續曾往勘力言皆愚民非嘯聚糾罪首懲治餘皆釋之調署龍州府同知上官議編保甲續曾言龍州民茅竹爲屋歲無常居且內環十九土司外界越南涼山牧馬二鎮官吏紛出來往無時易滋邊擾請勿編查許之攝太平知府

以老疾乞歸囊橐蕭然僅餘二百金生平酷嗜吟詠著有璞餘集續曾子桂楨自有傳桂楨族祖濤字錦江其曾祖堂字季升爲應昌少子性岸異喜讀書補縣學生不樂干時總督于清端公聞其名微行訪之燕談移晷設杯水以待欲延主虹橋書院講固辭生平不苟言笑落落寡合見人危苦輒忘己濟物歲暮路有鬻女者罄家所有典金令贖之其高誼如此堂子頌字景略以諸生充會典館謄錄考授州同分發湖南署黔陽知縣時永順府所屬四縣苗民多骫法桑植尤悍易數官皆不協至是檄頌往署縣事頌曰向令以猛治非也勿與苗爭小利疏節闊目明示以恩則治不難矣既上釋可原之囚擇馴謹子弟俾入苗學民大悅尋補武岡州同有富人强奪貧者葬地將起其匶貧者訟於官頌廉得其實諭富人曰此壙果佳必無葬而復掘之慘若可掘必不佳矣吾聞陰

地不如心地掘人墓心地傷矣陰地何益富人慙而止未幾告歸頌子逢年字大有頌妾楊氏所出也頌卒楊被遣誓守夫墓不他適逢年幼不知也及壯聞之涕泣迎歸備極孝養焉濤逢年之子也少困苦族兄瀾官清河道察其謹篤貸以貿易族中孀者三人令以餘息贍之四十年如一日晚年課孫作家訓一篇其略曰業無大小身勤則必成財無多寡義取則能久詬誶之聲不聞於閨闥奇巧之物不設於庭除婦女不宜輕出盥饋宜修子弟不宜閒遊洒掃宜愼酒食致訟恐口體之多危博奕耗神懼身命之或隕勿押倡優致有玷於素履勿招僧道致蠱惑於異端濟人之危雖損己而弗懈朘人之利雖肥己而弗爲量出入則用不匱不至逋負之加思終始則行不虧不致悔尤之集語多不能備載濤子緒曾事見文苑傳緒曾子桂楷字欽阜候選鹽大使江甯城陷時罵

賊不屈死紹曾元孫則彥字俊民官浙江布政司理問咸豐十年賊陷杭州亦以罵賊被害均采朱氏家集

鄭製錦字東僑溧水人乾隆二十五年舉人就職鹽大使分兩淮歷新興伍佑二場擊梟剔蠹竈戶帖然總鹽以卓異薦遷直隸南宮知縣轉清苑治尚嚴日坐堂皇懸鑼衙前赴愬者鳴鑼則立提訊無留牘亦無冤民時稱為大鑼青天尋擢深州知州升眞定知府調保定遷大名道轉清河道清河兼理河務勘工精敏積奬一空擢甘肅按察使未行就補直隸布政使

高宗南巡御舟閣淺製錦夜率役千人於上下流築壩引他水以注之次第相引天明舟移直隸總督入見

上問辦差者誰以製錦對立

召見所奏悉稱

旨賞

戴花翎製錦退

上諭侍臣曰朕得一治河人矣蓋欲以總河之任畀之也未幾署
倉場總督卒於官子塏字于門幼有儁才舉乾隆四十四年順天
鄉試選授廣東西甯知縣改江西貴溪知縣遷豐城有王天保倡
亂率眾掩捕獲之擢浙江衢州府同知以貢木差引　見背
誦履歷聲音琅然
上顧左右曰此人曾著戰功甚好大學士歙縣曹文正在側對曰
此即原任直隸藩司鄭製錦子也
上欣然命軍機處記名以知府用回籍展墓卒於家塏子紹裘字
春麓縣學生以二品廕考授河南汝甯府通判升黃沁同知黃沁
首廳也專判度支庫儲恆數百萬紹裘清廉自矢涓滴不以入私
會夜有傳河督命支銀八萬兩者紹裘曰有劄否曰無紹裘曰無
劄是私也區區一同知亦　朝廷命官豈長官主藏者啻覆主人

劾便劾耳銀不能妄發也遂觸怒河督時距合龍方數日而任撤矣紹裘怡然無慍意已而以知府改發湖北適江堤決上官以紹裘諳河務命之督修費省而工固遂補德安知府調黃州知府卒於官紹裘族弟桂林字小山號森軒諸生事親孝好推解早卒桂林子之淮字月川性嚴正亦諸生之淮從子如榛字西苓善屬文工書法和雅有局度以廩貢生終據采訪

周發春字青原號惠涵上元人以諸生充乾隆乙酉拔貢三十七年　召試舉人授內閣中書入直軍機處生平言行不苟工詩古文辭與談羽儀均爲錢塘袁枚所重羽儀字毓奇江甯人少有儁才嘗與戴瀚周際昌講學清涼書室尋以諸生入貲爲刑部郎中著有意崖集生香書屋詩稿弟羽豐字牧堂乾隆十二年舉於鄉由內閣中書歷湖北武昌知府鹽法糧儲兩道轉按察使升布政

使告歸築室冶城山麓讀書講學卒年八十有四著有四書彙解晚翠軒文集海桐書屋詩稿與枝唱和者又有江甯何士容楊若偕劉志鵬上元曹言路六合汪世泰士容字南園諸生嘗館於其戚陶吳鎮楊思立家談詩甚洽著有南園詩集思立字阜溪自號橫望山人即若偕父也若偕字仲篪與兄若靄皆諸生著有環軒詩鈔志鵬字霞裳言路字淡泉亦皆諸生世泰字紫珊枝之壻也

官至知府發春子之桂字小山一字玉犀少倜儻善談論乾隆五十九年舉於鄉以大挑知縣分安徽歷署歙縣蒙城知縣有政聲之桂弟之桐字琴材聰明絕人充乾隆己酉拔貢著有延青閣詩鈔鏡璣詞鈔之桐子開麒字石生少孤母陳貴州巡撫步瀛女也敎之嚴開麒家貧苦學嘉慶二十四年舉於鄉道光三年成進士

廷試一甲第三名授翰林院編修充鄉會試同考官著三歷山

東湖廣道監察御史轉禮刑二科給事中凡上三十餘奏皆言吏治事與同歲生黄爵滋許球湯鵬齊名有烏臺四傑之目出爲甘肅蘭州道派赴哈密讞獄得實奏聞稱　旨尋擢山東鹽運使未上授浙江按察使升甘肅布政使以病假旋里道光二十二年辦本籍團練二十七年入都授福建按察使調直隸轉浙江就署布政使未幾告歸適江甯大水當事以振務屬之遂於四城設粥廠自秋徂冬公帑不足輔以捐輸全活者衆俄以微疾卒開麒性和易而介然有守晚耽禪悅喜與人談因果闓梁氏勸戒錄多采其言子聲鏞字笙伯官東河通判加同知銜當是時江甯以門閥著者吳模少聰慧試童子時袁枚爲知縣拔置第一補縣學生亦充乾隆乙酉拔貢舉三十三年鄉試選授廣東大埔知縣模子之芳諸生之芳子坦字履吉嘉慶癸酉拔貢二十一年舉於鄉明

年成進士以編修典山西辛巳科鄉試著述甚富與坦同歲拔貢者上元溫肇江字翰初生平蘊藉沖和詩翰精妙並工繪事爲諸生時課讀歲得百金見鄉鄰有急卒不待告而與之道光八年舉於鄉十二年成進士授戶部主事尋管捐納房主稿三年禁胥吏赴私宅畫稿蓋杜其送例規也其狷潔如此後卒於京邸著有鍾山草堂集子應棟官直隸按察司司獄不事貴緣久於一官周卹寮友情誼尤摯又曹庚字西有上元人乾隆二十五年舉人著有且想齋集子含暉字岫雲幼時父寢疾即知籲天祈禱比喪哀泣如成人既補諸生有文名含暉子淼道光乙酉副貢生當海氛起淼恐母驚秘不以聞而心實憂之未幾卒淼弟森士鶴事在忠義傳士蛟字叔龍道光十二年舉人選授蕭縣訓導爲人磊落有斷制文亦踔厲雄偉著有燼餘草范承祖江甯人父鏊官光祿寺卿

事見前志承祖以進士授編修轉御史出爲四川夔州知府弟承典亦以編修官至通政副使承典子元凱博雅能文章官江西縣丞攝星子知縣承典從弟承恩字覲楓工詩官雲南通判著有小蘅詩鈔承祖同縣陳經字震宇乾隆二十九年舉人沈默寡言笑爲文簡潔渾古精於奕晚亦戒之子汝鈞字學彬諸生汝梅字蘊舟乾隆五十九年舉人嘉慶四年成進士官山東平原知縣汝梅子之驪之驊皆諸生之驥字叔良道光五年舉人六年成進士由甘肅知縣改直隸長垣知縣累遷至山西雁平道轉湖南按察使從公勤職不以家累自隨延契友姚天麟課其子於金陵未幾之驥卒官粵寇陷江甯天麟百計脫其孥適當事有以重幣聘天麟者天麟義不往衞送至杭州始已人以是服之驥之能取友也天麟字瑞庭上元人道光十五年舉人博洽工文采文獻詩匯縣志鍾山草堂集

涂逢豫字長卿一字懌堂號純溪江甯人從父學詩字苕樵以進士官中書有學行逢豫少從之遊作紅豆吟林於閣詩名譽大起長白夢麟校士江甯賞其文欲延入幕中以母老辭已充乾隆丁丑優貢遊燕趙間舉二十四年順天鄉試選潛山教諭夙與同縣陳嘉謨陳製錦上元吳近光善喜爲綺麗之詞晚乃證入悟境著有山礜集鳳城編皖江集晋遊草通潞集淮海錄瀠陽錄蜀遊草嘉謨字泰初乾隆九年舉人天性純摯與人交有始終製錦字組雲諸生少落拓不羈後深自檢束詩名盛一時有貞孃墓詩辨雨花臺馬湘蘭墓之非甚詳贍近光字訓行號邵窠亦諸生善爲文工書性耆酒每攜榼酣遊都市旁若無人逢豫子長發字松岩乾隆三十三年舉於鄉選四川江津知縣升眉州知州生平和易接物服官三十餘年謹恪勤勞歸里後宦橐蕭然未幾卒同時上元汪沁字燕邨乾隆十二

年舉於鄉歷官至山西歸化同知著有右山草堂集子鍌字匠門舉乾隆三十九年鄉試性冷峻不事干謁後主講太湖新安書院士式其品族子廷梓字霽亭跛一足而詩最工晚年自營壽域與友人醉吟其中采詩匯文徵

黃鵬年字翼雲號敬齋上元人曾祖瑞敦行篤學事見前志大父昇遇字東升以諸生官江都訓導升湖南益陽縣丞父純熙字嗣公浙江候選縣丞鵬年旣補諸生學謹而粹貌莊而和尤以書法重於時性好施予周給鄉鄰無所吝充乾隆甲寅歲貢嘉慶元年將以孝廉方正舉辭不就孫德符字應侯諸生亦善書曾孫汝蘭汝玉事見忠義傳鵬年從弟恩蔭字貽孫諸生性沈毅不苟取爲文有家法訓子極嚴年八十餘卒恩蔭子榮曾字芝田乾隆四十五年舉於鄉年甫十七後當謁選不樂爲州縣官乃改就教職歷阜甯

訓導宣城教諭無爲州學正常州府教授教士有法道光二十年重赴鹿鳴矍鑠如少年時同時以教職知名者有甯楷朱本楫朱上池萬保廷楷字端文江甯人少孤貧賣卜於市而力學不倦知縣張嘉綸異之言於總督尹文端以童生送入鍾山書院肄業遂師吳縣楊繩武爲文舉乾隆十八年鄉試十九年登明通榜進士選授涇縣教諭著有繫辭傳注左屑聞見略同學書院志修潔堂集菊圃偶談子承熙諸生本楫字涇舟上元人乾隆二十五年舉人三十四年進士選授定遠教諭性淡遠常以詩酒自娛王友亮嘗師事之著有碧霞詩草上池字崑發上元人乾隆三十五年舉人選授銅陵教諭學有根柢尤能詳明代故實居龍蟠里關後山竹影居數椽吟嘯其中所謂益山園也保廷字裴園江甯人乾隆四十二年舉人以知縣改官教諭怡然無慍色性好吟咏至老不

釋年逾八十重赴鹿鳴宴尋卒榮曾子家達字小谷能書畫工刻石家修字獻廷皆諸生家聲官四川會理州知州事見忠義傳宋詩匯及縣志

汪本字鏡泉江甯人父遇開字澹如諸生工醫貧不給者輒以藥餌施之本性爽朗少時家極貧食指數十人本獨任其責在鄉里尤爭眾望忿爭者必走質得其一言無不立釋為文極敏讀書不倦嘗云秀才與乞丐只隔一紙而富貴家不數十年便消敗秀才則終身如常當思其故晚以歲貢選沭陽訓導卒官著有四書集異五經考異清宇山房詩文藁弟炳文以舉人官淮安教授事見前志炳文弟鳴字鶴亭乾隆三十九年舉人官至陝西涇州知州性豪而善談論時事中夜不倦三已三仕視萬里為等閒遊卒後宦橐蕭然鳴弟恩字芝亭乾隆五十一年舉於鄉嘉慶四年成進士除

刑部主事改選四川南江知縣歷南充梁山皆有政聲民以青天稱之累擢安徽潁州知府調安慶莅任數年民安訟息俗以五月賽城隍神傾城殺雞無慮數萬恩聞惻然乃作戒殺雞文勸其以生雞奠民感其意無違者升甯太池道卒官士民懷之本子嘉德純厚有父風嘉德子汝式字子經少爲叔祖鳴所愛敎以詩卽多驚人句旣補諸生其從父鈞招致之令與郡中名士何汝霖章沅周開麒讀書於城北竹居三年學大進後又卽其家後圃與沅下帷其中益肆力於古旣而同學者皆掇巍科去而汝式獨不售乃棄舉子業幕遊皖南與同里金德榮甘煦聯文酒之讌有宛上同人集合刊性至孝歲暮必歸省其親遂以歲貢終著有信芳閣集德榮字桐軒上元人嘉慶二十四年舉於鄉以知縣歷安徽湖南二省試任繁劇有政聲後坐事謫戍歸有塞上諸作又有珠江遊

草汝式從弟鎮甲原名汝華字石秋以諸生有名於時汝式子元照字鳳生亦諸生炳文子嘉捷字月三諸生早卒嗚子嘉昇原名鈞字平甫諸生工詩古文詞與梅曾亮管同友善幕遊公卿間貧束脩以養母撫異母弟嘉洋有恩旣爲安徽巡撫鄧廷楨記室歲入稍豐每迫歲除然燭手權分緘款識自族黨以至知交次第分潤所餘以自給者無幾也將沒前數月與客戲集詩牌二句曰三徑草荒螢有路九秋花落蝶無家同人推服嘉昇愀然曰何衰颯至是吾其不久乎未幾卒卒年五十有八人多惜之嘉昇弟嘉鎔字台城善畫青綠山水及士女皆秀韻嘉鎔子復字雨生性豪邁方先甲壻也咸豐三年江甯城陷聞先甲雉經死奮然曰舅年老自畢可也吾當殺賊而後死舉八歲兒元龍投之水出與賊鬬殺二人歸而自刎其子元直亦從死復弟汝桂字燕山幼負奇力飲啖兼人或勸入伍及應武童試皆不願曰武童試需費不貲安所

得入伍非兵也直人奴耳且二者皆士君子所不齒吾何可爲咸豐三年陷賊中跳而免追者至手批殺一賊擲過濠賊懾而返同時項廷楨字石臣江甯諸生以文章氣節自負豪於飲凡不可意者必乘醉斥之人以爲快至是亦在城乘賊部署未定冒賊衣大呼犯聚寶門出遂得脫汝桂既出爲江蘇巡撫趙德轍戈什屢立功恥爲武弁求以文員保因得藍翎縣丞既德轍病歸徒步送之返山西後復入湘軍營從浙江巡撫曾國荃攻江甯軍頻捷將進汝桂官前一夕忽卒汝桂雖負武勇而恂恂如書生工繪事其季弟汝梅字月鋤死常州之難恩子鼎字子鑄以方略館謄錄議敘捐升知州歷山西永甯州雲南鶴慶州所在有名鼎弟海松齡皆諸生采文徵詩匯待徵錄安徽通志粉槃錄信芳閣集序

胡鐘字山音號蘭川又號晚晴江甯人幼耆學宗仰程朱以存心

養性爲要道性至孝親沒哀毀盡禮事兄鋐能極友愛嘗曰父母棄養當以事父母者事兄充乾隆丁酉拔貢旋舉鄉試以四庫方略館謄錄議敘選雲南太和知縣清勤愛民捐俸修桂香書院增膏火資歷官至貴州遵義知府杜絕苞苴痛黜奢靡有東鄉悍民挾仇械鬭即率健役往捕獲之大吏以爲警敏尋告歸足不履公庭嘉慶十九年江南饑倡辦義振凡救生捨藥散米授衣諸善舉無不捐助生平廉靜愼然諾友人嘗寄六百金謂曰急需可用六年還封如嘗素工隸楷分篆尤善繪事人咸什襲故告貸者得其書畫亦足稽潤焉年七十有七卒祀鄉賢祠鋐字振之號玉亭諸生鐘子濚官湖南湘潭縣丞澄字芸泉嘉慶十八年舉於鄉選發源教諭沛事見忠義傳澄子嘉楷道光己酉拔貢考取七品小京官補工部都水司主事直軍機處和易愼密同官者齮齕之乃發

河工學習數年始以貧階擢知府補河南懷慶府未幾卒官沛子嘉霖字續之道光丁酉舉於鄉謁選得安徽霍山知縣訟者非告期而投狀者曰傳詞有例費嘉霖勒碑禁之又俗每移尸以詐富民嘉霖爲設廣生堂遇有路斃者由堂驗埋其弊遂絶咸豐初粵賊擾湖北嘉霖聯四鄉爲十三團明設斥候百里外事瞬息卽達賊憚之不敢犯尋以憂去服闋攝天長知縣民素健訟嘉霖終日坐堂皇歷年積案輒以片言剖釋不數月公庭寂然會亢旱祈禱不雨嘉霖具文城隍神請以身代民災始大雨遂得疾士民合禱於神願代官死卒不起沒後囊無餘財士民醵貲庀喪具草冠芒屨臨弔者塞道嘉霖弟嘉彬字鈞生性精敏曲藝皆工書畫尤得家法以諸生援例爲縣丞補福建五虎司巡檢采縣志粉粲錄

葉世經字子常號存齋上元人父均官邳州州判事見前志世經少遊

京師舉乾隆四十二年順天鄉試大挑得湖南知縣署道州知州道俗健悍以人命詐財一月得四十五案世經窮治之擬抵者二人餘皆坐誣其風遂息尋補瀘溪知縣苗民雜處遇商賈率肆劫掠守土者遣隸搜索輒拒捕世經第遣二人諭以理法苗皆輸物還主縣境遂安調綏甯知縣以憂歸服闋補福建古田知縣禁溺女火葬其俗以變調署侯官有尚幹者邨民也與林姓互毆巡檢受賂以謀逆聞大吏謀以兵勦世經爭之曰尚幹愚民無知或械鬬謀逆則未也率數人往幹已逃詢其情乃爭蜆地傷十餘人驗不致死令獻首從六人以還又嘗獲洋盜蔡牽之黨雪誣抵死罪生員之冤以不善事上官二十年不遷職無愠色尋引疾歸家居十載卒年六十有五弟世倬自有傳世倬子德豫字立凡一字湘圃以貲爲縣丞効力河工初署直隸武清縣丞調補宛平歷管永

定河北上南下北下三汎晝夜巡閱綜覈工料吏不能欺檄攝內邱知縣編立門牌保甲驛馬芻茭當堂給直不以累民擢知固安縣王府莊頭某怙勢稔惡命健僕拘之抗辯不跪予以大杖慴伏不敢逞天津鹽運司承差賚貢物過境吏胥引爲狹邪遊忽訴某來此置妾爲人撓阻被毆德豫嚴詰之曰固安非產妾地汝奉差不謹將買良爲賤罪奚逭乃叩頭引去由是津差過境者不敢擾旋升永定河北岸同知三汎險工脩防克舉旣而丁兩艱喪祭悉遵古制不用浮屠服闋歷署子牙河通判漕運通判遷安知縣及趙州知州趙有書院久廢德豫脩葺之以孝弟勸士餘力課其詩文又嘗攝淸苑知縣保定府理事同知順德知府雖暫亦無曠職遂補保定府河捕同知讞獄不設鉤距情無不得尋卒於官德豫子克昌道光二年舉人官內閣中書孫守矩道光二十九年舉人

同治元年進士官工部主事德豫從弟德中字春帆官安徽布政司經歷同里周鎔與之善後避亂寶應倚爲居停主人焉鎔字笵亭江甯人寄居鳳陽好文章喜賓客家素饒裕遇戚友以困乏告施舍不吝咸豐三年賊過臨淮家業蕩盡凡金陵人有避難至者猶衣食之偶假貸不索償時上元錢棫江甯焦光俊江浦金步鑾張永清皆旅寓鳳陽每值佳辰輒招飲賦詩未幾皖北警轉徙至氾水鄉卒年七十有一棫字樸之工詩善書幕游天長遇賊死著有淮南吟草永清字畏知諸生性和易遇賊於六合之新集投水死著有選青書屋詩文稿光俊步鑾自有傳采葉氏家乘朱莊恪集詩匯縣志

吳球字研農上元人乾隆四十二年舉於鄉以三通館謄錄議敘得福建甯德知縣調嘉義知縣嘉義在臺灣素號難治球莅之未二月奸民陳周全倡亂陷彰化乘勝逼縣之斗六門球率衆擊平

之縣東柯仔坑林圮浦諸險林爽文餘黨黃親廖掛等乘間竊據官不敢捕球躬督吏役往獲其酋餘衆解散先是縣故土城久雨輒圮球易以磚石爽文之亂文廟燬於火球捐建如制尋以勞疾卒於官子介賓字達夫幼穎悟讀書過目不忘而性復至孝以父喪航海歸遭颶風舟將覆手握靈環誓與俱溺遇救得免歸里後篤志爲學工詩善畫與陳公綬陳炳文爲莫逆交嘉慶二十四年舉於鄉選授休甯訓導卒官年七十公綬字若侯上元人少孤力學事母孝帬牏之屬躬親浣滌與弟公紱終身不異爨舉嘉慶六年鄉試考取國子監學正截取知縣皆不赴所居七家灣回民常擾害閭里公綬白有司嚴懲之人賴以安又與同志創辦生生同善兩堂至今運行不替子春祁字子穀諸生父没撫弟妹及兄子有恩凡諸善舉亦繼父志爲之竝工畫炳文字郁堂江甯諸生有

文名居近雲臺閘時有惑形家言者欲閉西水關以利科第城西偏水滿闤市炳文力言於知府善慶啟之水頓消里閈皆頌其德

介寶子綸紱字錫之諸生粤賊之亂避居蘇州咸豐十年蘇城陷死焉采馬沅駐颿集粉欒錄縣志

李光裕字厚山一字芑泉上元人世居易鴽橋家故饒裕敦篤儒術乾隆四十二年舉於鄉選四川萬縣知縣歷綦江永川諸縣後從征喀什噶爾遭母袁憂以軍事奪情光裕含涕而行遂得疾卒於阿咱塘年四十一弟光昱字蘊山嘉慶六年舉於鄉貌莊氣和進退襜如自奉極儉而待人厚甲戌大饑偕同里陳嘉詒陶濟愼及宗人芝蕡捐重貲振濟議敘加五品銜著有易解詩解閱史輯要光業字勤只乾隆六十年與弟光晉同舉鄉試性剛而能勤耆古篤學熟於注疏晚好程朱之學以義振得提舉銜道光中復振

卹水災議敘加二級光晉字康侯嘉慶四年進士除翰林院檢討
儉素如諸生而書籍充富學爲世重光裕子登甲字英占諸生性
厚重不輕喜怒光昱子鈞善字濟卿道光八年舉於鄉由中書改
捐知縣分發直隸以文士不嫻吏事鬱鬱以卒光晉子登鎮字岱
青性剛直喜面斥人過而矜卹孤寡恂恂然動必以禮以諸生終
登甲子琛道光十二年舉人歷官山東魚臺汶上知縣琛從弟瑾
字伯崑咸豐八年舉人亦官山東知縣性剛直忤時罷任卒於家
李師韓字文起亦上元人世居總督署西其先自直隸遷金陵至
元伯而日昌大富甲一城與光裕家齊名而好善亦同人稱二李
師韓性寬和仕至貴州石阡江西南康知府子芝字青原與弟蘭
芳蕡華蓉皆篤厚好義甲戌義振既輸白金五萬兩復自設粥廠
於永慶寺活人無算嗣是凡遇水旱常捐重貲以爲諸富人倡前

後計輸三十萬有奇咸豐三年粵賊警諸質庫皆閉而李氏典獨如故貧民賴以濟至今稱之芳事見忠義傳采詩匯文徵粉槩錄縣志

金世綍字宸音江浦人祖標舒城教諭父汝鏞字宮黃與弟汝礪汝璉汝翼汝爲稱文中五虎以副貢生終世綍舉乾隆四十六年鄉試選授陝西三原知縣慈惠有政聲與族人嶒起山及同縣張永升齊名嶒字邃林以進士官湖北隨州知州振興學校士林向風起山佚其名以字行官江西樂清知縣平反冤獄樂清人德之立祠肖像以祀嶒元孫學濬字愚泉歲貢生手纂經史疑義著有餘慶堂集永升字大猷工古文乾隆十七年舉於鄉授四川榮昌知縣居官不施鞭朴民自畏懷祀榮昌名宦祠子屺瞻歲貢生孫鄯生字介石工醫咸豐元年以老　賜副榜與永升同榜中式者有葉永甯字駿聲內行敦篤工於屬文仕終五河教諭子世榮字

森亭諸生工書孫得興字魯庵道光乙酉拔貢嘉道閒江浦人稱文行之優者曰前有張葉後有陳瞿陳澍字以時嘉慶五年舉人瞿春字震東歲貢生世綍曾孫步鑾字子鳴恩貢生沈靜寡言善於料事著有濠遊草采備徵錄

黃鎔字右鈞上元人父思恕家故貧儉獨尊師蠁其資使子從同縣吳鎮遊鎮字諸民讀宋儒范茂明香溪集慕之因號范齋於學無所不窺後舉乾隆三十六年鄉試官待詔鎔體親志勤於誦讀舉乾隆四十八年鄉試五十四年成進士選庶吉士散館改授刑部主事升員外郎父憂歸服闋以母年高朝夕侍養遂不復出主講尊經書院平居恂恂然不以所能及名位高人獨大其居屋俾容高曾以下數十人皆同爨人稱孝義年五十有六卒祀尊經閣子晉元諸生同時蔡之銘字琴叔江甯人伯祖殿先字致青以孝

稱族黨中督學佟法海贈以孝友可嘉額祖殿颺字秦川工詩文父元春字育奇諸生少從方苞遊兼治選學著有在山堂集之銘與兄之鍾俱有名之鍾字劍伯諸生之銘性純孝乾隆五十四年舉於鄉侍親不忍暫離二十年不赴會試著有惜餘軒集子爲雄亦不墜其業又范敦仁字靜齋亦江甯人祖光裕字紹言諸生性古淡好施予敦仁舉乾隆四十二年鄉試選授泰州學正以母老不赴子孝純諸生趙藺字廉友句容人以歲貢選盱眙訓導迎母就養母懼涉江不果往藺泣曰吾何忍戀此微官致虧定省遂告歸藺同縣張純如字永誠以行伍官龍潭把總得卓薦當入都純如不往曰吾所以希圖薄奉爲養親計幸得少慰乃復奔走宦途致父母離別之慼可乎後升至溧水城守守備從弟灼如字文英嘗拾遺金待其人還之據縣志詩匯及采訪

焦以厚字亥柳江甯人其先世居龍都曾祖順卿以好義稱祖起洙康熙三十八年舉人父士濤能詩以厚舉乾隆五十一年鄉試明年成進士累官至戶部員外郎充順天乙卯鄉試同考官典山東庚申科鄉試所在有文名與以厚同榜者稱者江甯有謝豫度明諸生儒之裔也儒與其子月昇孫世泰皆見前志六世祖錫元高祖與輝曾祖珊皆諸生珊家貧力學設教冶麓山房張秉亮何夢篆皆其高弟也祖烇以諸生通醫術著有燕貽堂稿外科或問世父穆恩字我同歲貢生豫度有文譽以舉人終弟豫順子鼐鼐孫宜康皆諸生宜康先父卒以厚從弟以永字祈延性孝友昆弟間無私財撫孤姪至成立以永子若鈞字鳴韶號果亭風度端凝酷耆讀書並精醫理舉乾隆三十六年鄉試父疾侍奉維謹及獲聞猶不忍遽赴禮部試以大挑得河南南陽知縣有政聲時值征討邪教南陽孔道

供億浩繁卒後家遂貧若鈞子子淑孫彭齡嵩齡皆諸生以丞從子若鈐字珠泉以衍子也（以衍事見前志）以歲貢歷署阜甯興化訓導著有五經精義四書集解精金粹玉咫尺見聞錄若鈐子子濬子元光俊皆諸生子元字桃溪工制舉文性喜拯人急嘗讀書僧寺夜聞哭聲詢爲鰥而貧者歸而謀諸婦典釵釧與之光俊初名子俊字章民晚號耐庵工詩善畫家本小康每歲必計一年費用之餘購寒衣易米券以予貧者亂後每以家人皆盡爲痛故雖年未邁而已衰年五十餘卒於泗州著有讀史撮要讀史管見客窗隨錄耐庵古文鵑啼集子俊族兄子安若淞子道光十七年舉人從兄子洵字少泉若錦子諸生少學詩於方正澍徧遊閩浙楚蜀所至皆有題詠爲人直諒喜周人急著有半瓶齋集子洵從弟子深事見忠義傳子深從子長齡字子久子瀾之子也諸生少年喪妻某

達官欲女之餌以厚奩長齡曰富貴女習驕惰豈能事吾母乎竟不應其殉難事附子深傳中采焦氏家乘縣志粉槃錄忠烈備攷

徐統緯字星聯上元人曾祖尚謀順治壬辰武進士累官江甯督標中軍副將祖宏逮以蔭官兵部主事父陞級字禹三國子生工醫統緯生有至性甫七齡父病目跪吮之不十日目復明年十八補諸生入江甯將軍幕兼主講官學知名士多出其門錢塘袁枚重統緯詩欲招致之避不往道光元年有司將以孝廉方正舉力辭之駐防右司管庫吏以監守自盜坐大辟統緯與從弟統綱各出千金爲贖罪凡隸旗籍者咸重焉每遇歲歉必爲粥以食餓者旋赴順天鄉試得謄錄兄德餘欲助以貲俾就知縣統緯辭乃改敎諭未幾德餘卒於漢口負重累子幼統緯躬往歸其喪年五十有二卒門人私謚曰孝直著有龍池文集五橋詩鈔子國珍光祿

寺署正國寶候選縣丞咸豐中與賊戰於三河冒陣死國寶從弟國棟字隆吉諸生統綱子也從仲父統緯就駐防幕主漢文奏稿以貲爲府經歷候選咸豐二年部議裁汰江甯八旗馬乾將軍擬減三之一國棟曰裁汰固 國家撙節之道酌減亦將軍寬厚之恩聞浙省有減乾成案盍援爲例將軍乃遣國棟往錄案歸咨部所減不過百之二至今旗兵猶感誦之明年粵賊竄金陵隨將軍祥忠勇公辦防務二月初十日賊登城衆擊卻之國棟請於將軍一面速補城垣一面搜捕奸細不得遽離險要將軍然其言旋聞籌防局以所繳首級非帶勇官至不給賞國棟歎曰當此時勢危迫重賞猶懼其遲何乃拘泥若是乎此城必不守矣是夜賊復乘梯擁入國棟與都司王世𡗝率勇禦之於復成橋被重創而死勇目孫明德彭啟陽等隨死者百餘人事聞 賜廕䘏如例采徐

氏家傳

陳廷碩字旣庭號景蘇江甯人父步瀛官至貴州巡撫事見前志廷碩少穎敏目短視而觀書甚疾乾隆五十四年舉於鄉六十年成進士當廷試時大學士和珅遣人來告曰入我門登翰選廷碩曰科名有定分吾父生不履權門若易之何以見先人終弗顧竟歸本班以知縣用尋考授國子監學正遷助教擢宗人府主事轉禮部主事卒弟廷頎渾厚深沈好學不倦得五品封銜廷頎子寶儉字師吾一字思梧嘉慶十八年舉鄉試明年成進士授內閣中書以實錄會典館勞績應升寶儉不樂外任而同官有欲得同知者吏部以兩人當一例同官者曰吾年老矣若不得外任衣食子孫當一以累君寶儉不得已就武黃同知大吏以爲勸改武昌同知當押運有阻之者曰押糧船至京重任也率巧宦得之今得一

誠樸者敢以薦大吏心知所謂曰君言善吾更得樸誠百於君所薦者卒以命寶儉寶儉性篤厚不能爲美言諛詞謹於擇交而與人有終始屬以事力所能必竭其誠年四十六卒官廷碩從弟廷桂字香林其父淼字耐畬號師渭乾隆十八年舉人選涇縣教諭工詩文善書幷精奕年八十二卒廷桂以諸生入謄錄館議敘選江西貴溪縣丞升龍泉知縣居官不抶一人而事治縣有溺女風廷桂禁之不止乃遣人俟於水旁收育之其慈惠如此廷桂從子燦勳字戡常號銘之其祖光祖字沛綸父崐字丹崖號瑤湨皆諸生著有香月樓集從父鈞字蕙稠乾隆三十三年舉人崇明教諭爲人言行不苟鸞字蘂書乾隆二十一年舉人江都教諭又綱鳳翔鵠翔瑛皆諸生燦勳性和厚粹於學從遊者多知名士如梅曾亮周開麒陳之驥朱彥華其卓卓者也里中有善舉多推爲首反

復詳究必求無弊而後止而出納不問焉後舉嘉慶九年鄉試就職國子監學正年八十卒子丙暘字伯颺諸生循謹有父風鈞子燦瑜之驥鸞子旦華從子嚴亦皆諸生燦勳從弟寶廉字叔和府廩生其祖光國字蘊餘渾厚好施以諸生爲山東壽張縣丞父榮字毓華本生父廷燮字崇山皆諸生寶廉少孤秉母教十三經皆能覆誦性和而介會有延主善堂者辭曰吾節母子於卹嫠事固當辦但寒士必取薪水取薪水則占恤嫠費不可也卒弗就乃課徒以供甘旨從遊中有器局者必成就之薄彭齡年十五父令習賈阻之曰此子質地靜穆異人如以寒甚期以明年改圖未晚也果於是歲入學旋掇巍科以去人莫不服其藻鑑年六十有八卒彭齡字仲默號訒庵世爲江甯望族其六世祖有德字聿脩以進士官翰林侍讀學士高祖海字圖南康熙壬辰進士以編脩歷至

太常寺卿從高祖岱字啟東雍正庚戌進士官至山西甯武知府曾祖明字公鑑祖履青字以階雍正癸卯進士官至江西袁州知府彭齡爲人品端行潔仁孝出於天性舉道光十五年鄉試二十四年成進士官兵部主事不逐逐於聲利公退一燈宴坐淡如枯禪每日必自課功過見人輒問曰近日曾作善行否有過失者必婉勸之人或誚其迂則一笑而止弗與辯也己酉秋乞假歸省適江南大水當事者延主下關粥廠每日必三更起徧嘗之然後啟柵老幼各別無擁擠患徒步來往不乘肩輿凡六閱月弗懈明年入都至固安卒年四十四無子人多傷之采訪

秦耀曾字遠亭一字雪舫江甯人大父大士以脩撰官至侍講學士父承恩刑部尚書大士承恩皆見前志耀曾性情和雅工詩古文詞嘉慶十四年舉於鄉累官至兵部郎中卒著有鳳梨書屋銅鼓齋詩鈔

澹然居駢文治城篇譜白門詞略雪園詞話咸豐癸丑之變其妻
畢卒闔室自盡耀曾從弟繩曾字宜圃　贈禮部尚書承業
之子也承業事在儒行傳繩曾舉乾隆五十九年鄉試嘉慶十年
成進士累官至刑部員外郎福建道監察御史剛直敢言彈劾不
避權貴大學士托津怙勢卽指其違例事參之並糾巡撫徐頲諸
不法狀時有鐵中錚錚之目道光中以父師傅舊　恩擢四
品卿補用繩曾弟象曾字季賢以父蔭　賜舉人選授四川
峩眉知縣咸豐二年滇逆圍峩眉衆號三十萬以呂公車攻城城
中廛義勇五百人象曾激以忠義皆願死守蜀地舊產白蠟乃於
城中購得數萬觔以布囊裹之令敢死士縋城下燒賊車及竹樓
皆盡賊駭退凡四十一日圍始解尋遷雅安知縣涖任五年政績
卓著積功保至知府階并　賞戴花翎俄補越巂同知未上卒雅

安民感其德請祀名宦祠緬曾孫熾盛字漪園國子監生粵賊之亂投文德橋下死其妻焦在毋家亦自縊熾盛族父德慶字子雲諸生性迂謹勤於爲文時陷城中不忍棄家去其妻于先溺其一子一女旋自裁以追之德慶顧家盡亾乃脫身入都晚遘顛疾卒據詩匯及采訪

龔涵字含夫江甯人伯曾祖鏡字茹千性介而和尤篤風義以舉人選浙江金山場鹽大使調安徽霍邱知縣善決疑獄從伯祖元超字朗仙國學生詩爲錢塘袁枚同縣陳毅所采祖元忠字進思號退庵諸生性剛正篤志積學而書法特秀逸著有羣愠集萍游稿近山閣詩從祖琛字鹿樵諸生工書善詩家藏金石甚富嘗倡刻白門風雅集父如舍字丙園諸生工詩著有據梧集涵性慷慨有俠氣先是從父孫枝官貴州孫枝事見前志以事鐫級獨入京師留家

累於古州代耆克什泰供給之後克什泰没孫枝貧錢買屋撫其孤使涵傳之時涵婦翁方應綸招涵畢婚涵不往鉛山蔣士銓作三義行以美之從弟林渤林字臏園宏圖子也補縣學生耆學好古嘗練周禮爲七言詩武進孫星衍賞之比之急就章步天歌云渤字魯州諸生其父宏疇字南榮官劍州卒官渤奔赴以喪歸備歷險阻瘁容毁貌人幾不識館從祖華睦蓮花廳署蕭然一室不與徵逐之遊著有在田詩集渤弟彬字文仲亦諸生涵子賜書字古愚歲貢生性孝友家貧課徒脩脯所入不足以供而蒸蒸色養其弟賜緻以諸生早没贍其妻子衣服飲食皆先從子而已子次之友朋親族有不能婚葬者或稱貸於人以助之咸豐元年舉孝廉方正不就後死癸丑之難賜書族兄鯤字育萬一字北海元忠曾孫也祖如鼎父灐字悔庵鯤以乾隆五十七年舉人歷知廣東

開平東莞南海等縣清明廉察南海人稱之曰龔青天洊升廣州知府有商攜一妾於逆旅爲盜所殺官不詰盜而疑妾嚴刑訊之妾誣服鯤疑其有冤私行至羅浮得眞盜已爲山中道士矣拘至一訊而服所謂吳三板檥四之獄也再遷至湖南按察使告歸卒於家鯤弟芝字季英能詩芝之子長華字樸園諸生少孤貧事母孝宗祠圮售善本書籍以爲脩葺費嫁族中孤女二人葬戚黨喪匱七具人咸稱之采文徵縣志忠烈備考

笪立樞字緗齋號愼之句容人重光之孫也重光事見前志幼穎敏讀書過目輒能闇解工詩善畫素負奇氣好植名節家貧田薄不足供饘粥旣補諸生卽以課讀謀色養資讓其田於諸兄乾隆五十七年舉於鄉考取覺羅教習議敘知縣座主鐵保總督兩江延入幕中掌書記會鐵保以事獲譴戍烏魯木齊年已衰邁欲乞親故一

人偕往無有應者立樞毅然請行鐵保慮誤立樞銓期轉堅辭之立樞意決竟偕去抵戍後復至哈什噶爾葉爾羌歷一萬八千餘里六年乃歸途病未抵里而卒道光中江甯有嚴艮鰲者字吟仙兩廣總督鄧廷楨之遠姻也廷楨戍伊犁艮鰲從之出塞三年歸廷楨諸子深德之咸豐三年艮鰲幕遊山西粵賊東下鄧氏將遷避欲攜其孫雋鴻偕行雋鴻字順之性至孝聞而愀然曰吾祖母吾父母皆在城忍獨出乎城陷與其祖母某氏父家祿母蔣氏皆死於難艮鰲後聞家盡破憂鬱以卒立樞從弟立行字厚風貢生同族錚字洛中乾隆庚午副貢自脩字德新與錚同榜舉人自純字脩儒恩貢生自壽字近山自淑字心儀晚號秀野居士皆諸生佐堯字衢臣咸豐辛亥舉人以知縣揀發貴州歷署平遠知州清鎮知縣又家才名義國杏脩儉四人皆以團練殺賊死采訪

姜本禮字蘭石六合人國綬子也（國綬事見前志）性樸厚待人無機心居
家以孝友稱殫心學業時俗無所染讀書有得輒錄置簡端久而
成帙嘉慶五年舉於鄉就職翰林院典簿晚就養子士冠縉雲署
中嘗訓孫由軾等曰我平生無他長惟存心忠厚寧人負我毋我
負人汝輩勉之既而至蘭谿本禮曰石沈谿吾其不返矣未幾卒
年七十餘著有表海堂心存文集士冠字春帆幼聰穎童試至江
甯秦文慤閱其文許爲大器以女妻之嘉慶十五年舉順天鄉試
以宗人府教習考滿選浙江縉雲知縣縉雲多盜士冠偵知巢穴
所在盡擒之轉知蘭谿清釐積案多所平反以父憂歸服闋歷直
隸容城玉田知縣攝灤州知州遷大興知縣擢順天府南路同知
勤慎供職寬猛兼施以不能媚長官引退素精醫寓京師公卿延
請無虛日（果親王撰自是天生醫國手罷官猶活萬千人句以贈）年八十三卒著有靈岩山

本頁原殘闕，現據南京圖書館藏《光緒續纂江寧府志》（光緒六年刻本，光緒七年初印本）補字。

房詩集時同縣夏員字鏡川乾隆三十九年舉於鄉候選太常寺博士大挑得知縣請改教職攝如皋教諭選授徧州學正生平品學端粹施教因材復慷慨好義賙孤寡惠貧窮嘗脩冶浦橋及城市大道以利行人著有詩經輯解種心堂詩文稿陳鴻翥原名鴻緒字耳庵森之子也（森見前志）舉乾隆五十七年鄉試第一就職鑾儀衞經歷考滿選雲南臨安府同知未上兩江總督鐵保其座主也延入幕司章奏不以聲勢自矜縣有黃泥壩神廟祈雨晴輒驗捐田五十餘畝以爲香火資曰吾非徼福也爲其有益民生耳又倡立江濱救生局商旅便之鴻翥子朝儀歲貢生朝儀族弟朝誥字少堂性嚴毅而接物寬恕博學工文兼精推算堪輿之學嘗繪星躔圖懸座右朝夕玩之研精許氏說文以歲貢生選授豐縣訓導咸豐八年粵賊圍六合朝誥在豐觀天象曰吾邑殆不守矣亟作

書勉二子慶榮慶華以忠義旣而城果陷慶榮慶華皆死事見忠義傳當是時撚逆南竄豐亦戒嚴朝誥佐知縣登陴二孫皆戰死俄而朝誥以積勞卒年七十有二著有十三經經解味書軒詩鈔又陳煜亦六合人恩貢生性端直家貧力學工行楷書咸豐三年知縣温壯勇檄辦程鴛橋團務竭力防禦不避勞怨暇即默坐晏如也已而避地江西亂定歸遂卒於家著有瑣言居家求是錄沈樾字蔭溪世居六合南鄉御甲甸素行謹愨愼言語澹營求道光十五年舉於鄉咸豐初温壯勇檄帶水勇防江面八年入淸淮軍營爲記室非所好也未幾辭赴京補國子監丞乞改教職遂歸卒後選丹徒教諭李志鵬字雲槎六合歲貢生曾祖蓋祖本仁從祖由義皆諸生父瀚國子生敦行樂善志鵬性嚴毅能決斷亦隨温壯勇治團以功選授徧遷訓導時徧遷爲撚賊出沒之區志鵬襄

辦防勦不廢弦誦漕運總督吳清惠將以知縣薦辭不就卒年七十有五著有崇正堂文集慶餘堂詩草弟志蘧諸生嘗捐貲脩路行人便之訪採

蔡世松字友石上元人事母孝周卹窮乏如恐不及而才識敏練器量恢宏嘉慶六年舉於鄉十六年成進士選庶吉士散館改吏部主事洊升文選司郎中出爲安徽廬鳳道就擢按察使入補順天府尹以知貢舉失察事降太僕寺少卿乞養歸迭主講鍾山尊經兩書院凡敭歷中外二十餘年於鄉里諸事無不竭力以籌道光十年浚秦淮支河世松捐白金五百兩爲助二十二年噗夷報警城中創行保衛世松方家居起而肩其事分段設局董以紳衿官不預聞樹柵置械募勇守禦日稽夜巡佐以旗與鐙相救相助鳴金擊柝五城之遥呼吸流通當是時城中遷徙紛紛而無劫掠

之患者保衛之力也世松翰墨精妙嘗手摹名人墨蹟刊墨緣堂法帖所居雞籠山後築園名晚香莊擅泉石之勝焉子宗茂字小石嘗從嚴駿生游駿生字小秋軀幹不及中人面藹然多善氣工詩詞宗茂生長華胄而淡素若儒士日手一編以自娛妙解音律詞有美成白石遺音道光二年舉於鄉十三年成進士選庶吉士授編脩遷司業轉侍講以事降洗馬報捐道員補陝西陝安道調潼商道就升按察使能以慈厚世其家詩卒於官與世松同成進士者江甯有徐鉞本名鑑字臨川耆學工文選庶吉士未散館而卒稍後又有葉聲揚焉聲揚字賡廷亦江甯人幼穎異讀書至夜分不輟父母憫其勞戒使早息常以絮被蒙窗蔽燈光闇誦達旦道光十二年舉於鄉十八年成進士選庶吉士蕭山湯文端公主教習館課兩列第一兼充　武英殿纂脩性耿介自持恥入流俗

不妄與人交朋儕有過必面警之人或憚其嚴正而終服其直諒也是年八月假旋卒於雄縣旅舍年未四十時論惜之著有汲古軒文稿弟覲揚字敏脩少承兄聲揚教善文辭得其義法舉道光十九年鄉試以大挑教職歷署淮安揚州泰興學篆同治二年選授高郵州學正覲揚才識淹博於音韻訓詁星算金石兼通其恉尤究心經世之務其校士也興義學勤月課躬自評隲監脩珠湖書院又捐脩州人孫吏部宗彝祠宇召其裔守之五年清水潭隄決檄襄災振條上典牛擔粥章程當事從其請覲揚實力綜理勞勩最著七年以助團防撚案內保薦得知縣十三年卒於任著有求放心齋文集金石跋隨筆醫學通神錄蓮因居士所見集覲揚同歲生鄭彤書字偉士亦江甯人父兆杞嘉慶十五年舉人十九年進士彤書以舉人考取太常寺博士俸滿得浙江同知借補嘉

興通判爲人坦易無城府好臧書購至五萬卷終日展玩官舍如水時人謂之吏隱又陳士安字靜人道光十七年舉於鄉以貲爲工部郎中家素豐耆士安獨耆書畫築問源樓儲之悠然嘯詠若富貴無與於己者其居京師雅好賓客同鄉人至者如歸焉晚發浙江以道員用卒年六十八采縣志粉槃錄

侯雲松字青甫上元人學詩子也學詩事見前志嘉慶三年與兄雲錦同舉於鄉雲錦字抑菴性沖澹誠摯工詩善畫與董進何瑞芝友善晚好黃山谷集吟哦不少輟卒年五十有七將死自書其行曰父母已衰孝不勝慈有弟曰松友不勝恭少治章句乃爲祿利晚逃佛老未捐忿忮詩今之奴字古之隸嗚乎哀哉名與生僦著有曇花書屋詩集雲松爲文操紙立就工尺牘得畫名筆墨所入供甘旨庀家具又推給寒與饑之三族尋選授歙縣敎諭不數年歸主

講鳳池書院以詩酒自娛家有環勝閣日登之以吟嘯時武進湯貞愍方結詩社於琴隱園雲松與貞愍及上元沈琮江甯馬士圖陳太占崔溥道士朱福田等作青溪耆老會而雲松年最長領袖騷壇蒼顏皓首望之若神仙中人弟雲倬道光十四年舉人嘗與脩江甯府志子敦復字思白諸生進字小狂上元諸生喜爲詩隨口立就未嘗起草時錢塘袁枚方以風雅樹壇坫未嘗一詣重交遊矜困厄既傾其家結茅野處闢地種花竹名之曰窺園又一郵者鄰人歐陽棣之曙堂兄弟之居也將軍慶霖過之遂訪進進不爲禮將軍睢盱去謂歐陽曰此直大狂何但小也湯貞愍以世職需次江甯暇日遊水月庵過窺園進方短衣科頭煮茗石上貞愍映籬呼曰若主人可得見耶弗應亦弗顧介歐陽以往乃知即主人也言詠竟日遂爲昆弟交瑞芝字蕉衫亦上元諸生温文沈默

雖慷慨悲歌亦出以矜慎進與之最契瑞芝客遊進圖其形壁間飲酒輒對之設杯杓若勸酬後家益貧賣花及卜以終著有窺園草瑞芝著有澹生吟草貞懋爲合刊之雲松爲之序琮字禮田有吏才官至山西太原知府罷歸士圖字菊邨諸生雅好金陵掌故晚號無想山人著有豆花莊詩鈔莫愁湖志太占字花農善畫得翁荃止園築居之溥字春泉瑤子也瑤見前志以畫世其家福田字嶽雲住龍江朱文公祠所居爲麥浪舫著有嶽雲詩鈔詩匯及采訪

朱方字以知一字閑庭六合人鷺子也鷺見前志鷺弟亦字漢凱孝友篤行嘗出貲以濟人急其人請立劵笑曰余豈望償者哉立焚之方性淡適好學工詩嘉慶十二年舉於鄉候選內閣中書大挑以教職用署通州學正選授金壇教諭勤於課士士有小過孜孜開導使自悟尋乞養歸不數載母卒言及輒嗚咽著有自適其所適

齋集文選集句五律妻陳天香妾鑫鬘詩妹癯仙皆工詩詞弟京字子玉質樸無華母病刲股者再凡里中善舉必身親倡之以恩貢生就職直隸州判京弟亮字寅軒諸生性誠厚人有欺之者不校也潛心學業往往經旬不出亮弟襄字星七歲貢生就職訓導循謹篤厚嗜學不倦同里欲以孝廉方正舉力辭不就亮子學詩字鯉仙才思過人舉咸豐元年副貢時六合朱氏有名者實發字樹泉一字飯石嘉慶癸酉拔貢文辭瑰麗尤長於詩著有尺雲軒詩文集弟實栗字竹門著有竹門詩鈔西湖秋唱實發子遐昌一名穀昌字稻生道光乙酉拔貢著有拙脩吟館詩鈔遐昌子安祺安祺從弟麟祺事皆見忠義傳又鵬翥字鈞坡少耆學夏夜置燈帳中讀書帳色盡墨性純粹與物無競充道光元年歲貢生生平足不入公門知縣雲茂琦素重之嘗夜造廬就談理學漏數下始去門弟子極盛如葉

觀儀張鵬程巴光誥其尤著也著有惜陰堂文集漱雲山房詩鈔卒年八十子蘭以從九品殉難觀儀自有傳鵬程原名李字又蓮世居程鶴橋道光十四年舉於鄉二十年成進士歷官直隸雄縣安平知縣深州知州工吟咏著有又蓮詩集光誥字種芝道光二十年舉於鄉與弟廷誥俱有名人以二難目之咸豐三年以防堵功保知縣分發江西歷進賢興國瀘溪諸縣在任以養士爲急務每月課文必親加檢閱公餘進諸生講誦之折獄平允民無冤抑尋卒於官廷誥字禹卿幼穎悟家極貧家人嘗欲令習賈痛哭不願乃復學艱苦不倦六峰書院山長蒯成照聞而異之邀入署講誦數載學大進旣補諸生縱橫百家尤精數學咸豐二年卒（采訪）

司馬文字星舟上元人世父騆官至東河總督（事見前志）從兄亶字達甫乾隆四十八年舉人官內閣中書文補縣學生時家道中落生

齒尚繁日炊斗粟僅充粥食文與妻韓飽不先衆勞不遺人卒未析居分爨也嗣官河内縣丞汴中疫癘盛行文遍覓良方捐施藥餌無何自染疾卒弟庠字坦溪官直隸青縣知縣高字頫庵以諸生官河南虞城縣丞皆工書高著有春暉堂集詩爲隨園所采文子鍾字秀谷性慷慨嘗解冬裘以濟人急善繪事片紙可入質庫易錢官直隸三角淀通判有求畫者以功名動之鍾峻拒之曰朝廷名器非易筆墨之具我亦不欲以筆墨易名器也所居官舍必除隙地栽花竹植果蔬暇則手自鉏種以自娛同時鄭廷烝亦上元人以工畫名幕遊福建其兀傲頗與鍾類然文采實遜之故至今談善畫者必舉鍾以配張敔曰張雪鴻司馬秀谷雪鴻敔字也其祖遇隆號西溪上元人以進士官陝西臨潼知縣有惠政民爲立祠於驪山之麓遇隆子若谷字稼蘭雍正初以諸生舉賢良方

正官至山東嶧縣知縣敔因以山東寄籍舉乾隆二十七年鄉試官湖北房山知縣畫花鳥有生趣名滿天下兼善書多用宋四家體而神味則逼眞晉人晚歸築大隱園於仙鶴街以居性情和易望之如神仙中八年七十餘乃卒敔兄枚字立人一字斗堂乾隆癸酉拔貢官江西萍鄉知縣敟字念子諸生弟敭與敔同舉鄉試丙戌成進士均工書枚子迺耆字壽民敔子範字墨侯皆諸生範弟迺軒號虎兒居士嘉慶甲子副貢俱能以書畫世其家範子慶慶子百受字海似亦工繪事早卒亶孫柟事見忠義傳高子鈞字笙和工醫著有病機備參四卷采司馬氏家乘及詩匯縣志

周國祥江寧人性剛毅精騎射以武舉得官累至太湖營副將時承平日久武備漸弛國祥申嚴訓練與士卒同甘苦部伍皆感其德壽卒於官子葆元字元甫耆學能文道光十二年舉於鄉大挑

得知縣簽分安徽從事讞局聽訟不輕用刑每定爰書必覆詢罪四情罪當否或有冤抑仍聽陳訴四無辭讞乃定大府深重之凡大獄多屬審錄累保以同知直隸州用道光季年安徽大水大府以工振屬之葆元興脩江隄不俟春時活民無算中閒補太平婺源知縣署亳州知州皆於奉檄後留治行省事不之官以是爲忌者所搆乃改就教職選授泰州學正卒年七十有一著有愛日軒詩文稿皖游便覽同時官安徽知縣以治稱者又有王世培字心疇上元人善屬文少與同縣陳崑玉齊名舉道光五年鄉試後卒於官崑玉字蘊山道光八年舉八十五年進士官山西知縣亦有政聲

論曰陶陳以次諸氏纓彯朱紫綬綰銀黃其江南仕宦之門乎或以幹濟著稱或以氣節見憚或以義俠取重或以儒雅知名上不

隊其家聲下貽謀於孫子經云貴而不驕可以長守貴矣觀於諸

賢益信

續纂江寧府志卷十四之四

上元朱桂模 江寧陳作霖 分纂

人物 先正三

張師說 父齊 弟師鄺 師益 師式 師濟 師鼐子春源 春源子介福 師式子曾 金綬 鄭光煒 周鴻 賈寶僎 唐大沛 曾弟錫蕃 曾子鳳儀 鳳儀子逢新

何輝 子友蘅 孫其興 桂芬 易長華 長楨 管鏞 桂芬子忠萬

楊春 子煊

章樹屛 祖松 父彭齡 子琮 孫桂如 曾孫泰履 元孫鼐 卜熊 熊子官等

田腴 子普豐 從子咸豐 孫寶雙 寶書 劉恩奎 寶書 從兄寶泉 咸豐子寶瑚 寶琛 甘可貞 寶雙 子吾階

張廷珏 馮蔭祉 廷珏子德鳳 德鳳子兆登

甘國棟 父邦欽 子延年 鶴年 孫煦 煦從弟炘 鼇 炳 國棟從孫灼

陳授 父奎 兄志凝 子維藩 維垣 維屛 維翰 維藩子元晉等 維屛子元孚

吳岐鳳 弟岐豐 子繼昌 從子元昌 鼎昌 吉昌等 元昌子邦瀍

夏昂 子塏 燚 程亮祖夏 澍 江文熙 昂族孫鉞

魏應昇 子方泰 子嵩 子恒 子嶠 孫江邴 清 湘 勇 紹潢 永濱 紹濂 紹濂從子嘉梁

裴于宣 弟于東 于東子暢 暢從弟 玠 于宣 孫鑑 鐄 鑑子霨

濮殿榮 唐承鎬 殿榮兄殿颶等 從子璦 琮 宗人允中等

徐必純 子鑑 常 鈖 鈖從子恬 鑑子石麟 汪世 世錚 世錚孫達元 戴文燦

唐潮 父廷紳 從父廷夔 厲柏 潮弟湘 子肇元 湘子肇瑛 肇元子嘉德

秦澎 子維楫 維果 宗人涫熙 金楠

葉煌 弟鼎 杜巖等 煌子覲 儀 覲儀從子玗 王成

丁鼇 父楷 子塡 垣 增 培 壇 墫 孫金科 鈞 金和 金鎔 金榜 金聲 金詔 金相 曾孫

有年 有年 族弟逢年

孫必顯 周名揚 必顯從子學端 學端子祖瑞 夏宗彝 祖瑞弟瀛 宗人昌經 念謀 念揚 承熙

介尊 王振聲

方中矩 孫毓瑾 杜王臣 吳襄 藺啓勳 啓勳從子玉 堂 莊允升 中矩子爲楫 爲模 孫廷熢 曾 孫培蔭等 元孫傳勳 爲楫季弟爲梅 爲梅子 廷煊 從子廷炘 廷炘子培仁 爲梅從弟爲柏

吳應佺 子晉康 葛國玢 國玢子光 王鳳藻 鳳藻子 壽恭 汪鎔 鎔子本源 聞尊賢 尊賢子殿邦 殿颺 臧志仁 阮紹文 垕 楊澐 澐從弟溶 金紹鵬 紹鵬從子殿

陳順年 子德齡 德齡從子世芳 族子銓 德 齡孫印千 衍吉 秦嵩年 梁增修

汪照 父楨 子坤 均 蘇 紹祖 均族子松崖

吳又新 弟銓 銓子本淵 本淵子 兆模 兆棠 兆模子榮曾

秦朝選 程慶芝 慶芝子傳厚 陸長發 長發父 錦源 朝選子學誠 學誠子士先 士科

冷宜南 子夔言 宗人向陽 高鶴 鶴子善慶 劉雲俶 周肇元 張子雲 滕昶 旭

朱養烈 鄭鈉 養烈子性堂 孫期 銘 期保 朱啓鑑 啟鑛

林潤 周鏞 張基 基子鏻 鑰 孫兆勳 從孫 錫恩 潤子端 林睿 睿子森等 必昌

葉光奕 弟之槐 子昱 豐 孫庭鑾 庭鉦 田種珏 張葆和

凌霄 子志鉦 志珪 馬功儀 功儼 何詠 周葆 濂 吳繼曾 許鳴九 鳴九子庚 胡大猷

黃家炳 子墉 墉從子鼎 鼎子光燮 光 裕 劉葆忭 光裕弟鐸 吳湘

羅笏 子震亨 晉 亨 蔣師軾

尚祜 子永瑄 永瑗 從弟昌遴 從子永瑞 宗人宏轍 昌祚 永瑄子祚滋 永瑗子祚涑 祚臻 祚圯 祚奎 祚滋子徵儼 同族徵倩 徵 珮 徵進 世馨 世賢 趙友芳等

駱重恆 王瀚 重恆從弟重晉 重鼎 子道腴 族子懋 修等 王澄 駱崇祺 崇禧 琚 維清 壽祺 郭世 俊

張祖善 從父弟春元 天銘 子樹堂 李昌允 昌曾 潘應龍 昌曾子元坊 李德言 德言子元祺 元祺世父巒 王道復 道行 俞顯祖 戎 尚謙 李義向

尹世爵 高祖調羹 父正位 弟世清 子如霱 從子如 翼 宗人鳴球 蔣天中 天中子鼎璽 惕崇 德 陶仁育 端木焴 陳如 蘭 謝蕃 蓀 蕃子春池

朱仲齡 子沅

尹式金 弟式玉 子廷宣等 張世壽 彭克惠 趙滋 滋子儀 趙庭柯 庭柯子汝蘭 汝梅 成林 林子長然等 陳元富 文富

吳際泰 子庚 霖 孫山 琅 文治 文治父訒 子家 楣 廷珍 第元 第元父振 子佑 任 佑子 大猷 大和

夏蓊 許開泰 孫林標 開泰子廷策 廷吉 袁 光孝 蓊孫宗仁 族人朝柱 朝坐 朝灤

胡兆蘭 曾祖君揚 父世綍 馬德麟 兆蘭子珊

夏年 先世賦臣 維 王天侶 年宗人仁一 弼 晉 錦榮 愛棠 孫名時 夏安邦 文炳 林 煜 培興 鈞章

孔傳浩 子繼楷 從子繼相 族子繼年 周蔚起 王艮 士 繼年 從子廣選 廣業 宗人廣信 廣英 廣俊 廣澤等 昭溶 憲昂 憲爵 憲鼎

史懷直 族弟鳴直 鳴直子允甲 宗人喬瑜 仁一 大中 李鳴陽 鳴陽族人毓楨 滙 秦鶴 魏近

思　孫芹
蔣珍

李生勅子大年　孫有羣　唐兆春　兆春子邦華　邦晉
邦彥　允恭等　俞鋒　鋒子瀠川　孫欽　劉
繼良　繼
良子勳

張師說字燕懷號穀峯江甯人父齊字臨東諸生好施予有文名師說秉性高潔不妄言笑嫉俗如仇家居手一編穆如靜對雖有譁於前者不聞也乾隆三十五年舉於鄉年五十七卒弟四師鄘字熙亭篤實好學嘗因陶湘幽光集擴之爲金陵文徵行世以諸生終師益字受亭亦諸生師式字伯華號蒲州乾隆五十四年舉於鄉生平無他耆惟肆力於經史尤慷慨好義知無不爲師游字友夏諸生工醫師鄘子春源字星海諸生爽朗有行誼春源子介福道光五年舉於鄉明年成進士除湖南保靖知縣歷攝清泉桃源衡山諸縣廉潔明敏尤長折獄所在有政聲介福子繼庚事見

忠義傳師式子曾字沂元嘉慶十五年舉於鄉二十五年成進士由編修轉御史官至湖南衡永道罷歸生平勤儉樸實性情孤冷爲時所嫉既返里者學如諸生念自金陵文徵刊後至是六十年鄉先輩逝者日積乃與金綬鄭光煒周鴻覃唐大沛陳燦勳何友衡胡鎬輯金陵文徵續集捐貲督工曾以一人任之綬字小韋晚號若洲江甯人以諸生迎

鑾獻賦取謄錄供職文穎館敘官浙江東江場鹽大使篤於孝友居官清勤場有民竈互控之案經數十年不決一訊而服巡撫帥承瀛兼督鹽政銳意釐剔獨重綬才欲以知縣保升力辭旋告歸家居談藝尤好獎借後進焉子彥和諸生光煒字霞峯上元人曾祖爲楫字汝舟大父之僑字嗣東皆諸生以孝義著名父大椿亦諸生光煒工文詞嘉慶十三年舉於鄉著有流芳集願學齋詩弟光炘子均堉皆諸生鴻覃字雲

鶴一字雲褐江甯諸生性方嚴遇後輩無所假借尤工制藝文徵之刊評選皆出其手著有嘘靈書屋文鈔弟寶俠字月溪亦諸生工書竹著有金陵覽勝考大沛字醴泉上元人以拔貢選蒙城教諭工書燦勲友衡鎬自有傳曾弟錫蕃諸生子鳳儀道光十五年舉人鳳儀子逢新字鼎臣少年謹飭解反切之學早卒采文徵詩匯

何輝字保言號淡餘上元人歲貢生性方直言笑不苟文亦不慕時趣著有浙遊粤遊諸草子友衡字雲莊廩膳生以文名友衡子其興字祥垣舉嘉慶十八年鄉試二十五年成進士授戶部主事充貴州壬辰鄉試主考官洊升郎中出知湖南衡州府屬縣悍民倡亂其興單騎往曉以大義遂曰縛獻首謀事遂解士民感之作宜江過化錄遷長沙知府累至山東鹽運使以事罷歸晚歲與耆宿詩酒盤桓極林泉之樂年逾八十卒其興弟桂芬原名其盛字

新甫道光十五年舉於鄉二十五年成進士由編修轉御史歷至刑科掌印給事中嘗謂大吏之精神卽國家之元氣錢穀之消長繫民命之安危故於吏治民生必剴切入告咸豐十一年粤賊擾蘇杭桂芬奏請申明紀律嚴飭統兵大員四路進兵以分賊勢同治元年補陝安兵備道時甘肅提督雷正綰勦叛回敗於金積堡潰卒南下有尼桂芬緩行者桂芬不可甫上而撚賊竄潼關興漢警報沓至桂芬令民併築堡寨爲堅壁清野計捕奸民苟青一徐炳南誅之賊不敢犯六年十二月漢中客勇索餉勢幾不測桂芬馳往詰衆曰若輩欲爲亂耶抑卒歲無資欲爾軍門體恤耶語未畢衆皆投械羅拜泣且訴桂芬曰吾固知若輩無亂心然已紛紛若此若輩其何以辯方今劇賊皆次第平何故狂惑自取夷滅耶我今體恤爾給爾等卒歲資尚何說言際聲色俱厲衆懾其威遂

散關中土宜雅片種罌粟者十居其五桂芬刊示究極其害以勸導民且飭隸役無得伺察曰吾戒烟將以利民今隸役擾之則民未獲禁烟之利先受禁種烟之害是厲民也毋乃不可乎聞者轉相傳述遂自爲禁止又嚴懲設壇勸善者曰嘉慶年間敎匪之興卽由於此此禍胎也未幾卒官著有自樂堂遺文同時兄弟競爽者又有易長華長楨長華字子實號文江長楨初名長發字子濬又字晴江亦上元人少孤貧兄弟同攻苦家人質絮襦易米乃擁衾坐榻上講肄周禮夏夜多蚊製紙帳以供母已雖匱乏然見人困窮常解衣衣之後從上元諸生管鏞遊學益邃鏞字西雍性迂謹工書冠必用銀頂遵 會典也長華旋舉嘉慶二十三年鄉試鏞以詩勗之明年成進士以中書充陝西戊子鄉試主考官累官至廣東廣州知府粵俗屋上巡更以故賊每升屋投炬火發乘亂

肆掠其年五日三火長華有同鄉人顧塏商於粵廉得屠狗中一人善待之俾覘賊姓氏里居以告按捕盡獲之患遂息民稱青天就擢督糧道代知廣州府者試不公諸童大譁僉曰非易青天同任我輩不應試上官聞而重之令暫攝府篆畢其事尋升山東按察使未上卒長楨初習賈年十八始棄去復從兄讀嘉慶二十一年舉於鄉道光九年成進士以編修充山西甲午鄉試主考官未幾卒著有治城山館詩稿長華子慶祥亦與桂芬子忠萬同補縣學生忠萬字子清事親孝嘗刲股和藥以療母疾性剛直人有不可必面斥之耆古績學咸豐九年舉順天鄉試侍父陝安道署中佐治軍書巡撫劉蓉重其才將薦於　朝力辭尋以大挑得知縣改就教職選宿遷教諭初桂芬喪歸宦橐近千金忠萬服既闋即稱父命分給宗族戚黨一日皆盡已赴官修舉教法不受諸生贄

儀撰讀書勸語四篇刊布鬻舍會歲饑奉檄勘災周歷窮鄉不辭勞瘁閩縣沈文肅總督兩江與學使林天齡均以卓異保薦而同列者浸忌之因騰蜚語上聞忠萬憤甚光緒六年會試報罷歸投吳淞海中死人尤悲之采縣志新甫先生行述妙香集粉槃錄文徵詩滙

楊春字靈泉一字珍予江甯人諸生工吟詠著有榮禧堂詩鈔子煊字桂堂少跌宕不羈春重懲之乃折節讀書舉嘉慶九年鄉試十三年成進士選庶吉士散館改四川屏山知縣復援例爲吏部郎中轉御史遷禮科給事中道光中黃河屢決東河總督張井建議由交東開河黃水卽可掣低禦壩卽可啟放兩江總督琦善以爲多滯礙請放王營舊減壩以期掣溜通漕並乞飭戶部籌工程及撫卹銀兩煊疏駁之其略曰臣查減壩下游本有鹽河一道節經請項修濬預備減黃今若止爲減洩盛漲無庸先請撫卹若欲

騰空河身以便挑挖下游使黄河水面落低啟禦壩以達漕船則
是以全河之水盡由舊減壩口門下注便與嘉慶十一年十六年
該處兩次缺口情形無異然十一年因放壩跌塘成口十六年因
下滲上漫成口固由人事失宜尚屬天災難挽其時口門下游之
清河桃源安東海州沭陽五州縣田穀將熟頓付怒濤淹沒墳墓
衝塌房屋比及堵合地仍水占漸次涸出已過播種之期是故災
民得歸業者什不五六即得歸業民氣亦難期驟復雖以撫賑兼
施費帑無算豈能必一夫之不失所哉況安東海州東境南北寬
百餘里盡係葦灘迤北又有雲臺山綿亘五六十里攔截海濱阻
遏黄流挂淤倒漾旬月之間雖沭陽桃源清河各縣地勢稍高去
口門漸遠之處皆成澤國泛濫漫行日形頂阻上游水勢節節擡
高所以十一年減壩成口之後湖水仍不能外注衝決運河東岸

之荷花塘災及高寶興泰清鹽阜各州縣繼漫黃河上游南岸之周家樓溜勢上提又漫廵上之郭家防爲睢甯全境及宿遷桃源南岸村莊之害又復分溜上提漫北岸之蘇家山淤墊微湖并窰灣一帶運道十六年減壩成事之後繼漫上游北岸之棉拐山穿運成渠邳州宿遷村莊多被衝沒又逆溢上游南岸之李家樓災及河南之歸德安徽之鳳泗江蘇之淮揚各州縣下壅上潰歷有明徵是減壩一成口門不僅爲安海五州縣之害已也況十八年於減壩廵上二里許審度形勢補還石滾壩之時因壩上壩下高低懸絕增做石閘三座層層擎託以資控制然迭遇盛漲滯漕逐細較量卒不啟放者誠以鑒於前事莫敢冒險以民生爲嘗試故也況該處處名舊壩實係長隄兩次成事後塘深廣每至大汛加緊幫護尚形惴慄今若於該處刷隄成口放水騰河在該督自爲

斟酌重輕詳計利害出此變通制宜之策然壩下五州縣居民百萬豈能盡喩苦衷甘從淪胥而不悔且上游工段甚長又豈能必其不重出十一十六等年之前轍乎然而該督等非不計及開舊壩之爲害下游與上游見險也以禦壩不啟運道不通所關甚鉅不能必出萬全是毒蛇螫手壯士斷腕之說也臣請又以成案證明之十一年減壩跌塘之後司河諸臣先議就缺口以改河道嗣見減壩新河斷難改成仍復大挑舊河挽歸故道然而經行未久下游南岸之陳家浦北岸之馬港口相繼潰溢其時運河清口倒灌如初自十二年以及十六年大半借黃運河東西兩岸如千根旗杆百子堂小舟莊壯原墩二鋪王家莊白田鋪等處漫口頻仍下河爲壑況近日河身受病又非昔比是則謂開放王營舊減壩挑挖下游河身遂能掣低黃水啟放禦壩較爲得力者恐亦係懸

擬之辭未必確有把握恭讀嘉慶十三年九月二十三日
睿皇帝諭飭南河諸臣曰從古治河者皆以河決為患未聞有言
河決轉受其益者至哉 聖訓誠當為萬世之法守矣臣於
前事見聞頗切伏乞 諭飭內外臣工從長計議務期漕艘
可通民生無碍使瀕海黎獻共慶平成未幾又上防河疏曰竊照
東南兩河所轄河身長一千五六百里於上年六月內經兩江督
臣琦善奏明禦黃壩外河身一年之間墊高六尺有餘本年正月
內又經前南河臣嚴烺奏明外南外北山安海防四廳境內黃河
長一百五六十里節年淤墊又於本年三月內經前東河臣張井
奏明東河之蘭陽一帶河身淤墊中泓深不過六尺又本年正月
江督琦善等據淮揚道潘錫恩稟請於關家灘等處開挑引河逢
灣取直於葉家社一帶補還大堤於大淤尖一帶接築長隄以期

河道通利挈深積淤請帑六十餘萬本年二月張井於東河任內前赴南河查看海口請以北隄爲南隄自安東東門工起至龍王廟止改挑河道歸入舊海口使禦壩得以早啟等情各在案臣查改挑河道事關重大而張井爲此請者自以禦黃壩外上下河身淤墊太甚人力難施是以爲此改絃更張之策與潘錫恩所稟雖工程大小懸殊其爲欲使河道深通禦壩得以啟放長船北達免盤撥之艱用意原無殊異臣竊以爲現屆五月大汛將至改挑河道工長費多斷非旬月所能集事即琦善等所請逢灣取直各要工亦未據有續奏是否工能速竣放水順利挈溜得力俱難懸揣臣查河淤則槽平而消水不暢槽平則底高而容水不多底高則隄埽卑矮隄矮則形勢危險自道光三年以來陝甘一帶微旱是以黃流未經盛漲而盈虛消息天道之常設遇盛漲何可抵禦臣

聞和緩之方急則治標堯舜之知物求先務河病已深汛期至迫應請飭下兩江山東河南東南兩河督撫諸臣轉飭道將廳營無分南北多集工料無分雨夜梭織巡防防守既嚴河無旁泛怒濤衝突必可刷動底淤爲以水攻沙之計卽使未能全河一律衝刷通暢霜期之後河槽必有變更再行相機妥籌自本年霜後至來年桃汛有半年閒暇自可從容疏導使河防復舊禦壩早啟糧艘直達共慶平成也疏入皆 報聞歷至工科掌印給事中煊子承綸浙江長林鹽大使采詩滙包氏安吳四種

章樹屏字容溪江甯人大父松字敬夫一字木公工詩著有識漁亭集父彭齡字霞芝康熙四十七年舉人樹屏少孤篤行有文名以歲貢選徐州訓導丁母憂葬日扶匶出郭役夫以雨潦不肯行樹屏徧拜之終不可乃扱衽腰閒徒跣荷前杠倡衆進始克蕆事

文嘗與蘭啟勳卜熊等捐貲爲文廟朔望祭費塗壂補葺皆取給焉謂之灑掃會子琮玲皆諸生琮字理質幼遵父訓不與外接雖巳長不知有朋從往來事年二十餘遽卒玲字素存以歲貢爲宣城訓導琮子桂如字樨庭號月蟾諸生早孤貧清介自守而力學不懈居鄉貢院秋試時賃直頗重桂如推宅讓弟俾奉叔母以居而自遷武定橋一椽僅蔽風雨咸黨賢之桂如子泰履字厚菴亦諸生生平無過舉泰履子鼎事見忠義傳鼎弟鼒字及之道光二十九年舉於鄉謁選得四川知縣以親老告近改山東父卒服闋仍發四川補威遠知縣卒於官啟勳自有傳熊字后昌上元人爲明義士卜璠之裔承儒業者十世熊以歲貢選盱眙訓導急公好義族祖世儼祠圮世儼事見前志熊竭力倡修之子官字禹占本生父岱以諸生早卒官義在兼祧頗艱奉事而能得堂上歡心品高行潔

非義不取卒困於諸生以終官子汝霖汝爲皆諸生汝霖學養充邃粹然儒者汝爲子鴻藻咸豐三年死粤寇之難采詩匯文徵縣志忠烈備考

田朕字奇民號西畇上元人爲人孝友重義輕財工行楷八分以諸生入貲爲縣丞後主講浦城書院年八十卒子普豐歲貢生從子咸豐字碧圃幼孤事母孝童試爲知府許兆椿所賞拔置第一旋補縣學生年三十有二卒兆椿題斯人可惜額親奠之普豐子寶雙寶書皆諸生寶雙字秀歧性嚴正豪於文劉恩奎以同輩行從遊執弟子禮甚恭恩奎字紫垣江甯歲貢生其父承謨字琴齋諸生工書恩奎傳其學寶書從軍甯國咸豐八年兵潰於祝塘鎮冒陣死其從兄寶泉咸豐十年亦在六合竹鎮遇賊被害咸豐子寶瑚字伯珊少孤貧性孝友母好施凡所欲予寶瑚必探囊出之咸豐三年江甯城陷全家沒賊中明年賊驅婦女出母老不能行

寶瑚與二子從容舁母出聚寶門若不知爲賊境者時季弟寶琛官績溪乃奉以就養無何徽州告警寶瑚語弟曰弟當官盡臣道吾諸生盡子道不可使垂白之母更見賊也遂奉母如浙轉徙至如皋雖拮据異常而甘旨無缺母卒殯斂如禮同治三年江甯復歸來者多爲認產爭寶瑚常爲平之排難解紛一言而決人之識與不識有所質必曰田先生田先生寶瑚貌瘦骨棱棱出遇事至夜過半衆皆倦而神光猶左右顧無少欠伸與伍承欽甘可貞最善常往來年八十無疾而卒可貞字虹橋亦上元人以諸生舉道光元年孝廉方正性剛嚴咸豐初館浙江學使幕中聞江甯之變急歸視母城陷不得入母沒城中痛哭自咎三年不茹葷亂定檢骨以葬哀毀如初喪寶瑚重賻之俾得蕆事焉可貞以耿介得奇窮寶瑚數饋之不受則責以長者賜不得辭以是稍濟寶瑚沒可

貞愈困人卽贈以金亦皆辭光緒五年卒總督沈文肅聞之以五十金卹其家著有羣經定虹橋文集同江草皋亭唱和集寒鴉集承欽自有傳寶琛字仲瑜道光二十六年舉於鄉旣攝安徽績溪知縣訓練鄉團防守險要賊由徽州至距縣六十里聞有備而退咸豐六年歲大旱寶琛牒請緩徵並捐貲平糶逾歲以疾解任未幾卒寶雙子晉階字象平諸生性忼爽從提督唐定奎至臺灣保加五品銜藍翎教諭尋卒於軍采詩滙縣志妙香齋集文徵忠烈備考

張廷珏字牖奇一字西堂上元人諸生性坦易家赤貧疏水常不給泊如也不惑佛老之說嘗製攻乎異端文學士盧文弨以爲昌黎原道之亞與馮蔭祉龔琛杜王臣善嘗贈以詩著有紹銘堂集蔭祉字與元一字雨園江甯諸生耄而好學布政使康基田延主雞鳴書院嘗欲搜羅國朝文獻輯爲一編而未成年八十賜國子監學正未幾卒琛王

臣別有傳廷珏子德麟字侶蘇諸生德麟弟德鳳字子韶一字梧岡少有才子之目博覽羣籍尤工書法生平潔修自好共祖十餘人同爨脩脯之入悉以歸公不問出納也嘉慶十三年舉於鄉二十五年成進士選庶吉士散館改歸本班主講鍾吾書院十五年始選廣東仁化知縣涖任甫四月而卒德鳳子兆登字子雲諸生恂恂謹篤無少年佻達氣早卒宋詩匯縣志文徵粉槃錄紹銘堂集

甘國棟字遴士江甯人晉于湖敬侯卓裔也父邦欽字維則家貧耿介取與不苟鄉里推長者國棟篤厚尚義有貸金無償者焚其劵且予之資戚某惑奸媒言以女字匪人國棟大憤爲斥媒反聘擇配士族備奩嫁之家有津逮樓積書至十餘萬卷教子嚴而有法築友恭堂長洲王芑孫爲作記子四福遐年事均見孝友傳延年字靜齋樸學謹內行居母憂蔬菲三年事兄如嚴師撫姪如子

喜施予嘗仿伍光瑜歲暮貧嫠錢之舉推廣逾二百人節饮之其子女婚嫁有費已故賻葬有費行之二十餘年不衰又好修治橋梁凡厲揭所經有圮毀者輒傾橐無少悋周家山磯黃天蕩漩流最惡處也延年斲巨石爲柱鎔鐵絙百丈風水卒變纜舟濟險而渡築高橋門荷花塘大埂道涓句者必繇焉易以石埝履道坦坦名之曰堅固埂咸豐三年避地官山冢祠家無長物而所識有陷賊出者猶館之僦郵廟農家皆滿日脫家人環瑱易穀以食不足又貸益之人高其誼年八十有一卒於嘉興著有字說織說教學淺說鶴年字鑑亭國子生性慈惠耆詩歌嘗修安德門大道拾遺金緘其封弗視俟其人還之寘放生池於神木菴築長圩兼捍水患和州俗多溺女倡捐創留嬰會全活無算道光五年卒於江上歸殯華嚴庵其子炳於莫愁湖側建夢吟樓以志永感著有鑑亭詩鈔福子煦字耆壬少與

弟熙同師事胡鎬邃易春秋學旣補諸生遊桐城姚鼐陽湖孫星衍之門治詩古文辭提學蕭山湯文端科試賞其文食餼道光元年舉副榜又出文端門故生平尤所服膺嘗攝寶應縣訓導勘湖西水災加意慰恤選安徽太平教諭搜訪節孝貞烈三千六百餘人乞　旌以薦舉得知縣煦贛直疾俗澹於榮利歸自京師遽萌退志葺宅西老屋數椽雜植花木樹石額所居曰蟄龕然汲汲里中善舉如增置救生船廣益善堂嫠恤侶種牛痘局於諸葛祠道光戊申己酉水災疊辦城廂振務改煮粥費散給錢米咸豐元年督濬河道建議通後湖疏青溪運瀆支流及北新河以達江引誼侃侃勞怨無所避晚年辟地於淮安益工詩歌時時寄江關之思焉自署曰貞冬老人刪所存詩八卷爲貞冬前後錄卒年七十有一熙事見文苑傳遐年子炘字俊卿幼孤事母劉孝謹從胡鎬邵

友竹遊爲仁和龔文恭甄錄補縣學生體素羸道光庚子癸卯猶力疾入闈昆弟勸沮之迺閉戶養疴手輯不費錢功德錄以自省遂不試議敍訓導亦不就生平聞義勇爲如拯溺恤嫠諸舉陰遣所親遺之而受者莫名所自里某逋負巨金不索償且時賙給之行誼之厚類如此延年子鰲字曉亭樸厚有父風嘗七試棘闈佹得復失嗜呂新吾呻吟語陳文恭五種遺規日寘座右誦之終身以親疾求醫究心靈素又從張桂林華宇範游益聞其奧同治三年寇平歸里葺先世墓廬聚族拯貧乏寘義善堂田以資粥振捐宮門口遺産助擴學基皆拮据灰燼之餘而爲之卒年六十四炳字竹生退年次子嗣鶴年少孤本生母劉疾嘗刲股和藥以進逾年炳疾亟妻盧氏籲天乞代炳果瘳而盧氏以微疴歿戚鄰賢之撫孤姪及甥俱成立性明決練事長益通當世之務咸豐六年以同知需次浙江初試杭州通判時

通州徐清惠任浙藩炳講求水利清惠嘉其能檄辦寶浙局東南大饑以後物價騰踴私鑄滋熾炳甫莅局清惠詢整頓之具答曰不減銅不惜工良法具在視奉行何如耳又問積弊焉除曰去其太甚毋爲已甚清惠韙之又委稽局敘勞擢知府十年權定海同知值洋艘逼境民情惶惑炳外示懷輯內事拊循賴以安堵有某家素封兄弟爭產累年莫決炳一日坐堂皇集訊觀者若堵亟呼役遠屏署門命爲唆訟者偵獲者賞隱芘者不赦立逮至一鞫而服兄弟皆感泣頌神明焉受代日紳民以未徵秋漕行橐蕭然措千緡爲製裘服誓不受同治二年徐清惠公巡撫福建　奏調充營務處治軍理餉多所贊畫三年江甯收復乞假回籍與邑人士請復救生崇善諸義舉明年建府學於冶山署總督李鴻章命董其役五年旋浙權知嚴州府事下車訪民疾苦請除欃纓之累不

再攝民光緒元年權知紹興府事首濬三江閘以捍水患修蕺山講堂增月課膏火創淸節堂舍爲謀永遠經費以籌解邊餉保道員加三品銜六年八月卒於紹興鹺局年六十有二著有古泉文考親民一得堪輿淺述小津逮樓詩稿國棟從孫灼字貢如國相孫也苦志力學束躬謹飭文如其人受知提學萬承風補縣學生早卒著有淨心軒文集采甘氏家乘

陳授字石渠號松崖江甯人曾祖棟字錦菴祖廷聘字渭求皆諸生父奎字在東國學生少習賈每以不讀書爲憾延師教子極其誠敬時販茶於徽有新荈至薦祖後即以奉師送脩金必使驗所言之數曰吾子之成敗在師敢以錙銖較虜授體父意力學補縣學生父既沒有貸金未還者度其人不能償輒火其券凡數百金父友蕭某客六安死子幼家貧無以歸葬授愀然曰此先子之所悼心也亟致金返其喪毋崔病溼瘇經年侍疾維謹

棫窬之藝必躬親之兄志凝字樹南亦諸生體羸多病不忍以家務攖之志凝及弟掄均早卒從子維鏞志凝長子也艱於小試督責過諸子後竟以第一名入學諸姪則視其才之所近俾各習一業皆能成立有姊適徐生一女而寡迎歸養之終身且擇士以嫁其女治家極嚴上下整肅門以內無嬉笑聲平居持躬端粹以存誠居敬爲本研究宋人語錄於漢儒考據尤精桐城姚鼐極重之課徒首立品次文藝遊其門者彬彬如也雖家道中落而慷慨好義上元江甯學宮圮募貲重修倡建同善堂窮嫠賴以存活下關草鞋夾風波險惡常覆舟乃議設救生局章程皆其手定迄今猶遵行之嘉慶十九年大饑道殣相望罄歷年所蓄二百金易米減價以糶非素識極貧者不能得曰吾非有所靳也力微不能及遠耳復製棉衣數百領散給貧寒並家人女紅所入貲亦取以應用

焉每晚必率次子維垣懷餅餌散錢至僻處以予餓者雖大風雪不懈同時好善之士固多然賙卹之事出自寒儒人尤以爲難年五十有七卒同治十二年奉　旨入祀鄉賢祠著有小學廣義毛詩補箋松崖文稿子四維藩字价之性寬和人雖面欺之亦不校鄉里稱長者歷署宿遷贛榆桃源睢甯沛縣訓導晚主講山西太平縣書院人服其敎年六十有五卒維垣字豊之號星台初補縣學生文名噪甚旋食廩餼嘉慶二十三年舉於鄉明年與弟維屏同成進士除內閣中書時母蔡以疾卒於家維垣性純孝是日在都忽煩躁不安寢又得惡夢乃謂弟維屏曰吾夢不祥必吾母有故也何以官爲投牒遽歸居喪哀毀骨立旋丁父艱座主帥承瀛巡撫浙江延主紫陽書院講浙文浮靡維垣以經史課生徒士風爲之一變在籍時適值伍光瑜籌辦調劑快丁事力贊成之服闋

赴官充文淵閣校閱考取軍機章京雖通籍儉素如諸生平居謙和與物無忤尤好施予有父風年三十有五卒維屏字劒芝嘉慶十八年舉於鄉旣成進士初試山西榆社知縣有政聲歷浮山太平陽曲轉潞安府同知性亢傲數不合於上官然有繁劇事則檄令往理屢攝忻解絳平定諸州蒲州澤州潞安諸府及河東監掣同知監掣職司鹽筴膏腴缺也初上日商以白金三千餽力拒之未幾道使查辦鹺務以賄劾者纍纍而維屏獨免咸豐初以循吏薦　召對稱　旨三年擢知廣西柳州府事會山西有警留辦澤潞防務以私財募勇三千據太行山險賊不敢逼轉入河東以功遷廣西右江道未赴卒年六十有七維屏宦遊四十年所得奉秩常以振䘏族姻及沒家無餘貲著有棠芬書屋詩集維翰字宗之又字寄芸諸生精擘諸經爲文敏捷避亂卒於蘇州維

藩子元晉字伯康亦諸生勤誦讀多憂慮年未四十而卒元升字仲階陝西咸陽典史元頤字叔賢性迂謹有謙癖讀書警敏能文章以辟亂不得與試且遭家多故抑鬱以終元豫字季師以貲爲典史未補官卒維屏子元孚字允齋一字蘭士工書畫能詩豪於飲選廣東鶴山知縣未赴改省山西丁父憂以毀卒采家乘

吳岐鳳江甯人幼秉至性父某生九子岐鳳其七也與二弟皆側室出爲諸兄所鄙諸兄見父晚多子競求析產六人各得其一岐鳳以下共得其一父不堪其擾曲從之既岐鳳受室其生母亦卒父獨處一嫗給事岐鳳妻陶賢達知大義嫗一夕謂陶曰翁每夜必啜泣或終夜不寐不測何故陶語岐鳳則大駭屬嫗曰今夕寢門勿扃吾當竊入嫗如所戒父泣方作岐鳳掩入明燭在案簿籍皆陳但聞父曰阿七奈何岐鳳突至跪膝前請罪父驚問何來且

怒嫗岐鳳曰是兒屬也堅卬所以則父以岐鳳最孝而所析獨少恐日久難給故憐之岐鳳亦泣曰曩以父爲憂兒不甚懼若僅爲此何足煩父慮且使父並無是兒又當何如寒士赤手起家不必多贏餘也父欣然曰兒見及此吳氏其興矣後岐鳳以歲貢爲無爲州學正其諸兄擁厚貲驕逸不數年蕩然岐鳳常周給之弟岐豐亦以諸生爲儀徵訓導子繼昌字述之嘉慶二十四年舉於鄉明年成進士以編修爲浙江紹興知府清勤儉愼民情愛戴年四十三卒官民尙像建祠以祀焉岐豐子元昌字復初清癯多病善屬文諸弟皆其所傳道光十四年舉於鄉年四十餘卽卒元昌弟鼎昌字仲銘號新之道光十七年舉於鄉二十一年成進士以編修爲陝西糧道升廣西按察使就擢布政使值桂林被圍城中糧之商運阻險不前鼎昌召屬吏樸質能事者文武各一人付巨

款嚴色諭之曰米在某處須迎護即至付汝曹札刻日報解予優保汝誤即按軍法各捧檄去三日米大集兵民俱讙曰此吳公賜也圍既解召爲太常寺卿轉順天府尹以憂歸旋卒鼎昌弟吉昌字藹人道光十五年舉於鄉十八年成進士由編修改內閣中書出爲山東泇河同知調運河加知府銜乞歸江甯克復總督湘鄉曾文正延主勸農局尋卒吉昌弟世昌際昌俱以諸生官知縣潤昌字雨香弱歲補諸生文最秀偉早卒元昌子邦瀠字揖蓮工詩詞善駢文著有夢碧山房稿以目疾抑鬱而終朱粉槃錄及縣志

夏昂字愚泉江甯人少習吏事從事安徽布政司署會歲饑辦振胥由藩庫發帑同事者無不藉飽私橐昂止之不聽慨然曰攘災民之食以肥己是尚可爲乎因挈二子塏埮還里俾讀書應試焉塏字子儀性和厚詩文極敏兼工繪事道光十一年舉於鄉以教

習期滿謁選得福建建陽知縣勤政愛民循聲卓著建陽城被水沖坍垂六十年無過問者塏捐廉倡修一時感動捐者踴躍未三年畢工縣舊有考亭精舍朱子祠也内有朱氏義學久廢塏爲重立並置祭田春秋致祀尋爲忌者所中罷歸値江南亂居浙流連詩酒常縱遊西湖山水閲年六十八卒著有信天閣集燚字子俊號去疾幼敏慧讀書過目成誦善屬文與程亮祖夏澍同充道光乙酉拔貢十五年復舉鄉試舉止淡雅詩文如其人然外和内介不可干以私二十三年客京師聞英夷擾江甯念母頗切以憂卒著有篆校堂集亮祖字寅工亦江甯人讀書有遠識澍字雨人一字蒔園上元人藴藉沖和詩文如宿搆頃刻千言兼通醫理亮祖妹夫江文熙字緝菴稍晚出詩文書法冠絶當時由桐城來爲族父後充道光丁酉拔貢二十年舉於鄉桐城親友所贈不下千金

悉以予同生弟嘗在某署爲書記主人已遷官去於故紙堆中得金華肘千隻券慨然曰寡人子得此富矣然取之敗我名乃悉焚之四人居相近俱淡於榮利有止足風奭子家銑族子鑾事皆見忠義傳鑾弟鉞以軍功積官至知府卒於軍采縣志文徵詩匯

魏應昇一名時昕字昇初句容人世居東陽補縣學生性至孝侍父疾晝夜不離者六十餘日及父卒執喪盡禮每述父遺命以教諸子持己剛嚴人敬憚之著有東陽閒筆及詩稿子四方泰子嵩前妻吳出子恆子嶠繼妻施出也方泰字魯巖一字蓼園八歲喪母哀泣如成人遇時物必親薦之父病噎見之心痛誓不御酒肉事繼母如所生有餽食物於其母者感謝不去口數十年來人不知方泰非施出也喜賓客好施予乾隆十六年歲饑倡捐粟米二十一年復大饑强者沿門索食方泰懲其首者餘不敢譁乃勸富者出穀振之一方以安晚以歲貢生選金山訓導未赴卒子嵩字

雪亭號健菴少失恃祖母戴撫之每夕述古先賢哲事以爲訓子嵩立志願學焉年二十四舉於鄉試禮部罷歸而父已謝世浹旬矣一慟幾絶乾隆十年登明通榜進士選授太平教諭諸生會文彷程子法改試爲課不月使之爭補製聖廟祭器合樂習舞均依古式上官委查涇縣積欠不事敲朴而民課自完並詳陳水災情形乞振從之旣而連值旱饑置廠振粥又倡捐分濟貧鰥遣役賫送以全自好之士纂修太平縣志搜采節烈都爲一冊請　旌表於　朝迎養繼母於署先意承志事兄方泰如師老而彌篤有故人子二無以爲生攜歸教之後皆補諸生俸滿引見卒於道著有虛車集詩文稿子恆字冀襄諸生父病時長兄方泰侍疾仲兄子嵩禮部試乃偕弟子嶠外謀脩脯以供家計一錢尺帛不入私室及方泰年邁子嵩先沒子恆子嶠經理家政拮据支持有不使方

泰知者以是方泰得與老友從容觴詠以爲常子嶠一名子岱字平山幼慧能文早補諸生母施卒於子嵩署中聞訃哀號水漿不入口者數日應昇孫江字岷源邴字相吉清字纓泉湘字蘭浦湧字月江紹潢字天池永濱字潤南皆諸生而紹濂最知名紹濂字季泉子嶠子也乾隆五十一年舉順天鄉試十五年成進士累官山東黃縣蘭山知縣升至兗州知府加道銜有政聲卒於官紹濂從子嘉梁字泰輔諸生設教里門以養父母曰吾若遠遊以謀脩脯其如定省之曠何嘉梁從子元白字臨仙亦諸生采訪

裴子宣字郇雨一字晴宇句容人諸生父諤士性嚴重子宣能得其歡心居鄉遇事退讓於捐振捐修事皆贊成之而不居功晚年日手通鑑一編中夜不倦退處內寢子孫入侍怡怡如也常謂家庭和則元氣固防微杜漸必慎其端遇節則家人治具稱子稱觴

訓飭累千萬言列座拱聽以此爲娛年六十六卒弟千東字韻和號養拙內和外剛遇事能斷性尤慷慨縣學修尊經閣捐貲董役不辭勞瘁乾隆乙未歲祲偕族賙饑洎乙巳大歉仍出重貲勸募徧贍邨黨執友朱慧昌死臺灣之難慰贈其二子甚厚有姊適倪數月而寡迎歸養之敬同諸母伯兄芾棠屬纊時援厝布氣冀得復生雖已遘病不恤也年六十五卒于東子暢以諸生援例爲同知暢從弟玠字景福號祉亭生三月而孤母周撫之成立及省試聞母病急歸次日而母卒自是不復應試嘉慶十九年大祲玠與從子鑑於天王寺倡議捐輸就局董其事復謀於族中醵資部署給米振飯鄰近數十邨活人無算族女爲許氏養媳姑虐遇之玠收養於其家視如己女及笄備奩送歸母舅周聿修暮年貧窘玠惻然曰舅母黨也困至此母心傷矣迎養終其身又與族人續修

家乘十月而告成素工篆書好古器喜交賓客築醉墨樓以爲讌會之所年六十有八卒玠子鏞字聚堂鏞從弟錡鍼皆諸生有文名鑑字靜涵一字印川于宣孫球子也嘉慶十三年舉於鄉以大挑爲如臯教諭諸生課文手自校勘如塾師之繩子弟二十四年成進士以庶吉士改官內閣中書主湖南壬午科鄉試擢協辦侍讀轉宗人府主事未幾告歸鑑少孤既貴爲母請 旌表復推及縣之苦節籌建總坊於西門外又以裴氏子姓實繁於宗祠中積穀備荒凡族戚之貧者出私財周恤之家居足罕入城市人或以事干必婉謝之年六十有三卒弟鑛字竹臞自稱潑潑子著有活潑潑地稿鑑子澍字孟生後改名霨號黍谷充道光乙酉拔貢考授安徽懷遠教諭會懷遠大水霨經理振務不辭勞瘁明歲境有飛蝗霨復督役撲治之俸滿以知縣用母老例得告近除浙江湯

溪知縣假歸迎母而母卒匝月澍亦卒年僅五十人稱爲孝澍弟泰字季安官宿遷沭陽訓導工醫采裴氏家乘及詩匯

濮殿榮字君行號松溪溧水人少孤事母孝撫諸弟有恩既補諸生與同縣唐承鎬友善力學能文宗譜踰期未修倡議纂述旁行斜上皆有條例承鎬字武遷亦諸生家貧而介不干勢利殿榮兄殿颺歲貢生弟鑾恩貢生子琳從子琪璜琨皆諸生瑗字又蘧亦琳之從昆弟也祖蘭芬事見前志芬作芳父紹輶世有隱德瑗性孝友嘗刲股愈親疾而以爲非儒者事不使人知道光元年舉於鄉六年成進士初試四川安岳知縣嘗易布衣屨挾一僮周歷四境察民疾苦縣有大猾林元端多藪盜歷任不敢詰會歲暮瑗偵其家所畜死士皆散歸無備乃陰率健役掩之初出從者不知所往及近賊始告之元端以火鎗傷瑗腕然後就執縣人初聞瑗傷咸皇皇

然而瑗已縛元端入城矣立置之法上官嘉其才調華陽知縣以親喪去官服闋擢雟州知州尋遷涪州時粤寇陷兩湖川以東防事方亟瑗乃徧度險阻籌水陸守禦具議者欲仿軍興各省例增立釐局瑗慮擾民執不可而以糶常平倉之餘穀價應所需不足則出俸錢佐之民感其德不勸而輸者日至瑗於暇時復進諸生而課之曰吾以消其兵革之氣也既而警報紛來或勸徙家口出城曰吾以此城爲生死吾家人以吾爲生死有出避者諸君共戮之人心由是益固而瑗以積勞致病遂卒年甫六十瑗於學無所不窺而不分別時代門戶諸子嘗侍立大樹下辯論漢宋宗旨瑗因指示之曰人必高於樹也始俯悉其全體今有東仰者識樹之陽曰吾盡之矣復有西仰者識樹之陰亦曰吾盡之矣所見固親切然各得樹之一面耳羣儒之窺聖人何以異是居官凡三十年

書千餘卷外無他蓄宗族親黨待以舉火者數十家沒後涪民私立祉於小河之滸歲時祭之瑗從弟琮以國子生爲四川通判署仁壽知縣迴避改浙江署龍游知縣族人允中古皃樸厚年九十九歲江甯知府鄭濟美禮異之松雲歲貢生據文徵采訪

徐必純字佩蒼六合人父崑字楚珍性誠實然諾不欺爲鄉黨所重必純幼聰慧以貧故父令習賈精計然術與弟必經必綸糴米滁來閒獲利輒倍延同縣舉人李德滄拔貢孫延昌於家敎其子脩脯優厚曰治家宜儉延師不宜儉也後以報効軍餉 賞直隸州同銜子鑑字藻亭號遠邨未冠補諸生與同縣常鈖汪鶴舉朱實發唐湘妹夫孫永清爲文酒之會秉性淡雅絕意進取年五十二卒著有遠邨詩鈔鈖字玉輝一字水南諸生喜吟咏鈖從子恬字引軒歲貢生居南郭外亦能詩好遊山水讀書自樂鑑子石麟

字穆如縣學生以豫工例報捐訓導未幾父卒家中落與諸弟析產分得馬廄園溷十餘間改葺爲課徒塾痛自刻苦自脩脯外一豪不取後雖歷署邳州學正宿遷教諭儀徵訓導貧如故著有四書廣義軼陵詩文鈔石麟子鼎事見忠義傳鼎事見儒林傳時同縣以文知名者汪世錚字椋亭諸生行端學粹屏棄聲華家居授徒成就者衆世錚孫達元字掄秋事父與繼母以孝聞爲文敏速舉咸豐元年鄉試第一入都應禮部試聞江甯不守出闈後即兼程回里省視是時縣辦防堵達元襄理局務以勞疾卒戴文燦字雲軒世居六合東鄉新篁巷性孝友好施予耆古工書父廷楷嘗僑寓揚州文燦得與其地名士遊學益進安定書院山長全椒吳鼒賞異之道光元年舉於鄉以父年邁不應禮部試父沒後遇大挑親友勸行潸然曰人子讀書所以求祿仕者欲博父母歡耳今

二親俱逝何志於此耶卒不赴居恆博覽羣籍於聲音訓詁致力尤深善談名理而束身甚嚴無晉人放達氣習著有石城遊記竹齋印譜種梅書屋詩草採訪

唐潮字柳溪六合人父廷紳字張書篤孝行工詩古文詞爲諸生有名早卒從父廷夔字律諧歲貢生性嚴正交游咸憚之東城外有淫祠能爲人禍福里人供奉不敢懈廷夔親詣祠毀其木偶卒無患其不惑異端如此潮事母孝撫諸弟有恩性和而介知縣雲茂琦重其品嘗造廬訪之與談理每竟日而去然潮終未嘗干以私已充嘉慶辛酉拔貢道光元年當事欲以孝廉方正舉力辭不就與同縣厲柏友最善晚年築屋數椽於竹閒名竹坪書屋課孫以爲樂柏字默菴諸生世居治浦善詩工琴足迹不入城者十年性愛蘭春夏時芬芳滿室或有勸其寄詩隨園評閱者柏怫然曰

吾詩豈借人傳耶平日以賣字賣藥爲生遣嫁女孫僅一琴一婢其高致如此著有默菴詩存潮弟湘字瀟南品學兼粹臨事無苟乾隆五十九年舉於鄉著有采芝山房文稿潮子肇元歲貢生候選訓導湘子肇瑛諸生肇元族弟肇熊肇龍事見忠義傳肇元子嘉會嘉書皆諸生嘉德字用修號薇階道光二十四年舉於鄉咸豐六年成進士選庶吉士散館改江西吉水知縣斷獄明決案無留牘縣有白沙都張姓與雩都人累世械鬬以距城遠歷任不能治嘉德率衆親往禽首犯寘於法餘衆慴服江西折漕浮冒每石幾及萬錢而吉水以土瘠折徵不及他縣之半大吏爲平漕之議各州縣皆一例徵收嘉德曰平漕以蘇民困也今限以成數是他邑減而吾邑增也吾不能肥己以重困吾民毅然上請得末減著爲令未幾調貴溪縣未上欽差大臣李鴻章督師河南檄辦營務

積功至道員署湖北鹽法道事尋司宜昌鹽稅潔己恤商務持大體光緒二年西人創立宜昌馬頭爲衆所撓釁且不測嘉德亟往開諭事遂定素精許氏說文梅氏算書嘗撮其要略附以己意未及成書而卒據文徵末灰齋集及采訪册

秦澎字匯東一字飛泉六合人爲諸生日有名閉戶精學者四十年而卒困於場屋著有淮東詩鈔湖海詩傳選入之子維楫字濟川一字江亭與弟維杲皆諸生維楫經理家政篤於孝友以貲爲按察司經歷性好施予後舉道光元年孝廉方正著有江亭詩鈔維杲字子生一字條山爲人慷慨有氣節族黨閧有爭論得一言輒解嘉慶中徙建文廟總理西路捐款不辭勞怨事載文廟碑記同族湆熙字介菴一字蓮溪道光五年舉於鄉十五年成進士選庶吉士散館授湖北興國知縣旋改浙江龍游知縣丁母憂歸主

講旌德息山書院服闋赴官以龍游久無科目創建書院厚給膏火公餘與諸生講藝由是士興於學未幾王日宣余撰俱官翰林皆湻熙門下士也在官六年每屆徵收期鄉民赴櫃完納不立比簿數月竣事課常最俄而有疾諸生日問視執弟子禮甚恭卒於官士民有泣下者著有木天清課及最樂編行世與湻熙同舉者有金楠字勺山亦六合人沈毅寡言與人談經史無偏執束身自愛不踰繩檢弟森從子蘭芳事見忠義傳據詩匯及木灰齋集采訪冊

葉煌字木齋六合人援例以從九品候選性耆學工吟詠喜蓄書籍與同縣杜巖友善有疑義必相考究爲人急公好義時六合衞務最爲疲累快衆船多丁貧費重各快丁每因簽船報貼畏累輕生煌憫之援上元江甯成案籌捐生息永免編運至今快丁猶稱感云所撰有木齋詩草款秋軒近存稿弟鼎亦能詩著有玉韞齋

詩稿杜嚴字魯望諸生著有若洲詩稿嚴兄嵩字衡江乾隆四十二年舉人官廣西棲霞知縣著有以我鳴秋集昆字蓉菴著有晚香樓近詩弟崟字石逸著有飫經堂集皆諸生嚴子璜字雨仲著有浣花軒集煌子觀儀字棣如以優貢生舉道光十二年順天鄉試明年成進士選庶吉士散館授編修歷充四川雲南鄉試正考官尋提督雲南學政常慮人才屈抑盡心搜遺創立五華書院以教士差旋復典江西鄉試得士最盛甲辰考試差觀儀試帖有云素抱爲霖願常懷捧日心宣宗成皇帝召見勉之日爾異日當思無負此寄託中閒入直上書房直文淵閣事遷國子監祭酒累擢至內閣學士凡十八年莅官勤慎終始如一年甫五十遽卒觀儀性情和易不立崖岸尤喜急人之急精醫善畫有名於時既沒世多惜之觀儀從子珏諸生玉成候選從九品咸豐八年粵賊犯境以團練守六合南門城陷皆死之據詩匯未灰齋集及采訪

單

論曰張何章田諸氏文行孝義鄉里所宗而其子若孫秉訓義方通經足用顯榮襃大　錫命自天食報可謂厚矣夫流之遠者其源必清根之深者其葉始沃未有身無積累而克昌厥後者也易稱餘慶書曰降祥豈虛語哉

丁鼇字雲衢上元人先世自河南徙金陵大父瑞字輯庭始占籍爲諸生父楷字恆齋附貢生家素裕喜施予河南族人因訟事破產贈以數千金不吝鼇淹通經史砥礪名節孝友尤篤中乾隆十八年副舉人值歲饑捐穀萬石又自設廠施粥老稚多所存活議敘以州同用著有詩易纂說培風書屋文集戴山堂詩稿子塤垣增培壇塤皆諸生塤字竹溪篤行樂善里中創立完節堂與弟垣捐重貲助成之嘉慶十六年同荷題　獎垣字粟園號雲門以歲

貢選霍山訓導著有尚書揭要增字紹高候選布政司理問培字耕餘候選州同皆以好義稱壇字雄文號杏邨又號耐吟於諸昆中尤孝友慷慨鄉里貧窮多蒙其澤墫佚其字候選州同墳子金科字第軒諸生性剛直言笑不苟咸豐癸丑之變遇賊死垣子鈞字錫純湖南縣丞鈞弟金和字節之皆能世其家學增子金鎔字陶軒以歲貢候選訓導善爲文亦死癸丑之難培子金榜字德交一字曉題性和而介嘉慶十八年舉於鄉選授太和教諭文廟圮捐貲修之未幾引疾歸晚年猶健步善談金榜弟金聲字劒潭諸生壇子金詔字語華號待廷道光元年舉於鄉選太平訓導縣舊有書院久廢與知縣李宗羲謀添置膏火課藝親爲評定士林頌之墫子金相字玉堂金相子有年字研農皆諸生癸丑之變有年死於難有年族弟逢年字調元縣學生亦於是時闔室自經采文徵縣

志安徽通志
忠烈備考

孫必顯字祥之上元人居王墅邨與同里周名揚商於浙名揚病欲歸委以貨約五年陸續償本諾之三年未一償焉名揚愈求與言必顯曰吾向不諾子子必不歸不歸病必不愈今本利具在乘人於危而利所有非夫也名揚義亦不肯受乃建橋於嘉興復於邨東海普菴置一井鐫兩人名以誌之弟必揚必揚子學端皆諸生學端字楷行號稼堂氣質和厚善屬文學端子祖瑞字嘉五一字芝圩諸生性孝友施予不吝嘗以節縮之餘推及宗族鄉鄰嘉慶十九年旱災富民出貲以振官紳主持王墅附近數千家祖瑞獨任之量戶高下振施均平事集而人不知又同邨監生夏宗彝亦捐貲振施不辭勞瘁當事獎以仁爲己任額祖瑞無子以弟瀛子夔愉爲嗣亦諸生瀛字葆貞號樸齋事親孝嘗侍疾六十日不

解帶夜分禱神而泣旣補諸生與兄祖瑞同受業於學士盧文弨肆力文學設會課於邨中延師講習一鄉之士彬彬如也又立宗祠修譜牒而以餘財振族之窮孤焉瀛子肇熞道光元年舉人肇性諸生宗人昌經字秉常亦諸生總督安化陶文毅刱立豐備義倉昌經經理捐事一鄉服其淸正稍後有念謀者字繩武一字芑泉國學生以捐振議敘從九品築園於方山下曰雙芝圃日集賓客觴詠著有雙芝圃集念謀弟念揚原名粱字顯甫道光二十四年副舉人性好施予咸豐三年粵賊陷江甯姻戚多出自圍城念揚捨宅居之且供其衣食又與湻化鎭諸生王大任王臨泰鄂邨舉人周肇元諸生張東序張含光張和甫等各出私財留養城中逸出者久之費絀復按畝捐輸湻化胡熟龍都各鎭皆設局又擇虎洞精廬以居文士所活不下萬餘人四年八月賊驅婦女出人

愈多乃於牛首方山增設二十餘分局六年向忠武軍潰僉揚挈眾局從蘇州資斧罄猶不忍捨去乃謀於吳中撫卹局俾各得所旣張忠武軍復句容溧水進駐孝陵衞招僉揚回辦團練捐貲募勇屢從官軍殺賊十年江南軍再潰僉揚在土山聞變嘔血數升猝遇賊遂被執大罵不屈死又同族知名者有承熙介尊承熙字秋華咸豐二年舉人性雅靜由團練議敘知縣分發江西嘗署某縣有城守功介尊佚其名諸生平居謹恪謙遜見者輒起敬素工醫嘗爲丹藥以濟人見人有節義事尤喜爲表揚卒年五十有六時又有同縣諸生王振聲字士元號少卿少耆學嘗遊當塗馬壽齡同里汪士鐸之門家赤貧而攻苦益力性孝友好拯人急咸豐初從軍孝陵衞有自城中脫出者官兵輒以閒諜疑之被戕者甚眾振聲不避嫌怨力辨其非人多獲免歸里後仍以課讀爲事卒

年五十有一據待徵錄文徵詩匯柏梘山房集及采訪

方中矩字心楷號璞園江甯人父鋐諸生家貧而力善不倦中矩少承父教苦心積學不求進取充乾隆丙戌歲貢與孫毓瑾杜王臣吳襄蘭啟勳俱以課徒得名毓瑾字瑜懷號晚聞上元人居土山下南遊楚越北適燕趙袁馬翩翩交其豪傑長者意氣殊盛晚而筆耕蕭然環堵吟嘯自若以歲貢選休甯訓導著有愚淮詩鈔偶然吟集王臣字治東號鐵夫江甯諸生性伉爽豪於飲善談論雖詼諧亦有理趣襄字思贊耄而好學亦以歲貢終啟勳字祖香上元諸生性至孝授徒於家聞母一嗽聲必入問安否尤好義行鄉里善舉多贊成之其課徒一以鹿洞爲法啟勳子馥堂字淡谷恩貢生馥堂從弟玉堂字帶芬號藪畬乾隆二十一年舉人選安徽太湖教諭未第時授徒於磊功巷善講書時有北莊南蘭之目

莊名允升字位中乾隆二十七年舉人與玉堂俱宗仰程朱中矩子爲楫字汝舟號涇亭敦孝友重睦姻里中灑掃會同善堂諸善舉皆贊襄焉以嘉慶丙辰歲貢選合肥訓導年八十卒著有四書精義爲楫弟爲模子廷熢廷熢子培蔭字石泉與弟培基培厚皆諸生培基及培蔭子志勳事見忠義傳培厚子傳勳字心齋亦諸生學邃品醕年甫三十遽卒爲模子履祥培元皆諸生爲楫季弟爲梅字毓和一字竹軒出爲伯父濤後濤字乘安與弟濬浦皆諸生濬字巨川浦字周載爲梅性介而和尤樂施予教授生徒有貧不能卒業者必宛轉成就之嘗有句云稍有餘貲常救乏偶然得味必分甘其胷襟如此以歲貢生終爲梅子廷煊字柳塘從子廷炘字景炎俱恂恂孝友廷炘子培仁字子靜諸生性狷介家貧年四十不娶嘗曰入貲自立奈何以婚禮累人卒無子爲梅從弟爲

柏字漢臺浦子也性和厚家貧屢質衣以周戚友之急議敍從九品年八十卒爲柏子廷煒事見忠義傳采文徵

吳應佺字堯仙號坦齋上元諸生敦孝友重睦姻與人交溫和誠信子晉康字硯農號六橋歲貢生性坦白有父風晉康子湛恩杰皆諸生時金陵以文學世其家者葛國玢字鈞亭上元人祖亮之從子也祖亮見前志性直諒能規友過工詩書善畫以歲貢生終子光字與林書學涪翁其摹古逼肖處雖賞鑒家無以辨也著有雙杏堂詩鈔光墉陳學字岳樓亦上元人工畫山水王鳳藻字梧巢上元諸生厚重寡言工詩古文詞子壽恭字晴嵐穎悟能詩精考訂之學正字說文無間寒暑嘗與顧月樵等爲眞率會晚號崆峒居士年七十六卒著有崆峒集壽恭子颺言亦諸生汪鎔字兼三上元諸生性寬厚喜交遊年二十六喪妻不娶境雖困而不戚戚於

心儆衣疏食晏如也子本源字雲根少失母事父孝喜周人急善畫與其子廷桂皆諸生閻尊賢字容菴江甯人幼穎異試童子時知縣袁枚賞之旣補諸生名益噪子殿邦字靖甫睦姻任卹鄉里稱長者殿颺字寅谷貧而好學與諸子希曾希傑皆諸生臧志仁字訒齋上元人性耆學好施予以諸生　賜舉人著有學庸脈解楚游草子錕諸生阮紹文字晉源江甯人乾隆五十三年舉於鄉選授睢甯教諭文名素著善談名理有晉人風子芹鏞皆諸生稍後上元阮氏有名屋者字小咸亦諸生性和易工制藝兼能詩不以不得志於有司而有怨詞與梅曾亮友善卒後選清河訓導著有竹賢堂集屋子肇奎肇星皆諸生楊澐字健一上元人少倜儻不羈善詩文工騎射兼應文武兩試俱獲雋學使令其爲文諸生憫從弟溶幼孤教之學溶字安湖性亦孝恭信重於友與子長昕

皆諸生金紹鵬字雉山江甯人諸生有足疾而品學端粹居近越王臺聚徒教授同縣汪澐嘗從之遊曰先生日飲酒三升詩文一揮而就子軒從子殿皆諸生殿字子房有文名家貧不妄取工書殿子科亦諸生采文徵詩匯柏梘山房集

陳順年字時徵號遂菴江甯人諸生敦行者學嘗邀友會文於城東之水月菴雖除夕不輟卒年五十子德齡字醴泉亦諸生篤孝友年四十後患臂風遂棄舉子業專精醫術德齡從子鍾徠世芳皆諸生世芳字香圃性洽峭工書尤善擘窠大字旃檀林尚存手書石刻九方詩有逸氣嘗佐安徽巡撫鄧廷楨幕不事徵逐人謂之孤介先生世芳子念祖字小圃府學廪生汪謹能文世芳族弟銓字薇溪耿介自持館於同縣王氏桐城姚氏子弟皆沿世祿積習估侈奢麗受銓教叱無敢蹈故轍咸豐初避亂居雲臺山年七十卒銓子元

吉字小成德齡孫印千字月潭皆諸生印千弟衍吉字小丹幼聰慧同縣秦嵩年以女孫妻之衍吉遂從受許氏之學工詩古文詞舉道光十九年副貢選授陽湖教諭嵩年字仁山幼孤母教之嚴尋補府學生耆學好古尤精小學中年棄舉子業遊關陝閩每見斷碣殘碑手自摹刻與徧志相印證晚歸境益窮自號蟄民嘗舉所撰字說音義數十萬言及詩文雜著於除夕酬以酒而悉焚之惟餘所授女孫四德箴在衍吉梓之以傳又梁增修字以安亦江甯人父學易諸生增修性敏悟家本富而中落至賃屋以居然好學益力爲諸生日有名著有讀史釋疑詩詞鈔筆記卒後無子妻胡緘藏之疾亟命火之曰此夫子心血也既未通顯又無傳人秀才家言誰復知而見采乎其用意與嵩年同據文徵粉槃錄縣志及采訪冊

汪照字倉臨江甯人父楨字以甯自歙遷金陵以貲雄於時既而

家中落照又牽家產涉訟事至十七年乃結案中閒爲訟師吏役所欺詐店友所乾沒照皆不與較而勢遂不能支因與二子坤均析居爲三俾自食其力後復就養於均以終均字落坪夙好儒書於五經近思錄尤篤能背誦其文又好楊園先生集平生不爲詞章不應試儉以持己恕以御物課徒孝陵衞束脩之入才三萬錢雖口無充食身無完衣親族之溫飽者元旦外不履其門或敂扉而假以泉刀怡然卻之妻蘇同縣蘇紹祖女也性嚴肅均每自塾歸定省外輒相與瀹茗著棋未嘗一語憂饑寒嘗訓其子士鐸曰窮而在下須記餓死事小四字惡衣食乃分內事何恥之有年六十有八卒著有落坪語錄紹祖字榕菴博雅耆詩歌著書畫甚富以士鐸需次東河嘗有同姓某甲偽族子家其人善爲詩本與紹祖雅故一旦負官逋遁族子云紹祖實縱之紹祖傾家代償既而

其入弋獲乃免所著有向山堂山秀堂集均族子松崖以字行善畫性伉直不自損下咸豐三年賊圍城炊飯擔粥以餉守者時守城軍不時食甘之如飴城陷積薪樓下驅其妻妾及子於樓而焚之火發自投水瓮中倒淹死其女適童聞之亦赴水死采行述家傳

吳又新字滌崖一字近亭上元人工楷書善吟詠充乾隆丁酉拔貢生性友愛中歲幕遊江西弟銓往視之有詩云爲聯荆樹來溢浦忍別椿庭去石頭蓋實錄也尋選授建平教諭以
純皇帝南巡迎鑾倍道返里觸勞成疾後三日竟卒銓字冰鑑一字醉竹性爽直以家貧廢讀就織造幕主章奏兼理稅務會龍江關有巨商欲漏稅以八百金浼關吏賄銓銓不受且曰關務之廢弛皆爾等舞弊之故如再以賄進必白本官嚴懲也關吏懼退於是居停益重銓代任者皆禮聘之故銓就織造幕者四十餘年子

本淵字春林既補諸生卽棄舉子業隨父入幕父卒嗣是席者又四十餘年性和厚知大義雖遠族不令析居米鹽瑣屑皆資給之又好施予親鄰有貧者必周之歲暮懷碎金至僻巷察窮乏之家叩門與之不告以姓氏也歲歲行之至老不懈本淵子兆楨字維之早卒兆楨弟兆模字式之幼穎悟七歲能書擘窠大字巢縣鄒若泉以女妻之既補諸生亦嗣就織造幕廉潔自持取與不苟兆模弟兆棠字棣之幕遊河南咸豐初聞賊陷江甯南望痛哭者數日遂遣僕攜重貲南下營脫親族賴以免者幾及十家兆模子榮曾字芟舟出爲伯父後嘗從當塗馬壽齡遊壽齡深重之曰氣質純厚心地精明大器也補縣學生以家貧亦游幕河南嘗爲彰德知府某評閱試卷賞一生文拔冠其曹曰是翰苑才也知府某致之門下今其人已領封圻矣其知人類如此尋以勞瘵卒妻汪事

見貞烈傳采訪

秦朝選字信緣上元人少孤貧遊吳楚年未四十歸里以孝友睦姻稱嘉慶三年里中創同善堂於龍王廟側恤嫠朝選襄其事以詩紀之著有閒中錄餘蔭錄同時程慶芝字曉嵐亦上元人先是節孝 旌表例由巡撫會咨胥吏索費不滿所欲卽祇給扁額慶芝佐江蘇巡撫幕特爲破其弊自是得 旌遂易著有湘颿吟草子傳厚字積堂道光十五年舉人朝選旣沒久之太僕卿蔡世松延陵長發主堂事長發字香鈞上元副貢生父錦源字道南幕遊四方著有雪鴻堂稿長發學識明通工書善屬文旣理堂務潔己守正俄而世松卒事多掣肘乃辭退且以杯酒奠世松靈前默告焉弟長炘子以康字敦士諸生亦工書朝選子學誠字質存又字竹邨父教之嚴已補縣學生有過輒呵斥不少貸學誠柔聲怡色

長跪以請事乃解學誠事繼母孝敎異母弟學明學純讀書成立家庭數十年無閒言性寬厚誠樸終其身未嘗道人過失受侮輒不報喜成就後進從遊孤寒之士有飲食敎誨垂十餘年不受束脩者子士先字開之士科字掇之皆諸生工制舉文試輒遞冠其曹涇縣朱洊宜興任泰績溪胡培翬諸山長暨布政使賀長齡均激賞之講院所謂二秦生者也居家恂恂孝友出入必告於親雖成立猶如嬰孩弟士同得瘵疾士先士科親視湯藥數十晝夜卒不起哭之至嘔血生平篤於風義急人之急不以貧故而有所吝士科擅速藻頃刻成數藝鄉試屢薦不售卒年三十有二士先益侘傺無聊未幾亦卒采詩匯縣志

冷宜南字循齋上元人父震金官福建諸羅知縣事見前志宜南性慷慨乾隆五十九年舉於鄉外兄黃某卒貧無以爲喪具宜南爲經

紀之并恤其妻子有客鄱陽覆舟泣路隅宜南貲助以歸弟福春富春皆諸生子夔言字公調又字夢雲與兄文耀皆有文名少年棄童子試而習古作駢文尤工與人輒齟齬不合惟梅曾亮周開麒陳寶廉始終無閒言知其才憫其境而曲諒之也當貧阨時無以應炊僅餘米一勺置案旁生嚼之而高誦莊列聲聞戶外史記八書最爲精熟寓京幾二十年不與公卿接有匄其文者必視其人之合志而後爲否則雖贈以重金必峻拒之道光二十八年始返里有問駢體法者曰文必從史漢入手方有樸茂氣且賈生治安策本單行而學駢體者必準是宗徐庾不如宗史漢也咸豐癸丑之變罵賊被賊驅投五郎山巷塘中死年七十五同族有名向陽者性至孝年十四父客死江西卽往負骨歸葬後幕遊於壽州時與夔言同以文行稱者高鶴字子固上元諸生性峭絜最嚴取

予其戚黨多豪族足未嘗一詣焉家貧屢空晏如也經寇亂以憤卒子善慶字雲卿簡靜有識嘗遊燕雲河湟而還一如未出遊者

劉雲傚字石函江寧諸生遭亂非義不食周肇元字次薇咸豐二年舉人見時之艱嘗尤其人曰此豈噉飯時歟張子雲字竹於上元諸生敦品學咸豐三年與江寧滕昶避居虎洞昶字樂軒弟旭字曦堂爲諸生皆有名昶性尤孤冷學深於易俱與鶴先後卒采詩匯安徽志縣志

朱蒼烈字濟生江寧人諸生寡交游愼舉止語言吶吶若不出慕宋徐積之爲人事親純孝性好施予課徒所入以卹孤寡有不能償逋者檢券還之居鏇子巷矮屋中一夕有偸兒竊布袍去旣而置之曰此朱先生物也嘉慶十九年旱災與同縣諸生鄭鈵倡議捐振鄉里賴之道光元年舉孝廉方正鈵字金門事親孝六十年

如一日親友貧困者必加意撫之道光三年江南饑鈵又募捐振濟焉卒年六十八子森諸生耆烈子性堂字石渠和易近人道光二年舉於鄉明年成進士官河南東鹿知縣改教授歸晚猶訓讀年六十餘卒性堂子期銘諸生死咸豐癸丑之難期銘弟期保字佑之咸豐元年舉於鄉屢赴會試貧斧空乏遂留京尋卒於邸舍時又有朱啟鑑字鏡秋上元諸生事親孝嘗客蘇州繪負米圖以寄意蘇城延醫必備重貲貧者多不能具啟鑑素工醫輒爲人診治不責謝也著有鞏玉山房詩藳江南春詞三百六十闋啟鑑弟啟鑌字雨岑性孝友然諾不苟嗣母王卒於蘇往奔喪母藏借劵一束悉於靈前焚之據文徵及采訪

林潤字雪晴上元人曾大父師求官山東鉅野知縣大父椿以諸生官州同父捷字企元初試爲總督書吏會崇明遊擊某獲盜十

入人盜賄通官吏將以誣良坐游擊罪捷檢閱供辭逐條擬駁內署判行游擊獲免而盜悉伏誅捷喟然曰人之生死繫吾一念可懼也吾決不業是矣遂去而讀書明年補諸生潤承父志好行其德家素貧冬無裘四時無鮮衣而奉其師王應元終身弗替卒則衣食其子至老且死其他族戚之無依者必量力周給之同居黃某銀工也失銀一挺疑其徒掠之潤托言已適取用未遑白代償之逾年黃得前銀持以詰潤潤曰吾代償引過其失小爾徒蒙冤絕終身生路所傷大也黃愧服與張基周鏞友善以道義相勵充乾隆甲寅副貢生基字近溪江甯人以家貧年五十猶未婚聞鄒氏女賢而贅取之生子鏻鑰使從郭鴻及潤遊（鴻事見前志）謂師道尤以行誼重也最耽吟詠精醫學著有種竹山房集鑰字子金與兄鏻皆諸生性和適束修自好工詩文書法善誘後進舉咸豐元年

孝廉方正鏻子兆勳字橋人從子錫恩字雨香皆諸生早卒鏞字青山上元人居白塘生有異稟南昌彭文勤督學江南試建炎遺印賦鏞獨被賞以卷進呈
御覽異數也旣補諸生文名日噪居傍秦淮有達官挈僚屬狎遊鏞叱之達官怒將中以奇禍學士盧文弨聞之召謂曰君子道消小人道長子好直言禍至無日矣汝其避之鏞因奉母徙當塗鄉達官敗乃歸著有四書遵朱求是錄說經考辨十三經檢字說文鏞孫召棠以諸生官訓導潤子端字章甫嘉慶二十一年舉鄉試第一初入京師有欲招致門下者謝不往中年絕意仕進截取知縣議敘內閣中書皆不就居鄉里樂善不倦嘗與舉人陳鐸國學生范孝恭設育嬰局又爲都土地祠僧秀嵐創翊善義德兩堂恤嫠晚精醫著有醫談偶然居士遺稿龍溪草當乾嘉時同縣林氏有名睿者字哲亭祖鳳翥父瑄

皆諸生睿善屬文官太平訓導子三森字潤岩歲貢生性直誠力學不倦長華乾隆三十九年舉人官貴州清平知縣安華諸生森子蔚青字岱山以課徒得名蔚青子惠字鄭卿幼慧耆讀年十四補縣學生篤於內行早卒又林必昌字少山上元人諸生與同縣徐表俱工書必昌嘗試鍾山書院總督鐵保賞其書法假以黃山谷眞蹟旋爲鄰火延燬明日入署愧謝總督復卹以金必昌子英字奇之亦諸生采縣志文徵

葉光奕初名之檜字宣林江寧人諸生性耿介篤志力學喜爲詩能以左腕作大字兼工小楷一時名輩相過從分韻聯句漏三四報不倦也著有願學齋駢文紅雨軒集延碧山房詩稿弟之槐字芷沅以衛籍爲運丁亦能詩子昱字仲融工畫豐字西田誠信不欺素訥於口惟與人談經史則娓娓不倦皆諸生豐子庭鑾字金甫事親孝父病籲天願以身代家貧館於某氏以母茹苦食常舍

內主人知之遇佳膳輒饋兩器供庭鑾遺母也妻翁卒遂不再取道光十八年歲試以稻人賦用南掌貢嘉稻故實與同縣田種琟均爲壽陽祁文端所賞二十三年舉於鄉數試禮部不售會有以周易食京師者庭鑾從之筮遇泰之升曰吉是謂以其彙允升庭鑾喜或玩而憂之曰不然初九化六离體不成動而爲木居地之下棺之象也之子其不反乎且是卦也位於萃困之閒泰反其類風始東南渙汗之行而地陷之其不祥不屢之子也其年同鄉應會試者皆報罷旣而金陵陷庭鑾不得反遂居於京師又十年而卒病篤時謂其弟庭鈺曰方今之患在不誠非特學問也避亂十餘年吾子弟皆廢學我死弟其以誠敎之誠實而未讀書勝於讀書而不誠實也時年七十庭鈺亦諸生種琟字逵之性和易內行敦篤舉道光二十四年鄉試亦以試禮部未歸卒與庭鑾同舉者有張葆和字煦

堂爲人蘊藉有度嘗署蕭縣訓導著有自樂堂文集采縣志文徵

淩霄字芝泉江甯人幼失怙丰神秀朗年未冠補諸生業頗豐值歲饑振載餘破貲二十餘萬早工小學並善書畫錢塘袁枚重之薦於兩湖總督畢沅遂入幕府與陽湖洪亮吉孫星衍交最厚時苗民敎匪相繼梗化霄素負經濟才參謀戎幕多建奇勳議敘州判以母老歸里得明徐霖快園徙居之開宴款四方知名士爲兩母請建雙節坊及母没游蘇揚閒人爭逢迎之百文敏公聞其賢聘治河務事皆辦後館江甯布政使署與桐城姚鼐朝夕過從著有測算指掌音韻異同古文剩蕉集巢鳳雲鶴溟鷗雪鴻諸詩集湔薇詞集振檀曲集子志鈺字式如亦工詩著有快園咏物集志珪字竹泉諸生工擘窠書著有惜分陰館詩集桐叔詞志珪子伯炎字耀生善詩古文辭内行敦篤以軍功議敘知縣時同里能詩

者有馬功儀何詠周葆濂吳繼曾功儀字棣園上元諸生性伉爽遊幕吳越後歸得蔣士銓紅雪樓故址與弟功儼嘯咏其中功儀著有倚雲亭集功儼著有紅雪樓集詠字梅屋江甯布衣性高簡客死揚州著有思古堂集葆濂字還之以諸生爲寶應訓導著有邗舟等草繼曾字啟期晚號癡仙上元諸生性曠達博覽羣籍妻亾不再娶好獨遊山水嘗徧躡蔣山幽險處手搨南宋摩崖題名而歸館於同縣許鳴九家鳴九契之謂其子庚曰此君不事家人瑣屑乃清淨根也汝善事之咸豐三年之亂鳴九卒於城中庚閉道出繼曾感鳴九相待意厚佽助之鳴九名鶴年以字行與庚俱工醫名動公卿而不事干謁弟子竊其術者或反以軋之鳴九不愠也庚字星垣以諸生選授震澤訓導遭亂取所藏借劵千餘金悉焚之有妾張陷城中閒關負家譜木主以出尋卒官又胡大猷字新齋上元諸生

性耆學晚以醫名著有舌苔說采芝泉詩概序及縣志

黃家炳字樞齋江甯人居上新河少即能詩及壯遊京師以詠秋蝶詩得名人呼爲黃秋蝶著有攄懷集峽雲詞子墉字實夫諸生性剛直言行不茍著有拾餘草墉從子鼎事親孝治家以禮好施予常稱貸以濟人急精篆刻工書法尤耽詩酒著有秋園吟草鼎子光爕字繡谿善書工詩著有繡谿吟草光爕弟光裕字問之性耿介不妄交遊日以詩酒自娛與同里劉葆恬相善亦工畫著有榮花賸語候蟲吟避亂吟葆恬原名慶雲字雲卿號偶因江甯諸生亦居上新河性剛方寡言語不喜見要人然遇後進輒温詞獎借郵愚一言而善輒樂與盤桓又隨筆誌之善古文奧折雋永得公穀南華之遺凡傳誌非其人不作著有偶翁詩文集治家格言蟻餘瑣記光裕弟鐸字子宣號小園篤友于重交誼粵賊之亂流

離轉徙家事獨肩任之撫從子如己出有姊家貧相依養贍至於終身並爲歸葬所遺二女擇士族嫁之親友有來歸者館之不懈素工醫凡有求者不計酬金遇貧者輒反之以爲藥餌費日所得悉付家人囊不私一錢工篆刻善書畫尤深於詩著有胠餘集時又有吳湘者字九帆江甯諸生性耽吟詠避亂遊粤多鄉關之思著有帆影詩鈔采縣志

羅勞字心魚號寶山上元人家貧篤於內行性倜儻旣補諸生常留心經世學咸豐九年避兵蘇州上復六合策明年杭州陷上防湖策皆不用乃赴江北著淸淮團練籌餉二議從軍浦口得教諭同治二年卒於軍著有養一齋詩文集子震亨字雨田年十七即入營司筆札事所得束脩悉寄供甘旨無濫費父沒事大母及母孝金陵旣復奉父匶歸葬因充城南保甲局書記居母喪哀毀踰

禮幾不起大母病每夜必自局歸躬親侍奉雖便溺皆扶持之日購大母所嗜物進之凡三月而大母卒震亨既疊遭大故貧愈甚尋與弟晉亨俱補縣學生館於常熟聞弟晉亨病急買舟歸而晉亨已卒乃深引以爲痛決意不出遊近就軍需局書記光緒六年兼分修府志事未竟八月染時疫卒年三十有五震亨耆古好學始從寶應成心巢究明義理之原復學古文於同里汪士鐸江夏張裕釗得其義法生平不苟言笑不矜才德雖小惠不妄受受輒不忘而好周人急不以貧故而稍悔居家以禮自持雖盛夏不袒裼外和內介無賢愚皆樂與遊每日黎明即起三更始寢寒暑無閒稍釋卷則如有所失故其學勇猛精進而疾未必不伏於是也著有續經正錄四卷服膺錄四卷正蒙課例錄一卷質進錄一卷其則錄一卷五子要例一卷閨門必讀一卷壼雅一卷古文觚一

卷羅氏家禮一卷羅氏家譜一卷有不爲齋詩文集三卷日新記四卷奧學堂藏書目一卷晉亭字接三性清介嘗作養性箴有云天命之初胡虧胡欠後起擾之主爲客僭又云天所尸者眞之弗徼吾所尸者守之弗搖可以覘其學矣著有萬華館詩一卷時與震亭交最善者蔣師軾字幼瞻亦上元人性耆學工詩古文辭幷精楷法初應童子試江甯知府涂宗瀛激賞之旋補府學生以貧故橐筆遊四方經歷名區輒有題詠光緒元年舉於鄉又明年病卒年僅三十有二師軾少負時名勃勃有英氣已而深自斂退究心關閩之旨嘗云木未成者芟其下橫之枝則榦日以高學未成者絕其歧途之趨則學日以進又曰朔風凜冽令人筋骸緊斂乃知冰雪之恩甚於雨露又云今人作一事既竟或有未當憚於改作輒曰不要緊充此心卽聖狂人禽之界故生平鮮有過舉震亭

視爲畏友每謂蔣君以曠朗勝而師軾亦自謂沈毅不及羅君也有與震亨論學書凡數函語極精粹文多不載所著有治學求近錄一卷三徑草堂詩文鈔五卷漁石樓劄記二卷印譜一卷采訪

尙祜字賓臣句容人先世有華玉者工醫以孝義著稱祜事親亦謹父病禱天乞代其藥餌日費多金貲盡不悔父沒哀毁盡禮子承瑄字繡書性至孝雖燕見必正衣冠文敏而工淅中嘗聘修郡縣志考授太常博士承瑄弟承琰字景蘧諸生每歲暮出貲濟親族不使人知乾隆二十一年大荒襄辦振務數十邨無流殍承琰從父昌遴字枚臣諸生生子承瑞五月而卒承瑞字天錫少孤母周苦節撫之年十一補縣學生性倜儻鄉里曲直一言而決著有寄園集虬岩集又同族宏轍字文遠親老不忍出遊嘗於道拾遺金還之兄早卒擇已子之賢者嗣焉昌祚字介繁喜施予嘗重修

宗祠永瑄子祚滋字樹旃乾隆五十年大荒祚滋曰今茲無禾來春可無麥乎於是貸鄉人以麥種復倡義振白倉糜粥而以貲財分給飢者永瑗子祚涑字若水生平無玷行著有青玕集歷溪瑣語西邨晚霞集祚涑諸弟祚臻字也耘性豪邁交無貴賤遇困者必援之善丹青嘉慶中屢入總河幕祚圯字履三爲寶應汪氏司會計汪氏以業敗而逃祚圯爲支持獲數萬鏹悉歸之汪氏咸豐中卒又祚奎亦以忠誠名祚滋子徵儼字望之諸生有才名總督書麟入覲令偕其子入茅山讀書比反則徵儼已死爲之惋然厚卹其家著有讀史劄記徵儼族弟徵倚字溯方貌魁偉性孝友徵珮字江如諸生性耿介母王病衣不解帶者數月徵進字竹如恩貢生嘉慶中嘗與修縣志徵進族子世馨祚奎孫也諸生才氣瀟灑出羣書畫琴奕皆通其旨世馨族弟世賢字子揚父瑞玉徵珮

弟也世賢好施予事母唐孝與兄弟析產居瘠讓肥後更以所分田產給寡嫂居平敬禮儒素見人有過必直言規勸性復耿介家雖苦貧未嘗告貸於戚友卒年六十八尚氏故以醫世其家其與之齊名者有趙友芳友芳子際可施藥不計貧富際可子文清字禮賓按診尤有奇效亦句容人采訪

駱重愜字子占號芷餘句容人父燕詒諸生有文名重愜幼穎悟弱冠補縣學生爲文敏速科歲十五試九冠其曹學使辛從益尤賞異之名旣重從遊者日廣脩脯未嘗計厚薄貧者反佽助之嘗慨慕古人講論之風謂足以恢宏道德蓄養經綸然獨不喜魏晉閒人及明東林諸君子每知縣至聞其品必訪之一報謁卽退無私語也與同縣王瀚爲道義交談笑竟日雖極歡無戲謔語亦不及他人長短貌端嚴衣冠樸素不輕出戶庭每日定省外卽趨書

舍與諸生講習父兄偶至起立垂手侍去約數十步始就坐著有愛吾廬詩集瀚字雋江亦諸生重恆從弟重晉字退思重鼎性慈惠有定識鄰人欲出其童養媳爲排解完全之重恆子道腴才質亮特命從其高弟田志蓮學尋補縣學生族弟掄元族子懋修懋功希言及同縣王澄皆從重恆學而爲名諸生者也志蓮事見文苑傳澄字秋潭不苟取予訓徒嚴肅有古人風與志蓮友最善志蓮壻駱崇祺希言之子也諸生崇祺兄崇禧字雨香亦諸生肆力於古知縣王檢心極賞之重恆宗人琚字徵懷工詩官中書著有藍谷稿覺夢樓集懷人集岐其族叔也性廉介耄而好學以諸生終維清字河光景舜之孫也冬日風雪中輒集族人施粥以濟孤貧又闢行隘巷中察斷炊者助以米又有壽祺與郭世俊友善亂後共捐金掩埋枯骨世俊字秀升亦句容人采訪

張祖善字姓湖句容人高祖士騆曾祖樫均見前志祖凱父嶸皆諸生祖善性端重盛暑不袒裼乾隆五十七年副貢年四十事親如兒時道光元年有司將以孝廉方正舉力辭不就晚年境愈困歲歉恆以瓜代飯澹然安之卒無子以從子澍堂嗣祖善從父弟春元一名天錢字紹彭號杏林嶸弟坤一之子也性和易篤厚舉嘉慶九年武鄉試凡遇救荒捐振修治橋道事必身爲倡之天錢從弟天銘字敬修幼穎異家素貧乾隆五十年大荒事撫無缺有餘以濟親族人咸稱之子雋堂字璞巖諸生澍堂字雨春一字潤之道光五年歲貢生平生謙謹屏外事絕校計雋堂子士衡諸生定槭國子生殉咸豐十年之難祖善同縣李昌允字耀先諸生以孝稱哭父一目失明昌允從父蘊字蕃生以拔貢官蒙城敎諭蘊子昌魯字翰東亦拔貢生性至孝母卒後卽侍父寢不入房闥與潘應

龍友善應龍字雲公亦句容人友愛兩弟家政肅然尤精易理從學者衆子詠孫肇統皆諸生昌曾子元坊字瑤圃耆學工文兼通醫術以優貢生舉乾隆二十七年鄉試選授蕪湖訓導常以培植士類爲務時句容李氏有名德言者字紹聞爲諸生有名早卒妻陳守志撫孤子元祺字鳳洲時甫十齡能體親心績學工詩以歲貢生終德言兄鑾字尊嶽亦歲貢生性友愛視元祺如己出教以成立子本祺中祺本祺子純仁中祺子懷仁元祺子依仁與仁皆諸生又王道復兪顯祖戎尙謙皆句容之名流也道復字御冬博通載籍年二十著十三經賦文章博洽與兄道行互相氏厲充乾隆六年副貢道行亦拔貢生顯祖字挹林與兄輝祖俱有時譽著有心學錄尙謙字去盈乾隆十五年歲貢生嘗爲李義尙母耿氏作節孝行義尙字質菴少孤世父元士教之元士卒義尙哭之慟

藎亦篤行之士矣（采訪）

尹世爵字列五一字尚溪溧水人高祖調羹字碩輔諸生質敏好學淹貫經史曾祖亮采字際聖以武科起家封懷遠將軍祖民則舉人父正位字定三號柳邨性和而介雍正初以貢生舉賢良方正不就留心水利嘗著高淯引河說世爵幼敏慧年十二能屬文尋補諸生性直諒嘗負逋以濟人急人有過必面折之與弟世清居無閒言愛其子如翼如已出教以有成世清字禮存一字芹溪諸生篤於孝友事兄如父從兄世掄官廣西卒官貧不能歸世清鬻產挈其孤迎喪還葬善詩古文辭並通醫卜地理之學知縣淩世御修縣志與分纂焉世爵子如鸞字夢符生而英敏具肆應才早卒世清子如翼字敬茲號吉菴性剛直人不敢以非禮干遺家中落不爲境累晚歲杜門不出讀書自娛稍後有鳴球者字玉振

諸生長身玉立渾厚靜穆有古君子風時溧水知名者蔣天中字道源歲貢生子鼎字調梅亦歲貢生工詩古文詞與同縣于鳳飛齊名著有仁壽堂文稿鼎弟璽字御章少孤兄鼎授以讀敬之如嚴師爲人坦易無城府道光十二年舉於鄉知縣劉佳延主高平書院訓導周詳天中孫政清政和皆諸生楊崇德字聿修工詩與同縣陶仁奇端木焴陳如蘭訂文字交著有百秋吟集唐其子廷珏字聯玉廷喆字雙吉爲校而刊之仁奇字樂山焴字嗣慕如蘭字廷州皆諸生謝蕃字又民號霽軒諸生嘉慶中徙建學宫鳩工庀材蕃力爲多十九年歲饑倡捐平糶不避勞瘁宗人蓀字湘友事母孝與人交重然諾文名冠一時至老不遇以諸生終著有易蘊發明蕃子春池字韻新號西堂純謹老成言笑不苟亦諸生據徵詩匯文采訪

朱仲齡字景初溧水人居於江寗性孝友以父命習賈佐弟炳泰讀遂與從弟仲德協力經紀家漸充裕好施予戚𨚗緩急卒倚賴之下至負販皆翕然稱爲長者道光中江寗數患水又值海上有事屢率弟姪輩出家財佐公用議敘布政司理問銜待人寬恕不求自益嘗戒子孫以學喫虧三字晚好讀朱子綱目年九十卒子沅字芷江少好學酷耆購書補縣學生旋食廩餼顧淡於榮利年三十後遂不應鄉舉敬承先志孜孜爲善從父炳泰當出繼大宗父欲畀以私產萬金猶未言沅急贊成之南城外舊有三忠祠祀宋楊邦乂文天祥明李邦華邦華尤有功江寗吳鍾奇修祠時獨去之道光二十六年金鼇考而復之重新其祠沅乃捐貲以助焉咸豐間選授淮安訓導是時遭粵寇之亂家業煨燼公服至假之同僚會有欲介一言通知縣者願奉百金爲壽峻卻之自是人不

敢干以私嘗與教授蔣錫寶請祀鹽城宋丞相陸秀夫於學宮又舉山陽舉人潘德輿祀於鄉賢淮上人士至今猶服其敎尋以憂歸遂不復出棋樽坐對蕭然若世外人卒年六十有七據粉槃錄及采訪

尹式金字聽泉江浦人父嘉言恩貢生式金古道自持書法遒勁乾隆三十六年舉於鄉與同榜縣人張世燾齊名弟式玉更名正字方水號贅士以歲貢選天長教諭文品高潔書法亦工時稱二尹式金子廷宣字小廉孫效先字紹伊式玉子開二字漢翀孫燕喜字雨亭俱諸生均以能書名世燾字木父一字馥仙性坦直戟髯善鼓琴工詩賦喜爲人刻章紐與六合彭克惠同讀書鍾山學舍上元胡本淵有詩稱之克惠字迪菴亦本科舉人時江浦以文世其家者又有趙濬趙庭柯成林濬字霖渤少讀書過目成誦補縣學生提學謝墉極賞之乾隆四十四年舉於鄉著有遜志齋集

子儀儼皆諸生儀字燕伯博覽羣書爲文典核江甯知府俞培元深重其學中年以目疾廢儼字次山亦工文庭柯字艮琢舉止端方常自檢察其過以諸生終子汝蘭字紉佩歲貢生嘉慶元年將以孝廉方正舉辭不就汝蘭弟汝梅字偉臣亦諸生端重孝友惜早卒林字寶林號櫟邨父澐字紫嵐以諸生客遊公卿閒著有月來堂詞稿林工詩善畫與陳元富友善唱和甚夥子長然字耀山性豪邁不諧於俗長然子方城字楚垣亦諸生元富字梓巖一字潤之江甯人毅之子也毅見前志嘉慶戊辰歲貢家貧力學手鈔之書不下百卷嘗言東漢人誤認氣節西晉人錯解風流時以爲名言弟善富字賜之諸生文富字子彰嘉慶九年舉人以東河知縣改教諭毅孫樾咸豐三年之變舉家自焚死采備徵錄待徵錄忠烈備考

吳際泰字一元號復齋江浦人父鋒早世母夏苦節撫孤稍長令

就外傳寒夜紡績以供脩脯際泰尋補諸生酷嗜宋五子書性端方不苟言笑嘗創立繼善堂爲購恆產歲暮盡所入以給貧者嘉慶元年將以孝廉方正舉辭不就遂以歲貢終其身子庚字西穀嘉慶九年舉人官堅江教諭庚弟楫事在儒行傳楫弟霖字雨時庚子山字六峯工行草書楫子琅字熊光俱諸生時江浦吳氏聞者又有文治廷珍第元文治字漢槎歲貢生大父鳴鶴字九臯性任俠父訒字搢書號蕪衫諸生素豪於詩精醫痘疹喜作擘窠大字晚號龍門山樵文治性孤介家居授徒不計脩脯一以陶成寒畯爲心工畫山水花鳥時人戲呼爲道子子家楣字硯堂舉道光十五年鄉試第一文名籍甚咸豐初選雲南道庫大使以疾辭繪有辭官種菊圖往來蘇滬閒以終廷珍字介寶號湘潭歲貢生曾祖先祖坤皆諸生父嘉謨國學生有隱德廷珍性尤肫篤居鄉以

孝友稱足跡所至皆有設施嘗創立浦六救生局浚河烏衣同善堂以及浦口救荒施藥修塚諸事皆不憚勞怨而爲之與官府交但資以成善舉非是則絕不與通年六十五卒祭酒滁州王煜銘其墓第元字冠軍恩貢生祖鳳輝字鍾岳優貢生父振字玉成家素豐富乾隆初以快籍破累遂中落遠遊貿易年逾三十始讀書坐臥一小樓足不履地尋補諸生第元性瀟灑厭塵囂移居南城紗帽峯下築篠幽秀嘯詠其中故又號篔圃焉子佑字相予號右人以恩貢生就州判善治家一門雍睦無閒言遇事有膽識任字莘田亦恩貢生誠樸不欺佑子大猷大和皆諸生大猷字允升生平以禮自範大和字達夫外和內介以攻苦得咯血疾遂知醫著醫論未幾卒采備徵錄

夏蓊字步青江浦人諸生性端方耆學於三禮源流最悉大學中

庸義藴尤能貫通爲生徒講解必具衣冠嘗館於某顯宦家酷暑宦詣塾中坐久偶袒臂翁艴然曰是豈所以敬師者乎遂辭去其剛嚴後惟許開泰能繼之開泰字建寅江浦恩貢生爲人落落寡合一以程朱爲師法閉戶課徒日講諸經必摘其精藴標記簡端與同縣孫林標稱莫逆交林標亦古道自持以諸生舉孝廉方正人同稱之爲夫子知縣某聞開泰名往候之輒避不見著有蓮峯文集子廷策廷吉皆諸生廷策字一亭死粤寇之難廷吉字常八工詩善畫咸豐八年江甯知府鄭濟美立賑局以惠難民興月課以試士廷吉與同縣廩生袁光孝贊助其事光孝字慶蓀廷吉著有燼餘小草蓊孫宗仁字體元嘗於大道拾遺金數百俟其人還之宗仁族兄弟朝柱朝坐朝灜朝柱字位屏國子生父昕遠遊於外母朱以鍼黹佐饔飧恆日一舉火朝柱有氣節年未冠過某職

家飢甚戚倉之有驕色遽拂袖去叔晑深器之召至家課之讀會疾篤以幼子託焉朝柱經理其家政十有四年拜叔遺像曰姪受叔命持家教弟今弟已成立敢告遂以筦鑰付弟而去喜吟詩然不多作年七十有八卒著有雲峯遺稿朝坐字理堂諸生著有晴山堂稿字學拾遺朝瀍字守黑道光初江浦議建義冢朝瀍謂叢葬宜別男女請分爲二區衆從之采備徵錄

胡兆蘭字紉芳江浦人其先佐明太祖有功襲應天衛百戶世職遂居浦口曾祖君揚字舜直縣學生與兄君恆俱善事繼母愛諸弟學使贈以孝友堂額祖士英字繼瞻父世綍字綸宣諸生樂善好施著有孝友堂家訓兆蘭慷慨有志節嗜左氏學旣補諸生務求經濟乾嘉時漕運伍丁攀擾快籍江浦民受累尤甚兆蘭三上書總督吏胥舞弊者始爲斂迹同縣馬德麟復令浦口各行戶抽

蠲積成巨款請於知縣王頫仿江甯銀當入差例得永免簽丁焉德麟没後佚丁感其義祀之於浦口王公祠兆蘭晚居萬柳莊號萬柳邨農著有春秋三傳會要錄味根軒瑣言漕政蠲弊要覽子珊字炳南號玉山國子生服賈石梁救災施藥戒煙諸善舉多創行之咸豐八年粵賊陷天長掠石梁鎮被執罵賊死著有孝友堂家訓續詩文存員珊子廷秀字俊升亦國子生（采墓志及備徵錄）

夏年字紉蘭高淳人其先有賦臣者一名雯字雲士號漁邨康熙己卯歲貢生與張自超友善嘗輯三湖逸詩備一邑之文獻焉稍後有維字四只諸生工詞善書畫得宋元人筆意名流多與之唱和著有湖上集北窗瑣言年性敏好學與同縣王天侶均爲江甯秦大士所賞舉乾隆三十九年鄉試大挑得知縣改就教職選鳳陽教諭士欽其品著有紉蘭文稿天侶字步雲以拔貢生舉乾隆

四十八年順天鄉試嘗師事大士後復爲大士孫耀曾及孫婿陳鑾姜士冠師大士謂爲品範端嚴奪幟文壇云尋以大挑官四川昭化知縣夏氏爲高淳鉅族自年以外其以文學著者仁字子惠耽吟詠與同縣柳東來唐繼寅陳瑞琊喬若皆以詩名弼字東田家貧耆學學使彭文勤公賞之補縣學生旋食廩餼著有竹溪詩稿詧字書林工詩文能書著有園居漫興稿錦榮諸生品學端粹學山書院山長江甯陳維屏賞異之旌德呂文節公爲教諭時亦深嘉許後文節殉難錦榮哭之以詩其以行誼著者愛棠字樹屏諸生性疾惡見里中有不循法子弟輒斥逐之人畏之與孫名時同故數十年中無閑游爲非者名時亦諸生與人周旋一秉直道嘗云人貴率眞耳何虛文爲人有不合輒面責之遇公事不避嫌怨人以此服之安邦字錫閔好施予嘉慶十九年大饑爲食於路

以待餓者獨捐建祠山廟費白金五千餘兩文炳字錫煒幼失恃事繼庶兩母克盡孝道道光中大水捐貲以散族人且助義振總督陶文毅奬之林字定裕維之孫也性正直犯而不校族有鬻妻者三人爲給錢米留之有積劵千金悉焚之煜字曉亭少勤學工書善駢文嘗爲江蘇巡撫典章奏有童年十五爲盜誣扳力雪其冤焉培興字旺恆爲人傭以養親躬爲母滌器不使之知也道光中　旌釣章字克優事親篤孝刲股療母疾及卒廬墓三年有白鼠長尺許繞墓悲鳴驅之不去咸豐中　旌采訪

孔傳浩高淳人性慷慨好義嘗於固城湖築楊墩護浮山圩堤設燈臺以照行舟子繼楷從子繼相皆以孝義世其家傳浩族子繼年字竹圃拔貢生乾隆中與同縣周蔚起王艮士偕修縣志溧陽毛鳳鳴其契友也相與講誠明之旨後選授繁昌教諭蔚起字厚

也耆學工書與宗人蓮字紫芳耆爲忘年交相與徵事數典風雨不懈著有學庸釋義良士亦品行芳潔繼年從子廣選字紫崖耆古好學篤行自守諸城劉文清公守江甯時微服訪之談論閒試以訟事廣選勃然怒逐出閉門後知爲文清也懼甚而文清嘉其耿介愈重之廣選弟廣業歲貢生性公直遇不平事輒激發出而理之著有春秋集成幷闢佛文廣業族兄弟廣信字誠夫品高潔學贍富學使廖鈺夫賞異之廣英字載崖力行爲善乾隆五十年大旱出穀六百石以振又倡建節孝祠著有一哂園詩鈔廣英弟廣俊字澹如事兄如父老而彌篤嘉慶十九年亦捐穀六百石以振時族人同輸者繼樞八百石廣澤廣綬廣純廣紳昭馨昭逸各五百石昭馨族弟昭溶歲貢生性介直閉門誦讀足迹不履公庭又宗人憲昂字千里諸生家貧學粹品尤卓犖不羣工書法與弟

憲爵有雙璧之目著有懷泗堂詩稿憲爵充道光丁酉拔貢亦工書憲昂從弟憲鼎字銘齋諸生少孤事母孝詩文敏妙時稱雋才倡議禁刈固城湖水草以護圩堤人頌其惠著有半舫齋詩集宋訪

史懷直高淳人性純謹方正素耽於學補縣學生雖時以公事入縣廳未嘗有所干請晚年猶手不釋卷爲族兄弟鳴直樂善好施曾拾遺金百兩還其人不受謝鳴直子允甲字寅階性誠實善文章撫異母弟如同產受侮不校非公事不至公庭允甲子傳經事見忠義傳宗人喬瑜十歲喪父哭踊如成人壯時母喪明喬瑜侍養不離事兄蘧伯愛敬並至不命之坐不敢坐治家嚴肅教子以義方卒時遺命曰汝曹能受人欺不使人畏吾含笑入地矣仁一字仍賢父年七十病下洩衣衾日數更必躬自澣滌母性不喜牀仁一挑燈侍側言笑不倦俟母寢然後退凡十餘年以爲常與諸

弟懽愛無間尤重然諾不苟取予位三事見儒行傳位三從子大中諸生少有神童之目體羸弱位三戒以勿苦讀大中曰讀書原不苦兒非此不樂也自經傳史漢外偏及名大家之文與李鳴陽齊名母黃疾大中侍湯藥衣不解帶者數月母沒哀毀過禮嘔血數升位三視之忽呼曰兒從母去矣遂卒鳴陽一名果延字筠齋耆書購買不惜費位三其妻父也遇事理有疑者鳴陽輒開示條析人皆服其典博旌德呂文節爲教諭時見其批注之書嘖嘖賞之以諸生終時李氏多淵雅之士毓楨字以任諸生家貧事親孝研究經史工書善畫著有四書參旨講義瀞字菱溪諸生性謹飭博學著有四書融貫史鑑約編又邢鶴字鳴世號峙亭才氣高邁嘗爲尚書沈文愨所賞詹事錢大昕尤契之著有古香堂集魏近思字艾圃恩貢生英敏能文應　南巡召試二次皆列二等

拜段匹荷包之賜著有斯濯堂集他山同門集孫芹字楚葵諸生性曠達尚義工詩賦善畫墨梅館江甯端木氏者數十年門下士皆掇巍科去著有楚葵賦草集孟詩蔣珍字連城諸生性情和易好讀書尤工詩以困於場屋目失明無以自遣撫琴嘯咏而已著有詩經精義皆高淳人士之博洽者也采訪

李生勅字豐菴高淳人家豐裕重義舉文廟傾圮募捐重修生勅以啟聖殿自任落成後知縣顧某欲旌之固辭子大年亦好善乾隆五十年大旱出粟振饑大年子有羣字占元道光中重修啟聖殿以繼祖志時高淳以善世其家者唐兆春字正國嘉慶中捐助義振文廟前邨東圩堤壞以石磚之費不貲復捐修儒學廟宇又以境內多火患獨置水龍一具以備不虞子邦華捐修節孝祠及義冢邦晉捐千金爲書院經費邦彥喜振孤貧均有父風又宗人

允恭允安皆樂善不倦俞鋒字達明道光十一年水災捐錢八百緡以振又以田四十畝助書院費子瀠川亦施予不吝瀠川子欽字秀儒倡捐永城鄉塾道光二十九年大水給同族人各千錢重修仙圩石磡費一千六百餘緡劉繼艮字成玉亦於是年傾囊濟困不足妻周質簪珥助之繼艮子勳字西銘性至孝親有所耆不計路遠近價貴賤必致之亦樂善好施采訪

論曰語云儒門之貴榮於公卿丁孫以次諸氏近之矣然金陵人士習尚清介恥爲標榜往往其人膾炙衆口而不能詳其生平者加以譜牒失考無所坿麗使竟不爲摭拾俾卽湮淪亦徵獻者之咎也類次其品以綴先正之末其端粹則有若上元之趙寬字敬寬諸生性端廉學仰程朱文宗唐宋汪漣字楓溪少孤事叔如父叔沒撫從弟有恩既補諸生客於揚州安定書院山長杭世駿賞之著有古文及詩集王澄字秋潭諸生言行有法性尤澹雅張坦字蘭坪諸生喜讀呂新吾呻吟語饒曙字爽

軒諸生性介取予不苟精賞鑒工行書**談承平**字均堂道光元年舉人剛直不阿潛心經史**王鳳藻**字潤堂道光十五年舉人持躬謹飭工屬文從遊者日衆**蔣新**字心楯道光二十年副貢生以古道自處人皆憚之**哈賢招**字聘之同治六年舉人候選教諭敦品積學善誘後進晚主講歸安書院卒於浙**雷逢春**字竹生歲貢生性剛介尤喜獎借後進**丁自求**字得之少奇貧讀書不少輟生平篤於骨肉姊嫠無依養之終身光緒二年舉於鄉旋卒**江甯之李一鳴**字續成諸生工醫性嚴正處事有方**吳文相**字志書諸生遊揚州嘗有假人白金五百者請文相居間金已償而券未退金主據券索金已償金者曰若但問吳君果吳君言未償卽如命金主意文相困甚議以半爲訓乞其一言文相不可券遂廢見包愼伯集**王興旭**字宇光歲貢生性醇謹嚴取予晚年謝徒課子有持重幣延請者固卻之子燕詒悳詒國治皆諸生**張琚**字石江諸生少工詩中年志於宋學以敬恕勖及門著有紅茶山館詩鈔**管予相**字箬亭諸生童年讀儀禮必躬自演習晚猶辟居小巷孜孜揣摩**鄧宗海**字文水諸生性嚴重寡交遊子弟咸敬憚之**高以翔**字紫庭諸生篤厚謹飭重道尊師**句容之宋基堂**諸生家貧以竹筒豫置詩文題於中每晨拈其一而出購薪米比返卽成**陳善**字繼之諸生能文與基堂皆爲督學周系英所賞**潘旭**字寅初歲貢生純謹自持不踰繩墨尤愼臨財子金恩亦諸生**曹以麟**字仲昭諸生工古文詞以孝友稱晚年修宗譜亦有義法**朱孝磐**諸生性矜愼事親孝不苟取予**黃毓**

清潔自守。子森，諸生，好學能文。**朱煥**諸生，品行端方，足爲師表。**紀叢錡**字竹吾，諸生，舉止嫻雅，以孝友稱，工書，精醫，著有蔬香齋稿。**溧水之芮金鐘**以貢生官太和訓導。**史豐照**以舉人官舒城訓導。**吳正名**字子實，以歲貢生選徽州訓導。**郃輝**以歲貢官英山訓導。○以上四人皆能其官，教士有法。見安徽通志。**蕭霆**諸生，有學行，嘗設義塾於家祠，課族人之貧者，著有勸學編。**章沛**字予溢，爲文奇特，與弟瀾皆諸生。**陸鵬程**諸生，工文。**陳曦**字映堂，歲貢生，有文名。**江浦之禹士銘**字蒓江，諸生，剛嚴好學，人奉爲經師。**趙一琴**字師拚，歲貢生，每好成人之美，人咸仰焉。**葉鐙**字介夫，少遊吳楫之門，以文著，拚善書，充嘉慶癸酉拔貢，後官教諭。**拱景年**字玉樵，諸生，工書，鐙之弟子也。**程長清**字逸舟，性耿介，不染一塵。**六合之沈恂**字雲洲，諸生，善書，工詩，年七十作小楷猶不草率。上海王慶勳重其品，而樂與之交。**厲式琯**字紫筠，世居冶浦，資魯而好學，屛居僧寺，苦讀有年，爲諸生時，學使祁文端賞之。道光十九年舉於鄉。**高淯之孫虬**字豐圩，張自超之弟子也，窮而不遇，著有四書解義、六經解義。**劉思洛**性方正，好以孝弟敎人，以樂人終。**谷香**耆學能文，教弟子以躬行，見人有虛誕者輒絕之。**姜應婁**父于昌，生應婁甫晬，郎卒，母李苦節撫之，入庠以劬學稱。**葛介眉**字元錫，諸生，篤志經史，嘗往妻父家，耽玩書籍，月餘忘歸。**濮陽藍**歲貢生，好學能文，學士盧文弨賞之，著有玉溪稿。**趙漣**諸生，學問宏博，著有學庸注解。**胡濚**字甸澍，諸生，家貧好讀，與知縣霍瑞堂爲詩友無所干求人稱其廉介云**史梿**字期樋工文博學**葛藟**字東墅諸生著有鋤經堂草**葛泰**字金川諸生著有周禮半解**童鴻儒**字珍川經史過目不忘吏部主事郘子彝嘗師事之**楊映川**字與進諸生嚴氣正性以禮法自持鄉里咸敬憚之**楊廷鶴**字鳴九諸生性剛直善斷鄉里有疑難事輒以一二語定之**孫曰周**諸生性樸誠守禮治喪不用僧道終身不赴訟庭**錢廷錦**諸生性沈靜人有忤之者不與爭工小楷**傅孟蘭**歲貢生操行耿介博學能文**淵洽則有若上元之張溢**字念劬諸生嘗重刻金陵瑣事加以按語時稱該博著有珢嬛書屋集句**易孝敏**字穎思歲貢生家貧孝友居土山之駱郵卽吳駱統故里在石硊山左旁有川竹金星二山因取土駱石竹金自稱四音山人著有深柳書堂集**孫肇奎**字惟永學極辨博著壺中蠡說辨指佞草爲妄而斥王充之誣定王毋爲鳥而暢杜甫之意文之有關正道者**孫乘蒼**字潤郊輯有南州詩略**句容之孫守勳**字銘常諸生熟於句容掌故詩不徒作著有霞山集**江浦之王燧**字次巢自稱岀山居士留心金陵故實手鈔碑文一冊著有棲霞遊草**風雅則有若上元之俞瀜**字來溪諸生少以悔花詩見賞於同里戴翼子爲人忼爽不諧於俗著有秋水鈴言集**張琴**字石泉工詩丹徒王文治賞之以貢生官訓導**楊法**字孝甫工草隸詩學漢魏自刻生平詩九首於石曰可傳已餘悉焚之後人葺其詩爲狐尊集**田牲**字魯齋貢生品行端潔善行草八分書工繪山水**馬光祖**字月川諸

生與弟榮祖俱能詩著有笛樓詩稿**孫齡**字虎臣官守備嘗從師馬光祖遊定林開善遺址吟詩繪圖名鍾山遊草又著有紫筠館詩鈔**韓炎**字亦山自號九子山僧工詞著有冶秋館詩餘**吳鋐**字雲門諸生工書**卞文煥**字雲上諸生晉卞忠貞裔也工書**陳瑚**字耀珊諸生其母爲吳宦心女遂傳琴理著有取斯集**鍾又期**工琴**賈文郁**字習侯諸生工書**王至華**字叔淵諸生工書有宗祠在紅楊墅條規整飭至華之力爲多**程春貴**字渠仙伉爽有英氣工書善畫**吳浹**字雙溪諸生書學米氏天馬賦**況宣恩**字芝房歲貢生外和內介工詩賦有文名**吳國俊**字伯英分書仿文衡山一派後官福建鹽大使**邢崑**字花農諸生家有緣園與隨園並稱崑好賓客詩酒博奕連日夜不倦著有存不存詩集**江甯之解中發**字節菴居清涼山下總督高文良公見其題壁詩有飽看山水饑能療多讀詩書命亦佳之句大賞之延入幕中贈以千金**李朗**字晴洲與鉛山蔣士銓爲詩友**伍宏醕**字厚菴諸生藏書甚富歲更書籤必廣集名流作籤書之會著有攝山遊草**陶桂林**字又潛諸生居宅爲祇陀林有杪欏樹一株吟嘯其下嘉慶中與佘鏞王克明江山泰馮叔度王芬橋俱爲老宿著有杪欏館集**佘鏞**字紹庭諸生工詩年九十餘猶健**陶惺**字樸菴居杏花邨工詩**陶岑**諸生性愛竹作个中亭善詩古文詞**李葵**字瘦人工詩善書**張愻**字拜蒓官江西典史鐘鼎篆隸各體書皆高古**朱華**字鄰水諸生善書遇友有嘉禮不以肴饌爲餽輒贈以書籍**朱家瑜**字子懷諸生工畫**聶**

元藇字立齋工琴得遯園舊物曰松濤與吳珏田唱和家無儋石而吟咏不輟

吳履自稱苦茶僧有詩一卷長沙唐仲冕題之

陸橋字井香居六朝松畔

句容之周源字達九工詩詞善奕而尤長於書

周錕字西橋工書

朱璞習貿易而好讀史其坐臥處四圍皆書籍也儀徵阮文達亟賞之

溧水之葉欣字鑑亭諸生工書喜吟嘗以小楷書各家詩贈其友江甯陶惺著有雲汀集

葉名灃字潤臣以舉人官中書儒雅蘊藉著有浒澥集

林鳳輝字慶韶性豪邁能作擘窠大字官邳州學正

江浦之俞汝諧字鶴亭諸生兒魁梧工詞章築市隱園以居著有友樵詩集

蔣賞字楚亭性豪宕好吹簫工畫梅善詩詞行草篆隸各極其妙足迹偏江浙筆墨不苟作勢宦要求不得也著有求純集翠羽山樵外集瀟湘館詞稿

馬堯年字石樵蔣賞之壻也博學工書畫詩亦拔俗與妻瑤唱和成帙以諸生終著有藤花館稿

于淩斗字峻山諸生工詩善書

六合之夏致慤字著誠諸生性耽吟詠好遊山水吳縣沈文慤重之著有石帆山人稿

孫韡字怡雲諸生工奏記幕遊兩浙與人交有俠氣江甯王鳳生嘗載酒與遊湖山登眺幾徧

沈科字盈川諸生同縣陸玉書官浙延課其子嘗和玉書諸樂府詩著有盈川詩稿

楊廷桂字雲礎工詩幷精醫治痘診能決人生死人稱活痘神

高淳之甘繩典字愛園乾隆五十三年舉人工吟詠嘗過金陵適莫愁湖樓落成因與錢塘袁樹丹徒王文治江甯張敔唱和後官亳州學正子其一字再之諸生嘗度梅嶺人謂其詩得江山之助

陳悅義字宜

如工詩著有懷珍集楊殿字夢溪諸生工詩善畫著有偶存詩稿孫甸字殿文工吟詠善繪事時有孫甸樓閣之月
湯正珏字式如諸生工四體書幷善畫孫竹字遵篤諸生好讀書工文書畫尤有名楊崢嶸字紹祖諸生工
書晚更遒勁唐雲棟字松雨諸生瀟灑出塵以工書名劉復掄字蘭谷耆學工吟著有丹湖詩文集高潔
則有若上元之任變字東白諸生家貧不妄干一人方苞少子道興愛重之與為莫逆交道興卒變哭之慟以
為當世無知己也沈佩蘭字沅溪諸生性和易不妄交遊晚年綦酒盤桓蕭然自得著有讀書管見程覲鑾字玉
坡諸生工畫非合志者雖以金干之弗答也江甯之許雯澤字時甫諸生家貧工書求者踵至取其直差可自給
充然無不足之色甘如醴字味中居雲臺山麓足不入城市日手一經以課子弟為樂以諸生終宗人元動字相武亦諸
生善屬文耿直尚義馬啟元字伯初諸生善畫清寒自勵傲睨一世一朋儕求其畫應之無所吝達官富賈誓不為作一筆以
故名不出里閈而品日高句容之倪良珍字席儒廉介寡欲精詩善奕年二十餘妻亡不取治家有法著有奕餘集
江浦之金孟占諸生性好靜築室定山之陰著書彈琴以自樂咸豐中避難身負琴一張手挈書數卷流離客死
翁梅峯桂峯二人佚其名孿生兄弟也不應試皆能詩梅峯詠梅桂峯詠桂詩各百首故以字焉嘗言死後當合葬及
先後卒家人如其言門人張于東志其墓高淳之楊雨霖好讀書不應試終日靜坐羽扇芸籤若世外人工醫著有

保產摘要從子錫朋亦世其業胡正寬字星垣幼習書史笑傲煙霞有逸趣精圖畫工書不受謝人乞[illegible]循謹則有若溧水之陳芝字春山諸生世居郡城生平好善尤敬惜字紙與同志者設爐焚化至老不倦訓蒙多成就後學士林重之■陳司善字秉元諸生爲人好施予嘗捐貲立學塾設義渡數十年力行不倦鄉里推爲長者雖所造不同而皆足動人欽式云

續纂江甯府志卷十四之五　江甯陳作霖分纂

人物孝友

士君子誼笃倫常不求表襮望實允洽薄俗自敦　功令旣旌其門復祀之於祠非所以昭激勸哉然闡幽發潛責在載筆雖褒揚未及而著錄必詳式是　朝章網羅散失亦紀述之義也謹次乾嘉以來孝友者若而人以續前志之敦行至於冒刃衞親慘罹賊酷別見忠義不復綴編焉

楊銓祖國鄉王文德坩　從祖肅鳴　黃以旂葉怡　汪炯　王家栩

胡昭汪玉堂吳舜年　馮原高澤瀛　李桐　諶命夔夏泉王建初　張光裕

倪之鏕陳寶泰　傅哲馮宏松　王元鏞　鄒燮趙經品　劉長湄

甘福弟退年　汪熙孫繼聲　馮鑑泉

張長鈞父慶闓　宗人博達　周禮　吳祖新　倪士極

本頁原殘闕，現據南京圖書館藏《光緒續纂江寧府志》（光緒六年刻本，光緒七年初印本）補字。

周儀鳳　陶自超

毛在轍　芮鴻　嚴世齡　湯家榮　馮秉起　薛孝彩

蔣襄培　李國器　卞志　煥芳　趙鴻　王長駕　陳克漳　王錦翰　谷振質

王肇元　蔡懋鏞　翁模墉　傅遇年

王景芬　弟景琛　本源　葆恬　周椿年

蔡琳　朱以均　恩海

任汝霖　父濬　宗人鎔　郜朝典　徐建中

徐世清　林兆熊　汪傳授

張爲玉　倪某　孟翁

郭世仁　田克勤　張金和　王繼綸

魏重熙　大琦　杭毓長　嚴肇信　唐允華　楊德慶

丁淑　王文燦　吳上恩　鳳池　王汝培　濮陽鑾　孫再奇　楊茂林

崔文烝　子有年　陳學濂　趙承勳

侯永檜　王執中　王鳳釆

李鵬年　弟鵬高　鵬萬

周大恩　子嘉楫　俞存恩　張儉端

楊盈科　廷煒

徐懷豫

楊銓字俊衡號衡齋江甯人祖國弼字學舒天性樸厚好學不倦鄉里以篤行君子稱之著有晚香軒集從祖肅鳴字韻和性狷介

取予不苟皆諸生銓性誠慤居父喪哀毁盡禮母病肝疾禱神祈代夢神大書一救字示之遂愈與弟友愛無間言母本好善銓因先意承志如救生局同善堂以及救疫振災諸善舉皆與經畫所講儒先正學務在力行士林稱爲楊夫子同學將以優行舉力辭遂以縣學生終著有易學史證一貫春秋集評日記善言選輯載道集古詩雅正續選幽光初二集道光八年以孝　旌門銓有僕王文德母病刲股以進銓孝之所感也　采文徵縣志

黄以旂字蛟門江甯人居柏川橋側父積家産數千金殁後五子均分而以旂以長男不與以旂無怨色事繼母待異母弟皆極友愛既補諸生貧甚常爲童子師自給蓋冬無裘夏無帷者三十餘年然一介不嘗取諸人道光元年當事將以孝廉方正薦不果生平工詩精厤算年六十五卒著有憶書軒集同時葉怡字耳山上

元諸生與以旂不相知而行相似課徒所入僅足自給不畜妻子謂有室家則將求人故不爲也其遺書有燕石序詞意奇詭又上元汪炯字朗園一字也樵居雞鳴山麓父冠字雲嘌諸生炯少孤事母孝終身不娶恐婦不能順母志也母亾衰絰不除人有稱其孝者輒流涕晚號白門獃漢子著有桃花邨人詩集炯同縣王家栩字子餘少孤奉母孝操履謹篤事不問長者不敢行旣補諸生沈潛於學以勞瘁得咯血疾懼爲母憂諱不言及母卒痛益深旣免喪遂卒年三十二貧不能娶無子采因寄軒粉欒錄

胡昭字孟宣號雪舫上元人幼從叔父本淵遊本淵事見前志篤志爲學充嘉慶辛酉拔貢自顧家計日迫父力有所未逮乃橐筆遊京師五年歸則母端木氏喪明得昭在側起居乃適母沒事父益竭力及丁父憂哀毀踰禮遂以瘵卒時以善侍疾稱者江玉堂上元諸

生母病狂易喜怒無常玉堂委曲侍奉至老不怠馮原江甯諸生侍親疾十二年不就館於外李桐字耆和江甯人侍母疾衣不解帶者三年吳舜年上元人業醫母病風痺舜年扶掖供奉數十年無閒高澤瀛字蓬仙江甯人家貧傭書將母母陳毅女也老而病風痺臥牀蓐者十餘年澤瀛年四十未昏炊爨澣濯以子而婦無勸容好許氏學下筆皆用淡長書故不利於制舉惟鶴山馮啟蓁亟賞之采詩匯縣志

諶命夔上元人性至孝事繼母尤謹父卒撫異母弟命誥命華成立善鑑衡識易長華兄弟於窮困時目為大器且以女妻長華俾讀書致通顯焉同時夏泉字玉亭江甯人少孤貧事母孝教兩弟嚴而有恩嫁女弟二竭力贈奩以博母歡苦志力學嘉慶九年舉於鄉選六安州學正未上卒張光裕字小渠上元人四歲而孤母

王撫敎之長補諸生性方嚴義不苟合家貧奉母能得歡心爲文苦思常廢寢食年三十二而卒光裕同縣有王元字建初父早卒事母及生母皆孝爲縣學生課徒以養衣服器具或潛送質庫中供甘旨費暇則嬉戲於母前如兒時兩母忻然竝忘其貧子庭字硯香亦諸生采縣志詩匯及曹士蛟燼餘草

倪之鑣字德源號寶泉江甯人居磊功巷與孝子郭鴻衡字相望鴻事見前志事母及繼母皆以孝聞嘗刲臂療親友愛昆弟無閒言尤好賙卹親族家素裕竟以此匱之鄉黨稱爲善士道光四年以孝旌門一里中二坊竝峙焉同時刲臂救親者上元陳寶字寶田孝子圻之子也圻見前志與妻王皆篤孝著有孝史彤史同縣管同序之傳哲字子明亦上元人嘗三刲股療親疾親歿哀泣盡禮王元泰字東山江甯人母尉遲遘篤疾元泰刲左臂肉和藥其子松茂

見之亦割左手指肉投藥爐以進病遂愈當塗馬壽齡爲之傳又馮宏松字秀山上元人父永祿字天益性純篤析產時以田宅讓諸兄宏松能體其志竭力娛親父年逾百歲建坊里門繼母疾刲股愈之子鶴年事見義行傳鶴年子鏞字聲揚國子生友愛諸弟常出私囊濟其急而不以告人據因寄軒集縣志及采訪

鄒彝字明川江甯人父榕遊蜀三十餘年不通音問彝一日謝家人往訪之至成都不見見其故人告曰尊人去此久矣問以地謝不知遂渡桔柏踰五漫徒步走七月乃至達州適鄉民有會事皆裹白巾白巾者蜀俗所謂諸葛持服也俄見一老人朱纓至曰此吾父也趨前伏地以父呼其人大驚扶掖既相問艮然相持大痛不已遂迎歸盡孝養者十餘年同時趙經品高湻人幼貧父賢中避讎而逃經品稍長詢知泣曰天下豈有無父之子尋至山東得

父骨以歸葬又劉長渻字法乾句容人父賈數千里外無音問徒步往尋之歸朝夕侍奉鄉里稱爲劉孝子采因寄軒集及高渻句容采訪冊

甘福字德基號夢六江甯人事親善養志父年甫六十即請屏謝家事頤養自娛父卒泣謂諸弟曰人子事親不越生養葬祭吾憾未能顯揚今若葬不得所罪益大矣遂精究地學徧歷山川不避寒暑竭力營葬於墓側建享堂置祭田桐城姚鼐紀其事母患肝疾百計求醫沒後茹素不入寢室者三年其主持家政嚴而有法無纖毫私積諸弟亦事兄如父無事不稟命而行嘗捐千金爲族人建宗祠於始祖敬侯墓側錢塘吳錫麒爲文紀之並於祠東建節孝祠以祀族之孝子節婦而設義塾延師以課族子弟之貧者族人多業農嘉慶十九年大饑出米麥四百斛賙之復捐六百金襄辦義振自是凡遇水旱無不慷慨施予又於是歲倡捐五百金

為下關生生堂拯溺費創望江樓設男女堂造救生船復推之於烈山三山營龍潭各險增設分局而歸於城內長樂渡總局以綜其成已而龍潭局費絀復捐五百金助之賴以不墜餘如卹嫠育嬰瘞旅諸善舉皆踴躍佽助道光十二年以濬秦淮工竣議敘得按察司經歷銜生平耆學慕古蓄書極富至今談收藏者猶稱甘氏津逮樓焉卒年六十有七著有保甕齋日記鍾秀錄越四年以孝義 旌弟遐年字鶴籌國子生母龔抱疾瀕危割股和藥以進疾頓瘳母卒居喪盡禮哀毀骨立三年未嘗見齒嘉慶中修府志里人將采其行載之固辭乃止未幾卒道光六年以孝行 旌與兄福皆入祀孝悌祠采甘氏家乘

汪熙字庶平上元人年二十即代父理家政未嘗取一非分財雖匱乏而供膳豐腆時物非奉親不敢先嘗母有故疾發動時侍視

左右弗避穢褻母卒與父偕臥起父性嚴偶有忤命之跪則跪加以小杖亦順受不敢少拂親意卒年七十有二遺命葬親側子度諸生時同縣孫繼聲字佩恆居高橋門青獅岡內行敦篤親沒哀毁盡禮每日向空拜祭祀必誠潔年八十餘不衰與人言惟以孝道相勸勉人望而知爲善士又馮鑑泉佚其名亦上元人家貧業估事兄惟謹終身不娶有所得必以資兄兄卒嫂臥疾十餘年盡心醫療遺子女四人皆教養婚嫁之采保彝齋日記白下瑣言

張長鈞字運衡句容人唐孝子常洧之後也居縣西門外父慶闓字松軒副貢生性廉介長鈞事親孝繼母趙病侍湯藥不離污穢之具皆自滌之會歲試同學某冀得首選求其文許以白金五十兩長鈞曰日有食夜得寢焉用此爲卻之其方正如此宗人博達字禹成與弟厚達俱英妙人目之爲雙璧未幾弟卒父永年終歲

經營博達遂棄儒而賈母宋多疾侍之至忘寢食後事繼母王亦如之卹困乏排爭競皆爲里中所重卒年六十時同縣吳祖新字翹西諸生父某官翰林旅卒山東祖新哭之慟知縣林光照索其遺文繕寫獻之王民表稱祖新爲眞孝子周禮字維寅居劉巷父紹岳卒未葬家人不戒於火廬舍盡燬禮以身蔽柩呼號不去而火竟熄會歲大饑捐重貲以助振復爲食於路鄰里多取給焉倪士極居湯塘性孝友館於鄰里而定省不廢竝能得大母歡叔父瞻淇兄介眉早卒士極爲瞻淇娶俞介眉妻裴請　旌表以光潛德後以優貢生終采訪

周儀鳳字鳴岐溧水人少孤貧母教之嚴既補諸生充拔貢不忍離母遂課徒以供甘旨不圖仕進焉著有燈火宵勤文集同縣陶自超字元度少失母父不復娶自超朝夕隨父側家貧力學補縣

學生父老病侍疾二十餘年不懈晚選授潛山教諭以善教稱據采訪

毛在轍溧水人性至孝家貧不娶晨夕躬執炊爨以養母爲鄰家傭偶得甘旨必歸遺母嘗拾遺金八十兩持以白母母命待其人還之其人酬以金不受卒後以孝　旌門稍後有芮鴻字少鳴母疾篤刲股愈之撫諸弟有恩卹族戚之孤寒者時同縣刲股療祖母疾者則有嚴世齡療父疾者則有湯家榮療母疾者又有馮秉起辥孝彩據采訪

蔣襄培字占南高淳人父篤臣有隱德年九十五猶健襄培侍奉不離左右及居喪年逾六十矣寢處苫塊者數月與從弟際培朝夕追從極其友愛耆古能文羣以爲張自超後一人而已竟以歲貢生終時同縣李國器字待軒父杜早卒母許以遺腹生國器國

器家貧事母孝勤學不倦既補諸生嘗館於外一飲食母未嘗者不忍食一寢處母未有者不忍居母没爲請　旌表不惜貲盡者有五經旁註訓後錄待軒詩稿下志字以南亦諸生晉忠貞公壼之裔也父懷瑗性雅淡志侍養於家不干外事母病數載日夜扶持衣不解帶及父母俱没於別業中供木主朝夕上食以爲常志宗人煥芳性耿介能文篤於友誼舉動必以禮春秋祭奠前三日致齋居期肅衣迎入上食盥洗自晨至食時方畢若戀戀不忍舍者趙鴻諸生平生宗仰理學以躬行實踐自期每日正襟危坐功過必自錄母卒哀毁水漿不入口友力勸之乃進勺飲三年中號泣無時終身猶孺慕焉王長篤字遠馭號少眉父早逝每祭必泣事母先意承志文名甚重以舉人終陳克璋事母孝出必告告必揖入皆以迂目之母病侍湯藥不解衣者數月及母卒哀毁傷肝

死王錦翰家貧孝親母卒廬墓三年谷振質家貧事母孝甘旨罔缺出入必請命年七十猶爲母滌溺器無倦容采訪

王肇元字善之上元人少有至性年十一母蔡病甚籲天乞代嘗糞驗差否而愈既補諸生歲以所得脩脯具甘旨非義一介不取嘗館上元縣署有覬說訟事者願具百金爲堂上壽峻拒之母有姪懋鏞負儁才家貧足跛肇元承親志教之學間日過其家爲講畫而卻其贄課徒不求速效執經者戶外屨滿道光二十六年舉於鄉嘗一上計車或勸就揀選門弟子具裝以請肇元泫然曰祿不逮養吾何官爲遂不赴二十九年水災與縣丞王恩培醵金購餅餌以食饑者暑潦中躬棹小舟悉心振散晚年境益窘猶勤業不輟卒年七十有五著有槐堂遺集懋鏞江甯人後舉咸豐丁卯順天鄉試同時江甯翁模墉字峻之廩生性和易事母孝嘗昕夕

侍側情話以悅親與兄模增模墫友愛主家政數十年無閒言咸豐中避難江陰遇親友流離者皆分食以濟之時人尤服其高義模墉同縣傅邁年字靜延以進士官蘇州教授嘗刲股療親疾云

王景芬原名學淵字鏡潭江甯人諸生工醫精形家言與弟景琛本源葆恬皆孝友父病危景芬步禱茅山膝行登降血殷履襪父疾尋愈久而後卒咸豐癸丑之亂葆恬不食而死景芬以父厝陷賊卡內偕本源躬率徒黨乘夜移出別葬之亂定還里析產獨取瘠者曰此舉非得已也敢有私心乎年七十卒景琛本名國琛字南珍道光十五年舉人本源字雨香國子生工繪事善詩詞葆恬字子愉諸生時自賊中遷親喪出卡者又有周椿年字梅溪少孤事母孝母卒於城中妻陳廣西右江道維屏之女也舁出淺葬之懼爲賊毀遣報椿年於朱門鄉椿年聞信悲號夜入賊中負以出

寄瘞於謝氏塋哀毀不勝未免喪而卒采王氏傳畧及縣志

蔡琳字紫函江寧人博學耆古爲名諸生咸豐二年舉於鄉三年春應禮部試甫抵京聞江寧陷琳以母在城裝未解即回車星夜抵金陵望城而泣百計籌所以救母出者日往來於鷺洲小航近城地以數百錢置少食物僞爲出賣者漸得入賊卡遇城中人出因得母耗又百計以迎之始得脫當是時江寧人多陷賊中丈夫或死或逃惟婦女艱於行自分必死即其夫若子亦無能畫一策以救之自琳出其母乃競以智力財賄各迎其眷屬脫者以萬計皆由琳啓之也琳既免母難旅食江淮者數載九年成進士授刑部主事升員外郎提調律例館京秩清苦安貧守正義所不可凜然難犯以勞瘁嬰疾乞歸弟子朱恩海見其羸病欲躬送之琳不可則謬謂當歸省附舟同行琳卒於清江浦恩海懼舟人知之內

慰琳母夜則與琳並衾臥如生時濟江而後發喪琳無子以家宅爲祠母居之終其天年所撰述多散佚僅存萩華堂詩藁數卷恩海字月槎上元人父以均字梧生歲貢生性和介舉止嫻雅恩海以國子生應順天鄉試從琳受業既葬琳畢復返都館大學士朱鳳標家喘病如琳自知不起猶課徒弗輟處分諸事如平日坐化而卒鳳標太息以爲古道難再得云采粉槃錄縣志

任汝霖字懋昭號原泉溧水人父濬字大川號蘅埜諸生博學工文早卒汝霖少孤貧母紡績餉學教以有成既補諸生文名日噪母疾侍奉累歲不離左右每夕籲天乞代居憂廬墓三年知縣劉佳深重之爲請於 朝以孝旌門子塏事見忠義傳宗人鎔字陶齋亦孝友士林推其剛介又同縣郘朝典字若型少孤事母李以孝聞家無儋石儲而吟誦不輟徐建中字在吾諸生侍父疾目不

交睫者累日咸豐六年賊擾溧水負母李夜走山谷足盡腫及母没營葬如禮未免喪以毁卒據文徵采訪

徐世清字冰陽號石根六合諸生性至孝家貧遊山東作陟岵圖以見志自題其上語意眞摯末句云願化疾鳥兮度重關飛集中庭兮我母扶杖增歡顔又有東道篇云黄塵滚滚入東道六月炎天禾盡槁江南此時暑氣多我母眠食今如何東道友朋互徵逐珍羞羅列酥醽綠我本江南寒薄兒家有老母還啜菽有扇不能爲母揮有食不能爲母遺遠道之苦苦如此母兮生我欲何爲婦亦能將母何如我進酒孫亦善扶持何如我應手嗟乎愁莫愁於作客身危莫危於白髮親每逢歡場淚暗滴知我心曲能幾人未踰年即歸母年八十猶矍鑠也其詩名夜吟軒集同縣林兆熊字芩疇歲貢生性孝友居父喪三年哀毁骨立父墓去家三里許每

晨詣墓誦父遺文一篇痛哭而返至老不輟汪傳授字佩環諸生侍母疾衣不解帶封股和藥以進病尋愈道光十三年以孝　旌門據詩匯及采訪

張爲玉江甯人性至孝母盧病瘵不離牀褥浣洗之役爲玉皆以躬親一日偶出聞鄰家火奔歸則火已及門乃冒烟入負母出以免家貧而性介嘗拾得李某所遺錢夾追還之贈以貲不受惟日繪扇售之供甘旨費暇則說稗官家言以娛母聽與兄弟相處亦極友愛焉時有孝陵衛倪某賣魚牙人耳母病癱瘓十年奉養不倦歲時社會必負母出遊每夕設酒果說古今事博母歡又有賣帶孟翁住盧妃巷遇佳品必市少許歸奉母小不快則愀然見辭色人皆以孝稱之采縣志待徵錄

郭世仁字端四句容人出繼從父爲嗣已而所後父卒庶母有遺

腹未生欲以身殉世仁泣請曰母孕若男兒偕奉母若女兒獨事母不使母饑寒也未幾果生男世仁撫之以恩旣長畀田美宅悉以歸之而已取惡焉卒年六十六時同縣以孝友名者又有田克勤張金和王繼鑰克勤字翰臣諸生篤於義妻張富家女亦知大體克勤兄某以奢侈蕩其產克勤夫婦無怨言張乃貸於母家助夫經營業以復振兄某衣食皆資之死復爲撫其孤金和字介夫諸生父春堂字夢棲善畫金和事之甚謹會天寒父欲御裘則爲其兄某所竊典乃密爲贖歸轉置他籠以獻父後微聞之欲爲其兄弟析產金和曰兒不願弟有餘而兄不足也乃止繼鑰字品南繼母不慈事之愈篤愛異母弟如同出咸豐中避亂於外雖遠遊負販風雨必歸恐親失所也其婉順尤非人所能及云據采訪

魏重熙高淳人父母嚴甚稍不如意卽加杖責重熙委曲承受父

病刲股以進及没典衣鬻物罄所有葬之旋以悲痛不食而卒族人大琦亦刲股愈父衣服飲食必先奉親父卒三年未嘗見齒又同縣杭毓長字文愷刲股愈母族人有鬻妻及子者皆傾貲以贖之嚴肇信事母孝無妻室母疾刲股愈之唐允華老農也母病刲股以進拾遺金待其人還之親友有急輒行周濟楊德慶家貧而孝親所耆必致之一日芸瓜得銀數十錠人皆謂至性所格云采訪

丁淑高湻諸生事親孝每日雞鳴起侍母食盥漱畢然後赴塾晚歸則爲母滌牏補褥無日以怠母卒哭於墓者三年待弟殿華尤友愛人稱孝義先生同縣王文煥亦諸生母疾割股以進及卒廬墓三年皆以孝　旌門時高湻以孝著者吳上恩字西庚諸生家極貧母汪中風五年侍疾左右未嘗暫離及居喪以毁卒亦被旌上恩同族鳳池字廷士諸生居母喪哀毁死又王汝培母没廬

墓三年濮陽鑾諸生少孤事母孝未嘗稍拂母意居喪哀毀逢歲時祭祀涕泣上食不異生時孫再奇事親孝愛弟尤篤出入必偕每事必諮終其身不衰尤好施予不以家貧而輟也楊茂林諸生家貧力學同治元年負母避難金寶圩母卒茂林遂號泣以殉采訪

崔文烝字漢三江浦人性至孝十歲喪母痛哭不欲生勺飲不入口者四日其父紹源强之食始進溢米及長補諸生家益貧與妻夏咽粗糲而多方乞貸市鮮肥以奉父食盡則喜否則退而自咎父性嚴急嘗雪夜自外歸索羹湯進稍遲令文烝夫婦跪庭中詰旦鄰叟見而訝焉呼之起文烝曰不奉父命不敢起也其恭謹類如此父没哀毀骨立咸豐中避難蘇常間竟以貧死子有年字與齡亦篤孝早卒同縣廩生陳學濂字蓮溪少孤事母孝凡甘脆之供必擇時羞以進母善病每爲母親滌䄙衣惡他人之不潔也及

母卒哀毁滅性不數年遽卒又趙承勳字紹南七歲喪母哀號辟踊欲從死父提保之諭以止哀猶呱呱飲泣爲長事繼母恭順無閒言每於難處之中愈見其孝朋輩咸嗟異之既補諸生倉廩餼性耆學能背誦七經尤慷慨好義靡善不爲光緒五年晉豫大荒倡衆勸分集貲幾數千貫寄以協振俄感微疾卒年甫三十餘采訪

侯丞檜字蔭衢江浦人少孤母病目十餘年醫藥調護無閒晨昏久而弗愈母謂瞽由命定兒安事强與天爭丞檜聞之而益戚也乃每日晨起以水噀口用舌舐去目中翳障一月而復明里人共推爲孝同時王執中字竹溪高淳諸生閒靜寡言不與外事侍母疾衣不解帶者月餘父病誓送普濟良方以救世而父病旋愈王鳳采字儀廷上元佾生父世琳諸生性嚴正咸豐中避難江北染時疫鳳采亦病勢甚重猶力疾侍父湯藥爲人所不能爲者未幾

父愈而鳳采竟卒采訪

李鵬年句容細民也居揚州與弟鵬高鵬萬皆事母孝母每當夏秋閒輒患痢七八十日鵬年晝夜抱負上下侍沐浴梳洗滌垢穢積年無厭倦鵬高在城中爲需次者廚役每日必再歸以新美食遺母鵬萬爲倚虹園園丁灑掃亭閣分遊觀酬值市甘旨必厭母意兄弟三人皆未娶有嫠挾重貲欲以嫁鵬萬鵬萬曰彼來能爲我善事母乎若不能是得妻而失母也不可有姊嫁殷姓而寡鵬年迎與同爨未幾鵬年鵬高相繼沒鵬萬以照料園事侍奉或不時遂上鋪舁轎用力爲養然贍給殊未減鵬年鵬高在日也鵬萬耆酒醉則與人詬誶唯事母至謹及疾篤乃告其姊有錢三十千以半治發送留半備老母後事語畢而瞑蓋母年八十有七矣采包世臣安吳四種

周大恩字芝軒上元人父病刲股以進與兄分遺產辭多受少戚鄰有貧者時周之季子嘉楫諸生尤篤孝時刲股愈親者俞存恩張儉端皆溧水人儉端於母劉卒後廬於墓所咸豐六年賊至不肯出遂餓而死采訪

楊盈科字廷章溧水人諸生繼母病癱臥起扶持十餘年不懈同縣楊廷煒字瞻屺亦諸生少孤事母孝母病跪禱求代及卒哀慕終身徐懷豫亦　母甞劉學使賞至行療親扁額采訪

論曰楊黃胡諶諸君恂恂儒者孝而兼義倪甘有爲其餘零丁尋親甯闔滅火侍疾刲股廬墓滅性遭逢極變君子傷之若紫函以智脫親於險而陷賊者踵出錫類之仁也石根遠遊謀養歌詠寫憂東道一篇錄之以坿陟岵之義云

續纂江甯府志卷十四之六

江甯陳作霖分纂

人物 仕績

金陵爲東南都會斗牛燿景茅蔣毓靈自漢唐以逮前明冠蓋溢於交衢簪纓萃於甲第門高通德里號鳴珂猗歟盛已

昭代龍興名賢翊運雲雷所鬱奮爲經綸載稽前志靡不甄錄若夫乾嘉之際世積隆平縉紳者流日以政事文章相氏厲故入而論思樞密出而節制封圻以至臺省卿貳侍從之曹監司牧守令長之職敭歷中外毋曠厥官高者勳業下者猶不失廉介固邦家之慶實閭里之榮也咸同以來科目亦稍稍衰矣然而竭力孤城保障繭絲之任勞心民瘼寬猛調劑之方才爲時生所在多有亦未可盡略焉類而敘之以時爲次凡得有政績者若干人著於篇

許恆　李文在

朱晨　孫敬銘　陳淇　陳秉悳　吳銓

陸玉書　陳作珍　張之銘　之銘子鵬南等　淇湘　倪鑛　周斯才　斯才弟　僖

陳榛　周森　吳森　戴之融　姚錫華　朱彥華

方俊　父奇瑞　郭長華　羅鳳儀　兄鳳藻　從子榕

唐治　許垣　陳士全　張熙麟

張學權　劉嘉桂　陶汝霖　世父日新

伍慶祥　戴鼎元　馬修良　慎朝元

馮毓璋　東春瑞　梅纘高

孫文友

許恆字司貞號北山江甯人以貲選江西建昌通判甫上值南安尋砂夫倡亂巡撫檄恆率兵進勦恆以計擊平之未幾府治蛟發

水湧數十丈恆亟命人吏往救恣與之金不問其妻翁亦徹還項以助生全者三千餘人渡送天一山炊糜給食水退更爲修葺廬舍民獲安堵調湖南永州通判檄赴長沙執季執季者當時所定之名於府佐中擇賢員以供司臬之使者也恆天性豈弟盡心庶獄妖僧有揭背逆帖子者索其人不獲城僧皆坐繫敲扑無虛日恆謁巡撫請身肩其獄日就諸僧察辭色得造謀者餘盡脫之尋攝善化知縣歸塘李陳二姓以爭水利致殺人禁者六十餘人案懸七年不決瘐死者七人矣恆用情閱實庭引諸囚語之曰獄有首從律有矜疑若以鬬鬩細故株連數載父母妻子皆日引領生還但得一人首服其事即釋矧就坐尚有矜全之路虖衆囚感動皆引伏坐其渠餘悉不問兩邨父老焚香祝者走數十里不絕復攝永州府事地界苗疆時虞竊發上移鎮駐兵彈壓巡防之議不

果行後卒有荆之寶之變始移兵駐守如所議已而解銅入京
引見擢直隸涿州知州涿當南北大道夏秋苦水發帑修墊
部定寬二丈恆更增廣五尺皆解私橐爲之上官不察以違　制
累民挂恆吏議而恆遂自此歸矣恆友于昆弟初服官卽以先人
田宅推予之歸里後不名一錢假屋而居日事影質口不言析産
事晚歲卜築鳳凰臺左授書諸孫與人樂易無疾言遽色束帶終
日對家人儼若嚴賓乾隆中應召赴京卒於邸子天成天一采道古堂
集

李文在字韞華江甯人以貲爲廣西梧州府同知兼攝蒼梧縣事
吏才精敏案無留牘尤明於聽斷有櫪木橋人余阿呂訴邛以誠
爲其父舊僕今已致富而不肯認故主反肆拳毆驗其文契及阿
呂傷痕良然遂拘以誠至以誠言阿呂欠其米直以索逋相毆則

有之若云賣身爲僕實誣甚言之貌若甚枉者文在遲疑久之命取康熙字典至閱之笑謂阿呂曰此僞契也阿呂不服文在曰邨字向無乃旁至雍正年間因避先聖諱始加乃而爲邨據稱以誠賣身在康熙五十九年邨當無乃今契內徑寫邨字其僞可知尙何說阿呂懼伏罪遂重懲之而追欠還以誠以誠叩謝去後竟無敢以虛辭控者采聽雨軒雜記

朱晨字巽齋上元人以國子生議叙得知縣分發安徽歷太湖懷甯知縣擢知亳州性明察吏胥家人不得夤緣爲奸利事聽訟片言而決鳳陽知府某山西人也典商以鄉里干之檄加息晨持不發知府怒按州示以辭色晨陽不喻其意復治州中吏晨往請之拒不見晨亦怒召諸商曰成例可守奈何加息以病民今與若約願如舊速具結否則移他所毋在此累吾民也諸商氣懾卽具結

狀以結覆府議遂寢在任二年重修大橋加振饑民製水車以禦火災捕蝗身先徒役未幾轉六安知州擢江西撫州知府卒官亳民懷其德爲立祠分司街采縣志詩滙

孫敬銘字魯臣高淳人少英秀爲諸生時即留心時務乾隆二十七年舉於鄉以揀選知縣分發湖南補酃縣知縣燭僞察奸案無滯牘縣中僧多不法敬銘嚴懲之曰此等不知戒　皇律何知戒佛律乎嘗署永順府事後乞歸見有僧入邨必逐去之尋卒於家

同縣陳淇字畸園性渾厚而貌威嚴舉乾隆五十九年鄉試以大挑知縣分山西歷署嵐縣夏縣五臺甯鄉浮山崞縣陽城長子諸縣補潞城兼署壺關尋調鳳臺淇自奉極儉清廉之操上官皆知之公事必自裁決案無留牘每至四鄉則自策馬帶乾糧從者數人事畢不少留恐有需索也其他除盜賊興學校治棍徒整風俗

善政卓然尋卒於官著有鏡漪軒詩草淇同族秉直字彝亭博通經史尤邃於易嘉慶九年舉於鄉以教習得知縣分浙江歷官義烏樂清知縣爲民興利除弊裁冗役絶苞苴振興文教又吳銓字碩圃亦高淳人以附貢納貲爲知縣分直隸補沙河知縣有善政民以甘棠垂愛稱之調阜平雖嚴寒酷暑猶必親巡勸課以此致疾而卒

陸玉書字箖田六合人乾隆五十七年舉於鄉選授浙江富陽知縣有饋生魚者揮弗受富陽市魚例有官價玉書革之發奸摘伏有若神明嘗坐廨中有犬從外來狀若有所求問曰爾有冤伸邪犬叩首者三即命吏隨犬所之行二十里犬撥土得斷尸吏祝曰爾能知殺人者否犬同行四五里至古廟前有丐五六人聚飲一丐貌獰惡犬齧其身吏捕詣縣研鞫伏罪先是丐參此犬數年一日將殺之以燕其黨適布販見而憫之啟篋與丐錢二千免犬死丐見篋有貲尾布販至僻處殺而奪其貲此犬所以報也轉錢塘知縣遷玉環同知調處州同知所至以敦崇風化爲務

嘗采貞嫠事實得百有四人爲請　旌於　朝涓日設筵令其妻孰觴以賓禮待諸婦宴畢鼓樂導歸觀者咸知節婦榮玉書爲人持廉不苟取制事以誠公餘不廢吟詠作新樂府以紀其政有正風水告訟師廢祠歎睦兄弟毋黷神表嫠行憫沙田漁人歎八章皆實錄也同縣陳作珍字價南號香亭乾隆四十四年舉於鄉大挑得知縣分發四川適白蓮教倡亂署松潘同知賊犯境擊卻之旋攝新都知縣事團練民勇立爲垛夫晝夜巡防不辭勞瘁賊聞風遠遁遷梓潼及安縣上元董文恪稱其以才居官而政事辦舉以學修心而文章宏達未幾乞歸足不履公庭唯與同縣厲柏相倡和著有雲鶴詩鈔與玉書同官浙江者上元張之銘字穆堂少通經訓乾隆五十九年舉於鄉以知縣分浙江歷署於潛富陽昌化知縣衢州府通判五充鄉試同考官補武康知縣縣境多山易

藏盜之銘單騎入山諭耆民曰汝等居山刈木衣食足裕何出而剽掠爲今特編保甲有蹈故轍者罪不赦並婉爲勸導民有泣下者故終任無一盜性慈愛每錄囚輒愀然不樂去官時民遮道遠送著有惜膹稿子鵬南汝南椿南皆諸生鵬南死咸豐三年之難汝南字子和有文名並長於書畫著有夜江集椿南篤志好學以攻苦卒據采訪錄及詩匯文徵

洪湘字梅溪江甯人以貲爲四川南部典史攝知縣事轉署昭化嘉慶初教賊犯境堵禦有方民有洪公來萬事諧賊匪去城門開之謠時以德政致謳歌者句容有倪鑛以鴻臚寺序班積至四川郫縣知縣轉河南陝縣有治績民立生祠以祀並歌之曰倪青天聽訟不取莫夜錢又曰倪青天賦稅不迫常矜憐凡十章文俚不悉錄三遷直隸南皮知縣卒官其以文雅飾吏治者則上元周斯

才初名惲字受謙號夢溪渠之子也（渠見前志）以諸生入三通館議敘得州同分發四川歷署名山遂甯知縣敘州知州調馬邊廳通判公廉慈惠將代士民數千人詣大府乞留許之嘗創爲馬邊志考核詳明備一邦之文獻焉弟愷字水西工詩畫篆刻子思修諸生（采待徵錄倪氏家乘詩匯）

陳榛字秦木一字慕平江浦人嘉慶二十三年舉於鄉以大挑得知縣簽分四川署名山知縣春夏間大吏欲有興作役民夫榛力言其不可議乃寢調署墊江補彭縣會川省饑米價騰貴榛多方平糶民賴以濟尋乞歸寓江甯築亭館日以圖史自娛子嘉禮以軍功得知縣補廣東普甯縣守城有功進知州卒贈知府與榛同舉鄉試者江甯周森字瞻麓號雪香世居江甯鎮里中有周郎橋歲久傾圮森倡捐葺修往來者稱便已而以教諭試用檄查興化

振務不辭勞瘁遇有孤獨尤加憐恤署蕭縣訓導蕭有書院肄業僅數十人森與知縣謀添置膏火制藝親為校閱月課增至二百人選興化教諭未上而卒森同縣吳淼字北垞事母孝乾隆二十七年舉於鄉選授吳縣教諭倡修文廟祭器樂器嘉慶十九年大荒監正誼書院諸生膏火因學田無收稱貸以給幾踰千金不以告人未幾卒官其子諸生觀文奉祖母歸益盡孝養至道光八年百歲建坊於里門又六合戴之瀜以歲貢生官太和訓導水災查振不假手吏胥民沾實惠卒年九十有七據備徵錄詩匯采訪冊

姚錫華字曼伯號實安上元人父先立字樹棠性嚴正好施予鄉里以善人目之錫華幼好學尤習於易幷通孫子夏侯諸算經律厤天文諸志及宣城梅氏叢書舉道光十二年鄉試二十一年成進士以知縣分發山東歷攝新城長山知縣清釐積獄為多革私

押換票之弊尋補安邱知縣安邱完糧向以錢一千八百代銀一兩是歲市價銀每兩易錢二千有奇秋稅解庫虧銀四千餘兩父老詣署請增價錫華謝曰官有去時銀有賤日安可使賦自我加無已其完銀平民僉以爲便時境内多盜錫華起舊捕劉楠用之厚其工食又多設保卡巡警宵小遁迹有敎首魏淩雲創無生老毋會以惑衆錫華訪獲之寘諸法調齊河知縣嘗謂州縣不可一日不坐堂官之於民惟此時可以聯之以情而地方之利弊風俗之厚薄亦每於此覘之旋擢桃源同知會豐工河決檄勘濟甯一帶水蓄監放振務出入風濤中屢瀕危險不敢少休與同縣朱彦華齊名咸豐三年升廣東惠州府旋擢廣西左江道以留辦山東防務未赴粵賊竄擾劉家口上官令署曹州知府堵禦甚嚴賊不敢渡未幾就授山東督糧道督辦德州軍務以父憂解任服闋除

雲南糧儲道轉按察使時滇省漢回交鬨錫華建議撫之屢言回民亦有善良萬無盡誅之理回民頗忻悅願備資裝聽調遣而練勇藉詞報復襲之於江右館錫華歎曰回性多疑今又不使之信從此地方無甯日矣十年升布政使遂乞病歸卒年六十有七著有怡柯草堂詩文集彥華字文卿道光二十三年舉人明年成進士官山東嶧縣知縣奉檄辦振操守廉潔人舉以擬錫華曰江南二華采行述縣志

方俊字伯雄上元人父奇瑞字碧田性誠實不欺有客主其家遺金而去奇瑞追之不及久之客復來出金還之緘如故又撫嫁疏屬孤甥女二人戚黨稱之俊少耆學工詩文尤好誦離騷太史公書道光十四年舉於鄉明年成進士選庶吉士散館授編修咸豐初轉監察御史時粤賊連陷江甯揚州鎮江官兵攻圍不下俊奏

三城人民未遷徙者十居五六誠恐克城之後兵勇焉藉聲威乘閒肆虐請飭下各路統兵大員務須嚴申軍律於城垣垂克時曉諭三軍限以一兩日進城搜捕仍於城外紮營一面派廉幹文員老成紳董妥爲安撫招集流亾其被虜婦女迅招親屬領囘毋致流離失所以廣 皇仁又奏巳革兩江總督陸建瀛奉 命爲欽差大臣赴九江上游迎勦聞總兵恩長失利既不奮往應援又不嚴行防禦單身連夜逃囘金陵自此一逃而小孤山安慶及沿江防守之兵無不潰散賊由楚破皖旬日閒而金陵鎭江揚州相繼破陷向使該督在九江不走但能力拒一二日則向榮卽巳赴援必能使賊不得東竄向使該督不能禦於九江而退守小孤山率將弁協力拒守向榮赴援賊亦不能過安慶向使該督一囘金陵卽與祥厚等協力同心籌固防守賊亦不能遠行破城乃始則閉

門三日不出繼則挾祥厚等糾參之恨守城事宜在在與爲掣肘致祁宿藻發憤嘔血殞命祥厚等徒抱忠忱僅能激勵駐防盡節以死是恩長祥厚霍隆武之死死於陸建瀛也江甯無數士民之死死於陸建瀛也昨者欽奉　諭旨陸建瀛於十廟地方遇賊被害該革督雖經失律於前尚不失城亾與亾之義陸建瀛著賞還總督銜卽照總督例賜卹臣愚以爲該革督如無前此九江之逃而登陴誓守城破自裁則爲城亾與亾該革督如與賊決戰臨陣捐軀亦可爲城亾與亾今於十廟遇賊爲賊所害是欲逃而無可逃不得附於城亾與亾之義也該革督九江一逃關繫天下大局誤　國殃民莫此爲甚生無可貸死有餘懟　皇上寬其已往憫其一死賞還總督銜幷前此查抄之家產已屬至優若復與死事諸臣同邀　恩卹恐無以服天下之人心勵行閒之士

氣而慰恩長祥厚霍隆武等忠魂伏願　皇上將陸建瀛卹
典撤銷以爲天下後世誤國殃民者戒疏入皆　報聞凡入臺十
月章奏數上多關天下大計未幾授雲南臨安知府臨安土宜桑
而民不知蠶俊設蠶桑局以課民會滇中亂作未得竟其事俊嘗
以爲惜五年彌勒奸民鍾道人作亂知縣郭長華死之長華字文
泉江甯人道光十九年舉人變聞上官檄俊防堵阿迷州數月而
罷納更土司龍氏死妻貧代辦權將不利於妾子勾結夷民謀叛
俊廉得之置其妻於法以其妾子襲職嘗曰吾政尚寬以法殺人
者止此一事然土司多梗頑失此不治恐擾奪劫殺無已時也尋
攝迤南道事仍駐臨安督辦回務有所設施多爲異議齮齕八年
回衆圍府城俊防守極嚴閱三月始解旋卸事回省以保城功升
道員前在史館纂書勞敘加鹽運使銜收復江右會館功賞戴花

翎遂補延南道丁母憂奔喪於陝西韓城服闋移疾不出主山西宏運書院講同治三年歸江甯總督湘鄉曾文正聘主忠義局月致廩餼俊乃自號枕善巢老人與里中高年爲文酒之會閒參內典爲息心養靜法卒年七十有五著有諫垣奏稿暖春書屋雜著及詩刪行世采行述縣志

羅鳳儀字威伯一字亦凡上元人少沈默好學從同縣諸生徐學易朱蘭遊長豪宕不羈已更斂抑道光二年舉於鄉公車將發值兄鳳藻病甚有問行期者泫然曰此行卽穩掇進士吾亦不忍也遂不赴鳳藻字抑山諸生工書善詩著有梨雲山館集鳳儀後中十六年進士授河南滎陽知縣未上值河決開封奉檄防護城垣時水已薄曹門居民惶駭鳳儀請庫帑十萬上官訶其多鳳儀曰省會重地倘黃水一滴入城倉庫錢糧皆不可保後悔何及此非

惜費之時也上官然之乃募得千人馳行泥淖中不避危險竭力堵禦水始稍退調赴祥工局清釐積弊無絲毫染指而收取物料皆優給價直曰城中貧民甚眾不如此恐劫掠生事也以合龍功加知州銜既莅滎陽會陝甘用兵差徭絡繹鳳儀慮爲民害乃編列合縣車兩爲一冊以次輪派民不知疲而事亦辦性明決案無留牘民間有神君之稱巡撫鄂順安奏保以直隸州用二十七年二麥歉收貧民請借倉穀向例借穀必有田之戶鳳儀以乏食者眾議令大戶具領狀一律均散俟年豐時有田者按畝徵還無田者大戶代還以抵捐賑眾從之遂借倉穀五千石民以無饑夏亢旱鳳儀禱雨日三次或勸以節勞鳳儀泣曰令不德天怒及民敢以僕僕爲苦耶秋災成日與委員查賑而鳳儀以辦保甲故先悉其丁口生業故得無浮無漏於是極貧振粥次貧振銀其章程爲

河南州縣冠詩以散振至須水觸冒風雪感寒疾歸民聞之焚香代禱者幾及萬人及卒婦女乞丐皆來哭弔踰年復建祠肖像以祀以其從子榕配鳳儀居官以廉勤自勵歷任不挈家累子衍緒生九歲尚未識面每歲寄家止百金而贈戚好者無所吝著有尺蠖集濠游楚游汴游諸草榕字石林鳳藻子諸生工書亦以查災勞瘁而卒考縣志行述

唐治初名沂字魯泉句容人道光五年舉於鄉以大挑知縣簽分安徽嘗署桐城知縣值歲大水治先期請帑勸捐誓於神不沾一錢亦不假手吏胥延縣中公正士主之按口振施民得實惠而須髮一月盡白明年復大水治益拮据振濟當是時江南北被水州縣以百計惟桐城鮮流殍之民方大東桐城名儒也窮老家居前知縣某疾其直以事誣之欲致之獄不得則多方毀於大吏以窘

之治下車即白其冤以師禮事焉調署祁門知縣創義倉積穀數千石以備水旱修故東山書院延大東爲諸生師嚴緝盜賊獄訟稀少咸豐三年賊據江寧大吏置安慶不顧改省治廬州治上書陳利害不用徽州素以富名賊久覬覦之而祁門無兵依山爲城甚卑陋所募鄉勇不過百且無以給其食署中幕友星散治朝粥暮飯公私蜎集皆一身經理之四年正月賊自櫸根嶺犯祁門治率鄉兵守半日城陷被執勸之降不可淩虐之亦不屈乃復以禮遇之終不食賊告以黟縣知縣率民進金事治發怒戟手大罵遂被害事聞　贈知府銜建祠予世襲祁門將陷之夕治召從子桓謂之曰吾有官帑千金寄鄉民某某家汝速去寇平後獻之太守後桓乃言之徽州知府解交藩庫入以是益服治之淸而桓之能體其志也治死之後四年粵撚二寇合竄盱眙盱眙山縣無城與

祁門同知縣許垣率衆禦諸境力不敵亦死垣字培之上元人據顯忠錄及采訪

陳士全字純齋江甯人居孝陵衛狀貌雄偉精力過人事母孝少補諸生其師死士全攝館事三年所入脩脯悉以供其孀孤家故赤貧弗恤也道光十七年舉於鄉以大挑知縣分發北河署直隸雄縣知縣策驢赴官門役拒之探懷示以委劄乃內之尋補望都廉明慈惠暇輒攜僕巡歷四鄉詢民疾苦縣舊有十一泉皆湮塞以故常患旱士全捐俸疏濬得四泉農民便之政聲達於畿輔年未五十卒望都人建祠祀之同時官直隸者張熙麟字仲明亦江甯人道光十五年舉於鄉謁選授容城知縣愛民勤事廉善自持熙麟中年多病又性緩人疑其不宜臨民之官及莅政乃更精敏政聲大起未二年遽卒容城人哀思巷哭祀之於三賢祠三賢者

明楊忠愍鹿忠節及孫夏峰也熙麟以一吏廁其末榮矣據粉槃錄及采訪

張學權字稚儀江甯人世居浦口鎮父鎔年五十八始生學權學權有孝行道光二十四年舉於鄉謁選得知縣簽分直隸署安州知州州境窪下苦潦學權請疏十二連橋之水以洩之時粵寇陷深州據連鎮相距屢百餘里學權防禦甚力民恃以無恐補固城知縣界連山東地瘠民悍夙號難治學權莅任七年官民相安擢大名府同知尋卒同時上元劉嘉桂字一山以貲爲直隸安平典史粵賊圍城嘉桂從知縣某登陴固守城中乏糧母陳在署饔飧不給嘉桂得間省母母怒訶曰汝雖末秩正効命時也念我何爲杖逐之去又檢敝篋出衣物充賞以是捍禦益力四旬圍解縣人感之爲立遺愛德政碑采縣志

陶汝霖字商巖高淳人曾祖南華字國選祖縉字紹紳父又新字沐齋世有隱德伯父日新字省齋諸生母病三年時時籲天求代道光中大水兩出貲散給其鄉汝霖少英爽爲文極敏舉道光二十三年鄉試咸豐三年成進士以知縣分發山西值粵寇犯境上官檄守太原南城簡料兵事嚴而有法尋攝蒲縣知縣調補甯鄉上官欲抽罌粟花地稅汝霖念民貧不堪盈取且非國家正供後必改除更張力請免之書三上而不止以是與當道忤遂撤任閒居清貧無以供日食乃引秀俊之士而教之文名復大噪未幾抽罌粟稅事幾釀大獄因格不行當事始服其先見十年委辦潞城防堵汝霖親歷各隘山谷周迴不下三百餘里視之如掌上紋練團設局規章簡備其在河峪口苦旱拜井出泉人尤奇之同治元年署榮河知縣當是時勝保獲罪其部將宋景詩欲叛擁兵至榮

之白馬渡訛言四布民心震搖汝霖申嚴守備偕其嗣子鳳庭及僕從二人前至渡口徑登其舟諭以大義曉以禍福侃侃然無懼色景詩知其有備為之屈服遂去後卒叛於山東榮民益感汝霖之消患未形也調署徐溝知縣獲積盜數人縣境以安旋補岳陽彌月遷安邑安邑素號繁劇汝霖未二月清積案數百時稱霹靂手興復條山書院勸農功懲猾吏士民立碑頌德擢署解州鹽道檄查夏縣聚眾事夏民聞其來咸喜曰吾儕之冤可雪矣留二日訊結百姓安堵如故年六十有五卒於官據采訪

伍慶祥字華農上元人以副貢生就職州同分發安徽歷署六安州州同鳳陽縣知縣時皖南州縣徵漕號難治咸豐二年甯國知縣以辦漕不善罷大吏檄慶祥往攝事至則視其勢非可力徵者乃盡反前官所為眾大和爭先輸納宣城人聞之亦鬨大吏委他

官往宣城人不納籲於轅謂必得伍令大吏檄移慶祥署宣城甯國人亦籲曰非伍令則漕不能納宣甯交爭乃以慶祥兼理兩縣徵解已畢迫歲除民爭致酒米魚肉薪芻蔬菜百物略備又緡錢若干貫兩縣各爲一聚積堂皇如山阜競告曰官徵清漕何以爲生勢不能挈家財來也吾宣甯非抗糧者前令敲骨吸髓稱貸亦不及額不得已而鋌險今官如是忍坐視乎慶祥卻其緡錢而受米酒民歡呼以去明年卸甯國事專署宣城尋卒於官宋粉槃錄

戴鼎元初名鼎亨字守銘上元人祖啟賢字思齋父恩字雨亭皆諸生鼎元舉道光十九年鄉試補授陝西安塞知縣其署藍田時撚賊勢熾將犯境鼎元截留解省槍礮火藥募土兵練習之賊知有備竄去既而回撚相結擾亂藍田復戒嚴鼎元督土兵守要隘以通西安餉道並使士民登陴鄰縣辟寇者爭赴之又署永壽知

縣以助軍餉功加父恩二品銜並賞戴花翎未幾乞養歸同時以練士兵著者馬脩良字厚田亦上元人官江西龍南知縣粵賊奔突鄰境蹂躪殆遍脩良親督勇丁禽土賊廖秧公等誅之縣以無恙又與鼎元同榜舉者楨朝元六合人署四川榮昌知縣調雅安縣距大渡河二百餘里粵賊石達開臨流欲濟朝元率練勇與官兵會勦擊敗其衆追至山谷生禽之以功升同知題補岳池知縣加運同銜未幾引退卒於家據縣志及采訪

馬毓璋字聘侯溧水人道光二十九年舉於鄉選授浙江遂安知縣時粵賊自江西擾浙陷開化壽昌地均與遂安鄰毓璋以兵守馬金嶺其山徑悉使民自守賊知有備不敢犯事平調補秀水旋攝蕭山值賊陷杭州隔江烽火相望毓璋請提標兵五百守西興鎮海鎮兵二百守聞家堰復邀集紳富諭以助餉激勸民團補兵

不足賊夜渡翁家埠江迎擊敗之每日必赴要隘處巡視慰撫衆爭自奮會提督張玉良克杭城賊四出奔竄毓璋益嚴防守半月須髮盡白以軍功保升同知未幾卸蕭山事署溫州府同知卒於官毓璋同歲拔貢生東春瑞字閬仙句容人就職得安徽泗州州判駐半城咸豐八年撚氛急春瑞日夜巡防以守要隘必資火器乃令其子請於某都司營假礮六尊相地布置賊不敢犯光緒五年乞歸卒於溧水著有桐蔭軒詩稿據采訪

梅纘高字卓庵江甯人性誠篤幼嘗刲股愈母疾學政廖鴻荃知之拔爲諸生且於吏唱名時避席加禮曰孝子也儕輩以爲榮嗣以貧習刑名學佐如皋幕有委員於民家得功牌一紙密禀上官飭縣嚴查纘高曰是將興大獄矣兵民私授受眞僞皆有辠今若執法繩之兵已得財去法徒加於愚氓同罪異罰非刑也或訊有

居閒則波及彌眾知縣某是其言續高遂爲創覆草直陳事端事得寢咸豐中援例爲知縣分發山東初署臨朐縣旋補益都所至勤聽斷察吏胥勸積穀修道路未幾遷恩縣城西有沙河由武城下注縣境夏暴漲過之則害在武否則害在恩兩縣互控百餘年不能決續高相地高下疏入運河建閘以時啟閉武恩皆便之撚逆擾山東欽差大臣李鴻章督師令築長圍以蹙之督工委員議開畝捐備經費續高曰民困極完正供且不逮忍誅求額外乎力持不可委員怒騰蜚語民相謂曰官以愛民得辠吾儕袖手非人也攘臂一呼萬眾畢集長圍七十里八日告成以功加知府銜晉三品階續高每莅一境必問其風俗尤重孝行於益恩兩縣各旌孝子一人皆鹵簿行廛市時得之一爲拾字紙傭一爲擔水夫俱給錢數百緡俾權子母以養親冀以勸孝也尋攝濮州知州告歸

築頭園以居重鋟梅氏遺書三十餘種卒年六十有三入祀青州名宦祠光緒六年以孝

旌門采行述

孫文友字會之上元人祖鴻智父鏞有隱德鄉里稱善人文友少跳盪好技擊通兵法咸豐四年投僧忠親王軍自効以列校從征直隸山東連鎮馮官屯之役皆在行閒旋檄赴湖北克復德安馳援江蘇克瓜洲圍攻江浦擊退石蹟橋援賊奪菱塘等處賊壘收復江浦及丹陽揚州洊擢至山東沂州協副將記名提督

賞赳勇巴圖魯抵沂後追勦任賴股賊平雞山崮幅匪躬冒矢石所至克捷傷痕徧體光緒二年夏旱徐境盜起文友時已病猶力疾越境會勦禽渠酋王五等以勞卒官文友勤於緝捕鉤距四設專破窩主嘗謂外盜非土匪不行土匪非官人不容詗察誘致破獲千計又謂將卒離心胥由餉蝕在軍潔已恤士故能得人死

力山東巡撫丁寶楨奏爲東省綠營中第一出色之員年僅四十有四事聞奉 諭旨照提鎭軍營立功後病故例給卹 恩賜祭葬廕一子六品頂戴聽候錄用（采山東巡撫奏稿及粉槃錄）

論曰北山韞華采自別集所聞之世以信紀載者信前人也自朱孫以至馮梅咸能各樹聲績而實安以勘災流譽伯雄以言事著稱抑凡祀滎澤之祠魯泉立祁門之節尤其卓焉者也會之桓桓干城之選文武竝重例得坿書云

續纂江寧府志卷十四之七

江寧甘元煥分纂

人物 儒行

程氏𦍒華撰金陵祀典議載上元縣東有言子里蓋南游軷迹肇軔茲土談經家義昉先河不堇駢臂傳易學名江東也代禩綿邈鄉澤未沬　國朝經學邁軼往古江寧東南大都會名德大師代持講席其時高門耆義章布橫經者若止園翁氏淇瞻王氏彝歎張氏綿莊程氏躬被辟召著作充　四庫前志編牒不下數十家盛矣乾嘉來承學之士以經故雅訓相切劘研求益密師傳授受有竹汀抱經惜抱竹邨諸先生之遺風道光初元　詔起秦文縠公於鍾山書院文縠以論思納誨受知宣宗親爲文祭之儗以漢之汲黯具見文縠所學之正明良契合兩朝經術行誼高海内歿之日

同符往古若夫隱經修業孤㝡絕學其聲影弗耀其書或摧殘兵火不可考者亦有人焉誠不可屈信通塞論也綜厥遺躅略可甄述斷自乾嘉以下著於篇作續儒行傳

秦承業　陳懋齡 陳暘

孟志韶 弟志詩　談粹

胡鎬 父培　姚璋 吳官德 吳紹堂 王履泰 寶寅

周鯤 茆培進 葛廷偉　陳宗彝 父繼昌 子汝翼

楊大堉 父勳 兄大坊 子盤　陳立

朱道新　張行言 吳楫

徐鼒 父石麟　史位三 唐階

秦承業字補之號易堂江寧人大士次子天資超卓所讀十三經諸史自少至老闇誦不遺一字乾隆三十五年舉於鄉四十六年

進士　殿試初擬一甲第一長洲錢棨第十臚唱日
高宗以本朝無三元改棨榜首承業二甲第一散館授編修五十
四年典山西鄉試擢國子監司業入直
上書房洊升翰林院侍講
宣宗在藩邸承業盡心啟沃每陳說大義根據經訓卽音讀務求
詳覈受知遇最深先是嘉慶十九年江蘇大旱米石銀八九兩承
業時家居總督百文敏公詢救荒策對以請帑文敏曰川楚饟需
資江浙卽得請亦緩當就本省勸捐此非德望孚人者不能先生
責也承業家固寒素貸其壽星橋宅得銀三千兩爲鄉里倡積捐
三十餘萬兩自總督以下又捐十餘萬兩以故是歲雖大饑而民
食無害文敏欲入告承業笑曰攘人之有以爲已功非義所安也
辭不受至是

宣宗卽位首被　召諭江甯布政使恆敏省問敦勸就道承業聞
召卽行當事有厚贐者亦固辭九月抵都猶在穿孝期內承業
白袍跪　午門外具摺請　旨
上聞立命王大臣率侍衞趨進並　命先叩
梓宮再召見承業伏地慟哭
上揮涕不止是日　召見數次　賜克食四器
上與語輒稱師傅卽與臣工言亦呼秦師傅而未嘗名也嘗　諭
及前直書房時事因語左右曰使非天假師傅大年朕焉得再與
晤對時承業年七十八矣舊　賜第東華門外其再　召用
上欲以第賜之承業奏來京僅攜子一人無須大宅叩辭不受
賞給人薓一觔
上欲以工部侍郞官承業諭大學士歙曹文正公傳知承業面奏

曰臣兵刑不知錢穀不知若在其位而不謀其政是曠官也不敢
奉　詔
上嗟歎久之遂授翰林院侍講學士仍在
上書房行走承業既荷
上倚益勤獻替其造膝所陳語悉外弗得聞時當事有加賦之請
承業上疏謂江浙自遭災歉後元氣未復戶鮮蓋藏且
祖宗遺訓昭然胡可不遵於是用事者不便之明年遂奉　旨同
籍八年卒年八十有二　贈三品卿十二年
上追念承業忠謇　特贈禮部尚書　賞長子繩曾四品卿廕嗣
子象曾舉人二十七年　賜謚文慤並祭文一道　賞銀三百兩
立碑建祠所著有瑞芝軒古文四卷館閣詩賦二卷和　養
正書屋詩四卷字學啟蒙四卷承業善藻鑑嘗飲百文敏公坐次識江夏陳鑾鑾時失耦以兄子妻

之後鑾大貴果如所言六合姜士冠應童試承業奇其文妻以第五女後士冠亦以科第顯江蘇知縣李某緣事下獄眷屬俱歿遺二女陷官媒家承業亟贖出認爲己女皆擇士人嫁之江甯把總裘安邦有將略承業一日過其居與縱談良久不告姓氏而去會宣宗詢江南武弁中有力能挽强而嫺謀略者否承業以安邦對即日命兵部帶領引見後安邦入都始知其事往謁謝承業拒不見曰吾以爲公也何必欲人感哉後安邦仕至徐州鎭總兵

陳懋齡字勉甫上元人乾隆五十七年副貢世其祖淡山之學習厤算幼即明悟其恉洎爲梅文穆公孫壻又獲從上元謝希逸一作廷逸字野臣文獻徵存錄作宜興人游遂精九章勾股諸法盡得文穆希逸之傳其爲五經算學天文考也謂自羲和俶擾周幽薄蝕可攷而知自來說經家略不議及職方鄭注迂誕王制步畝乖違魯論千乘畸零難合迺依恆星東行詳攷歲差以弧三角視法圖寫渾儀依元郭守敬授時法遍攷詩書及於魯隱著爲史表德清許慶宗謂其言有據依足輔疏家之略阮文達刊入 皇清經解中懋齡雅材好

博兼通音韻樂律研究精審別著有六朝地理考芻蕘編又仿甯楷同學書院志作鍾山憶所紀述人文軼事爲多鄧尚書廷楨撫安徽時爲梓其書數種嘗主講興化十年牖啟後進多所造就晚選靑陽教諭卒於官年七十餘江甯通天元代數學者其後有陳暘暘字子瑨縣學生精思博覽於厤算少廣之學所入尤深著有算學啟蒙算學重差俱燬於兵火尤嗜小學金石其等韻略古錢考鐘鼎考尺書亦不存存者屈子生卒年月考江甯端木埰授梓磤規圖說及客上海時所演九章補餘三種後辟亂太湖與馮宮允桂芬同著西算新法八卷郭侍郎嵩燾刊之廣東

孟志韶字音諧號幾園上元人乾隆辛酉拔貢游京師潛山熊會玹延教其子寶泰後七年與寶泰見於江甯問所業以能詩對志韶面鐵色曰作詩恐流入輕薄嚴羽卿誤人不淺寶泰服其教撰

師友小傳首志韶以志終身之感志韶從弟志詩字龍溪行誼類志韶而和雅謌吉清氣溢於眉宇工歐書客授隆都垂五十年年八十鬢髮不白不任杖而行自訂家譜熊寶泰謂其履道葆醕隱聲繁華之區介以厲其俗如徐孺之在南州

談粹字穎長號一齋江甯廩生少孤家貧事母王孝養備至學以躬行實踐爲主以謹禮度爲入學之要氣宇靜穆見者躁心自平善啟迪後學材質無高下悉與有成接見生徒雖盛暑必整衣冠爲文苦心精詣一字未安稿經數十易書法純瀏入晉人之室乾隆五十四年鄉試見賞於仁和胡文恪公儀得復失遂絕意進取晚年造詣益純邃蔚爲士林之望卒年五十七著有瓣香齋文稿子德烇德熊皆縣學生

胡鎬字聖基號心齋上元歲貢生父培字參一縣學生工詩幕游

母陳字芷君博通羣籍著庸言女誡六箴合籥樓稿姚先生鼐爲之傳鎬幼承母訓博聞彊記讀書目十行下能闇誦十三經注疏或疑其誤令檢書某頁某行核之悉不爽江甯甘氏津逮樓藏書十數萬卷鎬館甘氏久窮涉博覽徧探窔奧治經兼漢宋兩家之長尤邃於易嘗說婚媾有言曰帝王宰相任天下之事必取天下之才以共濟親而賢也固不嫌於用親親而非賢則必違而用疏惟智之闇者暱於親昵之相與故南山之詩曰瑣瑣姻婭則無膴仕正月之詩曰協比其鄰婚姻孔云承平所任之人一旦禍至而不救此索索矍矍之所由致也所謂震不于其躬于其鄰者亦知懼於早耳懼於早則能選天下之賢以治天下之蠱而務絕其私昵此婚媾所以有言也又解日昃之離以傳義大旨在不能樂常而悲將盡爲凶義涉葩列主梁氏寅說其歌也樂之失常其嗟也

哀之失常爲有合於聖人制禮樂來哀往之恉諸所解說多有裨
傳義其爲文渾樸醕茂姚惜抱稱其似歸震川提學廖公鴻荃試
冠八學㝡諸生曰胡君老宿學是讀線裝書非鶩時名者玉海版
舊藏江甯藩署有燬者布政使康公基田修之聘鎬校於瞻園巡
道方公昂李公璋煜皆雅重其爲人生平踐履篤實恂恂儒者年
八十餘猶日讀書盈寸籌燈作細草家貧鍵戶著書耄而弗勌道
光甲辰　恩賜副榜二十七年卒所著有羣經說二十餘卷壽陽
祁文端公爲琹說易一種文集若干卷

姚璋字半農號蘭坪上元人邃於經訓幼入府學晚歲爲壽陽祁
文端公甄拔補廩膳生性簡默口未嘗言人過衣冠言動雖造次
必循禮法試院風簷中神凝志肅道氣盎然望者知爲眞讀書人
辟粵寇時或贐百金不受曰余雖貧尚無憂衣食安用此爲其和

而介如此年八十八卒於浙璋矜愼不著書緒論多佚其說黻冕云周禮元冕服僅刺黻之一章論語言黻冕卽元冕也獨言元冕者舉下以該上猶下文言溝洫亦舉小以該川澮之大胡先生培翬采之璋同時以說經稱者同縣有史官德史紹堂王履泰寶寅周鯤官德字槐雲著儀禮一得四書注疏參議紹堂字紫栽著易義異解履泰字步康能闇誦十三經注疏皆縣學生寅歲貢生以謝太傅出處事業論見賞於提學周公系英鯤字鳳池廪生江甯有芮培進字芸溪歲貢生溧水有葛廷偉字書西官睢甯訓導著左傳注疏

陳宗彝原名秋濤字雪峯號耆古江甯縣學生父繼昌字問舟歲貢生髦而好學著中庸闡義醒翁老人遺書宗彝爲學不屑屑制舉業酷嗜金石所手搨徧荒崖叢莽疆椎無虛日著有漢蜀石經

殘字攷鐘鼎古器錄古塼文錄續古篆重編金石文跋重編訪碑錄其校勘古籍甚富而景泰本爾雅郭注章草急就篇華嚴音義爲最精性嚴峭不諧時俗故窮困邈恆人然歲九月必舉所景印者若陽城張觀察敦仁新城陳侍郎用光之屬合祀之召友小飲取朝鮮使臣所書志在獨行傳手編三禮圖楹帖縣之其志趣如此諸城李公璋煜守江甯知宗彝甚深竟以冬夜賑粥風饕雪虐中寒以卒所著有讀禮識疑六書偏旁析疑胡刻通鑑補正識誤重次臧玉琳經義札記者古稿廉石居藏書記鑒書畫記漢經齋稿倉山文存倉山詩存皆佚兄元湑弟文海與宗彝同游頴子汝翼字伯輔與龔丙孫同爲晉略補表皆縣學生

楊大堉字雅輪江甯廩貢生父勳字承建有悟眞廬集兄大坊大堉篤學寡交游應試外終年足不履戶閾最深小學從元和顧廣

圻吳縣鈕樹玉游備聞蒼雅閫奧著說文重文考六卷純以聲音求叚借以偏旁繁省求古籀異同之變如引說文羽參參之參讀若殊以證漢書禮樂志之殊翁雜五色文殊當爲參參爲尾羽翁爲頸毛語皆致塙此與龔士璣重文補惟言形者不同也又作五廟考專駁王肅之失論語正義未脫稿皆散佚其毛詩補注三禮義疏辨正各若干卷已寫定祁文端公欲代梓力辭焉惟爲胡先生培翬補編儀禮正義內士昏鄉飲鄉射燕大射諸篇幸存大堉古文秀逸尤具遠識制府陶文毅公以防海議試惜陰書舍生大堉洋洋千言大略謂中國官侍客氣居上臨下視洋人若小負販顧彼雖好利而越數萬里海洋至此此必非無所挾持者鹵莽行之必生邊釁將來之患不可勝言時承平久人習附和之談獨大堉卓識正論侃然無忌諱若豫卜有義律僕鼎查之事讀者變色

撟舌晚工制義色聲香味蘭雪再生它人不能涉其樊也咸豐三年卒於隆都鎮子鋆早慧能世其學學使仁和龔文恭公試射字題文鋆舉大射賓射燕射詁之邀特賞補縣學生惜以瘵卒

陳立字卓人號默齋句容人父輔縣學生績學樂善立五歲入家塾讀書過目成誦由附生中道光十四年舉人二十一年成進士改庶吉士散館授刑部主事洊升江西司郎中　記名御史授雲南曲靖府知府請　訓時

顯皇帝有爲人清慎之褒時以道梗不克之任流轉東歸所至賓禮先後受事皆刑名至重立處以詳慎於喪服變除宗法淆異多能折衷協於禮律少隨父客揚州從江都梅植之受詩古文辭得其義法江都淩曙儀徵劉文淇授公羊春秋許氏說文鄭氏禮立兼通之而於公羊用力尤深成公羊義疏七十六卷其書上溯何

本頁原殘闕，現據南京圖書館藏《光緒續纂江寧府志》（光緒六年刻本，光緒七年初印本）補字。

鄭博采唐以前公羊古誼及　國朝諸儒之說擇精語詳因采何
鄭之義旁及漢儒說經師法謂莫備於白虎通義先爲疏證以條
舉舊聞暢隱扶微爲主而不事辨駁成白虎通義疏證十二卷別
著爾雅舊注二卷說文諧聲孳生述三卷句溪雜著五卷續編一
卷其論古韻分十九部本顧江段孔四家析其分溯其合畢究於
聲之通轉以釋說文諧聲之字論者謂視姚氏文田聲系爲密實
應劉恭冕志立墓云君學爲通人位爲大夫而起居節儉同於寒
素語言謙樸疑於不文忘賢與勢於君今見之論者以爲知言
朱道新字淨私溧水籍乾隆元年歲貢居江甯東園戲門讀書足
不出庭戶與當世士大夫略無交遊所爲文推本六經仁義之旨
簡古純粹不求苟合於衆如論學校則曰文選行而六經亾世說
行而士夫之百行廢戶戊子集曰學正故有本有本故有物未有

心不正而能正其言者信志於道矣上元朱元英稱其詩如乞食圖傷疫諸作詞意樸直不失仁人之言寘之白沙定山閒不辨著續學齋稿

張行言字躬先江浦廩膳生父善字六謂鄉飲大賓行言篤孝至行潛心雒誦少即有聲黌序連不得志於有司乃北遊齊魯登岱宗拜昌平林墓經闕里親瞻車服禮器之遺歸後聚同志講求義理之學撰聖門禮樂統二十四卷閱十寒暑稿三易乃寫定溧陽史學士夔采進入 四庫又以小學一書爲儒者入聖根本著小學翼朱閒肆力於遷史國策越絕書皆有校正本語多精審浦中樸學之士咸歸焉其後有吳楫字川南縣增生父際泰號復齋歲貢生嗜宋五子書研求身心性命之旨嘉慶初元舉賢良方正不就楫性岸異好學年十八應童試不售歸遂沈酣羣籍慨然有志

於古作者與休甯汪棟友善辨析疑義多所折衷闢小室植雙桐日夕諷誦不輟居近五十年尤留心掌故編次莊定山年譜傳其鄉先生劉大山趙玉川遺文其說經之書有周易偶箋繫辭偶箋各一卷尚書辨譌毛詩砭愚春秋本義論語補說各若干卷稿藏其家別著詳藝文

徐鼒字彝舟號亦才六合人父石麟字穆如儀徵訓導博極經史著四書廣義軼陵詩文鈔鼒少穎敏善屬文既乃壹意治經承父命習周易由廩生中道光十五年舉人二十五年進士改庶吉士授檢討　記名御史屬時事多艱嘗擬上開礦封事極言足國之要在重農桑貴穀帛禁淫侈娓娓數千言又爲務本論二卷首罄辨次條法多廣前人所未備咸豐三年謁假家居值粵寇犯江甯鼒亟上疏請飭重兵扼守瓜揚淮滁分道救援之策與縣令溫壯

勇公紹原倡率義民嬰城固守四年　加贊善銜　命仍留辦團
防鼐竭忠效智屢解重圍堅楮五載賊不敢犯有鐵鑄六合之稱
八年選授福建福甯府知府福甯東南濱海盜艘常出沒爲患鼐
到任令民嚴斥堠守望一以六合團練法行之嘗出金贍軍脩戰
艦募水勇出洋禽巨盜寘諸法振文教葺近聖書院購儲經史立
管書讀書課書章程涖任五年政績彰著會金錢匪起與粵匪擾
閩疆鼐力任轉饟兼溫處接壤軍事以勞勩卒於官　卹贈道銜
廕一子准祀福甯名宦所箸書已行世者有讀書雜釋十四卷小
腆紀年二十卷未灰齋文集九卷別有周易舊注十二卷度支輯
略十卷明史藝文志補遺一卷寫定未刊其禮記彙解小腆紀傳
說文引經考惜未卒業又嘗補毛詩爾雅注疏別參以陳啟源段
玉裁王念孫臧琳邵晉涵郝懿行阮文達之書校公羊左氏傳則

參以孔廣森顧棟高劉文淇之書讀老子疑河上公注爲僞作參考王弼注本著老子校勘記並淮南子校勘記病王逸注離騷自天問以下頗鑿空參以洪興祖補注朱子章句著楚辭校注
史位三字仍選號艮齋高淳人生有異稟讀書過目成誦從同邑邢瑞文游奇其文謂他日必成大器年二十三中副車乾隆四十二年舉於鄉三上公車不第遂讀書養親鍵戶卻埽生平學養充粹無幾微喜愠見顏色友教四方之士著錄殆數百人時有經師人師之譽所成就者若陳上源錢達吳球其尤也爲文原本經術窮極精微著有五經四書考異又編次淯溪文獻錄發潛闡幽有裨邑乘嘉慶初元辟孝廉方正力辭不就二十二年選授儀徵縣教諭未任而歿門人私謚曰文潔先生後同縣繼起者有唐階字蓂生性孝友耿介自持娛情詩酒非道中人不與往還博通經史

而尤熟悉於周官義疏以經證經賅贍詳明多有發前人所未發者自北上回杜門不出手官禮數種分類編輯繼參以論議雖臨難時猶背負不釋曰此吾一世精神焉即無力付梓且將釃酒祭之咸豐十年閒避地淨琴寺日與二三同志飲酒遣愁醉即慷慨長歌以寄孤憤遂鬱鬱以卒

續纂江甯府志卷十四之八

上元顧　雲分纂

人物 文苑

語錄興而文章之塗塞負盛名而諱所不能則以爲不足爲後之不好學者鶻起鴟噪羣祖師之日談程朱詆陸王爲已罄學中蘊奧其陳義雖高或亦稍偏即屈宋之忠諒賈晁之政事劉匡之經術馬班之紀述胥於文乎見之特世之爲贈序賦漫興者借以媚悅人而文之道始日庳非文遂不可爲也近世諸君管氏最有識餘人雖不能逮亦一時之選也作續文苑志其末數君子則明史文章陳羅之例也

管同 祖霈 父文郁 子嗣復　梅曾亮

許宗衡　馬沅

金鼇 翁觀宸 張燦章 陶兆福　朱緒曾 孫鈴 朱金牧

甘　熙　　張　濼 顧槐三 龔元藻 龔丙孫 楊得春

談承基　　嚴　觀

車持謙 楊輔仁　　張寶德

王　章　　顧遜之 孔繼周 袁廷璜

田志邅 父立元　　李　樋

徐大綸 兄大文　　姚必成 叔文英

陳觀光 弟近光 子松林 謨　　孫延昌 子貽謀

汪傳縉　　許光泗 族大文

管同字異之上元人祖霈用乾隆甲子副貢考授教習歷官知四川仁壽縣父文郁早卒母鄒以節孝聞同少負經世志爲學不守章句桐城姚郎中鼐主鍾山講席用其鄉方侍郎苞劉學博大櫆義法治古文詞天下謂之桐城派同從姚學姚亟稱之其爲文主

宋儒所言理用明以來時文法度初不之襲故同所作輒欲鍊氣於骨爲學桐城者一矯其噞婀苶弱可謂豪傑之士矣嘗以近世通弊莫甚於好諛而嗜利作擬言風俗書其詞曰臣聞之天下之風俗代有所敝夏人尚忠其敝爲野殷人尚敬其敝爲鬼周人尚文其敝也文勝而人逐末三代已然況後世乎雖然承其敝而善矯之此三代兩漢俗之所以日美也承其敝而不善矯之此秦人魏晉梁陳俗之所以日頹也而俗美則世治且安俗頹則世危且亂以古言之蓋有歷歷不爽者我　清之興承明之後明之時大臣專權今則閣部督撫率不過奉行　詔命明之時言官爭競今則給事御史皆不得大有論列明之時士多講學今則聚徒結社者渺焉無聞明之時士持清議今則一使事科舉而場屋策士之文及時政者皆不錄大抵明之爲俗官橫而士驕　國家知其敝

而一切矯之是以百數十年天下紛紛亦多事矣顧其難皆起於田野之奸閭巷之俠而朝亡學校之閒安且靜也然臣以爲明俗敝矣其初意則主於養士氣蓄人材今夫鑒前代者鑒其末流而要必觀其初意是故三代聖王相繼其於前世皆有革有因不力舉而盡變之也力舉而盡變之則於理不得其平而更起他禍何者患常出於所防而敝每生於所矯臣觀 朝廷近年大臣無權而率以畏愞臺諫不爭而習爲緘默門戶之禍不作於時而天下遂不言學問淸議之持無聞於下而務科第營貨財節義經綸之事漠然無與於其身蓋自秦人魏晉梁陳諸君皆坐不知矯前敝 國家之於明則鑒其末流而矯之稍過正矣是以成爲今之風俗也上之所行下所效也時之所尚衆所趨也今民閒父子兄弟有不相顧者矣合時牟利者是爲能耳他皆不論也士大夫且然

皮小民其無足怪嗟夫風俗之所以關乎治亂者其故何哉臣民之於君非骨肉也其爲情本易渙也風俗正然後倫理明倫理明然後忠義作平居則皆知親其上而不相欺負臨難則皆能死其長而無敢逃避相繫相維是以久而益固永而彌昌也今自公卿至庶民所懷如是幸而承平亦既散法營私無所顧戀矣一旦有事其爲禍安可復言滑縣之寇鼠竊狗盜何足以云哉揭竿一呼從者數萬入京邑戰宮庭而內臣至於從賊非狂寇之智足以大致吾人也吾之人漠然不知有倫理稍誘脅之遂相從而唯恐在後焉耳臣聞之天下之安危繫乎風俗而正風俗者必興教化居今日而言興教化則人以爲迂矣彼以爲教化之興豈旦暮可致者耶而臣謂不然教化之事有實有文用其文則迂而甚難用其實則不迂而易夏商成周之事遠不可言臣請以漢論之昔者漢

承秦敝其爲俗也貪利而冒恥賈誼所云孳孳嗜利同於禽獸者也自高帝孝文困辱賈人重禁贓吏遂不久而西漢之治成其後中更莽禍其爲俗也又重死而輕節光武重敬大臣禮貌高士以萬乘而親爲布衣屈亦遂不久而成爲東漢之治由是言之移風易俗所行不過一二端而其勢遂可以化天下不爲難也今之風俗其敝不可枚舉而蔽以一言則曰好諛而嗜利惟嗜利故自公卿至庶民惟利之趨無所不至惟好諛故下之於上階級一分則奔走趨承有諂媚而無忠愛教者以身訓人之謂也化者以身率人之謂也欲人之不嗜利則莫若閉言利之門欲人之不好諛則莫若開諫爭之路今天下有河工災務國用不足故競言生財天生財不外乎節用若其他非害政之端卽無益之舉耳近者皇上憂念庶務菲食惡衣以儉聞天下然臣意以古較今則猶多

可省漢貢禹有言今宮室已定無可奈何矣其餘盡可減損宜講而行之而杜口不言利事有言利者顯罪一二人示海內夫如是則天下皆知上之不好利往者

皇上新即大位嘗命臣民率得上書矣既而言無可采遂一切罷去夫言無可采其故有二一曰爵之太輕故奇偉非常之士不至一曰禁忌未皆除故言者多瞻顧依違不敢盡其說今日者宜損益前令令言官上書士人對策及官僚之議乎政令者上自 君身下及國制皆直論而無所忌諱愈戇愈直者愈加之榮而阿附逢迎者必加顯戮夫如是則天下皆知上之不好諛夫上不好諛則勁直敢為之氣作上不嗜利則潔清自重之風起

天子者公卿之表率也公卿者士民之標式也以

天子而下化公卿以公卿而下化士庶有志之士固奮激而必興

無志之徒亦隨時而易於爲善不出數年而天下之風俗不變者未之有也天下之士囂囂然爭言改法度夫風俗不變則人材不出雖有法度誰與行也風俗者上之所爲也有其美而不能自持故自古無不衰之國周漢是也有其敝而力能自變則國雖傾覆而可以中興東漢是也今者繼世相承則舉而變之事易而功倍矣此當今之首務也又以　國家歲漕有成數而京倉所支日浮於制作擬籌積貯書其詞曰臣聞京師者天下之大本積貯者國家之大務今海内飛芻輓粟歲至京師意京倉所積穀多備數十年少亦宜支數歲而以臣所聞不過僅支一歲而止臣甚駭之記曰國無六年之畜曰不足無三年之畜曰急以　國家之全盛積貯止此設不幸東南有水旱漕不克繼或淮徐兗濟之閒有大盜如王倫者阻於途俾不得達或畿輔倉卒有事用穀倍常時三者

有一焉雖有研桑不知計所從出矣且夫一州一縣之大倉庫空
虛則事至而無以辦況於煌煌　帝都
宗廟　乘輿之所在者乎以　國家之威
皇上之仁聖曩所云三患固萬萬不當有然而思患豫防勢之所
及也患既至而後爲之所勢之所不及也此臣之所以大憂也臣
竊維　國家富强亦踰前代當乾隆中歲京倉之粟陳陳相因以
數計之蓋可支二十餘歲乾隆之去今時既未遠加以數十年内
未闕一州未損一縣未加一官未增一卒何以曩者備二十歲而
有餘今則僅支一年而不足論者皆謂邇年以來苗賊迭起水旱
閒作
高宗皇帝屢施豁免之恩
皇上數沛停徵之惠坐是積貯虧鈌不能復舊臣以爲是固然矣

而抑猶未盡伏查京倉所放米曰官俸曰兵糧二者去通漕不過
十分之六其一養工匠歲賜之粟名曰匠米匠米在當時去京倉
百分之一今則人數百倍於前而米去京倉十分之一矣其一
國初定鼎宗臣封親王者六曰豫睿禮鄭肅莊封郡王者二曰順
承克勤
世宗皇帝之弟封親王者一曰怡賢此九王者皆世襲罔替七親
王之世子世封親王其他子則封公公之子封鎮國將軍二郡王
之世子世封郡王其他子亦封鎮國將軍凡鎮國將軍之子封輔
國將軍輔國將軍之子封奉國將軍奉國將軍之子封奉恩將軍
凡俸親王萬斛郡王五千公一千以次降合而名曰恩米夫九王
之初封其子孫不過數人後則愈衍愈眾至於今枝繁葉盛蓋其
人已數倍於前矣而　國家封爵賜米必一一如其人數是以

國初恩米去京倉不過百分之一今則不啻十之三四矣以通漕十分官俸兵糧去其六匠米去其一恩米去其三四是故一歲之漕僅敷一歲之用漕一不足則必抽舊積舊者日絀而新者無贏然則京倉之粟日減日虛二十年而大變於前者無足怪也夫國家之大所賴以辦事者官所賴以捍患者兵官俸兵糧勢不可減而我　朝於滿兵盡人而養之自乾隆時論者已憂之無善計耳至於工匠則事不同矣經曰既稟稱事又曰考其弓弩以上下其食然則古之工匠食稱其事初無虛養之時今之匠役無事而食者蓋過衆爲今日計莫若裁汰散遣僅留其魁若干人俟有興作然後及時召募計其工而賜之食如此則下無游食之民上無虛糜之賜而所謂匠米者可以復減如前矣九王之子孫爵祿豐厚此自　國家追念前勳恩德至渥然臣聞之親親有殺尊賢有

等以人臣之嗣世同 皇昆弟 皇子之封其酬勳已至極而其他子孫又入入倉王公之祿則待之毋乃過優乎 國家享祚億萬年諸王子孫日衆海內物力必有不給之時人臣與國同休戚主上匱之而私室豐盈諸王之靈抑恐未安於地下也爲今日計爵則仍之祿則減之彼其人果才賢自可爲國當官別受在官之俸而愚不肖者不得濫叨厚賜如此則宗室皆知奮勵而所謂恩米者可以復減如前矣夫匠米恩米復減如前則京倉所積歲已有餘以數計之蓋三年則可餘一年之倉九年則可餘三年之倉然則不出十年而京倉之積貯已多矣論者或謂匠米可減也減恩米恐非 聖世所宜行臣請有以折之昔周之初大封同姓而武王昆弟五叔乃無官矧其子孫豈容不辨別賢否而概以王公之祿予之宋相王安石議減宗室恩例宗室伺其出擁譁馬首安

石厲聲斥曰祖宗親盡則祧何況賢輩諸人遂無辭而退至哉言平不可以人廢也臣愚以爲此事也行有五利焉京師積穀有餘一利也匠民散於民閒畿輔穀賤二利也諸王子孫不驕惰三利也積穀有餘則徑可停運一二年而用其閒以大治河工四利也旂丁但予坐糧則所云幫費者省而州縣之虧空可彌矣五利也變一事而興五利補救之謀無加於此若夫興水利議屯田減滿兵糧額事體重大非旦夕所可行臣今未敢議焉其通達政體如此他若與鳳陽守令上方制軍論平賊事宜諸書於世變所由往往若逆覩道光乙酉舉於鄉主試陳侍郎用光亦從姚受古文詞學者語人曰吾不多持節校兩江士獨以得一異之自憙也公車屢報罷年四十七遽卒卒後梅郎中曾亮爲編次所著因寄軒文集十六卷而鄧尚書廷楨刊行之餘七經紀聞孟子年譜文中子

考戰國地理考皖水詞存若干卷子嗣復字小巽揚州汪孟慈未
取壻也博雅好經術一時耆彥方聞之士多折行輩與之交又研
算術窺代微積之畧遭亂死吳中
梅曾亮字伯言上元人父沖世所稱抱邨先生者也曾亮成道光
壬午進士以知縣用援例改戶部郎中少時文喜駢儷既游姚郎
中門與管同友善同輒規之始頗持所業相亢已乃悟俳優所爲
無眞面目乃一變爲古文詞其文洗伐最深故僥忝顯官京師久
以文自贍一時碑版記敘率其手筆時論盛稱之嘗著民論言亂
民姦民之別而推極於五斗米張角之所由來其上汪稼門書亦
諄諄言豪民易治姦民難治治之者獨州縣而今爲州縣者皆苦
無權夫州縣豈無權哉民事利病修廢之宜方竭其聰明才力以
求之猶未必盡舉然事之萬全無害者幾何而倡議行之文書之

上簿者上官六七級此合彼牾往返曠日迫切成過誤功未收而罪已集矣夫足以有爲之才值萬不得已之事而逆阻於文報階級之繁擾以聽其破壞於冥冥中者什蓋八九故曰無權也曾亮見川楚教匪之亂及嘉慶十九年林淸之變故其詞如此又箸刑論頗中近日刑部說帖駁案之弊其詞謂法貴易知而難犯決一人之死而可使千萬人之不敢入於死此法之整齊簡易者也古之人非不知情事有萬不齊然一切之法不足悉其變不若從其略者乃天下之公失也大抵曾亮駢文爲上詩次之散文循桐城家法平易無情實於史記師其論贊姚佚而置其人書之典博同時諸公倒屣禮待極令聞廣譽施身之致有後進謁於京邸者戒以長安居大不易惟擇交遊端言行勤讀書三言而已其人本誠篤用是益兢兢無纖芥過囘里猶尋味其言不置云江甯老宿能

以德望服人而人服之無退詞者惟閻管同與賀亮賀亮既以文名聲轂邑人許宗衡公車謁之與論文至千百言其他靜默而已晚歲罷官洊經粵逆之亂浮沈江淮間其同年生楊以增總督南河招之且爲刊所著柏梘山房文集十六卷及詩十二卷駢文二卷行於世年七十一卒

許宗衡字海秋上元人居揚州少孤母孫能書善畫兼曉音律宗衡學業得於母教居多咸豐壬子成進士已由庶常改中書稍遷起居注主事宗衡澹於仕進喜詩古文詞而性頗簡傲所心契山陽魯一同蘄州黃雲鵠數人而已爲文不主故常而大致勁暢於魏叔子爲近官京師久目擊世變不能無慨於心故發之於文往往藉物喻情用抒所畜有復友人書亦其類也其略曰今使畏盜而開門以揖至於盜踞我室我惟命是聽盜雖長者憫我之畏而

出其所以爲盜之術以教我我之計誠狡彼盜獨不慮我之術成而反戈乎或曰是盜也雖踞我室而亦既相與安之矣我之飲食宴樂如故賓客酬酢如故其必不慮我之反戈而將以術傳我嗚呼是亦盜之術而已我之所以爲家者非一世矣獨無術乎且飲食宴樂賓客酬酢盜之俗所深戒而我之所以爲家也我之術如如故而欲因便徼利以自强雖盜亦不能夫竊盜之術以制盜而一切所以爲家之術皆置之惟是飲食宴樂賓客酬酢以待竊之計行而術遂可以制盜恐盜亦不能爲我計也云云所著玉井山館文集及詩若詩餘若干卷並行於世

馬沅字湘帆一字章伯上元人道光九年進士選庶常受知汪瑟庵尚書往謁時訓以官備顧問宜通達政體練習典章每製一藝必叶以瓊琚玉佩之音合岳峙淵渟之度淸癯馳驟不足爲燕許

筆也散館後改官戶部主事沅與倭文端張集馨爲同年友集馨寓所多卉木几窗明淨每旬日延之作駢體一詩一架上卷軸禁翻閱漲腹稿結撰駢文成具午餐日未晡詩亦繕畢互討論始散三人月三課風雨無輟詞館後輩多執贄受業者洊升湖廣道監察御史奏開五營減壩以解裏下河之阸

宣宗下其奏於江督及南河督旋卒道光三十年之元旦也未一月

宣宗上賓事遂格不行沅沒時子幼文多佚其散見他處者入都奉爲拱璧先數年主講惜陰書院日壽昌蔡琳爲翰苑才後均捷南宮壽昌以庶常散部曹琳　殿試名居前列乃以刑部主事用人並惜之

金鼇原名登瀛字偉軍江甯人性亢直交遊或有過必面諍之爲

詩文頃刻千百言不假思索嘗與同族名佐廷志伊者齊名號東城三金而鼇學問該博郡邑文獻尤所措心始郡志久未修議舉其事或尼之乃退著金陵待徵錄志地志人志事志言志物爲類凡五甄逸振湮成書甚夥謀付刊工費頗鉅或請以資助不屑也乃又退削其藁所存僅十卷朱緒曾序之以爲盛仲交流亞卒歲貢生其待徵錄之成子堉章鼎與有力焉他所著野菜譜秋花譜桐琴生詩文集紅雪詞凡若干卷翁觀宸字北颿江甯廩貢生張燦章字雲卿陶兆福字平叔上元廩生居湖孰皆金高足也

朱緒曾字述之上元人幼耆讀居鄰秦淮盛夏時畫船簫鼓不一顧也從同縣諸生孫鈴問業遂精訓詁鈴字佩鸞受小學於其父文淇應試默寫爾雅悉遵唐石經爲學使胡文恪公高望所賞每晨必誦經書至老不輟晚授徒洞神宮以終陳宗彝金鼇博雅人也

與緒曾往還最密緒曾作修利涉橋碑宗彝爲篆額鼇著金陵待
徵錄嘗借緒曾藏書每日晡同遊書肆日有所得互相考訂不少
倦緒曾舉道光二年鄉試以大挑知縣分發浙江補孝豐知縣署
武義秀水遷嘉興梅里舊有三忠祠祀明季王允昌李自明李士
標緒曾增以李鋶新爲四忠重修朱彝尊曝書亭復建清芬閣以
祀里之詩人又得許燦梅里詩輯命門人沈愛蓮續之併付剞劂
二十九年大水　朝廷頒內帑給振緒曾宣揚
上德紳民無不樂輸以救患是歲有野蠶成繭之瑞轉台州府同
知洊升知府生平著述最富其爾雅集釋論語義證續棠陰比事
皆經亂散失今所存者北山集昌國典詠曹子建集考異而金陵
詩匯則二千年名流韻語搜采靡遺且人繫以傳志乘咸取資焉
當時助輯者甘熙王肇元吳繼曾朱金牧肇元繼曾自有傳金牧

字錫侯上元增生嘉興王春漁得開有益齋煨燼數卷江甯翁以巽於同治時知秀水縣事景仰前修曾命其子刊之今編爲開有益齋讀書志是也

甘熙字實庵江甯人少穎悟善屬文年十七補縣學生道光十八年領鄉薦十九年成進士以知縣籤分廣西二十二年家居以預海防保衛事平議敘改官郎中二十三年籤分禮部儀制司二十七年選戶部廣東司兼雲南司主稿時粵西方用兵度支告亟熙殫心綜畫請罷不急之務以充饟需條畢京東水利屯墾事宜以固本計尚書華陽卓文端侍郎常熟翁文端總部事交章薦其才可大用兩蒙 召對 記名繁缺知府咸豐元年隨同定郡王載銓內務府大臣基溥工部侍郎彭蘊章赴

東西陵周覽形勝奉 命相吉地熙謹眎得成子峪府君山具圖

說以進會改卜

昌西陵工成　記名道員二年再奉　命覆勘魏家峪平安峪差旋以微疾三日卒於邸舍熙博識強記勤事纂述與同里金鼇朱緒曾善同搜輯鄉邦文獻證析異同著有忠義孝弟祠傳贊白下瑣言靈谷寺志所爲文詳贍典雅切中事理而於一方利病尤所究心禁青龍諸山開采濬秦淮支河皆有論著道光中水曹議開後湖通江熙力持其不可撰後湖水利考以止之事遂寢洎官輦轂獲交當代名德自　朝章政典民俗沿革暨嘉言懿行隨所睹記錄成巨帙曰日下雜錄尤耆金石輯三代秦漢以下彝器珉石題詠之作爲書四十八卷道州何紹基敘謂金石文字以有韻者爲重且先春秋之三傳禮經之記爾雅之訓詁半皆韻語也事歸翔實義兼諷詠無過是書子城均編集遺稿僅存壽石軒詩文集八

卷藏於家
張濼字子瀾上元人性簡亢有才氣用廉隅自持家無擔石儲而藏書盈室斷炊者數矣未嘗持一卷貰之嘗歲除門闌闃寂獨濼讀書聲琅琅益上鄰生過焉問何以卒歲曰姑徐之又問飧未曰昨日晡時食矣鄰生肅然退有頃持數金至曰此或俛為文者請與子共之濼笑曰吾非劉乂乃攫人諛墓金也卒謝去又嘗大風雪濼方抗聲長吟有叩戶聲甚急蓋上元武令與有舊遣餉精鑿薪炭之屬媵焉會濼所吟詩未就斥其敗清興麾去之已乃提筐步風雪中出門貸米作朝飧也其生平所為詩賦若干卷綺麗有骨卒後為誰何攘去鄰生者與濼夾河居同邑顧槐三秋碧也槐三少孤貧母以十指課之讀弗給或丐食於鄰焉用是讀益苦於史學尤劬稍長以敏捷稱才名滿江南北嘗一日中為長幅駢儷

文三四首洋洋數千言華贍工整至制舉文一日毋慮八九首矣著有補五代史藝文志然松閣賦鈔詩鈔論者謂悽聲鬱旨冠絕一時卒歲貢生時同邑以詩賦擅名而略相先後者又有龔元藻榻得春元藻字伽生性嗜古當時文獻多所蒐輯時以勤學推焉弱冠時學使者周系英見所爲樂府四章及黃侍中祠血影石歌劇賞之又試以方正學祠詩並爲付梓稱其有著作才其生平所爲詩若賦甚夥一往蒼深視少作尤進今軼子丙孫少承家學輯晉略補表嘗試惜陰書院走筆爲楊嗣昌論頃刻二千言頗極詳贍時詫爲奇才馮宮詹桂芬梓之訣樊光溶名亦卒諸生得春字柳門性謙冲潔清自好詩學中晚有風人之致工於賦駢文亦爲時所稱嘗辟居一樓旁羅古器物金石彝鼎暨磚瓦若古錢漢之魏之且周秦之斑駁陸離亦閒及荒怪得春則甚樂也以故儕類罕所接比接之則故和易無他腸而友愛殊甚嘗與鄉舉三試畢其二

弟忽病遂屏不入或勸終之曰科名何物即得亦儻來夫兄弟者一失不再得吾其以區區易乎卒廪膳生所著詩集及賦若干卷子葆炎善繪事亦以諸生卒諸子於世少可多否遺文亦多零霄可慨也

談承基字念堂江甯人善倚聲淸綺婉約得南渡石帚草窗遺韻一時推許然不多作也廳事前有湖石互東西南三面其下玲瓏四通八闥若洞穴其上側足削屨趾二分垂在外攀藤葛援樹幹崎嶇得上十步九囘紆折若三數里或以爲師子林足以匹之云嘗與續溪方通甫郡人周靑山温翰初觴詠其中顏其堂石禪精舍聞亂後石尙無恙在顧樓義興巷北口通甫有談虎鬪惡萃剝蟹諸詩名一時

嚴觀字述齋一字子進江甯人長明之子耆學好金石文字著有

江甯金石記備載存佚與王司寇金石萃編同一精博呂志金石其所纂也遊楚有金石文字七十八詠遊秦有三峯圖經六十律父長明歸求堂中藏書萬卷觀丹黃幾滿嘉定錢大昕尤重其品又嘗以元和志今有闕佚爲取唐書及通典補之孫岸如附刊李書之後今所行本是也

車持謙字秋舲上元庠生博學好古與楊輔仁顧槐三結苔岑詩社常爲諸侯上客所箸書之已刊者古印譜錢譜紀元通考顧亭林年譜後來撰述之家率以車書爲權輿今世所傳顧譜成於張石舟尤贊車書不容口輔仁字樂山上元諸生箸白雲詩鈔嘗刻其父鑾自樂編而以己詩附於後

張寶德字容元上元諸生咸豐元年孝廉方正篤好金石文字嘗仿小蓬萊閣雙鉤漢司徒劉愷殘碑又得李易安小象爲作辨誣

刻之又得倉頡篇孫氏集本加以陳宗彝朱緒曾諸家補本合刻之曰鐵硯齋三刻鐵硯者寶德於小市得之冬以畜火故以名其齋云繼室戴氏婦翁雅人也贈明刊熊忠本韻會媵其女以古琴聞寶德於涼夕炳燭校韻會戴鳴絃相對眞神仙淸福也

王章字雨嵐上元庠生喜爲詩恪守風雅無近世纖仄佻薄之習臞而短視家貧好學不屑爲句讀師旣困極不得已渡江館六合貢氏時陶鳧薌侍郎方爲荆宜施道聞名以記室聘之乃溯江西上徧覽湖湘之勝歸而詩益雄駿侍郎罷去無知者遂不復出日務爲班馬韓歐之文深博遒麗無不賅而骨尤儁秀詩兼衆體上自漢魏六朝下逮李杜高岑元白旁及宋元有明靡不深涉嘗謂其友許宗衡曰吾詩於古人無不似此吾之病也故三十以後吐納萬象隨手設施具有造化春容乎大篇寂寥乎短章興象旣

殊味於無極惟運動於神明不震駴於耳目於是不復似古人乃益似古人焉嘗春日薄暮與友登雞籠山江城塔樹夕烟無際章覩顧久之慨然曰吾年五十二當死矣粵寇之亂卒轉徙飄泊而歿實同治二年秋八月年果五十二

顧遜之字子巽江甯人操行不苟用古道自持於人世所務泊如也家世擅金石之學遜之獨棄去究心經史融會貫通而所爲制舉文遂雄視一世朱宮贊琦主鍾山書院講席從遊多一時豪雋往往連掇高科以去而尤重遜之嘗曰子巽於制舉文可謂入其室嚌其胾者矣而屢薦不售何耶卒歲貢生世甚惜之謂殫其畢生之力取償一第而卒弗獲者不僅一方干也時上元孔繼周江甯袁廷璜亦以工制舉文稱於世繼周字復元其爲文精深透闢胡戶部培翬嘗評以名場勁將匹敵熊劉迺年四十餘始舉於鄉

遂卒廷璜字鶴潭始嗣外家梅氏用補縣學生既歸其宗錢塘袁太守樹裔也廷璜少與同里管同梅曾亮友善故家雖屢空所學具有本原好購書無貲妻崔輒佐以釵珥賀方伯長齡重其文行亦時其匱乏贈遺之而知江都縣羅令延校試卷既藏事李太守璋煜時知揚州府遽造訪縣齋曰此次試卷獨江都所甲乙錙銖不爽聞閱自袁先生安在吾願識之亦卒諸生

田志蓮字少敦號沁香晚號隱香句容人本生父立信志蓮其第五子嗣堂叔立元後立元字幹廷事父母盡禮兄歿善撫其女既寡又贍之其姊夫賈數千里外不能歸撫甥劉法乾成立俾尋其父由是劉得稱爲孝子志蓮幼聰慧弱冠爲姚文僖所識拔補博士弟子員旋食餼歲科試輒列優等道光十一年辛卯秋闈僅得復失十七年丁酉選拔見奪於有力者業師駱重恆句邑名宿士

垂歿命子道腴從志蓮學與友駱希言爲指腹婚友死不負言敎其子崇禧崇祺俾有成崇祺卽志蓮壻也志蓮性孝友孩提時觸母怒令跪牀下母假寐跪如前母曰何不起曰未有命母掖之懷曰兒何馴至是耶迨後父立元年逾九十母楊年八十有五朝夕侍寢膳雖盥潄溲溺躬伺之而志蓮年已五十餘矣咸豐元年舉孝廉方正三年避亂江北同治三年縣城克復歸辦善後悉心籌畫四年秋積勞病歿時年六十有四妻郭氏殉咸豐十年之難志蓮著讀書條辨被燬其餘燼存自箸年譜中云禮喪服爲人後者爲其父母降予謂所後之父母在或不在子已服過三年者則降自無容異若所後之父母不在已久而爲之子者未及服則仍當爲其父母服齊衰三年此義亦前人未之及又四子書自當以新安注爲宗然亦有可商者如子游問孝註云與養犬馬何異予案禮云

父母之所愛亦愛之父母之所敬亦敬之至於犬馬皆然自是此章注腳況子曰今之孝者言外明有一古之孝者在古之孝者何敬而已矣子謂是謂能養至皆能有養句當作一氣讀言人子能養即至父母之犬馬亦養之如此可謂極養之事矣然祇是今之孝非古之孝也知養不知敬何別於今之孝者乎又子欲無言章注云開示子貢之切惜乎其終不喻也子案此章神理正是子貢聞性道後默喻聖心處子曰無言子貢不曰子如無言而曰子如不言明示諸弟子子之無言非不言也如是不言則小子誠何述焉子曰天何言哉而無言之義昭然雖諸弟子已會而通之矣莊子而奚來爲軹注皆不明撥車輻之耑貫轂者爲轊轂末之小穿容轊者爲軹據此則軹字亦湊合之義也蓋許由言而子奉堯之敎被服仁義明言是非正與我之道相枘鑿矣奚爲折軸來求軹

於我乎三都賦百果甲宅異色同榮注宅卽折也易曰百果草木皆甲拆愚謂太沖此語雖或本之於易亦未可知然改拆爲宅字新而意亦別認宅爲拆失沖之意矣毛詩大田云旣方且阜鄭箋云方房也謂孚甲始生而未合時也疏曰謂米外之房米生於中若人之房舍也孚者米外之粟皮甲者以在米外若鎧甲也持以解此賦則甲者孚郭在外其鎧甲之義乎宅者含胎其中其房舍之義乎史記孟子列傳不書其生卒歲月予嘗觀孟氏譜云孟子周定王三十七年四月二日生卽今二月二日赧王二十六年正月十五日卒卽今之十一月十五日壽八十四又按譜云孟仲子名睾孟子之子也四十五代孫甯嘗見一書於嶧山道人曰公孫子內有仲之問一篇乃知仲子實孟子之子嘗從學於公孫丑者朱子注從趙氏以仲子爲孟子從昆弟與譜不同又嘗仿淵明體

作已矣道人茶癡子兩傳自述生平灑落有逸致所箸綠滿窗詩鈔抒寫胸懷音節瀏亮實詞壇之名手也

李樋字石耕溧水布衣無子塊與寡女居郡南門之南宮坊居西偏有老樗一株虧蔽曦景樋架木編茅爲亭其下與七十齡老友談燕笑樂以相娛結白蓮詩社樋句有云洛妃艷不緣紅粉君子交非無白衣上句謂懸道人下言坐客不盡文士也道人亾其名氏亦溧水人業染店而能詩其句有言以君清淨法洗我舊染污亦饒理致道光五年樋卒

徐大綸溧水人道光乙酉副榜乙未順天舉人兄大文字賁甫號賁園道光甲午舉人世居柘塘性孝友力學能文尤工於詩其詩長於言情委宛曲至惻惻動人心膺五薦始博一第客京師三年以不及臨所後父喪哀毀骨立有自訟篇數百言往復詰難以自

咎由是益多哀怨之音當時哲匠均許以翰苑才惜年不永卒於
京師
姚必成字西農溧水人居郡城數世矣季父文英字子含性孝友
而遇物平恕若恐傷之能文工繪事道光中附貢生遊浙歷閩因
至琉球中間以海氛不靖復從軍臺灣著有壯遊紀畧事旣解論
功以縣丞發廣東卒必成資性方嚴不苟同於俗弱冠卽有聲郡
邑旣舉道光丁酉拔萃科與一時知名士上元楊得春江甯周葆
濂輩用詩賦角逐而馮宮允桂芬時以古學主惜陰書院講席亟
賞之咸豐癸丑二月粵逆陷郡城必成年幾老矣流落江關不忘
欲返其一種侘傺無聊之概益以詩發之詩多近體時稱其工嘗
選授崇明教諭晚乃客上海同治甲子六月江甯郡城復而必成
卽以是日卒矣

陳觀光字賓五號梅亭江浦人乾隆三十四年進士選庶吉士散館改刑部主事升員外郎遷禮部郎中月從太僕寺卿陳兆崙遊討論經史詩古文披郤導窾無囁嚅纖仄之習絜身寡欲恪慎當官大學士諸城劉文正服其介節尋　記名以繁缺府道用遽謝病去職主講江西白鹿書院倣朱子遺規以訓士著館閣存眞弟近光字庚九號蘭谷耆學能文倜儻自喜以諸生終觀光子松林字鶴堂亦諸生性好施予鄉鄰多受其惠者松林弟謨字在嘉號虹椒幼稟父訓銳志劬書坐臥一小樓足不下者六稔自是精通訓詁尤好三傳嘉慶四年成進士是科河閒紀文達爲正總裁蒐采實學得謨卷許爲名宿選庶吉士散館以戶部主事用又改河南輝縣淡於榮利晚年主講山西上黨書院板輿奉親研經樂志訓士以立品爲先著述多佚所存傳經書屋詩稿風格遒勁名流

競推許焉

孫延昌字樺郵六合人乾隆丁酉拔貢束身古訓爲文發揮義理不貌爲彪炳之觀以炫異於末俗一時士人翕然稱頌之其課徒必本已所致力曲折層累之數以詔示以故出其門下若鄭孝廉德昌沈明經允恭咸循其矩矱其植品方而有隅其處家嚴而不可犯逮後子雖貴仕而懔懔於過庭之訓者若命提之時在左右蓋延昌以身教者也子貽謀令湯陰思親不置迎延昌至署延昌日視其行政曰吾恐子之不親民事而來爾旣留意民瘼吾何求且吾少寒素一旦居署中恐吾疏食飲水之風是失故吾矣不可久留居甫踰月卽束裝歸貽謀字仲如乾隆已酉拔貢　廷試優等授湯陰知縣縣居湯水之陰宜師溝之陽府屬漕糧受兌處也稱不易治貽謀處之裕如旋擢牧鄭州去省纔四十里冠蓋一二

十輩去來無慮日然亦賢不肖糅雜參半也貽謀或有亢亰氣以故忤上官遂挂冠歸湯陰鄭於豫省爲沃壤乃其歸而囊橐如治瘠薄者時人比之一琴一鶴蓋用延昌之教也因是始終於儒素延昌著有漱石軒文集貽謀有獄嵐集人謂其再世風骨不媿古人也以故長年樂道之以詔後進

汪傳纘字笏齋六合增生性剛直無依阿有所不合義勃勃見顏棱然自誡勅亦嚴峻如張湯之治獄書所言論行事夕必繩於功過格比附輕重有失而入無失而出心與意辯詰蜂起自性細勘之而條其失得以賞罰於衾影之際蓋三十餘年無稍懈也設教重忠孝敦善行上者覃思於性理時則有比部主政朱麟祺服膺師說而卓然表大節於天下者也復城後莫祥芝來治六合延傳纘興復集善諸堂善舉賑粥給藥瑣瑣躬親仍是求不負初心之

志以自儆惕云著有養和齋語錄瘦峰詩草
許光泗字步東高淳人生有異稟讀書日記千餘言事親孝叱咤之聲不及於狗馬且推事父母之敬以事叔父母乾隆三年舉於鄉嘗館於徽州某富家其子弟驕縱厭苦讀書請師作程文示之光泗曰是虛拘貨取市道交也遂辭去宗人大文字肇百副貢生祁門教諭耆古博學淹貫羣籍嘗應知縣朱紹文之聘與邢景暘張世留分修縣志文慕韓蘇詩宗李杜爲縣中人文之冠

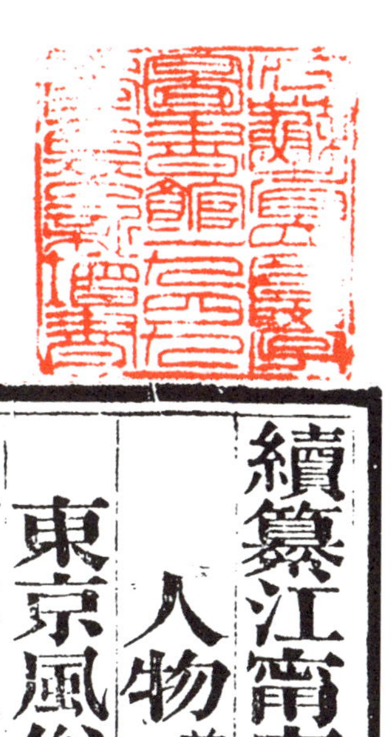

續纂江寧府志卷十四之九上　　江寧甘塏 方□容同纂

人物 義行

東京風俗爲歷世所稱豈不以當時人士崇尚古誼俗亦化之有非區區政令所能使然哉夫士躬處里閭以義自遂不過行乎心之所安初非持瑰偉絕特之行與世相振礉而其效乃見於風俗何也布帛菽粟之用不勝于珍錯纂組然天下乃恃以溫飽亦惟所自令而已矣志義行以續前志之敦行義舉附之

孫金相 陳朝 王鑅桂 蔡觀潮 父岑 方明峻 弟荃 子經鋤

藍嘉瑨 徐煜　李恒豐 馮鶴年 鈞年

陳茂桐 子熙 王永林　汪挺元 陶樑 秦學奎

陳興楨 子松齡 陳鐸 哈尚堦 張士鳳　陳裕 陶淑宇 俞泰 洪選 鄧鍾杰 趙純義 子雲麟

孫如琦 子景堯 吳世銓 景禹 子孝友 景稷 江自重 楊芳杲 子遴宜 天敘

楊士渠 子德明 孫丙文 曾孫遷善 張鈺 沈翁

鄭耘

蕭耀椿

李長春 弟錫琳 李豐年

吳復成 何師孟

吳清江 吳雲章 鍾有海 湯裕昭 父耘圃 楊暄

閔文昭 杜寶田 蔣恩元 王紹裘 王芝田 李鏡江 鄭鳴岐 王鍾華 陶德鐘 談學恭

陳世德 弟世溶

虞化鵬 王言經 子文鈞

章霖 孫長春 張釗 梁德昌 張進 父從盛

李國均 子春華 英華 程紱 朱發聯

李銓 楊學震 蔡宏基 祖詣

張鏑基

石文溶

周恆鈞 周英 朱奉璋 袁甯鎬 張元起

劉長森 父祚潤 弟長裕

陳嘉珽 子克經 曾孫祖灝 陳本立 劉翀

石泉 周在中 夏智朝 羅宗玉 王從球 何鴻儀 弟鴻文 弟鴻儒 王煥奎 楊元祚

趙懋惟 子林 楊怡安 俞古御 弟兆楨 周廷發 趙明融 周貞儉 父玉書 周林桂

王錫蕃 趙弁朝 王坦 薛如松 李川 陳範 張恒順

李祖芳 楊正興 陶濬 陳繼羣 子大生 師灝 大成 大鵬 大淮

胡順文 孫存福 曾孫立昜 存元

嚴肇萬 弟肇象 施鐙 顏春蔭 肇初 顏守舉 王廷善 李長豐 子漣

杜啓洛 王廷美 張殿元 夏榮

俞鑑源

孫志遠 諸一烈 成祖 楊雲官 諸本暢 楊廷忠 諸于鴇 楊選 楊香祖 弟贊祖

趙月華 孫榮 楊崇儒 徐炳 楊志綱 俞士邦 張修禮 劉繼廪 楊廷安 甘霖 甘鏞

蔣政清 邱克沂

蔡承仁 子承謨 李裕後 旅平 孫天溶 孫恩鎔 天沼 光榮 天洛

張嘉潮 寶芝之芳 朱敬承

毛麟 子鉞 于國勳 蘇兆奎 鄭天柱 丁惠 王璣如 翁朝象

徐熹　金存智　薛榮　李標　趙雲鳳

張維垣　姚文暘　文暟　文昭　李光輿　茅式如

周文昇　子濤　董春江　徐治光　任宣　孫樹德

潘如松　子慶餘　孫炳業　劉樞　子國熙　國英　國駿　孫家聲

楊八璣　吳晉溥　楊聘璋　沈殿朝　陳錫履　吳震軾　子位升　姜國和　吳震驥　子維綱　孫衡

谷毓莪　蔣傳誥

張朝棟　陳錦鯉　荀朝軾　孫日炳　谷鳳鳴　李林

葉昌生　錢景　楊中乾　孫祖璵　吳伸　吳謙　吳銓　李日懋　陳夢言　陳覺生　趙弁　趙錕

趙友靖　趙繼元　趙季泰　李桀　陳悌儒　王汝霖　李蕃　李標

王承德　趙季誂　沈永寬　杭兆奎　孫趠　楊自超

何邦謨

孫金相字其章江甯諸生司金陵卹嫠局以立節守禮之婧湮沒

者多訪江寗府所屬自嘉慶三年迄八年節婦之已旌未旌者輯金陵節孝備考偕邑諸生陳朝字步廷校刊成書嘉慶十七年江寗知府呂燕昭修府志采錄之蔡觀潮又著節孝備考補遺以補呂志所未備觀潮字北海上元人道光初上元諸生方明峻字巽雲念父紹庭早逝母氏黃守節四十三年節行已載金相備考中金相歿板亦朽因輯節孝備考續編又以其中苦節未及表揚者眾爰擇上江二縣貞烈節孝婦女四百九十九人彙輯一冊呈大府題請旌表建立總坊道光二十五年禮部遂奏定直省彙題節婦於各府州縣共建一　坊總旌著爲例其後王鑠桂又輯節孝備考三編偕明峻子經鋤字荷塘者總校於道光二十八年成書是年並彙請總旌鑠桂字竹樓上元諸生父岑字樵嵐品學皆粹著有荔帷書屋集鑠桂裒輯咸豐三年以來死難男婦若干名上忠

義局賴以傳者甚多弟荃諸生著有史準發凡從弟金洛亦諸生皆殉粵寇難事見忠義節金陵節孝備考敘並采訪

藍嘉瑨江甯人與高安知縣丁觀堯善觀堯因公獲累子婦相繼亾宦囊告罄垂歿以其孫慶齡託之嘉瑨衣食教誨莫不周至撫城名家女姚氏者其父母流寓蘇州鬻女於人不屈得返再鬻於上海勾闌中女年十四斷髮懸梁以死自守上海主簿嚴某湖人也得其狀白知縣葉公拔出之時嘉瑨攜慶齡至上海聞其事請以姚氏女配慶齡葉公詢慶齡年甫十五允其請時稱嘉耦上元徐煜嘉三君之義賦琴堂花燭詞金陵詩徵

李恒豐字懷裕上元人居咸墅邨後移上莊幼失怙貧無所依而志行不苟商於楚以信義豐其家樂施予尤好全孀婦節歲旱獨振鄉里知府邱樹棠以誼周桑梓旌其門平日設典肆有質衣以

苦寒告者檢原物還之馮鶴年字芝田上元邁皋橋人性嚴正人不敢以非禮干啻周貧乏里中舊有廣善堂豐備倉諸善政皆竭力倡行精地學著有地理指掌弟鈞年工醫著有醫學探原本草備覽采訪

陳茂桐字嶧陽上元監生世居觀音門慷慨重義究心堪輿之學嘗曰形家詐人率以利害立說而陷人於停棺不葬之罪何其傎也咸豐癸丑之亂戚友之柩撫為賊焚者茂桐之力也所居在燕子磯側出江為黃天蕩風濤洶湧舟楫多冒不測之險茂桐稟官捐貲設局周家山置紅船救生購義冢備施材取生順死安之義額其堂曰順安其事至今不廢湯貞愍有詩紀其事茂桐子熙亦能繼父志時有王永林字廣海居觀音門外土城西頭世務農兼紡絲為業家有餘貲輒輸順安堂為救生費不署名人有以急叩

者必立應然卒諱其事癸丑之亂屢經遷徙仍理故業益勇於爲善亂後返故里橋梁道路圮敗者修復之又與邑人捐洪家莊田地入普育堂以充經費同治十三年歿赴弔者其家多不相識殆隱受其惠者同治上江縣志

汪挺元字鑑川上元歲貢生篤學好古敦孝友重然諾傾貲救患有古義俠風上元知縣葉申薌重其品嘗訪以風俗利弊先是謝朐著龍都風土記未刊挺元續之著有龍都山人詩集陶梁字玉爲上元人居杜桂邨家素豐急人之急鄉里推重之秦學奎字星垣上元諸生性嚴介道光三十年縣丞王某修攝山旁義冢瘞埋枯骨延學奎司其事學奎課讀暇親往佈置一日因事未往土工奔告曰鬼聲擾攘半夜不知作何解脫學奎曰余昨日未親其事故至是余之過也晨起改葬之鬼聲寂然詩匯粉槃錄並采訪

陳興楨字兆祺江甯監生世居沙灣性孝友人有急輒周之無吝與里人哈尚堦陳鐸張士鳳每歲捐貲於南城外三藏殿旁設幼孩局嚴冬即收養孤貧幼孩數百名春融始散去嘗攜杖頭錢出游遇貧者即給之年七十家人欲稱觴爲壽卻之曰與其費酒漿不如行善舉也遂倡捐錢數百千鳩工修沙灣至聚寶門石路行者稱便晚年寄情詩酒修香山故事爲九老會卒之前一日召素所借貸者集於家出其券手焚之曰毋貽後人口實子松齡字靜齋有父風工書法收藏圖籍甚富哈尚堦字少泉陳鐸字振民張士鳳字西祺皆江甯人采訪

陳裕字豐若上元諸生好施濟姻黨有急周卹無倦容陶淑字字胥來上元丹陽鄉人廣之子也廣事見前志克承先志首創義塾又與族人設義成會施捨不倦洪選字聖舉上元監生性孝友嘗遊漢

陽遇客舟漂溺倉卒悶救二十餘人資以行裝卒年七十餘俞泰性至孝好施與族黨待舉火者甚衆每逢冬令與同里趙純義捐貲沿路散給貧者卒年八十餘鄧鍾杰性孝友親朋緩急必通不能償者輒焚其劵子雲麟承父志借貸者有窘色卽檢劵還之皆上元人 同治上江縣志

孫如琦字奇玉性端正鄉黨宗仰子景堯景禹景稷友愛甚摯俱嗜學能文楊芳泉字曙升性純厚周困乏不吝凡橋梁道路傾圮者捐貲修葺吳世銓字俊登天性渾樸然諾不苟人以長者稱之子字孝友行如其字江自重字山峙有盛德子遴宜字銓六天敘字敦五皆渾厚有父風凡修葺橋道掩埋骼胔必竭力爲之皆上元人 同治上江縣志

楊士渠字景純上元諸生家素豐好施與族親里黨婚嫁喪葬有

力不給者必磬資助之事師王萃尤謹萃歿歲時餽問其家不絕晚年家業漸落臨終命子昇火爐至焚貸券數百紙子德明字復初亦諸生慈厚有父風德明子丙文咸豐壬子舉人以制舉文名於時丙文子遷善諸生張鈺字其相上元人性仁厚遇窮困者雖途人必周之嘗有解衣濟貧之事沈翁金陵人販氈爲業嘉慶時於晉秦閒購一妾詢之知已字人其父因貧而鬻之者翁訪得其夫家還之　同治上江縣志

鄭耘字如農上元庠生性迂謹多戚寡懽始就望都知縣陳士全之聘佐治政事最相洽咸豐癸丑以後避粵寇難爲旗營諸協佐司筆札營中號爲正人將軍魁玉與談詩悅之以厚貲聘不就謂人曰詩以道性情因利而棄舊好不爲也魁公益重之耘避亂時眷屬多生計蕭然有童子泣於門乃浙人與其家相失者耘留之教養如己子同治十年其家人始訪得攜歸酬數百金耘固辭不

受復爲詩戒之（采訪）

蕭耀椿字芸軒上元諸生有文名性復慷慨鄉里善舉必身親之嘗司水龍局事會督署西李宅火起耀椿率衆救傷骸李德之贈以醫藥費力拒之曰救火而受賄他日貧者有災人將觀望不前矣卒不受（采訪）

李長春字毓嵩上元諸生性清介不苟幕遊安徽潁州知府才某延之時皖北捻逆充斥事急才某令出圍城長春曰安樂同之患難棄之何以爲人卒不去尋以軍功保舉教諭弟錫琳字碧園亦諸生以學律遊皖豫間咸豐三年之難闔室殉焉而錫琳以客無爲州兌親友辟兵來者皆佽助之時有李豐年字雲潭亦上元諸生工文詞著有匋復堂詩集夙敦友誼粵寇之亂有友楊某避居南鄉官山廟冬令衣未裝綿雲潭聞之風雪中徒步四十里贈羊

裘一襲而去續文徵並采訪

吳復成字蔚堂上元人性慷慨好施與賈粵多年諳粵語咸豐壬子歸次年遭粵寇亂自度力不足斃賊乃浮沉賊中以救人賊入城勢兇悍與人語多不辨賊益怒復成獨知之以是爲賊所信說賊曰金陵緞疋冠天下宜設機杼以資用賊從之廣招機匠十萬人文弱者多藉以藏身後則驅機匠出城又說賊曰曩日柴薪刈諸洲宜設船數十就洲收割運城以備爨賊大喜由是船中送出被陷男婦六七千人又嘗假賊裝乘馬出城令童子僞爲服役者童子遂脫於難廩生張繼庚謀內應事洩賊並逮復成以火熾鐵索使跪詰同謀者復成無所苦恍惚中若有神助卒不答乘閒逸出詣安慶大營曾文正公令蓄髮入賊中諜虛實復由安慶至金陵會巡撫國荃營爲鄉導得賊曲折悉以告官軍屢捷同治初年

僞忠王挾數十萬衆載炸礮圍營援城賊濳掘地道攻長勝營盡最衝要地也其夕復成偵知之奔告巡撫巡撫乃調勁旅千五百人併守一營火藥倍之而密令諸營爲後繼四鼓賊至地道發我軍死者六七百人卒不動賊實草塡濠緣而上槍礮不及施傾火藥數千觔燃之賊死者枕藉遂大破賊圍乃解同治甲子克復省垣積功保縣丞辭不受仍賈漢陽好施如故負累數千金卒不悔光緒二年卒何師孟字澹臣江甯諸生舉人德昌子性伉爽勇於任事與張繼庚王金洛友善咸豐三年粵寇圍省城王金洛薦於方伯祁文節公命募勇五千人守城師孟素留心材武之士倉卒立辦城陷勇多巷戰死師孟聞警率局勇數十人巷戰於講堂大街勢不敵遂潰師孟憤投陶氏園中池不死遂與張繼庚謀內應時大帥主持重師孟間道投大營陳說百端繼以泣卒不行遂去

之生平篤於風義撫孤甥飲食教誨垂十餘年賴以成立鄉里有
緩急咸倚重之采訪

吳清江字一峯上元人性孝友道光二十七年與同里吳雲章鍾
有海合建義倉積穀備荒規條甚善知府吳葆晉以德濟民生額
其門咸豐丙辰旱災倉穀尚有存者鄉人賴之居近東流驛驛道
有平橋山水溢時至沒路行者多溺清江捐貲築石岸半里許衆
以爲便先是咸豐五年粵寇竄擾石埠橋清江時年六十有七率
民團助戰棲霞山下瀕於危張忠武援師至乃解地方有善舉皆
力任之鄉人至今思不置云湯裕昭字君藩上元東鄉北侯郁人
慷慨好施與見義必爲道光二十二年江水氾濫民田患澇者數
千畝裕昭田僅十餘畝歎曰此吾責也隨其父志英相地勢以西
邊橋河道狹且淤非濬不可獨建橋增三甕爲七費千金有奇農

田賴焉咸豐三年粵寇亂向忠武軍餉乏裕昭先後助餉萬金凡省城中避亂至者衣食資斧皆周之如通賓置驛人皆感其義後奉檄糧臺轉餉以勞瘁卒年三十四楊暄字曙郵上元人值粵寇亂辟兵於鄉親族自圍城出相依者百餘人暄無德色遇窮途告貸者雖囊中無有必宛轉推解之卒以貧乏終采訪

閔文昭字潛庵上元人居孝陵衞道光中民物滋豐衞民多以織絨爲業文昭獨嗜學補諸生與師杜寶田及同學蔣恩元王紹裘王芝田擬建鍾靈文社由是數十年中鄉薦食餼者踵相接文物稱盛驛道旁有因路斃地主受累者文昭偕同里李鏡江鄭鳴岐設立生生局暨義冢置莊田于靖安廠爲棺木用同志相繼歿文昭與諸生王鍾華爲之粵寇亂平乃併歸救生局經理陶德鎬杜桂人字月波上元諸生咸豐癸丑粵寇陷金陵避地養母散家貲

贍族戚之罹於亂者處空乏晏如也病篤時屬其子善事祖母語不及私談學恭上元東鄉人性至孝道光中水災倡捐助振罄所積無吝色年八十無疾終采訪

陳世德江甯人與弟世溶同務耕織家小康嘉慶甲戌大旱官紳勸捐輸未之及也世德偕弟踵捐局持三千金助振世溶尤好施與每冬日必衣絮襦數襲見無衣者解一襦予之歸至家僅一布袍耳家人每歲豫製絮襦數百至春無存者采訪

虞化鵬字今南江甯諸生世居丹陽鄉嚴村聚族凡數百家化鵬孝友篤學修族譜置祭田以范文正爲法著有期范堂集王言經字述庵江甯人仿范氏成規建宗祠學舍置義田義塾大吏奏聞

賜樂善好施額旌其門子文鈞字衡齋能繼父志暇時爲詩歌以自適同治上江縣志並采訪

章霖江寗人嘉慶丁卯舉人歲暮經狀元境路拾珠飾一緘孫長春亦江寗人歲暮於三山門拾遺金百兩及籍記一冊均待其人還之張釗字建康上元諸生嘉慶中與同縣梁德昌立體善堂瘞埋路斃者立碑爲後人法至今行之張進字簣山亦上元諸生父從盛泰行好善進承其志焚積券寸許采訪並同治上江縣志

李國均字君燦江寗人世居牧龍亭幼喪父母比成童兩兄又没居寒微能自振拔中年獲小康性伉爽與人言聲殷牆壁鄉曲鬬辯國均剖判曲直一言而服訟以簡急人之急類古任俠所爲咸豐七年卒年七十九子春華英華皆諸生程紱字澤雲婺源籍江寗人候選中書科中書居上新河以市木爲業咸豐三年金陵寇警江寗布政使祁文節公謀以木筏橫截江流紱罄所有輸之後又以木製雲梯造浮橋助官軍克鎮江皆不取值同治中中丞郭

柏蔭嘉其義以儲材報國扁奬之朱發聯字洪遠江甯人以懋遷起家性仁厚咸豐三年聞寇警辟居句容天王寺凡族黨自城中出至者必設饌行者厚贐之被其澤者千餘人卒年六十有四粉槃錄采訪

李銓字子衡江甯諸生援例就教職敦孝友重然諾喜扶植故人子弟嘗上種桑棉議於曾文正公采行之喜曰於桑梓可小補也卒年六十四楊學震字新齋江甯諸生家貧樂善嘗春日展墓見祖塋旁有暴棺未葬者出貲代瘞之蔡宏基字聲遠江甯人祖誥字雪川以繪猿知名宏基世其業繪事外好施予居上新河遇水災周卹貧乏嘗自隱其名倡修橋梁道路設養生池放生會夏施茶藥冬散錢米無倦容卒年八十有七采訪

張鏞基江甯南鄉麻田人商于汴梁道光時河決開封城瀕危鏞

基白於官募民夫佐兵役挑土徹屋材築隄捍衛城賴以完大府奬其功辭不受自是凡有公舉必以屬而鏞基捐貲襄事無倦容德色粵寇北竄故鄉被脅者自汴梁逃出士人盤詰往往不能自白鏞基告官保釋者甚眾又倡同鄉集貲廣為收養資之還鄉同治上江縣志

石文溶字春波江甯人性伉爽重義輕財周人急不遺餘力戚友有以婚嫁喪葬乞貸者尤樂助之生平不苟取而散財甚鉅晚年負累處之夷然家人以曩時借券請索償不許悉焚之謂子曰每當歲暮親族鄰友不能卒歲者向有餽遺雖有時稱貸而來必預贈之以免缺望卒年七十有三采訪

周恆鈞句容人乾隆五十五年縣吏以僞票徵糧事發後值稅期民無輸者知縣王某就謀於恆鈞恆鈞以大義曉眾始納焉知縣

欲以扁襃之辭曰以濟賢父母之急急而獲名余不願也卒不受周英字天秀句容業碾者邑向有驢差之擾英捐貲代役請除其弊知縣琪許之立碑示禁至今未改朱奉璋業醫善接骨家小康凡參茸珠珀藥品之珍者極力營致遇患者相其所需不少吝或以金酬之無一受者袁甯鎬字聲遠喜施濟句容多山易旱甯鎬逢歲歉出貲振給張元起字育發道光中歲饑捐設粥廠於西廟均句容人采訪

劉長森字卓堂句容人父祚潤字雨亭恂謹自守長森補縣學生田產多膏腴佃者輒負租長森不與校素善飲客至必堅留客或辭問家有事否曰無他苦逋負急耳長森即代之償後他客亦屢效之而長森不疑也嘉慶十九年大饑有司邀邑人勸振相顧無敢先者長森即署曰助錢五十萬貫眾愕然不知其所從出長森

遂賤鬻其產而以其直入官如所署之數議敘得從九品晚年貧甚爲童子師以自給卒祀鄉賢祠弟長裕字德寬以孝行聞 采訪

陳嘉珽字楚珩句容人周濟貧乏喜排難解紛同時有劉翀者邑孝廉也行端正凡邑令下車必延翀講鄉約於蚪山之龍源觀翀每推嘉珽而翀佐之嘉珽好聚銅鏡分年代先後加以辨證編爲三帙翀爲之序嘉珽子克經好施與克經孫祖灝咸豐七年清明日冒險入賊境祭祖墓被戕其裔本立亂後歸里檢瘞遺骸爲義骨冢 采訪

石泉字紫巖句容臨泉鄉人道光中偕邑人采訪節孝得彙旌甚衆又以赤山湖關江甯水利輯赤山湖志四卷周在中字秀廷句容人金陵下關初設救生局聞在中好義求助在中捐貲以成其事夏智朝句容諸生與同邑羅宗玉保嬰卹節王從球亦句容諸

生嘗建橋梁義倉何鴻儀鴻文皆句容諸生與弟鴻儒俱好施與鴻儒偕妻殉粵寇難王煥奎字紫侯少失父母依從兄成立奮志讀書補諸生喜排難解紛性端正或以色誘奎正色拒之楊元祚字肇祺句容臨泉鄉人性和厚粵寇之亂族戚之貧困者極力助之有加以橫逆者亦不介懷人服其度采訪

趙應惟字宏明句容人好施與歲歉有欠官租者輒出金代償邑西有懸橋傾圮獨力修之應惟子林字仲繁學宮傾頽教諭某欲修葺而艱於費林與同學俞古御共任兩廡又獨修敬一亭周廷發字南英嘗建橋梁修祠宇周貧乏不使人知慕陶靖節之爲人寫松雲圖以寓意周貞儉字尚樸道光中洪澤湖水漲流民載道貞儉爲立義冢以瘞之周林桂字晉文性誠樸凡鄉里有爭得其一言輒釋有善人之目楊怡安道光中修臨泉鄉船橋以便往來

族弟兆楨亦好義道光二十九年水災兆楨密訪斷炊之家贈以錢米又嘗刻普濟良方行世趙明灩字溥源父玉書性渾厚兄弟四人終母之世不忍析居明灩尤好施避兵於外凡同鄉至者必周之皆句容人采訪

王錫蕃字晉卿句容諸生世居南鄉王莊邨甘泉里道光二十六年以邑中文學未盛與趙弁朝李川陳範王坦等醵貲立華陽書舍月再會文必先期至設筵以待凡十餘年不懈經費或絀輒以己貲營饌咸豐初賊踞江甯錫蕃洽南鄉團練以軍功保教諭凡金陵人士來相依者數十姓錫蕃皆贈以資斧賊至以鄉兵守淤鄉河口相持半月俾居民得遷徙賊無所掠張忠武公奏保藍翎十年賊由溧水來犯錫蕃勝之於天王寺既而賊眾大至跳而免遂辟居江北以邑人流離於外奉檄出貲振濟議敘加同知銜卒

年五十八薛如松句容東陽人道光壬寅海氛不靖江北多土寇如松倡辦團練同時上元諸生張恆順字錦城寄居東陽捐貲助之境賴以安咸豐癸丑粵寇陷金陵如松帶團助戰屢有斬獲未幾以病卒采訪

李祖芳字錦堂先世溧水西店邨人遷居江甯祖芳以賈起家慷慨好施與乾隆間里人公舉經理崇義清節老人育嬰堂務每歲損貲千餘金濟用不給則鬻產置洲田捐入各堂事聞　賜樂善好施額凡施材施衣濟藥諸善舉皆勇為之楊正興亦溧水人寄居江甯每減衣食資周貧乏子大生大成大鵬大淮俱有父風大鵬應道光甲午武試舉於鄉陶濬字徵五溧水廩貢生世居柘塘與同里陳繼搴師灝友善歲歉共捐貲振饑全活甚衆采訪

胡順文字漢章溧水人居仙壇鄉性友愛兄姪欲分財異爨勸之

不可乃自取其田之荒蕪者以沃產讓兄姪還居江甯城中已而兄姪家業蕩盡聞有急難事仍厚卹之年九十有七而卒孫存福字見疇慷慨尚義尤篤念宗族雖居府城仍設義學義倉於仙壇鄉凡無力婚嫁及病沒者皆有助其貧而無後者取其近支繼之不願者必置田數畝俾嗣子得自給道光二十二年海上事平籌辦善後事宜設捐局於城中白衣庵存福倡捐八千金存福弟存元字殿揚以孝母稱鄰里親友下至奴僕凡有急咸助之當時推為長者道光戊申己酉水災皆出重貲助振存福子立晟字維純亦好施予有父風采訪

嚴肇萬字子千溧水諸生與弟肇象歲貢生俱慷慨好施予其從弟肇初應武科領鄉薦第一亦喜周貧乏皆不樂仕進於僻處營別墅吟咏其中著有花萼樓詩集顏守畢嘗撿還遺金知縣獎以

義行可風額李長豐樂善好施子漣字清泉諸生施鎧字定孚顏春蔭字鑑亭皆見義勇爲王廷喜務農爲業里中諸善舉倡助不吝咸豐元年以無疾終年九十八俱溧水人 采訪

杜啟洛字玉書溧水白鹿鄉人乾隆嘉慶閒歲饑捐貲助振門庭雍肅自高祖以迄孫曾同居凡八世同縣王廷美家世務農嘉慶十九年旱災罄家貲振饑生平好施予臨終召其子焚積劵八十餘紙夏榮字鴻賓道光閒水災倡捐助振張殿元諸生事親以孝聞咸豐六年旱蝗爲災人乏食黠者將謀亂殿元商諸藏穀之家啟倉振貸境賴以安 采訪

俞鑑源溧水諸生邑有後成圩與東圩毗連同築長隄道光中迭遭大水隄潰兩圩恐成巨浸欲興築工費甚鉅鑑源倡議籌貲購田數十畝先在兩圩中埂築隄以衞東圩之田俟民力稍裕再復

舊規至今東圩被其利采訪

孫志遠溧水儀鳳鄉人嘗修石臼湖南耩繇堰石閘疏港十餘里以利漕溧附近圩田又建孫家橋修石街行者稱便同里諸一烈倡修金坑圩外新橋家貧鬻田助工費又諸本暢成就族人子弟甚眾諸子鵠性孝友自高曾以次未嘗析居楊香祖字藹友諸生少孤善事繼母於異母弟五人教養周至弟贊祖成祖並敦孝讓嘗捐修學宮不辭勞勩楊雲官亦諸生乾隆閒倡捐重修縣志里中善舉捐助不吝遇旱澇施粥以振饑者楊廷忠武弁也倡修宗祠族中待舉火者十餘家親朋有急難極力周之卒之日弔者相屬楊選字殿掄諸生道光中募修小西門城垣己酉水災圩田沈沒鄰境就食者萬餘人選奉賢縣諭與邑人顏楷施沛謝崙任緯設局以振存活無算皆溧水人采訪

趙月華溧水人道光中水災有部姓姑鬻其婦月華給資以全之後里有兄弟二人孤苦無依弟拾寺爲僧月華贖歸養之卒爲婚娶鄉里稱貸不責償臨終悉焚其劵孫榮諸生事親孝族黨有孤寒者周卹不倦徐炳道光中水災奉官諭經理振務井井有條並助貲厚卹族之貧者俞士邦字廷銘倡修大溝橋修家譜葺宗祠舉鄉飲大賓劉繼廩持家有法五世同居又甘霖甘鏞皆諸生設社倉倡文會鄉里稱之楊崇儒字鴻拔乾隆時旱災倡捐助振並修里中巨隄以利行人其後捐貲救災者若楊志綱字于常張修禮字聚滄楊廷安皆溧水人采訪

蔣政清溧水諸生父鼎事見先正咸豐六年粵寇陷溧水政清嘗佩利刃欲殺賊賊脅以僞職不從舍之去時官軍駐蒲塘橋政清供億軍儲率邨民助築營壘以功保教諭後以勞瘁卒邱克沂亦諸生

居溧水青墅咸豐六年與諸生樊德謙王繼貞等率團助戰青墅爲湖口要隘設局巡防不辭勞怨後因溧水復陷奉母避亂母歿哀毁成疾卒采訪

蔡承仁字壽昌溧水人寄居江甯以賈起家溧邑宗族甚衆倡修宗祠置祭田遇歲歉出貲以贍族道光三年水災輸千金爲倡全活甚衆自後徧災捐振無不與焉壬寅省垣兵事大定議辦善後輸銀八千兩仲子承謨字星來善繼父志道光戊申己酉水災亦捐貲助振咸豐癸丑避寇江北戚友相依者衆值歲饑斗米值銀數金至貲田易糧飲食與衆共無吝色季子旅平歲貢生負文名任海州學正長孫恩鎔字紹宗諸生以孝友稱次孫光榮字鏡和咸豐乙卯恩貢就職州判與人無疾言遽色家居課徒諸弟及從子輩皆賴以成就焉李承熉江甯下莊邨人嘗倡修學宫其孫天

溶天沼天洲天洛皆諸生善承先志道光中水災捐糧以濟族人咸豐間粤寇亂凡避兵來者皆周之采訪

張嘉潮字觀濤贊芝芳字匯林皆江浦人輕財重義喜周人急芝芳臨終命子取戚友借券焚之朱敬承字佑啟江浦歲貢生有友被誣入獄敬承挺身詣縣堂白其寃出之人以爲有古義俠風備徵錄

毛麟江浦諸生世有陰德人以毛善人呼之百篠嶺山路崎嶇行者不便麟修葺遂成坦途又與歲貢生蘇兆奎創立英華書院豐其膏火麟子鉞字棣園道光壬午舉於鄉任山西知縣廉幹有聲

丁惠字明山江浦人躬行節儉好施與鄉里亦以善人稱之翁朝象字曉山江浦人嘉慶間倡立浦口敬節堂凡窮嫠之無依者月給錢米子國勳字海門江浦諸生立浦口樂善堂凡路斃者驗無

傷痕由堂瘞之不累地主立法稱善同時鄭天柱王毳如亦捐置義冢 備徵錄

徐熹字英才江浦人石磧橋閘爲賊毀行者多傾溺熹作磚閘以護之並疏通橋甕俾山水暢流又重修鎮南小橋後有侯名揚易木以石行者稱便同時金存智字南川亦江浦人裱褙爲業惜字不倦浦口西林石室中舊有經藏十二架毀於兵紙灰雜瓦礫中存智年已八十酷暑冒里行烈日中聚埋之亦樂善士也 備徵錄

薛榮字華亭江浦諸生慷慨有智略能排難解紛遊淮泗間凡任俠者爭識其面咸豐初六合知縣温紹原諗榮才檄籌捐濟餉悉心區畫軍食無缺敘功保同知六年大旱榮出家貲糴米麥以振於饑婦尤加意矜全並施藥捨棺罔弗備時總漕吳清惠公駐師淮浦與榮舊相識貽書招之以疾辭及卒清惠深痛惜之李標字

有高亦江浦人咸豐三年聞賊警饑民思亂標出倉穀數百石以振之境獲安趙雲鳳江浦農也粵寇至偕其田主人奔避葦蕩中賊追將及前阻溝瀆主人倉皇無措雲鳳負之越深水數重得免時年已七十後主人酬以金堅辭不受　備徵錄

張維垣字位中號紫庭六合人善居積兄弟謀析產維垣取其磽瘠者踰年歲歉兄弟疑所擇不精請更析維垣不與較凡三易始定嘉慶甲戌大荒維垣捐錢數千緡振其鄉道光中大水頻年捐錢倍之又獨掉小舟沿圩隄拯護立育嬰堂收棄兒種德堂施藥材棺木積善堂卹嫠婦皆各捐數千緡爲之倡母袁以節孝入祠維垣嘗新祠宇與姚文暻新修之忠孝祠相望年七十二卒文暻亦六合人議敘同知銜平居孝友任卹無疾言遽色治家極儉而遇水旱災祲與弟文暟文昭捐貲數萬修忠孝節義祠其一事也與是役者又有李光輿茅式如皆同縣人式如後死咸豐戊午之

葉　隹禾灰齋集

周文昇字振遠六合二鋪人性慷慨好施與嘗偕邑人董春江徐治光創立同善堂施棺櫘至今奉爲成法邑令杜念典獎以與人爲善匾額文昇子濤亦嚮義募修南城外街道積數十年不倦迄底於成任宣字瑞五亦六合好義人也父茂林以賈起家宣繼之咸豐初知縣溫紹原屬宣以捐輸團練事勤幹廉正能和於衆紹原犒軍之供賴以不匱其秋大旱蝗斗米銀十餘銖宣請紹原發銀千兩鳩有力者醵金買穀賤價糶之民得不饑倡捐設育嬰堂棄兒者得存活時宣以保衛功得直隸州同銜而習勞如故以是得肺疾越數年卒　采訪並兒禾灰齋集

孫樹德字敬輿六合諸生性誠愨謹踐履雖盛暑獨居必整衣危坐成就生徒甚衆周人之急嘗典裘質珥爲之　采訪

潘如松字盛之六合人業賈好施與道光七年於上新鋪創建種德堂留養疾病無歸者有湯藥必親檢視存活甚衆歲飢收幼孩周䘏備至又置義冢數十畝瘞柩之無主者暴露胔骼收葬無遺鄉里稱爲善人邑令雲茂琦贈以爲善若愚匾額子慶餘議敘州同知樂善有父風父歿經理種德堂事尤周至道光二十九年邑大水解囊振飢時東南成澤國多浮屍浮棺慶餘自買舟巡視改瘞高阜並置棺二百具以備施與咸豐二年繕修城垣六年旱荒助振皆樂輸無吝色邑令溫紹原以承先樂善匾額奬之粵寇之亂堂燬無存慶餘子炳業賈產興復之循舊章焉采訪

劉樞字掌衡六合人誠樸有至行寄居江甯以勤儉治生昌其家訓子弟及族人以讀書敦行成就甚衆鄉里稱之子國熙字介臣咸豐元年舉人官徐州府教授國英字菊莊縣廩生國駿字子烈

縣增生孫家聲字振之縣增生家炘字慎之歲貢生就職訓導俱
績學能文從子國霖字雨香國恩字杞堂幼俱聰頴樞爲擇師就
學受知於提學王以銜同入頖國霖中道光五年舉人選授望江
教諭在任十餘年敦詩說禮士林愛戴國駿妻丁氏與家聲同殉
粵寇難見忠義貞烈表采訪
楊人璣字恒若家素豐而崇儉楮冠藜杖與鍾山院長盧公文弨
最友善立義倉以贍族旱荒振穀人多賴之吳晉溥字曰俟性坦
白鄉里有貧困者贈以薪米不令人知喜排難解紛人皆感服又
有楊聘璋者嘗捐貲千金建橋道並捐田入宗祠以助士子考費
沈殿朝字兆光別搆一堂曰懷誠堂中儲棺木米穀衣藥等備施
與歲多疫延醫士送診嘉慶乙亥大旱捐振銀減價賣穀次年復
減價賣種鄉人賴之陳錫履嘉慶閒捐社倉穀五百餘石又修水

陽大道費五百餘金吳位升字士型父震軾性好施位升能繼其志道光戊子倡捐邑中書院膏火其他善舉甚衆知縣嘉其義嘗獎以惠保三湖惠及一族樂善好施之額姜國和鬻田濟貧毀貸券凡數百金吳震驥字伯知家素豐喜濟貧子維綱能繼其志維綱子衡生平樂善嘗捐貲築圩隄邑人甚感之谷毓莪捐修東山埂石路築郵亭於宣邑雙橋其子亦捐義田修公祠以濟貧乏皆高淳人蔣傳誥高淳醫士世精兒科投藥輒愈雖甚風雨及路遠者屆時必赴不計酬人皆感之　見采訪

張朝棟字邦泰高淳人事親孝善讀書治家以儉見義勇爲修學宮造水牮嘗襄其事捐數千金陳錦鯉高淳歲貢生幼孤事母孝創建學宮櫺星門同邑荀朝軾乾隆時捐貲倡建義學孫曰炳字燦文倡建勸學堂捐田六十畝里中子弟咸被澤焉谷鳳鳴亦高淳人道光八年創興書院捐田四十三畝以助膏火李林字翰園

高淳諸生資敏力學道光丁未倡建鄉塾己酉水災嘗貸貲築圩隄人咸感之采訪

葉昌生乾隆間歲飢捐振銀五百兩知縣獎以額曰周急好施其後捐貲救災者若錢景字選之楊中執孫祖璵吳伸字佳士吳謙吳銓李曰懋字興仁陳夢言陳覺生趙弁趙錕趙友靖趙繼元趙季泰李榮陳悌儒王汝霖字逢欣捐貲以贍族者若李蕃字超羣李標皆高淳人采訪

王承德字惟球慷慨樂善乾隆時捐建祖家村石橋費數百金里人名其橋曰多男勒石以高其義趙季詵字文鎰嘗捐田三十餘畝入宗祠助士人考試資凡修橋梁道路尤不遺餘力沈承寬字而仁好施與囊無私積嘗捐助義渡濟人周䘏孤寡人稱爲長者杭兆奎亦倡建橋工銀四百兩均高淳人采訪

孫趠字曰皤高淳監生邑有南塘圩周四十餘里隄甚薄議就河灘取土培築鄰圩執不許趠奮然起曰圩不固則國課民命交敝何以家爲以利弊呈大府屢勘驗乃允就河灘取土勒石以垂示遠趠以是傾家貲鄉人頌之楊自超亦高淳諸生事親孝好施與邑有溺女風倡育嬰救溺會全活尤衆咸豐四年值粵寇亂遇賊被敲扑至死不變逾月卒聞者涕下采訪

何邦謨字陶庵高淳人商於浦口六合舉人陸玉書家貧乏公車資恥借貸邦謨厚贈勸之行報罷次科值大挑期邦謨又贈之以是得官稱循吏咸豐癸丑粵寇陷金陵知縣溫紹原集團練守江干邦謨輸布數千匹號衣旗幟賴以辦紹原嘉其義欲奬之邦謨辭之曰願假舢板船二隻挂水師旗以濟難民北渡則拜賜多矣紹原允其請濟人無算采訪

附錄 義舉

救災恤鄰誼至厚也光緒三年河南旱災士民倡辦寶塔捐助振計銀一萬一千二百餘兩呈由江蘇候補道桂嵩慶經收轉解事竣各隱姓名不願邀獎河南旱災江甯省城士民刊印寶塔圖捐冊取救人一命勝造浮圖七級意也邀同志領募自光緒三年八月迄四年十一月共捐曹平銀一萬一千二百六十一兩四錢隨時呈交桂公嵩慶轉解署江蘇按察使薛公書常匯寄災區取有印收條據存查五年三月 河南巡撫涂中丞檄行查取捐戶姓名造冊請獎經桂公稟稱奉檄旋即行知經辦士民現據復稱各捐戶樂輸助振均出於至誠並不敢邀獎敘至經收各戶捐項者隨時呈請轉解亦無勞可錄更不敢掠美招尤開具收解銀數清摺聲明並不請獎並據面稱經辦士人姓名懇求毋庸呈明致貽要譽之譏等情轉稟奉護理江蘇巡撫勒中丞批開據稱各該紳士暨各捐戶情深助振不願邀獎係屬出於至誠自應遂其廉退之懷更足以資觀感又奉 河南巡撫涂中丞批開江甯士民樂輸豫賑均不求獎敘具徵高義可風仰賑撫局存案備查

四年山西旱災五年直隸水災金陵士民續辦寶塔捐崇仁堂積善堂呈辦托缽捐先後由江蘇候補道桂嵩慶黃祖絡轉解

山西省振銀三千七兩有奇解直隸省振銀六百九十餘兩均不請獎各士民續辦寶塔捐銀二千二十一兩九錢八分九釐崇仁堂積善堂托缽捐一千六百七十七兩七錢八分三釐呈請分解取有山西賑捐局印收暨辦理直隸賑捐局收據存查隨時由桂公嵩慶黃公祖絡禀明均不邀獎此外有桶捐由金陵救生局收寄上海彙解紳商捐由江甯督糧同知祝赫及各縣彙收解繳又鐵淚圖捐福幼圖捐由江甯省城花市街祝善隆錫箔莊收寄蘇州賑捐公所彙解旨助豫晉直三省振務有案可稽者其見諸邸報奉旨准予建坊則有江甯舉人甘元煥母鄧氏助豫賑銀一千兩河南巡撫涂具奏光緒五年十月十六日奉旨候選同知上元吳靖母王氏助晉賑銀一千兩山西巡撫曾具奏光緒五年八月二十八日奉旨江甯文生翁長森母劉氏助直隸賑銀一千兩直隸總督李具奏光緒五年十二月二十五日奉旨湖北補用知縣江甯傅鎔母林氏助直隸賑銀一千兩直隸總督李具奏光緒六年十月初九日奉旨均給樂善好施額至躬親其事任勞瘁者有溧水楊大訢字樂庭在豫省辦理江浙協晉轉運所並留養局始終其事江甯李廷幹字少亭赴河北

各州縣辦賑姓名載公牘今紀其事不敢沒其善也光緒五年八月河南巡撫涂咨開江蘇各紳捐助豫賑其數甚鉅出資各戶半多自隱其名經手各員紳苦心籌畫備極辛勞屢經陳明不敢邀奬自應照辦惟其好善之心無以表彰究有未安應將未經得奬出力各員通飭各屬編入志乘以垂不朽而昭激勸等因旋經江蘇通志局稟奉江蘇巡撫吳中丞批司先行各該府各將姓名纂入志乘一俟通志開局再酌核編定

上元江寧

籌辦積穀光緒三年晉豫旱災後各省奉旨舉辦以備荒也江寧省城由官籌款購積者十餘萬石儲虎賁倉總督沈文肅公檄布政使孫衣言於四年冬籌銀十萬兩積穀十餘萬石由官紳商民捐積者九千八百二十八石四升儲廣豐備倉官捐穀三千五百石邑八石楷倡捐一千石並勸紳商先後捐五千餘石共捐穀九千八百二十八石四升廣豐備倉乃道光間金陵紳富以捐振餘款呈明增建也在金陵旱西門內亂後修葺共十六廒可容穀二萬餘石今捐穀儲此並附崇善堂備恤嫠積穀三百石旁有豐備倉道光十二年總督陶文毅公剏建專儲官紳所輸穀米由江寧府率紳士經管其規畫紳士不支薪

水倉用司事一人夫役四人亂後增葺共十九厫可容穀二萬餘石今名穀米局虎賁倉舊爲糧道儲備支旗丁行月米糧及織造機匠食米亂後倉存光緒三年增建合舊存者共十八厫可容穀十餘萬石今官辦備荒積穀十餘萬石儲內其在金陵通濟門內者爲復成倉設官經理專儲旗綠營兵米有司倉大使一員亂後重建

養濟院同治十三年三月就省城富民坊舊址脩葺原存江甯孤貧住房十八間又觀音堂一間添造上元孤貧住房十八間築土圍牆一週專養孤貧無依者每月郵款由縣發給

普育堂邑之善政也雍正間兩江總督趙公創行於江甯南城外之佟園爲屋百八十四楹分以四堂曰老民老婦殘廢育嬰其後海甯萬斛廷又建老人堂於迴光寺鹺商建淸節堂於油坊巷旁建義學以敎嫠婦之子建崇義堂於翦子巷以課士亂後全廢同治甲子省垣克復明年春江甯知府涂宗瀛得堂之舊址而淸釐其產購翦子巷民基爲普育堂凡難婦廢疾者聚哺之計收養約一千餘人附義學二堂於內其少婦之守志者葺油坊巷故淸節

堂以居之仍其名曰清節堂住嫠婦九十餘人並隨帶子女堂內附義學二所老婦則以翦子巷故崇義堂屋居之計養二百餘人七年冬總督馬端敏公復建育嬰堂於普育堂之道北其爲四堂後又設牛痘局而以普育總其成焉俱江甯府委員辦理經費由金陵善後局月撥銀五百兩米以田產租穀碾食不敷則由穀米局增撥柴取自洲產其市房租專款存爲修理堂屋及添置市房之用每月經費不足即以房租補之有盈則併入房租內存儲委員報銷四堂章程產業悉載普育堂志甚詳

金陵救生局始於嘉慶八年里人葉釗培購屋四閒在草鞋夾開局局尋圮十九年城紳捐置迎江樓上下六閒二十年又買地植樹乃設分局於烈山三山營及江浦之西江口而以城內信府河之長樂渡爲總局共紅船三隻稽查擺江船人數不許載重涉險曰生生堂勒石立規遇水面流尸陸路倒斃由局查明有傷者地保報驗尸塲費用局內開發不喚地主鄰佑取結以蘇民累上江二縣給有印發聯單其無傷者由局掩埋二十二年又捐買地於上元治下永安洲之三江口其江北岸爲儀徵之沙漫洲即黃天蕩也向由龍潭內河出江者凡二十餘里江流湍悍復特建一局合上爲五局增紅船一凡四隻以後施材施藥施棉衣米票立義學三所皆城局專行二十五年紳士胡鐘伍光瑜陳授等六十七人稟請立石信府河元

帝廟河岸今存亂後僅存城局之屋幸舊時碑字完好可辨同治四年邑紳悉心規復江甯知府涂宗瀛爲之募捐理產乃復城內總局並沿江分局同治四年先復下關分局嗣彭侍郎玉麐捐給櫝兒磯營房乃增櫝兒磯及周家山二局周家山局乃道光中湯貞愍公所立忠信堂是也今時渡江者不由龍潭而觀音門舊有道光中里人陳茂桐所捐設順安堂救生局已圮故也十一年始增上游大勝關局十三年復增下游巴斗山局合城內爲六局又奉曾文正公於江岸飭建輪船不准駛入夾江坊永遠遵守日久漸弛光緒五年沈文肅公又嚴禁之現設廣生普濟定波觀瀾安渡履吉惠生慈雲八紅船廣生普濟定波觀瀾安渡履吉與飛雲七船乃同治間設者光緒二年飛雲船朽不堪用變價棄之五年增惠生慈雲二船共爲八船至驗瘞陸路倒斃施材施藥施茶施米各事仍循舊章嗣又增辦保嬰訂議常年以二十名爲額每歲計需錢一百二十千文經費則出自洲田房產息錢並錢米綢布舊坊雜貨各鋪善士月捐以濟之局中舊產以救濟洲爲最洲在江甯銅井市江中即烈山營鰻鱉洲也計一萬二千九十畝零光緒三年由局繳價續買接漲泥灘三千六百五畝一分　江甯鳳林洲七股之一內有江浦

珠江書院三十五畝租息每歲由局總收分撥　又鳳林洲二百畝在一股之外　上元宜昌二段洲二股之一　上元永安洲三股之一及地十二畝今地尚荒蕪　江浦永定洲十六股之一　江浦九洑洲十二股之一　江浦欓子洲四十餘畝無爲州白馬洲之上福興灘四之一　犢兒洲四十九畝已爲水營公所今不計　田產在上元治者　宣一小二圖西流田六十三畝一分　宣一小二圖高井田三十七畝四分　人字號宜昌田一百十畝六分　永安地十二畝與永安洲併計　在江甯治者　建業二圖薛家溝田八十六畝三分又地九畝六分　光澤二圖謝莊村田六十三畝五分又地四畝五分　惠化二圖司家莊田六十六畝六分又地七十六畝九分　建業二圖石壩田二十畝又地四畝五分　建業二圖赤岸田一百二十二畝又地二十九畝五分　處眞四五圖鄭家圩田一百一畝八分　太南二圖秣陵關田十七畝八分　又安徽無爲州永豐圩田舊爲南門外報恩寺修藏社僧之產共七百二十三畝五分五厘除坍壓不計實有熟田六百六十六畝三分同治五年因案經江甯府涂公宗瀛判將此田充公嗣後租息以三成歸修藏社僧具領其餘七成半歸普育堂半歸救生局以充善舉丞遠遵行立案　房屋信府河之總局暨下關犢兒磯大勝關周家山巳斗山五分局係局中先後修建　其市房有信府河救生局南首毘連住房朝西三進十間又一披　又信府河總局南首朝東基地一方寬五尺深二丈熊姓承租　建屋每歲交局中地租錢五百文卽縣志所載信河苑市市房也　又信府河總局南首朝北二進四間一披　油市大街賓字鋪房六進

二十七間披厦不計有井有一厠在天后宮對門是也　南門大街天字鋪朝西三進屋四間一披後基地二間　三山門外一橋垷甯字鋪朝南一間　南門外橋平房五間計五號朝東第一號寛九尺第二號寛一丈第三號寛九尺朝西第一號寛八尺第二號寛六尺四寸均就橋建屋　大膺福街口調字鋪朝南一開一披　大油坊巷夙字鋪朝西二間後一披又南首毘連門面一間　東牌樓朝西二進四開在石埭會館斜對門三坊巷口朝西一進樓房上下二開　坊口綢緞廊朝南二進八開五披　承恩寺大街朝南平房二間計兩號二進樓房四間前後樓披四厦　絲市口朝東樓房上下二間　南門外西街朝北二進五間一披　下闗廠門口奏字鋪朝西二進六間三披後有基地　又下闗廠門口奏字鋪朝西二間後有基地又下闗廠門口奏字鋪朝東二進二間　下闗虹舊橋朝西二進四間　又下闗廠門口尊義庵後基地一方　漢西門外大街朝東迎街基地計寛九丈深三丈八尺後至河沿止現有租搭草屋於上　城北觀音閣基地以上皆亂後清理舊產及續置者餘則無從查核矣　其存息之欵計存船板巷協和典湘平銀三百八十七兩一錢六分四厘乃同治九年李爵相捐發牛本銀二千餘兩僅實領到銀三百八十七兩一錢六分四厘由局稟明存典生息尚有江浦知縣吉昌挪用欠繳銀一千七百五十兩無從追繳　又存李府巷同人典庫平銀二千兩存評事街永益典庫平銀一千兩　存武定橋永豐典庫平銀一千兩　存花市大街協隆典本洋一千圓皆同治光緒間存項歸局取息以充經費

曾文正公又撥以

上新河木捐復舊章也同治十年局紳具稟以從前木商每月所捐救生局之項係由領帖之木商代收按月送局由局發給圖記收條嗣因兵燹木市暫移鎮江拆卸此項木商應捐救生之項即由厘捐局照木碼百兩另捐銀二兩以資鎮江之用今木業移回金陵此款應請復舊是年十一月十一日奉　曾文正公批鎮江救生局經費每木碼百兩捐銀二兩現據常鎮道稟該處紳董懇由上新河木厘局代收若再令捐金陵救生局費二兩捐數加增一倍恐各商力有未逮本部堂酌定應由木厘局統收分撥仍按鎮江章程每木碼百兩捐銀二兩以一兩歸鎮江救生局以一兩歸金陵救生局既不加收於商人而兩處救生經費均得所濟候飭木厘局遵辦並候札常鎮道轉飭知照可也

事雖民辦而蠹奸剔弊有勢力不逮者均請官治之光緒二年救生局紳士查有禁江私渡事公呈請禁其畧曰金陵救生局設船救生有稽查攏江之責定章攏江船以三百石者為大船准載二十五人二百石者為中船載二十人百四五十石者為小船載十五人貨一石抵一人每人例給渡錢三十五文由局查數防多載也對渡口岸上游則大勝關與西江口對渡北河口與新河口對渡下游則下關與浦口對渡觀音門與通江集對渡只此四處其南岸之七里洲北岸之㕣嘴卸甲店一帶江面寬闊風波險惡除漁船輪船外向由官禁客船行駛名曰禁江凡由北至南水路則由通江集南渡入觀音門夾江旱道則由浦口對渡此定例也乃近日北岸六合境之卸甲店地方有無知鄉愚在禁江地段私設渡船有

不可者四北岸卸甲店往通江集浦口之間江面係屬禁江俗又呼之曰老江水勢極溜向無攏江口岸若任其冒險設渡恐將來覆溺之患層見叠出防不勝防此不可者一卸甲店地極荒僻並非往來通衢凡由此渡江其輕視性命而甘心冒險者多半繞越漏捐之輩而船戶挾制獲利其患甚深不可者二攏江船所載人數本有定額該處僻在外江稽查無從任意多攬人多則載重沉溺之患在在可虞不可者三渡江口岸必擇江面稍狹水勢稍緩之處爲宜是以口岸四處從無議增之事若卸甲店任其添設將來沿江偏僻之處紛紛效尤非特局中查數之責弛亦且江面詐索之風熾不可者四現在私渡仍未盡絕並聞該處聚有不肖棍徒恃强包攬劣生刁監從中主持呈請查禁奉　兩江沈制軍批開七里洲卸甲店既非向准設渡口岸自應查禁仰江甯府查明　先行出示曉諭並督飭各該縣認眞查拏嚴禁以杜弊端又奉　江甯王巡道批開各口岸設立攏江渡船及裝載人數例給渡錢向有定章豈容混行私設冒險多裝致釀人命據稟卸甲店地方有等無知鄉愚在於該處私設渡船以便民爲詞希圖避捐殊屬可惡已極候行府分飭六合等縣按照該管地段查明嚴行禁止倘有不遵立即拏獲懲辦至此外尚有私設一體認眞查禁毋稍輕縱仍將禁革處所開摺報查

下關濱江兩岸會操江者數百家光緒中忽有稟設義渡者總督沈文肅公疑其不可行檄官紳議復指陳其弊事乃寢嗣因渡船載人逾額專派紳

本頁原殘闕，現據南京圖書館藏《光緒續纂江寧府志》（光緒六年刻本，光緒七年初印本）補字。

士任稽查事派紳士一人住下關局專司稽查撈江人數並募查船局夫八二人以供使令薪水工食在救生局木捐款內按月發給

崇善堂始於嘉慶二年府教授金襄偕邑紳倡募卹嫠堂設龍王廟名曰同善道光間邑人復立益善堂在門西雙塘觀音庵兩堂舊卹四百四十名亂後俱圮同治四年合兩堂爲一改今名寄業救生局八年秋季開卹每季人錢一千文十三年冬邑人請於總督李公宗義給以故廟三重始設堂於金沙井向張二忠武公祠後另闢一門卹額陸續增廣今其卹七百五十名計本堂正卹三百三名救生局還款卹四十五名李爵中堂捐發牛本卹一百一十名署總督張公樹聲捐款卹一百名邑人石楷捐卹七十二名協隆典月捐卹九十名謝公祠房租卹三十名堂中舊產上元宜昌洲十二股之六又三百三十二畝五分又光緒六年報買宜昌老洲接漲泥灘一半計六百二十五畝另報買該洲隔水泥灘二百畝二分嗚字號洲六十股之五股七釐四毫九絲上六段飛花洲四股之一泥灘洲十六股之半股句容感興洲四股之一水圩洲全江浦永定洲十六股之股

本頁原殘闕，現據南京圖書館藏《光緒續纂江寧府志》（光緒六年刻本，光緒七年初印本）補字。

半田產則有江甯甯省衛已熟圩田十四畝地五畝塘溝大
小十一面六合雷集楊莊田種十二石又地十一坵灘田三
坵外灘散水一大方　哈達圩傅莊田種三十六石　哈達圩
吳莊田種二十四石以上三圩田種俱未全墾其荒而未墾
者句容紅草埸田六合虎頭墩堡內後汪家圩田種三十石
大營集洋圩田種七十石　黑泥圩田種二十石　房產則
有金沙井堂屋二進十二間二披前爲向張二公祠及頤壽堂
屋二　間後有樓房上下十間平房七　間與堂隔爲二由望鶴岡
出入　又東牌樓朝西　北三進九間　大油坊巷朝東二進六
間出牆外三號基地一條　老米橋朝南二進十間後基地五間
小彩霞街朝東北二進十間後基地二進十間　南門西謝
公祠旁朝南三進十五間三披　打釘巷口朝北一進二間
其存息之款計存船板巷協和典　湘平銀二千二百三十七兩
八錢三分六釐乃同治九年李爵中堂捐發　存評事街永益
典湘平銀二千兩係署總督張公樹聲捐發又存永益典庫
平銀一千兩乃同治八年堂局分辦時由救生局撥還之款
存水西門庚興典曹平銀一千兩乃邑人石楷于同治十一年
捐款　存花市大街協隆典庫平銀三百兩乃堂中存款光緒
三年在春源錢莊收同轉發
此外協隆典月捐錢三十千文　邑人聞風興起繼之者則有繼
善堂　在新橋梧桐樹舊爲義棺所今爲代賒材局以惠寠士後
裔極貧者材分福祿壽三等價祗先取其半並設義學
堂屋一所右首兩間並後進平房俱爲市房取租又貓魚市
五福街朝東二間後基地二間　南門沙灣口朝北朝東兩面

本頁原殘闕，現據南京圖書館藏《光緒續纂江寧府志》（光緒六年刻本，光緒七年初印本）補字。

樓房二小間興善堂在南門東箍桶巷卹嫠保嬰普安堂在紅土橋施材義塚堂內樓平房十五間四廂兩厦崇仁堂在平章巷口卹嫠放生施膏藥惜字樂善堂在李府巷卹嫠施材放生廣善堂在小丁家巷文昌祠卹嫠放生同善堂在南宮坊並設分堂于雨花山下置義塚掩埋嬰孩兼放生施藥局同治六年設于金沙井城隍廟十三年復隨廟遷于府署道北寄廟屋二楹以爲檢藥之所恆善堂在新街口甘露庵施材惜字放生永善堂與恒善堂同設一處濟善堂在江甯縣旁四聖堂施材恤嫠放生復善堂在四方城呂祖殿施藥惜字掩埋勸善堂在徐家巷施材惜字義學堂屋六間二厦脩善堂在水西門外惜字施藥積善堂在南門外止足亭義學施茶掩埋惜字惜穀公善堂在鼓樓掩埋嬰孩其專務施材者南城則有長興施材局在鴿子橋北城則有生生堂施材局舊在城北永慶寺之地樓同治間邑人募捐興復於焦狀元巷不二庵葺屋爲儲材之所局中經費募善士月捐光緒三年以積存本洋一百四十元典與鐵作坊朝西市房三間又以本洋八十元典鐵作坊朝東市房一大間取租以充局用皆邑人捐辦此外士民嚮義如放生施藥印送善書冬設擔粥米票各事未建屋題額者不及備載焉

本頁原殘闕，現據南京圖書館藏《光緒續纂江寧府志》（光緒六年刻本，光緒七年初印本）補字。

廣卹清節局始於同治十三年總督李公宗羲檄保甲總局所收無主房地租息按月交府轉發專卹三十歲以內少孀人月一千文輔清節堂之不逮也同治十三年總督李公檄保甲總局以無主房地租彙收交府添卹窮嫠經邑紳方俊等議章將極貧少孀實係年在三十以內符清節堂住堂例而未入堂者月給錢一千文寄崇善堂於每月二十六日散放每歲三月九月經辦紳董訪查二次計每月由府發卹錢一百一十千文年終將租息零數結清轉發光緒五年署知府孫雲錦撥邑人捐款銀一千兩由局購產增額今月卹一百三十二人除月發房地租外購房產二所南門西謝公祠朝南一進三間一披在崇善堂産第三進另有後門油市大街朝南三進樓房上下十八間係以積存餘款並邑人捐款一千兩先後置辦經辦紳董不支薪水惟經理支發帳目司事一人月支三千文年終由局報銷

東關頭卹嫠米粥廠同治五年七月始收養嫠婦朝夕粥二餐不准在外住宿規制極嚴皆邑人與寓公募捐剏辦周卹窮嫠三百餘人外發極貧不住廠者月米一斗五升計四百餘戶復有義塾義醫冬棉衣夏帳席之給嗣經督憲發穀二千二百石米一千四百石復蒙曾文正公飭江海關道於籌防捐項下自十一年始歲撥銀四千兩以爲經費現

減半解給收養者冬令尤多行之十餘年存活者衆矣

義學所以教貧子之無力從師者普育清節堂各二普育堂義學二塾請塾師二人每人修金六兩倉米三斗柴百五十斤燈油茶水錢四百文每歲贄敬錢四百文每節節敬錢一千文開塾酒席一桌清節堂義學二塾章程同惟柴加一百五十斤俱由普育堂開銷大程子祠義塾在下江考棚西同治五年知府涂宗瀛發交七家灣沈姓住房充公洋蚨四百五十元由救生局付息設立嗣於同治十年江甯知縣莫祥芝捐足錢四百千文交救生局存典生息添設救生局內義學一塾後因救生局經費不敷息款難以由局照付且地與大程子祠相近撤去局塾專以足錢四百千文存省城協隆典按月一分生息塾師每月修米五千文茶水六百文每歲贄敬一千文每節節敬一千文開塾及年終代席各洋蚨一圓由救生局經理倪公祠義塾在江甯府學西同治八年知府涂宗瀛捐湘平銀四百兩交何公遠鹽旗生息嗣因鹽旗過戶稟明改存庚興典按月一分五釐生息章程與大程子祠塾同由救生局經理繼善堂義塾在新橋梧桐樹經費出自繼善堂房租月捐勸善堂義塾在徐家巷光緒五年邑人募捐設立此皆在江甯境者上元則有羅漢寺義塾石城書屋義塾上元義學上元知縣張開祁曾設義學於妙相庵白下寺因經費無常旋廢同治十三年知縣胡裕燕倡捐錢

三百千文洋蚨十圓知縣莫祥芝續捐銀三百兩錢六十千文始設義塾於羅漢寺後知縣沈國翰議設分塾又捐罰款洋蚨二百十七圓俱交紳士經收議明轉發省城鹽旗生息並由府歲撥保甲局經收無主房地租錢二百二十千均於年終分報

府縣

核銷

崇義堂書塾在窮子巷嘉慶中淮商捐貲存息爲經費鹺商捐銀四萬二千兩存鹽典生息與清節老人義學共立爲四堂**爲秀民之無力從師者肄業之所規畫極善**定章每歲請江甯巡道扁門考取分爲內外堂肄業內堂額取三十二名住堂分四館每館塾師一人歲送束脩錢六十千文童生每季錢一千文爲衣履貲每月二百文爲紙筆費每日兩飯一粥皆蔬菜晚間燈油夏日席帳由堂供應府縣院試卷費正場錢七百文覆試每場錢五百文入泮者按每名謝塾師銀十六兩送學生花紅銀二十四兩加結費八兩日後應鄉試中式者花紅銀一百兩應會試中式者花紅銀二百兩得大魁者花紅銀五百兩此內堂章程也外堂額取三十二名以十六名爲內課月給膏火六百文十六名爲外課月給膏火三百文入泮者每名花紅銀八兩監院學師於月之初三十七兩試之列一等者獎賞三百文內外堂同**道光中高才生多出於此惜亂後皆廢惟存老屋數閒同治閒增修之爲老婦堂**舊章清節堂額養五十六人迥光寺老人

堂額養百餘人義學四堂每堂學生十六名請童生之純謹者爲師

甘棠文舍江甯知縣甘紹盤剏立始於同治十三年假崇善堂月試童生之孤貧者光緒五年於城西華藏庵建屋三楹爲會文之所亦崇義堂遺意也同治十二年邑人募永成典月捐錢三十千文江甯知縣甘紹盤又募善士捐款得錢一千八百千文交邑人代籌生息以月撥頤壽堂養老費錢四十千之餘充文舍經費其規畫每月初十日爲課期試一文一詩肄業者皆孤貧童子由各業師出結送試人無定數膏火以十八人爲額第一名一千文二三名八百文四五名五百文六名至十名三百文十一至十五名二百文十六至十八名一百文午飯一餐用四簋監課者一人不繼燭每月輪請鄉先生命題評定正臘及府縣院試之月停試入泮者由文舍餽花紅禮錢四千文歲以爲常邑人石楷爲之記曰華藏庵在金陵城西北王半山詩屢詠之或曰即擇龍書院故址則其爲講學之區也舊矣同治中江甯邑侯甘君愚亭從悔翁汪先生之議首捐廉以養邑中耆老續募得制錢一千八百緡寄協隆質庫取息以其餘設立文會教童子之孤貧者爲膏火資月一試之屬余與甘建侯孝廉子蒓博士規其事邑人感侯之惠名其會曰甘棠誌去思也然講舍未有定所假崇善堂以肄業五年於茲會有僧某墻院當毀請以其塼瓦木石改建文舍余憐其誠許之而華藏庵適有隙地因爲構立三楹蒔竹數竿稍

存箨龍之意於光緒五年五月落成課文者咸就是以會秩秩如彬彬如可謂盛矣抑聞之宋有童子科建康夏錫與焉所居里巷至今猶以童子名然則士之克自立者其植品與學未有不自童子始此固甘侯所以設教之心而余與悔翁同深有厚望也

杏林書社在漢西門羅寺灣上元義塾旁邑人石楷捐建計屋二進六間後爲石萬鍾堂贍族義莊倉房三間

亦會文處也其規畫與甘棠文會同

頤壽堂江甯知縣甘紹盤剏立以四十人爲額取四十賢人意也同治十三年江甯知縣甘紹盤念孤寒之士行已有恥而年邇六旬授徒無所或藻芹未掇皓首窮經一者胥可欽式爰月送醴酒之資爲養老禮是年冬將去任捐錢一千八百千文爰發典生息俛邑人以息錢爲養老育才之款稟梅方伯准撥永成典月捐錢三十千文以濟之爰設頤壽堂以養老立甘棠文舍以育才嗣因經費不敷光緒五年五月江甯知府孫雲錦分撥邑人捐項銀一千兩發交生息補不足又江甯知縣吳元漢顧景濂催發木商捐錢二百千沙洲圩田地變價洋八十圓由經辦紳士呈明將錢一千八百千文銀一千兩均交協隆典存息以月息之款合永成典月捐充頤壽堂經費以餘者爲甘棠文舍之用其規畫額定四十人人月一千文寄崇善堂於每月二十五日分散之光緒五年冬以餘資建屋二楹於崇善堂之前題額曰頤壽堂邑人石楷跋之曰此堂郡所無也其源出於地官之保息蓋謂宓羲畫卦屯復之際受之以頤頤者養也然必

上有列郡之方岳下有百里之侯封互以蕃釐之坤厚謀以耇成肩以俊彥具是五德迺蕆厥事兹惟休哉蒙熹其勤爲築斯室亦冀任卹之風由是引翼勿替也

五城水龍局乾隆中紳士朱載鑾募捐創立于城中天津街白衣庵爲總局分設水龍八十六所遭亂無存同治九年邑人募捐復之仍以白衣庵爲公所計三十五局曰朝宗白衣庵東挽弓箭坊誠意南門大街西來水西門外西流水西門犁頭尖普甯泰倉巷浙潮許家巷口澤湤三山街寶霖飲馬巷東福霖膺福街有孚小門口維心三鋪兩橋滄淇太平里潮源老府橋永安糯米巷口時若新橋旋安鏇子巷口信河信府河東海顧樓聚霖南門外來賓橋作霖南門外報恩寺沛源大中橋九龍通濟門口永濟淮清橋旣濟北門橋濟善唱經樓西挽大香爐玉汐王府御街浥注奇望街涬溟評事街聖澤東牌樓永安上新河西海水西門口保安珠寶廊一六上浮橋皆邑人捐辦今有洋水龍制法尤精同治四年總督李公檄上海製造局製辦一具七年江甯知府涂宗瀛添備三具分存府署與善後局而省刑革弊仁政亦寓焉知府蔣啟勛上制府文稱律載失火

燒自己房屋者笞四十延燒官民房屋者笞五十致傷人命者杖一百罪坐失火之人若於官府公廨及倉庫內失火者杖八十徒二年又例載延燒官民房屋數至一百間者枷號一箇月至二百間及三百間以上者均遞加枷號各等語今士民以居民失火出自無心既已酷罹天罰何堪復受官刑請概免笞責等情愚見擬請嗣後遇有居民失火如果實出無心間數尚少情節較輕並未延燒官民房屋者從寬免其提責其延燒官民房屋因而致傷人命者仍應將失火之人照例枷責治罪光緒三年四月奉沈制軍批開所議尚屬允洽仰即分飭上江二縣遵照五年十月署知府孫雲錦禁地保擾累無辜給示勸石其略曰嗣後如有失火之案地保立即馳報聽候救護彈壓其如何失火有無延燒應否提責由地方官於撲熄後訪查明確隨時酌量辦理但罪坐失火之人該地保人等如敢當場率混指報累及無辜希圖索擾許被擾之人稟候提究懲辦

惜字會皆邑人募月捐公舉有**集賢會**在江甯府學每月收買字紙每紙百斤錢六百文收月捐則論捐數給值每捐錢百文給收力十文平日不另給值月中所焚字紙將及千斤鑪爲江甯府訓導吳部生倡捐建立可容字紙十餘石爲城中惜字鑪之極大者**金沙會**原在金沙井城隍廟內因廟移建府署道北此鑪移於新橋梧桐樹繼善堂內**有恒會**在石觀音**恒善堂會**在新街口**樂善堂會**在李府巷**誠意局**在走馬巷**積善堂會**在南門外止足亭**杏林會**在漢西門羅寺灣杏林書社後**此外建鑪惜**

字者尤多

義冢四鄉皆有而城西北空曠處爲多有金陵救生局置者一在金川門草塲一在神策門孫家凹向交大廟僧吉中經管一在通濟門神樂觀一在南門外碧峯寺前一在鳳臺門外朱家牌坊一在下關局門前又有普同塔在七里洲繼善堂置者一在南門外養虎巷土城一在羽子山毛家營生生堂施材局置者永慶寺前塚地二方㮰檀林後平倉女塚一方又同善堂義冢在南門外雨花臺附近專瘗嬰孩北極閣山下義冢舊瘗于小桃源同治間移此觀音門外永濟寺義冢同治九年知府馮柏年提調善後局派員將暴露尸棺均瘗于此清涼山義冢同治十年鹽巡道孫衣言管理善後局以王府園地勢低窪派員一律遷於清涼山買地掩埋並撥銀二千兩發典生息爲各處義塚歲修之費城北萬人坑窶眉嶺儀鳳門外皆是也亂後又有由官清查續購者上元縣清出旱西門坐字鋪官地一處江甯縣清出水西門外王家碑亭官地一處保甲分局同知劉啟彬購儀鳳門杜李二姓基地一處又清出毘連基地官地一方保甲分局知縣黎功敘購上新河朱氏基地一處前皖南鎮總兵劉啟發購南門外丁姓荒山一處普育堂劈出通濟門外一堂基一處保甲分局同知鄭輿熿購神策門外魯萬義等基地一處皆

善後局有案立石爲識懼日久湮沒也

暴骨冢粵寇亂平後所瘞者上元朝陽門外靈谷寺側梅花塢瘞胔七千九百餘地建大圈高丈五尺廣丈二尺長丈七尺用城甎堅砌墳高一丈二尺石城門外紅石崙者瘞六百餘江甯安德門小水關者計小冢二千一百六十三眼香廟及三山門城壖者大小冢瘞骨千一百七十二皆有短牆圍之秣陵關者三冢瘞骨三百四十一祿口鎮者三百七十餘龍潭倉頭下蜀街橋頭高資者大冢瘞骨千百餘小冢千九百餘以上皆總兵劉啟發掩埋又靈谷寺界內散葬者爲忠骨冢計千餘皆咸豐六年五月大營潰時陣亡之忠骸也靈谷寺僧爾修約記其名益可考者僅四千一百餘多嶺南人湮沒者眾矣姓名可考者若廣西提標七營楚雄協鎮蔡應龍游擊賀大勝蕭逢春張玉升鍾玉魁等三十八名後營協鎮蔡其榮杜照瑞參將林定海等中營兵丁陳芝蓮等九十餘前營林智興等七十餘後營章正得等百餘左營容志泰等百三十餘義甯協左右營秦正

祥等七十餘城守營韋榮等百餘以上皆官兵也若勇丁則有壯勇劉花炳等三百三十餘候補把總林定標陳泰熙及勇丁七十餘仁勇鍾汝興等百三十餘義勇游擊楊瑞乾都司楊萬青及勇丁八百餘而楊姓居半忠勇九十餘永勝勇百八十餘管帶知州陳朝宗等十餘勇丁五十餘廣東二起進勇五十餘忠誠勇二百餘廣東陸路南贛鎮劉開泰游擊蘇崇阿等兵勇百八十餘二起九十餘潮州鎮兵百六十餘二起二百餘四起百八十餘南韶鎮百八十餘信勇百餘鎮勇四十餘精勇五十餘威勝勇六十餘

句容

卹嫠局光緒元年興復共卹窮嫠四十八光緒元年邑人稟請將積存中和典捐錢一百七十千文知縣樊燮捐廉錢三十千文共二百千文存鋪生息加以中和典月捐錢十千文卹嫠四十名每名月給錢三百文四年中和典閉歇息款不敷光緒六年知縣袁照捐廉錢二百千文發交董事領存生息俟收有成數改爲按季酌發復經董事以保嬰局餘存錢五十四千文又由縣判案追繳充公洋錢三十圓稟明撥入卹嫠生息由縣添諭董事輪季經管以期公歸實濟

育嬰堂毀於粤寇之亂田產僅查出小市房二處月租錢一千

餘文經邑人禀請仿金陵保嬰會新章民捐民辦以房租添補經費於城中圓照寺爲公所

積穀共設倉二十一處建屋六十八間光緒四年知縣袁照諭董議辦按田每畝每年捐穀三斤並捐廉購穀五百石光緒五年奉憲飭改章按畝捐錢二十文隨下忙徵收由縣酌提錢三千七百餘千文交城鄉董事領爲建倉經費餘錢五千四百餘千發交各董購穀計至五年止城鄉儲穀一萬八千二百四十餘石分儲各倉由縣頒發循環薄添諭城內首事並各鄉圖長輪年遵章經管

惜字會一處士民捐辦

牛痘局道光間教諭張履倡捐設立亂後久未復光緒五年知縣袁照捐資復之今設局於葛仙庵

施材局亂後士民捐辦

暴骨冢在高資龍潭者爲總兵劉啟發掩埋在東門外及西城

根新塘官道旁行香官道旁東昌街官道旁皆同治間邑人捐資分瘞

溧水

養濟院在縣治小西門內額養孤貧八十六人毀於粤寇之亂光緒元年知縣丁維禀請興復並籌款諭董重建院屋知縣丁維禀以房屋未能建復向年試辦抵徵未經議及光緒元年開辦大徵請照額收養奉憲批准當卽集董熟商移置城廂隙地搭篷收養自光緒元年起徵支卹孤米石柴布銀兩四年知縣傅觀光勘驗興工計造房廊共十一間遵照賦役全書原額收養孤貧八十六名每年給米二百四十六石一斗三升二合每年給柴布銀一百十一兩二錢三分五釐閏月照增

常平倉舊在縣治南門內毀於粤寇之亂光緒四年知縣傅觀光奉辦積穀按田每畝捐辦每畝上下忙共捐錢十文於常平倉舊址建倉二十二間除以捐錢建倉外餘皆購穀計光緒四年買穀一千三百十石五年買穀二

千九百石五斗五年並提錢五百千文生息爲看倉工食之費

義渡計十處在思鶴鄉者爲巉山端渡王家莊渡在崇賢鄉者曰王家渡高家渡孫家渡北口渡塔山渡在山陽鄉者曰青圩渡在仙壇鄉者曰陡門圩渡沙下岡渡皆邑人捐辦復舊制也

水龍局二一曰安勝會在北門一曰永安局在南門

義冢附郭者三一在小東門外廟山溝一在大西門外大岡頭一在北門外荷包袋

纍骨冢粵寇亂平爲總兵劉啟發所瘞者計七處在溧水西門外者二百三十一北門外者六百七十四烏山街東者五十七十七紅藍埠者五百六十一黃橋者三百四十餘甘村店者三十一曹村者十六共二千三百有奇

江浦

疏河局在浦口因亂圮未復同治十年浦口各鋪抽費濟公名曰疏河釐

義學有三均在浦口亂後興復規畫悉循舊制暫資疏河釐錢者一取資和州學田租者二

水龍局因亂圮同治間復設水龍二具假屋存儲局未復經費皆民捐也

惜字鑪有四皆亂後重葺者一在縣署旁一在縣城昭忠祠前一在浦口東門外一在石磧橋文昌閣

六合

養濟院在縣治北毀於粵寇之亂同治間知縣張振鑛捐建董事孫崇禮周錦堂洪志儼監造立有碑記額養孤貧三十二名每名每年給柴布銀一兩二錢九分三釐四毫三絲七忽每年共額給米九十一石五斗八升四合閏月加米七石六斗三升二合

常平倉在縣西觀前鋪亂後重建更名曰豐備積穀儲此廒十四間外廳房神殿共八間其因亂毀而未復者則有富民倉一名漕米倉在縣署大門西原有廒五間大有倉在縣署大門外東原有廒十二間平房八間南廒在縣西觀前鋪原有廒十四間亂前已廢矣寶成倉在縣西元眞觀旁乾隆間改城守公署

東門外種德堂道光七年邑人潘如松創建堂屋二十餘間專收養異鄉疾病無歸者堂中延醫調治親檢湯藥僱工人服役病痊可歸者給資無可歸者聽在堂調養不拘時日堂旁置義冢地數十畝瘞柩之無所殯者每於清明時掩葬暴露骸骼並修理册卹墳墓堂中兼設施材皆潘如松經理如松歿其子慶餘繼之粵寇之亂堂毀無存如松之孫炳業變產興復一切循舊章惜堂款不敷僅有田種十餘石今募鋪戶一文願濟之

東門內種德堂亦為異鄉商旅養痾之所凡夜間遘疾不及出城及患病自行調養者悉居於此

集善堂乾隆間知縣嚴森建棠城小學嗣經知縣雲茂琦於小學前創集善堂專爲卹嫠書院義學施藥埋胔諸善舉而設勸捐購產取息支用咸豐初堂款漸絀知縣溫紹原令募業商月捐以補之由紳士輪月經理粵寇之亂田產荒蕪同治間知縣莫祥芝詳明以卹嫠書院膏火兩款於留縣五成釐金內撥給餘由堂支取堂內司帳一人司莊一人司役一人現由知縣謝延庚諭紳董按月輪管書押遞交繕帳懸堂

借材局設於城內種德堂公所公所按章程由首事捐材十具存於公所另募善願若干大者六十餘願合材一具小者百願成之每出材一具即收各願以足其數道光中邑人汪傳縉孫元鼎創建局設文昌宮咸豐八年公置仁和鋪市房一所同治九年孫崇禮與達姓以所積租息重新建造光緒四年工竣又亂前典有泰和市房一間同治十二年贖回得價五十千當即存鋪生息核算租金及典本積息除修葺市房支用並起造西門萬忠墓圍牆及砌築諸墳外計存錢一百七十一千有奇儲爲局本存鋪生息初同治中邑人周錦堂設施材局與此局無涉光緒四年終錦堂停止五年正月邀邑人興復借材善舉所募各願循照舊章市房月租由局支取貼壚埋費局本積息作爲義塚地價之資具稟立案歲終繕

帳報銷

浦六救生局在江北窰灣保寶塔根嘉慶中邑人捐建設紅船二每船水手六人炊夫一人專爲江面拯溺而設經費出自洲產並江浦六合二縣商捐亂後全廢局洲新漲甚長同治五六年間漲至綿花山嘴後又漲至窰嘴山下局洲柴租於亂後由浦六董事分存光緒四年底江浦董報銷存洋蚨二百二十餘圓五年閏三月六合董林逢甲將存洋一百八十二圓九角四分繳呈縣署知縣謝延庚發存浦口鋪戶生息自是柴租專歸六董收存接漲洲又奉署知府孫雲錦面諭歸局計收柴租撥價息款並舊有漕營關園租宣化橋涵租局洲魚租現共收洋五百三十八元有奇除交江浦園地上下忙銀五錢一分一釐米三斗一升七合又六合蘆課上下忙銀五錢七分五釐合四年揭付司事工錢並禮書飯食共計洋二十一圓一角一釐年終開報除浦董存儲二百二十餘圓外六合計存洋五百一十七圓四角八分七釐均照章存鋪生息經府叠諭浦六兩董興復因費絀未果查舊局雖建屋三間兩廈而漲灘十餘里不復能渡若移至九洑洲新渡口與南岸救生局相距只五里許何須北岸更設一局惟移至梅桂營地方與黃天蕩險水相毘連距下關二十餘里足補南岸救生局所不及相應待費籌復又平山下有園地若干畝現爲營弁操場撤營後園地仍歸局管業

義塾始創於知縣嚴森同治間知縣莫祥芝興復於集善堂第四進建屋三間爲課讀之所並置義學田今爲有力者據之未繳塾師月脩由集善堂送

惜字局有二一鑪設集善堂內一僱工徧收市鋪書館字紙每日限以斤兩多獎少罰一僱工檢拾字紙四門由各處蒙師鑒察立摺記數爲據

城廂內外各業水龍共十有二曰沈潛局布業永甯堂錢業永安局油雜業保安堂煙業天生堂潛定堂俱東門外普安堂靜安堂俱南門外西安堂西門天一堂北門大定堂東門外五鋪湧泉局竹行各業輪月經管遇火閒鑼聲赴救遲者議罰

萬忠墓在六合城外亂後邑人檢白骨瘞之者纍以甎牆同治十三年知縣許誦宜立石題曰萬忠墓甎牆內大塚六乃諸生汪經正于同治元年正月歸里撿白骨二百餘石堆積西門外破屋待瘞逾月寇復至破屋被焚積骨湮沒瓦礫中不知所考寇退五月間復歸里經舊時營壘及城濠山塘見枯骨纍纍撿積數百石邀新興鋪里人姚鑑姚釗于夏姓地瘞成兩大塚嗣又與邑人孫崇禮購夏

姓地徧撿白骨增瘞四大塚繚以甎牆立石碑以紀其事逾年又撿骨百餘石牆內無餘地遂於壙前瘞二塚事竣後汪經正與孫宗禮追尋同治元年遺失枯骨里人龐萬全確指彭姓地驗之相符乃就原處掩葬砌石塚一經費皆汪經正勸募並孫宗禮撥借材局錢文玉成此舉

萬家墳通江集臨江義塚及毛管地鄭家洲一帶義塚江岸傾圮邑人陳灝楊家樞黃鐘募貲備棺撿骸呈請移瘞高阜邑人總鎮王永勝捐貲甚多光緒中移葬紅山窰徐亢中山地暨單家橋保陳蘭山地計棺一千五百有奇黃鐘丁石麟監葬未移者以餘捐積息爲遷葬費

高淳

養濟院舊有屋十五間亂後猶存修葺之以養邑之孤貧者

救生局在迎薰門左邑人捐建設救生船拼固城湖溺人兼施棺施藥置有義塚八處

理仁局在縣西十里邑人捐建司瘞埋倒斃施粥施藥施綿衣刊送善書等事兵亂時置義冢五處至今行之不廢

水龍局二一在崇仁街知縣楊福鼎倡辦一在武廟東各鋪戶同捐置

惜字局道光中知縣王檢心𠠇辦今併歸書院

育嬰堂在縣治後通賢街房屋亂後猶存堂舊有田七十一畝以充經費

續纂江甯府志卷十四之九下

上元朱桂模分纂

人物 寓賢

金陵土著惟陶吳之陶甘鄱之甘爲最先次則紀家邊紀氏靖安顏氏尙爲南渡舊族客戶糅雜繇明祖遷四方殷實之戶塡京師軍民混淆繇明祖四置屯衞北抵濠泗風俗侈靡園林亭榭之盛由勳戚世族肆其驕淫以相誇耀於是混沌七鑿耳目雖具而其天全亡矣我　朝以仁厚化天下士大夫各樂守其枌榆然有薄宦不能歸者昏嫁於此不忍歸愛慕其山水流連不歸者嘉道諸寓公是也海內晏謐省會殷阜外縣除高淳外多游學郡中庠序闤市趾交衢巷故異方之士萃於茲作續流寓志盛世無遺賢老子浮屠其跡益微故隱逸仙釋無可續

方體住上浮橋　孫星衍住舊王府　張敦仁住中正街　唐仲冕住壽星橋

汪正鋆住城北石橋　宋端己住吉兆營　熊寶泰　方凝住望鶴岡
包世臣住綢市口　馮啟蓁住欣欣園　吳廷棟住新廊　馬壽齡住候駕橋
劉毓崧住許家巷　戴望住飛霞閣

方體字苓山績溪人其今古文考正曰儀禮注稱今文古文字異者凡數十百處按高堂生傳禮十七篇蕭奮孟卿后蒼戴德戴聖所謂五傳弟子也謂之今文古文出魯淹中河間獻王獻之劉向錄之然不得立於學官是以古文五十六篇鮮傳者即今所存十七篇亦以同於高堂生故行於世及康成參以今古文定為之注儀禮古文由是開傳於世而今古文亦由是淆亂矣又古文考誤則正賈公彥所云高堂生傳今文十七篇孔子宅所得亡儀禮五十六篇其文皆篆書為古文按漢書景十三王傳及藝文志皆無亡儀禮五十六篇之說志云禮記蓋亦諸儒記禮之說如別錄古

文記二百四篇藝文志記一百三十一篇之類與古文禮自有別
公彥以淹中所得之禮古經爲孔壁禮記不亦誤乎先生藏書最
富博通經史官刑部練習刑名集中有辨訂例案之文其心得也
又嘗注元遺山詩集未成先生由刑部郎出爲江西九江守十年
善政最多調廣信守旋升江蘇蘇松常鎮太糧道榜示清漕閭閻
感誦未幾調江甯鹽巡道疏濬秦淮支河一千二百餘丈民便之
詳梅君沖所撰碑文擢湖北按察使釐奸剔獘楚人深德之爲立
楚無冤民扁於黃鶴樓在任年餘即致仕寓金陵上浮橋年七十
九卒

孫星衍字淵如一字季逑陽湖人築五松園於舊王府東北隅極
水木明瑟之致隔道南爲祠以藏書所謂孫祠書目也平津館岱
南閣板庋其中句曲山大徐篆書石皆銜於廊壁道光末年已爲

人購去

張敦仁字古愚陽城人以進士官撫州府所校刊禮記鄭注爲海內最善之本晚居金陵中正街門無雜賓延元和李鋭與談算刊求一算術緝古算經細艸則自以天元一術入之者又刊鹽鐵論亦佳妙君所刊書皆不用坊人宋體字故尤爲世所重云

唐仲冕字陶山善化人有別墅在小彩霞街曰十笏園言其狹也然石洞山橋皆具有梓樹一株金陵所無也公爲確愼公尊人確愼晚年小築冶城山後依山爲堂儲書甚富今無一存矣

汪正鋆字均之桐城人稼門尚書第四子也善八分魄力沈雄而別具流麗之氣如不經意而金石千聲煙雲萬狀八分中別一門逕也居城北石橋北有園曰集園園有保徵軒集台海潮庵諸勝是時江淮間游士相謂辟汪均之筆鋒包愼伯談鋒周保緒劍鋒

三人皆客於陶文毅惟君不一言時事蓋其慎也有文集數十卷未刊行

宋端己字恥夫商邱人西陂太宰裔孫也流落邗江汪均之挈以至金陵居北門橋之吉兆營恥夫善效前人畫而均之收藏宋元明人名蹟甲一時盡出之供其臨摹均之爲題識雖善鑒別家不能知爲贋鼎也其所自爲或未逮方仲堅曰恥夫以是術謝客爾

熊寶泰字藕頤潛山人祖艮輩娶江甯孟氏又與熊本爲同族時寓小西湖別墅中寶泰生七月失乳父會玜知寶應縣縣產藕作藕粉食之得不死故曰藕頤箸藕頤類稿自序之嘗謂詩當多讀書文當抛卻萬卷書筆端無故實纏繞則文之靈生又云不用書非不讀書讀而不用耳而爲古文者正欲讀書氣息之深淺在讀書之多寡見也然寶泰文多晉人名雋語非盡由窺姚姒瀏周秦

也年三十始籍學官鄉闈屢報遂棄其籍北走燕南走滇子象階官濬縣洊升衛輝知府就養河南而居江甯爲最久是時方裕會居靑溪河畔地近日相過從而住南城西偏者張敔距六七里常攜畫索題觴詠稱盛焉喜闢佛好與僧遊故詩亦以空靈勝

方凝字仲堅歙諸生幼與程春海侍郎恩澤同學爲也園振甲吏部所激賞屢試不利遂去爲孫寄圃玉庭魏愛軒元旭諸督部司筆札遇事之結不解者無不應手氷釋嘗曰事卽紛紜必先定心氣繩以中正之理準以　國家之例求其隔閡之故觀其目前之勢行吾排解之情然後善其進說之術鮮不濟矣以是名卿倒屣聲譽斐然居望鶴岡子屋孫某皆遭亂故復城後舊宅又爲不肖世家子冒占疑有研癖藏古端石數十方皆有銘刻咸毀於賊尤爲可惜云

包世臣字愼伯涇人早負盛名道光中以大挑知縣仕江右中丞

忮之甫到省即使署某縣即借公文字句刻罷之然世臣之名轉益盛陶文毅公楊端勤公皆延爲上賓素喜交遊延攬知名之士居鼓樓側之綢市口戶外之屨常滿又善談論娓娓千百言皆使人之意消善篇書開近人北魏一派其子興言以棗木刻於鄂中所著有安吳四種其第二種曰藝舟雙楫即自言其書法之功也所撰鄧石如傳亦足見學書之次第大致亦自習之博而後加之熟而已道光中包書名滿江淮俗曰北魏然不如張翰風女綸英遠甚綸英爲吳廷珍農部內曾見其徑五寸楷書朴茂蒼老卓然元魏名筆也凡八幅藏張仲遠觀察處仲遠既沒不知歸何人矣

馮啟蓁字晉漁鶴山人以內閣中書主鳳池書院喜獎拔好古之士高澤瀛張寶德其尤也居明瓦廊欣欣園其園有縐雲峯嬰桃磚舍古木百餘株皆大合抱干霄直上又有纓絡松森森偃蓋尤

世所罕覯性好金石古泉收藏頗夥後牧晉中某州卒

吳廷棟字彥甫一字竹如霍山人由拔貢生分刑部洊升郎中敭歷直隸山東藩臬同治初升刑部侍郎告歸居新廊之鳳池書院東十二年卒有拙修集十卷公平生爲學以朱子爲宗其見於施行也咸豐二年崇文門私酒之案七年劄放三成大錢之案文宗持之堅大臣不敢執奏公獨從容備陳閭閻委曲商賈苦累卒能霽雷霆之威而膏雨下逮所謂勿欺而犯者與至其論學務與思辨錄相反乃近來講學家習氣舍此則無所置喙不知此正桴亭所言氣質之偏也年譜

馬壽齡字鶴船當塗人優貢候選教職豪宕尚義氣面折人過退無私毀家候駕橋尾紙屏竹籬蕭然出塵表不喜酬酢人而逢良友至必出家醞市肴饌擷園蔬留飲談笑不知倦每偕楊雅輪汪

梅郎聯步岧城山後雖霜風淒緊三人者皆忘其窮困之至極也
喜爲詩然宗法小倉山房與二人之好韓杜者不契而亦無乖忤
所作時文律賦純以氣行縱橫盪決有萬馬蹴陣同雲蔽空之象
雄厚弗可及也所巳刊行者曰懷青山館稿盍君主講東臺書院
所刊吉光片羽爾君後佐安徽通志局遂卒於皖城
劉毓崧字伯山揚州儀徵人父文淇以經學名當時海內所稱孟
瞻先生者也毓崧八九歲時閱通鑑習其句讀父執目爲奇童自
是問學日進名譽大起道光二十年以廩膳生舉優行貢太學同
治四年廣東巡撫郭嵩燾疏薦毓崧覃思博覽崇尚樸學宜充八
旗教習以資講課曾文正公督兩江時尤禮異之自文淇爲左氏
學毓崧纘述前緒旁通諸經史百家之書一事一義必洞悉古今
同異之故析及精微凡所寓目畧能闇誦廣座中聞毓崧談論或

私取原書核之皆無有誤爲文不事規仿精密條暢尤達於禮經之原以章教善俗爲心著有春秋左氏傳大義二卷周易尚書毛詩禮記舊疏考正各一卷經傳通義十卷史乘通義四卷諸子通義四卷王船山年譜二卷彭城獻徵錄十卷舊德錄一卷通義堂筆記十六卷文集十六卷詩集一卷毓崧事父母終身無一日失歡立身端直臨財無苟取與朋友交勸善懲過始終不渝嘗主於前淮揚道郭沛霖沛霖殉定遠毓崧爲教其遺孤階時胡文忠撫鄂招毓崧辭不赴論者謂毓崧學行似東漢人物云采家狀及劉恭冕所作墓誌丁晏所作傳

戴望字子高湖州德清人舉人福謙子早孤事母至孝受經於長洲宋先生翔鳳陳先生奐補湖州府學生員自隸名學宮卽輟科舉業一意治經篤好公羊家言於儒家好顏氏元李氏塨之學以

通經致用實事求是爲宗於丙部書嗜周秦諸子出游四方留心時務於兵漕諸大政博諏而札記之深通倉雅工小篆旁及文筆詩歌皆澤古有法著有論語注十卷釋文一卷管子校正三十六卷顏氏學記十卷臨溪詩文集四卷筆記六卷學性孤介敦崇氣節嘗拒西人重幣之招聲名早在公卿閒客金陵久尤爲曾文正公所禮潘侍郎祖蔭李學士文田嘗爲刊所著書卒年廑三十六士林深惜之采事狀文集

續纂江寧府志　卷十四之九　六

續纂江甯府志卷十四之十上

人物 忠義貞烈

上元秦際唐分纂

金陵八代名都具耦國之勢貙虎據爲窟穴十有三載哀我人斯靡有孑遺句溧二邑當下游之衝高淳近東壩徽甯羣賊所出入蹂躪荼毒赤地數百里江浦距省垣一衣帶水兵與賊苦爭變置如奕棋六合以孤城抗強寇凡六年而師熸官民燼焉蓋淇楊之難東南嬰禍最酷而吾甯尤甚官紳士民婦孺之屬舍生取義一瞑弗視者更僕不能數信乎教化之美饜飫沐浴久而愈固亦吾鄉重節義尚廉恥其俗然也爰傳其卓然者若而人傳先駐防次七邑殉難者皆斷自咸豐三年又著其姓氏於表首駐防次官專紀文武官守土殉難若向和兩營及湘軍之致命死綏者不能詳且事關東南大局矣駐防及省垣殉難之文武大吏以下不繫以縣明非一縣所得私也次紳次士次兵勇團丁上江兩邑專紀守城死事及九江之陣亾者外五邑

專紀本籍團丁之陣亾者若孝陵衞東壩浦口烏山諸大營兵勇死者無官冊不可考次民人次方外次流寓次婦女若夫事實之從同繁蕪而無當於大節者則略焉事實簡者著於表下傳信傳疑大雅是正江甯高德泰盧忠義湮沒著有忠烈備考一書成於上江兩邑縣志後一年苦心搜羅所采訪極博有邑志所未載者茲已一律補入多所裨益焉有所不知蓋從闕如春秋之義也傳附於表則陳志青溪祠傳表忠祠傳之例也其咸豐三年以前死事於外者若章印福上元人江蘇金山營遊擊道光二十二年英夷入犯隨提督陳化成力戰吳淞口叢葦中受重創以死周正義句容人湖南漣陽營外委道光二十二年英夷入犯力戰死錢大勳句容人文童道光二十二年英夷入犯在提督關天培幕中力戰死李廷揚句容人以武進士積功至廣西柳州融懷營守備道光二十七年進勦土匪雷再浩賊壘在高處仰攻血戰自辰至午矛傷右目猶手殺二賊中槍殞於陣束溶句容人候補都司在雲南捕鹽梟屢有功道光二十九年粵匪犯全州力戰死凡五人作

忠義貞烈表

駐防

祥厚 沈顥　霍隆武 色勃星額 伊伯訥 和謙佈 託多洛 恆

喜松亮 三音額 薩勒洪額　奎光 福林

輝罕泰　成玉

善慶 德祥 來慶　鍾祿

錫慶 祥瑞　麟勳

銘鼎　錫齡額

炳元 海壽 連奎

七邑紳民

潘鐸　朱麟祺 安祺 聲仁 安楸子立鼎

曹森 孫裕昆　曹士鶴

鄧爾晉 子嘉緒　夏鑾

張繼庚 弟繼辛 宛正龍 李翼棠 高某 侯敦詩 金樹本 許長青 何師孟 周葆濂 李鈞祥

謝學元　田玉梅　柳之麒

王金洛 從兄濩　從子琮璧

黃家聲 子慶光　黃汝玉

李芳　朱琦

包廷芳 陳景元　景元子澐　江繼勳　許長華　海從 龍成龍

張攀龍 漸鴻　蔣佑思　夏家銑 妻蔡氏　歐陽泰科 馬則劉　石淇福　陳

汪星垣 楊邦杰　王仲德　朱 世德

史佐廷 黃鍾沛　陳自超　周洛 郘　劉紹曾　陳燮

涂煊 湯錞　程教文　朱嘉彬 楊鑾

賈謨　顧長庚

孫澤遠　胡國椿

張景箴　柯履堂

謝東園　馬某楊萬喜　趙子君　金石　賈　張永發

彭士琨國義　王某　徐承業　賈寶瑚　戴榕　伏世　堯　劉世科　世揚　潘玉書　萬里

李長慶　孫際雲柴沂　管子書　胡沛　葉宜蓁

方先甲女子佩　繡蓉　從子恩露　汪汝楫　李琛

孫長華從子應琦　華如楠　業金焱　張旭書　姜開　業　李宗一　李大廣　李大和　陳士勤

邢吉甫　誥命官命恩　母魏氏　錢萬　青　張鎮　周家楨

沈得年　端木塏　焦子深光俊妻王氏　從子楷

高熊舉　方培基志勛

方廷煒汪晪年　劉長春　徐以謙高德泰聘妻徐氏

章鼎張勤之　李錦鄒錫炎

俞恩綸恩綬　俞松鄭學海　顧長庚　潘某

周國樑　葉德鈞

翁鯤　陳逢年
姚兆鳳岐鳳　司馬楠
葛芝山　蕭人官　孫懷仁　葛志文　朱德昭
張士義　呂長興　朱碩齡　劉隆舒
張三　蔡順改三
炳炎印川　高世珍
駱懋修　孔兆勝　薛炳
陳紳　俞士永
張孝友　任塏
王熉　施濟從子肇鎮
丁鵬　陳鑑
顏煥　王泰

王掄　徐啟玉　張世衡　張繼鵬
楊召伯　張本彩　陶堃
徐大鏞　許晉錫
司徒沛　楊金範
諸林芳　劉鳴歧
周保龍　蕭用仁
徐振毅　邢德序
趙文壽　孔廣貴　黃起炳　黃慶源　劉錫源　劉永根
姚國田　施肇名
施肇峻　趙茂有
張文蓀　陸葵　祖母杭氏　丁紹曾
胡象賢　陳肇緯　馮必有

吳必正　張懷善

達成榮　掄彝　敘疇　掄英　掄富　徐琳　周錫堂　繆長庚　長酉　李祥和

夏定邦　徐鎮海　毛國祥

王金禮　劉承炳　榮炳　林中芬　子簪桂　葉琳

金森　子蘭芳　國錕　王兆蘭　李允恭　陳慶榮　陸沅　慶華　孫彭年　孫應奎　談春池　黃戴

文泉　汪長清　王增　增子鶴齡　陳樹槐

方文湛　文泮　輔　夏毓萊　董籌

唐肇熊　肇鼇　嘉模　田錦春　武君榮

賀廷槩　康國楷　王芳慶

厲會　陸詳等　魯國棕　國標　孫某

薛體元　方便　徐鼎

曹上林　厲昆　葉鼎森　魏德增　韋學書

閻大二 范二
六合巴練山義民某
彭會安 弟會明 會康
侯紘 葉慶祥 葛朝言 谷茂公 王西文
秦為才 胡慶元
周廷楊 爲鈞 田文燦
萬其相 錫齡 大觀 郁大芬
仲有義 弟有德 有能
李萬有
厲錄授
史傳經

厲經伯 子錄功 錄圖 錄賢 錄銘
唐國楷 世標
袁仁安 繆湖
薛克家 葉祥慶 孫詒祐 谷長山 徐學彭 徐士喬
陳宗鏞 潘鏞 陸焱森
施蔚林 徐澄 徐嘉穀 達玉 陳大玉 孫元魁 袁
朱金標 王金鼇 劉訓 達鵠 鵠
任厚安 載揚 鄭宏業 劉斌 汪達科
雷春圃 楊懋昭
劉錫 僧隆元
史褒

田萬青　趙鴻 陶斯詠 苪步青 魏福 夏超羣

孔慶壽 諸人理 人麟　楊應南 楊廷有

楊廣森 楊廷淦 丁存桂　杭益進

沈登魁　張玉成

李馥　劉金瀛

邢上森　吳文錦

趙必球 彥賓　張慶枝 湯正沐 濮觀森 胡 修信 顧得勝附

流寓紳民

湯貽汾 王瀛妻湯氏　潘諮

錢繼文　婁家蘭

程正剛　胡元博

駐防婦女

哈希納妻張氏　關松壽

趙四女某

七邑婦女

秦耀曾妻畢氏　曹士鶴妻管氏

周聽鈞妻朱氏　范城妻芮氏

吳榮曾妻汪氏　汪淑蘋　秦士科妻何氏　王象乾妻何氏

何師孟女瑞芝　趙學棨妻蔣氏

伍承鈞妹花姑　承鈞女杏姑　陳昌緒女大姑

易家臺母某氏　羅綉女愛蓮　張兆坤妻陳氏

孫澍妻耿氏　施源通妻曹氏

車持謙妻袁氏　崇一穎妻袁氏

張鑄女五姑　李月溪妻張氏

楊錫侯妻朱氏 丁白求妻劉氏
孫顧氏妻張氏 楊某氏 楊姓婦女
周大成妻董氏 劉庸 庶母趙氏
仇席奇妻王氏 田寶雙妻蔣氏 葉廷鈺妻張氏
嚴桂棟聘妻劉氏 李雨農聘妻邢氏 項榮女長生
張吉祥妻洪氏 周祜妻金氏
柳之麒妻金氏 端木址妻閻氏 塝妻金氏
葉傳珍妻馮氏 徐堯臣妻郭氏 魏雲程妻郭氏
陳伯銘妻陸氏 鮑必成妻張氏 葉國楨妻劉氏 黃廷樑妻張氏
顧鏞高妻王氏 徐蔭亭妻馬氏 周秉鈞聘妻唐氏
卓榮妻程氏 盧佩之女二姑
陳濤妻王氏 王士英妻江氏

田志蓮妻郭氏　施國成女紅英
楊明純妻劉氏　曹政修妻徐氏　曹全智妻王氏
王定銀妻許氏　王玉堂妻徐氏
丁步階聘妻余氏　陳紹芳妻王氏　小姑
朱紹頤妻甘氏　張居銀妻某氏
朱復初妻蕭氏　徐振鉞妻陶氏
徐振啟妻朱氏　葛繼管妻范氏
濮琮妻俞氏　徐景松聘妻湯氏
王繼久聘妻謝氏　王德昌妻秦氏
尹㜸姑　韓王氏
沈元粱妻史氏　徐大文妻陳氏
鄭樹青妻曾氏　吳量寬聘妻王氏　顧宜敬女仲冬、王長元

聘妻楊氏　洪某妻金氏
縛樹女子　葉覲儀母蔡氏
汪釗妻丁氏　李讓泉母楊氏
綠衣女　史樸女大姑　夏銘齋女珠姑
厲式玫母汪氏　陳肇魁妻王氏
沈煥章妻汪氏　任兆蘭繼妻馬氏
劉國擎妻陳氏　國經妻平氏
馬廷龍聘妻董氏　王永齡妻鄭氏　李慰懷女大姑
汪經培妻王氏　詹敬妻許氏
王柏女文姑　孔繼奎妻徐氏　陳艮蓮妻周氏
達家巷婦女　陳治隆妻孔氏　陶光杞妻朱氏
流寓婦女

徐仲瑶聘妻朱氏

駐防

祥厚字寬甫滿洲鑲紅旗人官京口將軍駐江甯咸豐三年正月警報至厚慷慨誓師令旗兵分守城堞曰我輩受國恩二百餘年愧無以報宜合滿漢兵爲一體勿妄分畛域衆感動咸効力焉賊四面縱火厚力堵要處爲士卒先初十日昧爽賊地道火發轟塌儀鳳門城垣數十丈江甯城守營副將沈鼒血戰死之入至雞籠山旗兵整隊奮擊賊退鼓樓北園戶隨旗兵逐賊出儀鳳門外缺口復完而西南各城賊復緣梯入厚短兵巷戰死於陣旗兵爐焉初朝廷聞九江兵潰特授厚爲欽差大臣督防勦事未奉旨而城陷權不專一力竭身殲人尤痛之事聞謚忠勇建專祠鼒徐州人善養士殺賊過當戰死於儀鳳門屍植立不仆云

霍隆武福建駐防官副都統咸豐三年外城陷率武舉數十人巷戰殺賊甚多退守小門力竭歿於陣同時協領死者色勃星額在朝陽門血戰陣亡伊伯訥和謙佈在儀鳳門禦賊身受十餘創死託多洛於內城將陷時單騎血戰一子從在鑲白旗地方戰死防禦恆喜守通濟門矢盡力竭死而防禦松亮從將軍禦賊武舉三音額薩勒洪額從都統禦賊以短兵苦搏皆殉焉

奎光號益之官協領性好山水賦詩自娛嘗於王荆公半山園築韜光別墅城陷閤門從容赴義其甥福林字一桂亦工詩愛山水所居距雨花臺七八里常登木末亭鬬茗觀落照歸生平蕭然物外新婚時嘗典婦金釵買書駐防薩喻布服其高致至是亦死難

輝罕泰號子辛官佐領平日事繼母孝無間言咸豐三年賊陷儀鳳門左右勸去其冠服罕泰叱曰朝廷予我官敢巧爲趨避耶遂

追賊出城缺口復完未幾賊梯登南城砦戰力竭死

成玉字琢齋官佐領守聚寶門賊營雨花臺晝夜攻城矢石如雨成玉手藤牌往來女牆閒傴僂行有賊逼城下斃之賊不敢近賊旋由水西門梯城入所部殲焉闔門同殉難

善慶號積卿驍騎校精顏柳書法奉檄守太平門二月城陷賊由神策門直趨臺城善慶往堵之手移數百觔巨礮向賊擊死二千餘人以眾寡勢不支歎曰吾以卑官無可盡力惟死耳慟哭投城下死而協領德祥前鋒來慶守通濟門亦力戰死

鍾祿官防禦咸豐五年在鎮江馬陵與賊接仗被獲投江不死至江甯賊酋愛其材脅降大罵不屈賊怒殺之

錫慶字膺甫鑲黃旗人童生性嗜學儀鳳門陷其父正白旗佐領祥瑞陣亡母常關氏妻洪氏皆死難有鄰人某約其潛逃辭曰吾

願全忠孝不願全生也遂投西華門河死
麟勳字景堂原名佈騰阿嘉慶己卯舉人知四川榮昌縣事調署彰明知縣同治二年川匪藍二順攻彰明麟勳屢卻之以外援不至城陷罵賊不屈死事聞　賜祭建專祠
銘鼐號著之諸生內行純篤賊陷內城母馬關氏妻余氏暨子女俱焚死銘鼐冠帶持劍端坐於庭有賊追鄰人踉蹌入乃與鄰人併力殺賊力竭自刎鄰人免於難
錫齡額字靖之一字近癡滿洲正藍旗人父尚阿納早卒母關氏撫之成立嘗侍母疾屢旬不解帶疾獲瘳將軍本智聞而重之授以驍騎校謂人曰求忠臣必於孝子之門吾以勸孝也未幾升江甯防禦印務章京兼左司參領咸豐二年冬賊陷武昌下游戒嚴錫齡額知事不可爲時子炳元以舉人方在都任京秩乃與妻趙

謀曰世受國豢養無所報脫不利惟闔門死耳趙曰諾吾有子在都可延一脈死吾分且含笑入地矣錫齡額大喜乃詣將軍署日夜議戰守不復過其門二月初十日外城陷賊更迭攻內城益急我兵立城上直兩晝夜擊賊以火器人人誓必死十二日賊四面登城錫齡額聞變冠帶向北叩頭賊至大罵不屈死家人殉焉

炳元武舉人官鑲紅旗佐領善長矛能以手屈成圜性平易與鄉黨無忤見者不知其勇也咸豐三年賊犯省垣將軍祥忠勇公知其才令督八旗精銳二百五十人駐盧龍山爲策應二月初十日五鼓靜海寺地雷發陷城數十丈元提戈直前大聲呼衆曰國家養兵千日用兵一時存亾在呼吸閒我輩當效死衆咸奮激以槍礮斃賊槍礮熱短兵接戕其前敵悍酋數百人踰城賊敗竄逕抵缺口身當其衝凡悍賊冒煙直上者元以長矛刺之應手仆相

持逾一時賊竟不得上天明有賊暗中專伺元施火鎗遂歿于陣衆奔潰賊長驅入城子前鋒海壽均陣亾妻挈子女投河死正白旗防禦連奎亦善長矛死于神策門

七邑紳民

潘鐸字木君江甯人事親孝倜儻有大志道光乙酉舉人壬辰進士由翰林改部曹擢御史出知湖北荆州府屬吏有以墨餽者知其詐卻之江南水災捐廉五千金助賑戚友待舉火者十餘家升四川按察使平反疑獄務持正獲幅匪巨憝蔣頂帽民患以息擢河南巡撫濬賈魯河躬行履勘調山西巡撫以事左遷按察使咸豐二年轉湖南布政使時粵賊犯湘境聞命倍道抵長沙賊已圍城縋而入城中有兩巡撫一總督兩藩司事權不一人心皇皇鐸力任事坐臥皆在城上信賞罰傾府庫犒戰士不足以私財佐之

眾感奮賊兩穴城最後城崩數十丈磚石飛滿天當者輒糜萬賊騰而上公督總兵鄧紹良率鎮筸兵三百人遏其衝血戰竟日賊乃退以棺實土塞缺口又礮斃逆渠蕭朝貴賊氣奪夜遁凡守八十一日城卒完鐸急馳書大帥謂當邀諸隘盡殲之毋爲下游患大帥逡巡賊遂東下鐸之守長沙也嘗以事下城傷骸骨士民持藥問疾者環繞如堵牆有老婦持草藥一束三日不得前泣而去明年謝病歸吏民爭舁鐸行街衢且徧送者塡道拜者跪者踵相錯日夜走數十百里至於舟自崖猶不返啼呼擾攘萬眾一聲曰公行矣如吾民何則皆哭鐸亦哭未幾以四品京秩　召入都門庭閒寂日典質爲生讀書圍棋悠然忘歲月要人或納交焉不答獨慨念時事輒不樂語家人曰朝廷設再用我當以身許國耳同治初賞二品銜署雲貴總督時滇亂極被命者輒相弔或逗

留川黔閒鐸受命卽行同鄉餞於都門皆知其隻身入危地相對惘惘或欷歔不能仰視鐸慨然曰吾年七十受累朝恩厚愧無尺寸報茲役得死所矣諸君當賀我毋戚戚也飲啖談笑如平時入川川督駱文忠公秉章素重鐸欲留辦防務鐸笑曰是規避也又欲以兵從鐸亦不許兼程抵滇總兵馬如龍懾鐸威望具櫜鞬出迎諸營肅然鐸又訪獲前戕陝西巡撫鄧爾恆之賊劉紹武等寘諸法回民畏服巡撫某忌鐸甚同治二年正月望日練總馬榮以赴臨安爲名突至省踞五華書院城賊應之鐸親往曉諭責以忠義榮黨相顧動色榮語益悖鐸怒斥之遂遇害身受二十七創巡撫竟無恙事聞優詔贈太子少保予諡忠毅賞騎都尉兼雲騎尉世職敕建專祠從祀京師及本籍昭忠祠廕諸子郎中員外郎主事官同治九年　奉旨入祀鄉賢鐸少貧父母互教之晚居

京師見甕虀哭失聲或叩其故答曰幼見吾母恆以虀汁佐飧今
適觸於懷耳其至性如此
朱麟祺字臥雲六合人年十七爲諸生即究心經世之學兼善技
擊嫻武略道光十九年舉於鄉二十二年英船內駛土匪竊發麟
祺避居揚州之北鄉約爲團練一方恃以無虞二十七年成進士
授刑部主事治獄多平反推廉明咸豐二年總辦秋審三年春粵
逆東竄侍郎呂賢基奏　命爲皖省團練大臣知麟祺才足
辦賊奏請治團三月馳驛至皖時金陵揚州相繼淪陷淮以北捻
匪蠭起麟祺屢單騎入巢撫諭得死士數百人爲練勇淮北巨捻
楊倫最凶悍與張落刑等相犄角麟祺恩威並用悉受約束尋察
倫反覆斬之而散其黨聞六合警率勇赴援軍至盱眙知圍解入
洪澤湖搜勦湖匪淮瀆一清所將皆勁旅遠近慴服八月安慶三

陷賢基時自六安赴霍山聞警退守舒桐麟祺曰欲守廬州必固舒城欲固舒城必扼白沙嶺此以逸待勞計也賢基然之九月翼逆石達開陷桐城麟祺引軍往援一日夜行三百里冒雨抵舒城賢基遣總兵恆興與俱越日進剿敗賊前鋒追至北峽關白沙嶺下東偏賊萬人乘高猝至恆興先遁麟祺獨以數百人血戰歿於陣年三十七賊遂陷舒城賢基亦殉節自是張落刑復叛而皖北之禍棘矣事聞照知府陣亡例優卹立專祠世襲雲騎尉同治六年侍郎宋晉上其事奉
旨予謚武毅從弟安祺邑增生精書畫篆刻協守六合東門八年城陷率衆巷戰受重創與子立鼎同殉族叔聲仁亦同時巷戰死

曹森字寶書上元人道光壬午進士官山西榆次知縣升忻州知州署大同知府所至皆有惠政以母年近九十乞養歸逾年母卒

服闋未及赴補咸豐三年春粵寇東下江甯戒嚴兩江總督陸建瀛以森有吏材奏請留辦籌防局賊逼城環攻森隨官弁守堞晝夜巡警無懈志分守之地近朱莊恪公祠森預與家人約曰脫事急可會于祠此吾死所也二月初十日儀鳳門地道火發城垣毀賊眾攀堞而上江甯將軍祥厚禦之勢將不支會森率練勇至併擊賊始退方督勇繕完城缺爲固守計而賊已梯登西南各門城遂陷森知事不可爲入莊恪公祠奮身投池池水淺不得死遂與妻李氏對縊桑樹下森弟士鶴妻管氏自縊不死以石碎其首宛轉而絕森孫文生裕昆恐人救先閉戶以身障之取巨石連擊腹嘔血盡碧女僕郭守之逾二日始絕管氏自有傳事聞　贈
森太僕寺卿銜弟士鶴
士鶴字季皋道光庚子進士歷官陝西清澗城固富平知縣有吏

材巡撫瑛棨器之調渭南地多回匪伏莽士鶴禽其巨目楊不花置之法瑛棨上其功以直隸州用時粵匪由蜀竄陝勢猖獗瑛棨知士鶴必死於職然惜其才預檄士鶴下鄉團練士鶴曰是欲活我也使吾苟活他日何以見吾兄於地下終日巡城賊至衣冠懷印坐堂上罵賊死疆吏奏聞並舉森禦寇殉節事奉 旨有一門忠烈之褒

鄧爾晉字子楚江甯人道光己酉拔貢生兩廣總督廷楨第四子陝西巡撫爾恆弟也廷楨爾恆自有傳爾晉生有至性四歲遭生母喪哀毀如成人既長以淹博知名於時咸豐三年督師兵潰於九江爾晉先在幕中因說急守安慶不聽遂去之次年賊由豫竄晉時爾晉仲兄爾頤權知絳州爾晉助之守禦嘗出視險隘歸未至城數里見一人戴笠指而呼曰賊薄城矣不可入從騎皆驚爾

晉曰此詐也手揭其笠髮長數寸窮詰之得爲賊閒諜狀盡捕之賊至城以完未幾以通判投効江南大營歷參向忠武張忠武軍以功擢知府九年江甯將合圍爾晉憂之曰今將帥不和師其殆十年二月大營潰爾晉方在鎭江浦口諸路購軍米聞警兼程赴或尼之爾晉慨然曰事誠不可爲顧張公尚守丹陽兵以食爲本萬一有濟吾盡吾分耳時次子嘉緒亦在軍中丹陽大營再潰嘉緒以馬奉爾晉勸之出走爾晉以馬策撾其首曰吾素志殉　國汝歸侍汝母撫諸弟成立汝之孝也嘉緒曰避父之難而逃其死去將安之爾晉策馬冒陣死嘉緒從焉事聞　贈太僕寺卿建專祠賞雲騎尉世職

夏鑾上元人少倜儻有志節負經濟才詩畫尤精絕道光辛亥以諸生從軍粵西多戰功洊保至同知咸豐三年曾文正公治鄉兵

檄鑾與知府褚汝航赴湘郴造水師礟船凡器械之屬及湘軍營制多鑾手定而以暇訓練之旣成軍捷湘潭克岳州功稱最陳陵磯之役戰船膠淺鑾赴援血戰手刃數十賊以死其後戡平東南巨寇推水師首功至今爲五省屛蔽論者謂鑾以諸生倡其先聲不及見大功之成世尤惜之事聞照運同階賜卹

張繼庚字炳垣上元人江甯府學廩生父介福道光丙戌進士前湖南保靖知縣母諶氏繼庚少倜儻有志節以家貧游幕湖湘閒咸豐二年賊犯長沙從湖南布政使潘忠毅公鐸縋城入守八十餘日圍始解忠毅欲上其功力辭之策賊必東竄亟歸省母江甯布政使祁文節公奇其才延入幕主籌防事繼庚慮兵不足請增募壯勇舉文生李翼棠等統之又以其友王金洛知兵薦與其事三年春九江兵潰賊逼省垣繼庚募南城外舂者得敢死士千餘

入與賊戰爲城礮擊散祁公發憤嘔血死時賊攻儀鳳門急又爲前上元知縣劉武烈公同纓畫策請仿古火城法於城內開濠積薪城上築兩牆爲孔以出火器城下兩旁設牛皮柵內伏精兵以堵來路劉武烈公以其說進制府格不行二月初十日儀鳳門外地雷發賊蟻附登城繼庚與翼棠及其從弟繼辛文生侯敦詩武生許長青王仲德輩率所募勇三百人往禦大創賊缺口復完而賊他股已由南門西門入城遂陷衆巷戰死繼庚赴屋後池水不沈旋爲賊挾充書算自念死志已決欲將有所爲乃以老母隱託戚友變姓名爲葉知發陽與賊暱盡得其虛實會向忠武軍至遂用間結賊黨爲內應與文生周葆濂布衣吳長松宛正龍高某及浙人金樹本定謀而使文生何師孟（師孟字濬臣前募勇守城巷戰於菓子行者）李鈞祥謝學元金和等出報大營遍謁諸將涕泣陳其狀諸將皆感動

有悍賊張沛澤者同謀中悔首其事死者衆繼庚以贋名免九月中復遣人上書大營謂水西門賊所不備有船可度太平門近鍾山由山越城易爲力近臺城之後湖有賊捕魚船可渡師緣城其近城賊營渠魁皆受約束既得報更廣爲開導時大帥向忠武公主持重師不遽進繼庚泣謂其友曰事急矣吾當自往宛正龍先馳告大營繼庚託買物出城五里外與卒來逗蒙祓疾馳日落抵營見蘇將軍縱譚兩晝夜請我師易鄉人服會於神策門買賣街奪門入張忠武公國樑奇繼庚才允其請獎之曰子留此佐我何患不破賊繼庚曰母陷城中不敢離詰旦興而歸未三日也賊迄無知者遂刻期鼓衆於黎明集神策門約五百人舁以刀矛蓋賊令買物許攜械以防變繼庚分其軍列近城爲奪門計自率半俟門開迎我師忽大雨傾注適城下騎復鼓噪賊乃覺令勿啟城繼

庚瞠目返後復約進兵者二皆參差無成繼庚志益堅一日謂同志曰機之屢敗門實阻之吾終欲斬關以迎王師非死士不可得三十人以張鶡頭爲冠聞門東周某有壯士二百餘徒步往見激以忠義咸曰諾歸遇張沛澤於途詫曰此葉知發也遂被執同志方惴惴慮事洩伺者繞戶外繼庚自被縶後歷受非刑無一言有戚李某見繼庚由賊牢出似將訊者李隱語繼庚佯不聞自言曰方寸未亂李逡巡尾之監者出漫繼庚遽附李耳曰城外事速圖之李歸傳是言相對於邑金樹本曰諸君毋但效楚囚泣張君被縶半月卒無言者待我輩策而救之再半月不忍言矣於是衆愈激得斬關者四十八人馳報大營請選膽壯者十人監其事向忠武得八人以西陽田玉梅領之其混入賊巢也以江甯文生柳之麒導之屆期歃血凡五十七人時咸豐四年二月二十二夜也曰

向暮蕘集僞柴薪銜先探神策門狀見匠人斲木問何爲答城闕
內將樹柵猶意一夕未必成夜四鼓衆持械疾行過百子亭一賊
雛如厠出衆曰彼見我矣急斫之雛仆衆趨至門柵竟成環以巨
鍊又加鎖焉柵內賊當門臥衆其登城大呼曰官軍至矣監礮賊
出問何在曰在是斫之仆再斫再仆凡六人城左右賊無一敢出
者乃下城窮力拔柵柵堅不啟擲火入中空不然臥賊起抽矛透
柵而刺城下張忠武公挾長木身先越濠從者四人步軍疊進馬
隊驟至變不及收呼嘯四起環城賊號角聲嗚嗚五十七人者斬
柵卒不破城內賊大至勢無如何乃潛遁賊渠以城未破而賊被
殺知有內應閉城大索城中有獸醫沈某知張鵝頭所居因被獲
窮詰不得主名益搒掠繼庚楚毒備至自脛以下皆骨指寸寸斷
繼庚知旦夕且死憤賊逆天誅欲剪其心腹乃以計使賊囚張沛

澤又見前盧州府知府胡元煒爲僞官方訊是獄乃躍起大言曰事已不成徒苦何益若官江南知江南士民固孱弱非楚粵老兄弟誰敢爲內應事者賊謂楚粵死黨爲老兄弟胡令指實繼庚佯曰我憊甚不能盡記憶得爾官冊則可一一指僞詔書衙靳不發冊胡曰姑就所憶者先言之繼庚以三十四人對賊駢戮之繼庚亦遇害臨危陽陽如平時有自圍城出者傳其斷句拔不出眼中鐵嘔不盡心中血吁嗟窮途窮空抱烈士烈殺賊苦無權罵賊猶有舌時咸豐四年三月初六日也事聞 贈國子監典籍銜建專祠廕子雲騎尉

王金洛字蔗鄉上元人少疏放不羈後稍折節讀書補諸生爲詩文有奇氣與稾生張繼庚友善咸豐二年冬繼庚以金洛知兵言於江甯布政使祁文節公延金洛入幕金洛條陳守禦計甚備賊

圍城金洛從文節登陴固守時督師自九江敗歸閉署門謝客文節憂憤嘔血死金洛經紀其喪未幾城陷金洛偕其兄弟及子輩督勇守城之東北手刃數賊以全局不支還所居盡驅家人赴門外陂塘中繞而大呼復歸室題詩於壁洞開重門踞几挺劍賊來即叱斬之凡斃十有二人後一悍賊至金洛手持之入陂塘同斃全家殉焉相繼死者有從兄瀅從子琮璧瀅字楚卿文生嘗著春秋發凡城陷賊耳其名謂之曰吾將爲汝主史事倘見用吾即爲鮑叔牙矣瀅罵曰爾輩賊耳安知史且吾豈爲賊屈者賊怒殺之琮璧文童年十六謀內應事洩賊炮烙之琮璧大罵亦遇害皆附祀金洛專祠

黃家聲字筱原上元人道光乙未進士由知縣權四川會理州所至有政聲其初莅蜀也蒼溪民以抗糧起釁聚衆傷官民懼討糾

數萬人將踞城以叛大府以家聲老吏詢方略家聲曰此龔遂所謂弄兵潢池者也愚民苦吏胥暴無所訴故鋌而走險急則變緩則事解請以一身往遂單騎入城陳禍福衆大感動縛獻首惡數人事乃解咸豐八年回匪圍城晝夜守禦城陷朝服投池死子慶光從之不沈有役拯之不肯起役泣曰或天留公子以歛父請毋死遂出舁父尸曝所服衣歛之乘閒入賊中大罵求死賊殺之而遣人護家聲父子柩至府城族姪汝玉

汝玉字諫帷江寧諸生性端嚴課生徒成就甚衆咸豐三年賊偪城汝玉檢家乘竝祖塋處所授子弟熟識之且曰子弟能從我死幸甚否則存先人宗祀庶不忘所自及城陷從叔捷元方籌死所突有賊撞門入脅之去從叔保元弟汝金從焉汝玉陰使保元歸促家人速死毋從賊而與弟投印子山下水中死保元至家闔門

皆死尸滿庭戶大慟投城河死長子思永時年十二解帶自經大樹下次子思明年十歲牽兄衣泣曰我無以死乞分帶與我思永裂帶與之死焉思永未絕賊以刀斷帶舍之竟免於難

李芳字潄六上元人性慷慨敦氣誼少與同里潘忠毅公鐸爲金石交援例爲湖北武昌府通判咸豐二年冬粵匪犯楚省垣岌岌巡撫常大淳檄之巡江從者皆冀出城可倖免芳曰事急矣賊已傅城何有於江且我藉巡江以免如職守何城陷十二月初五日具衣冠向北叩頭燃所蓄火藥燄燭遠近賊於火光中見空中鬚眉奇偉目光炯炯射人大驚辟易火熄迫視之乃知其懸梁自縊也妻聞氏使女荷花隨殉戚屬家丁相從弗去與難者十三人軼其姓名事聞　贈道銜建專祠

朱琦字偉君上元人幼孤貧然性廓落讀書略觀大意與人交無

貧富少長不合輒舍去所居城北與雞鳴山近朝暮登山獨吟嘯曠覽烟樹俯循陂塘片石寸草動有神悟於是遂工畫然以好怒罵醉尤甚出入人皆避之年十六七琦叔父使業賈琦曰吾豈生而知計然之術耶雖坐市肆手書不輟不數月仍閒居琦自知不合於衆則日肆飲既放於酒登臨酬宴必極酣方春花時深夜月出甚或大風雨雪手偏提步臨街衢行且飲破帽敝屣望之若顛或忤之則酗而詈不擇於衆衆或怨曾弗顧暮喜孤行墟莽閒呼墓鬼與語嘗夜入佛寺出而貌爲鬼衣白衣冠用駭路人路人驚則大笑未幾悔之氣漸平然年已二十餘矣館揚州王氏凡四年揚之人士若劉文淇王翼鳳楊亮吳廷颺汪泰程慶燕琦皆與游處而與程尤親於吳則慕其學爲大小篆隸日搜討鐘鼎款識秦漢碑石書倣數百紙吳故精鄧頑伯山人法有名江淮閒幾二十

年琦不二年而遂能髫鬌與人言循循儒者與前狂氣二人矣琦偉軀幹而意思蕭閒益之讀書向嘗避之者皆慕與交琦爲上元縣學生娶於楊妻知書亦能畫咸豐二年冬十月自晉歸聞粤氛逼近輒張目植髮曰丈夫浮沈斯世不能殺賊闖穴可恥城陷賦絶命詞曰讀聖賢書粗知義理死雖無補生益可恥七尺身軀付之流水與妻從容投水死

包廷芳上元人官安徽潛山守備以病乞歸咸豐三年奉大府檄治團練其子某官於儀徵遣僕迎養使三返卒不往城陷遇賊於故衣廊賊脅降不屈大駡賊縛於柱駡愈甚遂破腹支解死武弁同時死者有陳景元父子海成龍兄弟江繼勳許長華景元上元人官督中營把總以老退休子澐由行伍官城守右營把總咸豐三年賊逼省垣澐奉檄守南城念親老子幼謀所以位置之而已

誓以身殉景元叱之曰我家世受 國恩萬一不虞當城亾與亾汝誠誓死而妄希老幼偷生耶澐泣曰諾城陷澐急歸訣父母而率勇丁巷戰矢石蝟集澐攘袂大呼手刃數十人以眾寡不敵遂被害人走報景元景元淚涔涔下有頃曰已矣兒不負我矣我必爲厲鬼以殺賊乃乘夜啟後戶奮身投水時年七十一妻余氏孫女五姑同殉戚龍上元武舉人以咸豐三年殉城弟從龍以勇著署六合城守營千總賊犯境屢卻之八年六合陷從龍巷戰血灑襟袖皆溼力竭死繼勳字建廷上元人官城守右營千總家貧事母孝有鄰嫗以米饋母卻之繼勳承母志益自刻苦菽水之奉怡怡如也城陷巷戰力竭投竹橋河中死長華字瀛洲上元人官城守左營外委奉檄造火藥勤其職城陷愀然曰火藥局烏可資賊不如焚之舉火火藥發聲如雷長華體皆燼獨餘一骸猶著戰靴

父克斌弟長貴姪朝義皆陣亾母馬氏投河死

張攀龍字凌雲上元人道光己亥武舉人道光二十二年英夷犯江甯總督牛鑑以攀龍有膽識使投書於夷船三往卒得其要領積軍功授蘇松左營游擊署京口協副將咸豐三年十一月由鎮江螞蟻腰水營登岸鏖戰大破賊十八日復生禽賊目得其馬遂乘馬窮追至五接橋中槍創甚猶手殺十餘賊死

夏家銑字季貿上元名諸生作詩駡賊賊搜得之拷掠備至無所承賊誘之曰汝必有父母妻子有則釋汝家銑已昏憊不知人以老母與妻蔡氏對遂擁家銑至其家指索之蔡急揮姑匿室中挺身出唾家銑曰汝誤矣汝母已死十年汝豈不知而以爲猶在耶家銑悟曰我實無母我實無母賊詰之曰汝何人蔡氏曰吾家銑之妻也死即一處死耳賊騈戮之蔡神色不變其姑卒無恙家銑

就義時賦絕命詩曰八年貧守黔婁婦今日同歸靨夢殘猶幸一方乾淨土洗儂碧血更清寒同死者爲文童歐陽秦科馬則劉則劉妻李氏石洪福而江甯廩生陳漸鴻江甯府書吏蔣佑思皆以作詩駡賊死

汪星垣字漁邨上元廩生居清涼寺城陷僧報曰賊至矣星垣危坐不動遂被執僧急呼曰是吾廟中供糞除者賊將釋之星垣曰否我秀才汪某也賊以戈擬其喉僧又紿之曰是有心病星垣厲聲曰我無病賊壯之曰吾視君非凡人鬚須白矣猶困諸生方今天下大亂盍變計從我乎星垣大駡曰吾所以困躓者不肯變計耳況從賊乎遂遇害氣垂絕猶自呼殉難者上元秀才汪某也家屬聞之亦自焚駡賊死者有江甯文生楊邦杰上元文童王仲德上元從九品朱世德邦杰素多病聞城陷嗒然不食亦不言二月

十二日向暮邦烝忽大罵賊聲徹比鄰家人勸之罵愈厲時賊來往戶外如織家人恐賊聞累鄰人也以被覆之邦烝氣息僅屬罵賊聲猶喃喃也遂死仲德將殉節具衣冠祀其先適賊排闥入見其衣冠惡之以刀擬其喉仲德回顧大罵賊斷其鼻血涔涔下仲德從容禮畢赴水死世德生平守正不阿避居江浦之湯泉倡立鄉團賊犯江浦入其廬搜出衣冠及勇丁冊詰之世德厲聲大罵被數刃赴水自盡時年七十五

史佐廷字定夫上元廩生居城北仁義里品學純粹從游者甚眾賊圍城壻某居鄉以車來迎佐廷佛然曰此城若失安所逃甯義死毋倖生也壻曰盍使幼孫出以存宗祀乎亦不聽城陷衣冠抱孫端坐縱火自焚死金陵城南近市廛城北學舍尤多弦誦聲相聞城陷後爭先就義尤著者黃鍾沛陳自超鍾沛字鑑涵上元諸

生自超字軼凡江甯諸生兩人相友善皆工制舉文山長王炯齋先生極賞之鍾沛温温然如不勝衣尤勇爲善道光己酉水災以所積館穀二百金購米麵絮衣給鄉人之被災者卒諱其事聞變闔門十五人投水死自超家貧僦屋以居性耿介恥求人嘗館某氏家不合拂衣起曰吾豈媚人者耶坐是益困飦粥不給泊如也城陷賊脅之擊柝喟然曰此尚可以偷息人世乎痛哭投水死母潘氏妹二均從之

周洛字西瀍上元人道光丁酉舉人性豪邁不羈咸豐三年粵寇東竄洛與弟文生部募勇團練城陷率勇迎擊於五臺山兄弟皆重創急歸縱火焚其居率家屬十八人投池死僕某藁葬畢殉焉

金陵癸丑之變名孝廉多死節劉紹曾陳燮其尤著也紹曾字書田道光丁酉舉人善畫梅晚歲家居與武進湯貞愍公相倡和極

詩酒湖山之樂其死也盡焚其生平著作朝服投甕水死家屬殉者七人燮字理堂道光丙午舉人賊氛逼遣子朝陽出城曰毋俱盡留陳氏一綫於外可也聚其所著文焚之曰此吾心血也城陷自經死

涂煊字宣之上元廩生眞樸誠篤受業於績溪胡培翬爲漢魏經師表傳於正史外搜輯頗勤咸豐三年城陷煊闔門具衣冠端坐家人環坐舉火自燃次子兆芬同殉從弟諸生嶼遇賊不屈死同時其友死者有湯錞程教文錞字振之上元諸生性方嚴不諧俗輕薄者多詆笑之城陷後隨母卞氏率妻子闔門十五人赴宅後池水死尸浮池面幾徧教文字博夫江甯諸生先賢明道先生裔省城舊有明道書院後改爲祠程氏依之以居城陷教文率家人聚哭於祠男女少長以班縊於祠下

朱嘉彬字步曹號雅堂上元人江甯郡諸生家素貧性甚介人或周之則惴惴焉恐其不受城陷日其父崑溶謂嘉彬曰今日舍死安所之吾夫婦當先死絕汝念遂以火爇屋全家燼焉以死易其子者又有從九品楊鑾母鑾字鳴之江甯人城陷日母金氏命鑾舉棺於庭曰盍爲我計鑾不忍遂絕粒鑾殯殮之藁葬於庭乃命諸子婦各率其子女或自縊或投井井滿更投甕以次畢命鑾乃巷戰死妻羅氏縊以殉凡十五人

賈謨上元文生棲霞圩人咸豐五年四月鎮江賊竄出母方氏寓居東陽鎮謨聞警急迎母時人皆避賊而西或尼之謨曰豈有置母不顧者比至母已避他所迹得之扶以歸則賊已塞途矣謨指而叱之曰汝曹皆良民何苦從賊一賊然之一賊怒以洋槍擊其背達於脅猶大罵不絕賊舍之謨忍痛扶母行不數里火藥毒發

伏地泣曰兒今不得奉母矣願母勿哀兒也甯匐道旁死

顧長庚號星伯上元人城陷寄其弱小於鄰人囑之曰城陷矣彼魚肉視吾家者宜且逞矣汝詎居此尚無患雖然吾布衣也言次淚涔涔下先是城將陷諸不逞相傳有門黃紙書順字其上者陷亦無恙長庚叱之曰孰言是是可誅也孰非淸民奚順爲諸不逞聞恨甚且曰行使渠知是夜將半長庚扃戶自焚死

孫澤遠字春如上元諸生原籍山西興縣文定公嘉淦曾孫也以父鑄爲兩淮鹽官遂占籍上元性亢直城陷被執謀逸出爲賊覺榜之無完膚已而得解告其友管嗣復曰城陷不死負君父多矣勿再後時自投蓮花橋下死

胡國椿字蔭庭上元人督署書吏城陷闔室自焚賊來撲火見國椿衣冠立火中未死以槍刺之出國椿且曳且罵負痛走門外投

水死眷屬燼焉書吏死尤烈者有張景箴柯履堂謝東園

張景箴字尚文原名希說上元人性和易與物無忤爲總督書吏謹守法城既陷賊縱劫掠景箴憤甚積薪階下欲自焚鄰人尼之不果會有賊入其家景箴持械格鬭勢不敵執見賊渠命之跪不跪罵不絕口賊怒割其耳鼻罵愈甚又斷其舌猶諵諵有聲遂支解之其弟希載弟妻王皆投水死

柯履堂字敬山江甯府書吏城陷時年六十五從容自縊於堂弟肇堂姪兆元投池死妻吳氏兄子鈞章兄子婦葛子婦王自縊於房其從兄婦房氏謂子鈞生曰爾盍從我死子解帶泣以進方結繯賊猝入門驅之出城鈞生乃竊負逃之東鄉向營之潰也房泣曰今乃遂吾志矣與從子婦湯氏痛哭赴水死從孫輩從焉履堂子兆祿亦死十年和營之難

謝東園議敘八品銜督署書吏性好善城陷語其兄方坦曰賊勢如此盍早爲計咸曰諾姪景培呼其僕王貴曰坐而待斃不如出門殺賊持刃登城斃於礮東園乃遣散僕輩一僕曹氏獨不去旣而歎曰主人闔門殉節獨不爲宗祀計乎東園叱之率眷屬投珍珠橋河死榮傭倪某趣救不及曹氏抱方坦嗣子付倪某而後沈於水

馬生佚其名上元武庠生以販牛爲業城陷慨然謂其弟曰吾與若皆匹夫殺一人而死足以償殺二人則償有餘矣因詭迎賊入使其弟守戶外乘賊不意殺之投尸於井賊續至復殺之日殺四五賊以爲常旣而曰殺賊而人不知不武楊賊首於門兄弟皆遇害殺賊死者有楊萬喜趙子君金石匱張永發萬喜武生投團練局爲勇目賊圍城萬喜夜縋城下取賊首繫腰閒纍纍然天明守

兵以繩繫之上日以爲常城陷後投營六年陷陣死子君某署吏胥也碁戰殺數賊遇害賊剖其心妻曹氏聚薪自焚死石匱城守協書識副將沈鼎善養士既戰死石匱歸報母母曰汝不能報沈公歸奚爲石匱泣受教血戰雞籠山下手刃二賊死母俟石匱出閤室沈於水永發徒手搏賊受刃者再母楊氏使子婦幼孫自裁與永發自刎死

彭士琨字玉美上元東鄉人咸豐六年五月向營潰賊欲焚士琨家廟或勸避之士琨曰祖宗者子孫之根本吾不忍偷生以全軀也揮其兄玉賢使去玉賢亦願身任之方相爭賊至士琨裂眥奮袂前詈賊賊怒羣刃之被十餘創猶罵不絕口諸賊怪而環視其兄得不死廟亦卒不焚士琨次子國義十年春遇賊不屈死時四鄉憤賊暴虐草茅中抗節死義者往往而有兵燹後百里數十里

無炊烟死狀多不傳甚或不能舉其姓名今所傳者獨彭士琨王某徐承業賈寶瑚伏世堯劉世科世揚潘玉書數人耳王某上元人居神策門外咸豐五年王遇賊田間刺其喉未死臥溝旁賊大至王某狂呼曰殺人劫物盜不如也時已昏黑賊尋聲叢刺死承業字紹基以母夏氏被賊戕承業憤奪賊刀刺賊不中身被數十創大罵不絶剖腹死寶瑚字鐵珊咸豐十年與文生戴榕設團練於梵惠寺閏三月大營潰爲賊執以刃加頸使指富戶不答掠之復誘以甘言仍不答又掠之體無完膚榕亦同時遇害世堯字瑞章治團擊賊支解死皆神策門人世科字海霖上元仙鶴門人樂善好施與有紫屏閣詩文集十年大營潰世堯走匿山谷間曰吾不願見賊也不食死族弟世揚聞賊至曰吾遇賊必痛罵以死比被執絶口不一言賊疑其暗誘之終不言乘間赴水中大罵之而

後沒玉書上元奈邨人與弟萬里友愛無間年皆七十餘賊執萬里將殺之玉書泣請於賊願代弟死賊並殺之

李長慶上元武生道光廿二年從克甯波府城以功補把總賊犯江甯奉檄調海州兵一百名比至賊已合圍不得入乃投徽州大營防旌德西鄉要隘長慶偵知竄賊至孫邨夜襲之大捷及歸賊由小路包抄勇潰長慶戰死家屬五人皆遇害

孫際雲江甯廩生歷署贛榆高郵安東訓導性方正教士必以禮咸豐三年賊圍省垣際雲助城守勤於事城陷具衣冠痛哭賦絕命詩一章曰幼讀正氣歌臨危志不磨全家甘蹈死之死矢靡他率閤室自焚死惟孫永年遇救免事聞得 旨建專祠閤門殉難建專祠自際雲始同時賦絕命詞死者有江甯舉人柴沂江甯文生管子書四品封典上元諸生胡沛上元文童葉宜蓁沂字

魯泉道光乙酉舉人性孝友城陷立門外見人以絳帛識衣疾趨過其前詰曰何爲者則曰以此爲信得免死沂大怒皆盡裂叱曰鼠子敢從賊奮欲擊之跳而免沂憤入室手一械使其子持報其兩兄某發書則絕命詩二章也其詞云大節不可奪儒生致命時甘心輕一死何必後人知生未報君恩死猶圖殺賊兒孫篤忠貞繼志須努力子奔歸則沂已縱火自焚矣妻朱氏女二姑兄妻何從子婦宋皆殉焉子書之死也賦絕命詩云生不食賊粟死當噬賊肉生死無足論名節不可辱從容投繯死閤室從死卅一人其弟子榮僑居蘇州於咸豐十年罵賊不屈復率眷屬十一人投蘇州桐涇橋河水死管氏先後殉難者凡四十二人沛字燮園性好善恆以身倡城陷作絕命詩曰當死不死是謂偷生慷慨就義清者自清閤室赴水死宜蓁舉人紹庭子讀書過目成誦年十四遇

賊不屈囚馬廐中乘間逸出題詩葉文忠公祠壁曰曇花一現記前身劫遇紅羊問水濱不入污泥猶有幸好留清白報雙親投復成橋下死

方先甲字慎之上元貢生博學多聞知名於時城陷與妻王氏慷慨殉難次女縣丞李森妻名子佩節婦也才而賢居母家久亦投水死八女繡砦許字張氏作絕命詩曰鄉國妖氛惡流離萬苦辛生當逢大劫死敢問前因殉難成仁事全身女子貞慨然今一死兩不負君親題畢從容死先甲壻汪復原名汝楫字雨生上元文生攜其子元直元龍往視先甲適先甲謀自盡聞叩門聲先甲叱曰汝父子速歸吾方謀死節勿留死也復曰同死何害遂與其子在先甲所縊復事見汪氏家傳而其所采不同兩存之蓋其愼也先甲甥季琛所居距先甲百步願同先甲死節先甲曰義不苟活眞吾甥也俱投水死先甲

本頁原殘闕，現據南京圖書館藏《光緒續纂江寧府志》（光緒六年刻本，光緒七年初印本）補字。

從子恩露副貢生亦闔門死
孫長華上元王墅人邑諸生練鄉人堵賊於孫塘堰咸豐十年四月賊大至練衆皆散長華屹立橋上奪梃擊賊賊奪其械脅之降長華憤詈曰吾豈與狗彘同處者賊怒甚剖腹截腸以死其族子稟生應琦聞長華之死喟然曰吾此身可爲賊屈乎遂投水家人救之蘇不語不食嘔血數升死時四鄉之民聞大軍至所在結團捍賊而南鄉善橋元山西南鄉朱門諸團殺賊最衆東善橋距城三十五里邨民堅守設卡於馮口邨賊至少卽設伏邨內要其歸賊大至則舉烟爲號四面伏起雜蹂之大小數十戰殺賊無算四年秋八月陰雨累日賊夜乘之戕焉團民華如楠最驍勇手刃數賊以死元山團則文生業金焱率之與秣陵關大營相犄角四年賊撲西善橋元山十邨戒嚴設偵探二人得賊中消息輒馳報大

營得豫爲備閏七月知賊將由元山撲秣陵關大營金焱與監生張旭書布衣姜開業李宗一李大廣李大和聚議家出一丁火藥丸彈則資之大營議既定衆氣益奮持械者幾二千人而葛塘寺之三十餘邨陶吳鎮之四十邨咸受約束相援應賊屢至敗之斃千人七月廿七日城賊大股由破塘口抄圍衆之後沿邨火起金焱以下皆死之其朱門圍則距省六十里所謂三十六邨者也其地險其民好獵精火槍每與賊戰發輒中圍首陳士勤聞警扼賊於五畝地鏖戰數摧賊賊以三十六邨土匪呼之六年向營潰賊圍而殲之無一生者

邢吉甫字子尹江甯人有吏材援例爲浙江知府嘗守嘉興時郡城已被賊陷吉甫防堵屬邑桐鄉縣撫輯災黎咸得所民誦其德後以事調省守禦城陷殉難

諟命官江甯人與弟命恩皆名諸生其母魏氏諸生配德妻幼通五經四書年十七歸配德嘗手一編與其讀遂工制舉文配德早卒遺子四命官命恩命圭命年皆幼魏督課諸子有法文成先第其甲乙質之外傅輒不爽治家尤整肅好談古忠義節烈事城陷曰如此時勢豈可與賊俱生當先死以絕汝輩念入室自經命恩哭母慟與妻秦氏訣曰母死矣吾不可以生汝先自裁秦遂自縊命恩投二子一女於甕亦自縊命年妻程氏從之有僕婦某覩二子氣尚屬救之出命官曰吾所以偷生者以老母在今若此復何言族人强之曰盍少緩葬母而後即事乎命官曰諾突有賊斧門入遇從兄命彰於庭罵之被害命官闔室自焚死從死者二十四人從母劉氏與子文生命綸亦與焉命恩嘗游吳中繪黃陶庵夏彝仲陳階平諸公像各繫以贊終日展對蓋素志早定矣城陷後

合家數十口併命者如江甯廩生錢萬青家屬十八人增生張鎮家屬二十八人江甯童生周家楨家屬二十人江甯民人沈得年家屬十四人均自焚死梓人端木塏家屬十三人以長綆聯屬投池中

焦子深字申甫江甯人居磨盤街候選從九品粵匪圍城飢誓不見賊雖婦孺皆以翦錐自隨城陷其弟文生光俊妻王氏命閉門召家人告以大義是夕子深偕從子長齡皆具衣冠率家人辭於祖禮畢以齒序互相拜別其就義也男左女右昭穆以次先後投繯死王氏俟家人畢命囑指作血書屬其僕譚某報其子勿以家屬爲念遂自縊僕嫗亦與焉會賊有據其宅者飛瓦輒下擊空中有叱咤聲相戒不敢入子深族子楷居梧桐樹者十一人闔門自焚族叔若淞妻節婦芮氏文生若澥妻王氏居小王府巷者亦同

時殉難焦氏一門死者五十餘人

高熊舉字渭川江甯人候選從九品聞城陷謂家人曰吾義不可屈汝曹當從我死乎家人曰諾乃散資給僕婢令各散去有廚者蔣福涕泣請從死熊舉曰汝勿死當留此瘞吾骨足矣次日令福移巨甕入於庭置水令滿鄰人詢其所爲熊舉紿之曰備賊縱火耳比暮率家人冠服祀祖徧飲家人酒復手五十金付福曰此贖西鄰某屋直若爲償之部署畢自投甕中子德豐德升冢婦謝及女孫三人皆從死鄰人聞而奔救爭破甕出熊舉氣息僅屬猶瞠目語鄰人曰公等勿强我生生不若死也遂卒謝之死也問其夫德豐曰吾父母家何在德豐指之謝再拜曰女從夫家殉難不得辭父母矣謂其幼女曰一家人皆飽食不可饑汝乳女畢乃赴甕

尤從容云

方培基字樹之歲貢生就職訓導咸豐三年二月聞城陷痛哭一晝夜歎曰吾家五世讀書見危授命此其時也姪女小姑與諸兄婦約曰女子以潔身爲重吾輩烏可見賊皆曰諾培基乃易公服率子婦七人投水死從子祖勳罵賊被戕長子志勳以同治元年陣亾於太倉營族叔廷煒

方廷煒字彤軒江甯監生職員爲柏子也賊初圍城廷煒歎曰承平久人不知兵今募勇禦賊是以不教民戰也城雖大不可恃終日欷歔城陷日遂絶粒誓不與賊相見投水死其母王亦與壻汪聃年女汪方氏閉戶自焚廷煒之投水也其鄰人劉長春率其屬偕長春勇於爲善所居臨大塘塘埂圮夜行者多溺長春獨修之鄉里稱焉

徐以謙江甯監生與弟以諧聞城陷謀闔門自盡以謙妻姚氏先

自縊死解帶時語其家人曰吾死後倘母家人來當以所縊之帶示之其弟慶錞聞信趨往僕人以衣帶示慶錞慶錞哭拜火焚之撥灰檢視其地隱隱有血影如人狀以諧女年十六字高德泰以諧謂之曰汝已字高氏矣可毋死女泣曰女在室從父者也父死敢獨生乎殉焉

章鼎字寶吾江甯廩生工鐵筆爲賊掠至河南乘閒題絕筆於山礀側曰江甯廩生章鼎死節於此有同鄉某過其地詫曰此吾鄉章寶吾也人始知鼎終不屈死鼎鐵筆與張勤之八分書齊名勤之江甯增生城陷賊迫脅之骨節盡脫亦不屈死

李錦字雲裳江甯人候選從九品慷慨有膽略晚年幕游揚州咸豐三年城陷錦與丹徒人鄒錫炎爲內應先用羽箭射書投大營以四月廿二日夜火起爲信事洩與錫炎同遇害

俞恩綸恩綬江甯上新河人皆庠生咸豐三年正月賊撲上新河團勇戰潰居民紛紛徙恩綸與弟謀曰事勢至此夫何言予兄弟半生讀書愧無實用惟有以死全節或可見先人於地下舉室然其言綸題絕命詞於壁手白金付其僕江二曰此足活汝如見吾從子輩幸告之僕掩泣去遂鍵前戶積薪舉火而挈眷投水死凡十八人死後有過其故居者見壞壁上有絕命詞曰既破我家又劫我身彼何人斯是爲莠民蒼天昏昏大劫斯存人誰不死先哲爲鄰又曰水所以潔身也火所以明志也餘皆剝落不可識時三年二月初四日也一時同死者有布衣鄭學海俞松顧長庚

俞松上新河人賊將至有土匪乘隙攘奪邀松往恥之與弟二松三松言曰從賊不義攘奪亦不義不義莫如死松母聞之喜曰若言吾志也遂閉門餓死其鄰鄭學海聞賊警與妻汪謀曰死賊手

與死於水火孰愈妻誑之曰君無子吾聞賊令嚴不敢犯婦女當忍死爲君延一線何遽死已而以釵環令夫易米夫出逾時無所市而歸則妻與女二姑皆縊矣鄰人勸鄭行勿負死者志鄭泣曰始吾與婦謀死所而婦誑我婦死而我獨生可乎入戶自縊衆將救之聞爆竹聲大作遂駭而奔爆竹聲者其鄰顧長庚之所燃也向業爆竹賊脅之降曰命汝造火藥不汝苦也顧誑之曰當入與婦謀入猝舉火火發千萬爆竹裂聲如雷燒賊鬚髮驚竄去而顧挈妻急投宅後河中死又有潘氏子軼其名殺一賊而死

周國樑江甯人咸豐三年粵寇警至當事者以土塞城門而驅市人助守陴國樑與其役城陷其妻蔡氏死之國樑殊不哭獨持竿出巷戰中重創死

葉德鈞字敬和江甯庠生事親以孝稱家貧授徒自給每日必歸

省母雖寒暑弗輟也咸豐三年聞賊警語同志曰諸君視今何時也祇須痛飲耳人詬其言城陷遍覓不得人愈疑是年八月人汲其家井有物礙綆驚視之得德鈞屍衣冠完好如生再索之復得鈞仲兄德華弟妻丁氏長子維新三人屍面目皆可辨

翁鯤字竟堂江甯增生賊犯金陵奉檄募勇四百人巡西北城儀鳳門地道發鯤率勇助官兵堵之悍賊緣梯上手刃數人勇盡潰鯤退至雞鳴山之麓集餘衆慷慨言曰今日要當其決戰不可走倉頡賊蠭至荷戈脅降鯤與其兄子大椿從兄模壿從兄子大純巷戰重傷死從孫長恩年甫十三聞之賦絕命詞四章悼亾詩二章持報其外祖文生管子書痛哭不絕聲是夜遂自經從兄模增繼配節婦高氏兄子大鏞妻李氏聞之仰藥死

陳逢年江甯佾生生平皭然樹名節城陷時聚家人言曰我家世

讀書義不受賊辱爾等宜自裁衆諾之弟鶴齡妻節婦張氏及子婦李氏孫來順孫女來喜先投水死逢年妻張氏女存姑二姑皆自縊

姚兆鳳字聖儀江寧監生年七十性方正賊逼省垣與婦兄從九品高熊舉治團衛鄉里城陷約熊舉同死難旣熊舉與家人謀死節戒家人勿聲兆鳳聞熊舉已就義乃與其從兄岐鳳赴赤石山下投孝侯讀書臺畔池中遇救不得死遂自縊於家岐鳳亦赴陶家巷廟中自裁

司馬楠字峙亭江寧人由供事選雲南昭通府古塞巡檢洊保通判署平彝縣知縣率練禦苗屢有功同治二年苗回合股攻平彝力竭城陷謂所親曰汝曹可去吾有守土責當城亾與亾遂公服坐堂皇刎死子焜耀殉焉事聞卹如例

葛芝山名鏞以字行江甯瘍醫也居高井術精而不喜交富人過貧者施藥予之錢不受城陷賊求良醫急令居民部送芝山素嗜飲無子女獨與其妻周居是夕益行沽召鄰叟與別舁棺二於室芝山夫婦坐棺中坐鄰人男婦左右雖不能飲者亦强之釂曰吾夫婦老而無子行且死願諸君埋其骨坐中人泣流瀾不能止而芝山夫婦不少戚遂偃臥不起趣掩棺鄰人不得已乃舁棺葬之宅中醫士死者上元庠生蕭人官儒醫也著啞科三卷人以其貧不之奇與其妻盛服對縊死孫懷仁亦上元人小兒醫也闔門自焚葛志文上元鄉間醫也咸豐十年賊至其家疑爲官縛大樹下以小刀破其腹故緩之志文罵曰賊子殺卽殺耳何徐徐爲時方盛暑越兩月屍如生而朱德昭爲僞酋醫目以毒置藥中事洩賊束綿絮醮油焚之名曰點天燈死狀尤慘烈

張士義乳名鴉頭江甯人故無賴而有肝膽能急人之急人畏而重之於是鴉頭之名噪鄉里閒二年城陷士義結素所狎者醉歌一室若無事然廩生張繼庚謀內應聞鴉頭名欲招致之商諸同謀有劉隆舒者買金珠與之習躍然曰我試爲君約乃與吕長與朱碩齡同詣士義家告之故且袖短刃兩柄授之曰汝能殺賊當以功名顯士義慨然曰我何人諸君乃下交如是我素聞張先生今之義士請殺賊洩憤富貴非所望也至期遂與吕長與劉隆舒朱碩齡等夜半登城見粤賊手紅燈騰身斫之擲首堞外以爲信復殺賊數人而大兵不至城下又增木柵堅不可啟刃之有聲城賊驚起士義知事不成遂遁血淋漓濺履上灰壘塗之明日賊閉城大索不得懸重賞購斬關者士義鄰沈獸醫知所爲洩其事遂被執炮烙之窮其主名士義叱曰賊子汝欲殺則殺主名終不可

得也天下人皆欲殺汝獨我哉卒不吐一人遂與長興隆舒碩齡被害於三山門外士義目光如電至死罵不絕口

張三布政司書吏錢大文僕也城陷大文闔室謀死法張三大言曰等死耳毋以屋與財資賊莫如自焚主人曰諾舉火賊趨救錢氏男婦已燼矣惟三在賊怒問誰舉火者三應曰我也遂拷掠之有舊識者爲賊脅充書算憫之潛問曰汝非錢氏僕耶汝何姓三鬚髮怒張大言曰汝何人尚問我姓耶汝讀書識字不能死乃從賊尚問我姓耶主人之舉火我勸之毋以財與屋資賊賊今日不殺我我必焚所居汝輩燼矣罵愈厲賊支解死

蔡順江甯人中城地甲也勤於役所隸無盜賊城陷賊掠之問富戶所在順曰無有官乎順曰無賊曰他地甲皆有汝獨無有何也順不答拂衣起賊怒曰汝何往順曰我大清之地甲豈爲逆賊供

奔走者我將還吾家賊支解之同里回回人改三賣糕者也亦閤室自焚死

炳炎者金陵封崇寺僧也精戒律城陷語其徒曰生民遭劫佛力亦窮寺其殆哉今當與同盡不可使賊污遂積薪殿上高丈餘炳炎緣而上捧經誦佛號趺坐其中命舉火寺與僧俱燼時又有印川者武定橋普靖寺僧有膂力城陷後登樓去梯賊至印川詈之誘其上賊以什物累而登印川急斫之凡斫數十賊賊大至印川拔窗躍墮河中死

高世珍句容光里廟人咸豐六年張忠武公國樑謀復句容知世珍勇敢令帶土勇以黑邊白旗守神塘山適賊欲由李相廟攻忠武營世珍當其衝大敗之賊不敢犯七年正月助官兵焚賊營斬獲無算賊欲由下蔭橋達鎮江近橋民團結世珍爲援世珍移守

宋家邊兼護光里廟屢創賊賊畏之甚戒其下曰凡見黑邊白旗不可與戰乃棄下蔭橋攻大祝廟世珍拒之賊遁更攻之於包家窯賊大困五月復句容時上山岡民團巫氏等素以敢戰稱至是益與世珍併力攻高山廟蔡圩賊有功九月大兵會攻鎮江檄世珍守金子堰堵援賊來路遂復鎮江世珍移營墳頭十年二月大營潰世珍護民團歸句容議城守張忠武亦遣營弁某守句容弁先逃營衆亦潰世珍乃奉知縣杜可貞居江上四葉洲爲恢復計與八社七總十六郡聯結團衆而入城謀內應事洩被殺

駱懋脩字輔賢世爲句容望族同治紀元舉孝廉方正咸豐三年江甯陷句容辦團練官以懋脩董其事六年浚城濠兼督南八鄉團六年城陷懋脩以衆自保賊不敢入又以邑人避兵江北者無所得食勸捐以拯之八年城再陷與妻子皆殉難

孔兆勝曲阜裔也居句容已數世諳兵法善刀槊咸豐四年充西營義兵防湖有薛炳者與兆勝相得力戰屢破賊後分守白沙圩橋七月大營潰猶與炳衝突鏖戰至禮社鎮均力竭死

陳紳句容人咸豐初任蘇右營把總駐崑山十年賊犯崑山紳率民勇禦之勢不支遂退旋招集石牌鎮義團破賊獲首級數十鎮民賴以無恐賊大股至血戰死子雙福隨殉

俞士永句容高家邊人僑居滁州被賊擄賊信任之乘賊酋遠出日縱難民數千人酋歸釘士永於東門大罵不屈死

張孝友句容諸生有文名善拳勇弟被賊殺孝友親入賊境手搏殺弟之賊返縛樹上刳其心以祭弟賊眾至持械奮鬬受創死

任塏字莘田號靜山溧水人諸生性孝友不苟取咸豐三年賊踞江甯知縣某知其才檄辦烏山鎮楊令橋一帶團練旗幟器械無

所出塏毀家置辦不貲公家一錢咸豐六年賊數百人掠烏山塏督團截擊殺賊甚眾援賊由山凹襲我後眾寡不敵被重創死

王熉字學擎溧水人太學生居大東門內咸豐八年九月溧城再陷熉被執厲聲罵賊不屈賊猶慕其名以甘言誘不從脅之以兵罵如故賊以兜輿縛載而行中途罵不絕口叱曰速殺我吾豈爲汝狗輩供役耶至烏山邨有被擄者勸其相機潛逃熉惟求速死罵愈厲遂殺之

施濟字道宇溧水人邑增生國子監典籍銜父鎧候選直隸州樂善好施賑濟育嬰皆以身倡兄濂太學生弟森歲貢生亦贊成之咸豐十年城陷濟遇賊脅之不屈强曳之行赴水死其繼妻宮氏先於咸豐六年投水從子肇鎮濂次子也被賊執授以筆札罵賊不屈割其十指遂遇害鎮從子基泰九歲投水死鎮妻武氏聞夫

耗自刎死鴻鍪字酉森之長子積軍功得縣丞寄居當塗同治元年五月遇賊不屈死森女六姑從之利沅利瀛濟庶母弟沅不屈死瀛在和州遇賊殉難瀛妻武氏聞夫耗投水死

丁鵬字萬程號翼雲溧水文生居大東門外至性過人年十九喪父撫弟妹益篤母病親滌厠牏終身未析產咸豐十年館於邑東鄉章巷邨賊陷溧水居停勸暫避鵬慨然曰方今天下一統率土莫非臣子臨難豈容苟免況賊勢猖獗句容溧水已失將焉逃閏三月賊猝至鵬率邨丁拒賊而設伏於邨後斃賊頗多援賊大至中創死

陳鑑字品賢溧水人邑庠生家貧課徒自給居大東門外咸豐六年五月城陷憤恚欲自盡鄉人掖之至東鄉大營又潰鑑出具衣冠臥祖塋側不食死

顔煥字燮元號小海溧水人太學生世居小東門内性伉爽咸豐八年遇賊於竹山邨不屈賊以甘言誘煥厲聲叱罵憤奪賊手中短刃刺賊賊圍之身被數創血淋漓猶握刃跳擲喃喃罵不已力竭支解死妻武氏居母家同治九年九月聞賊至殉難

王泰溧水石湫壩人邑庠生與其兄繼蘭友愛備至咸豐十年三月城陷賊入邨衆皆奔竄泰與兄先後被執見兄拘縶甚苦涕泣願以身代賊不允憤恚力爭賊怒以刃刺其胸死問蘭願從否蘭曰弟死兄何獨生賊竝殺之

王掄字文顯號亦軍溧水人善隸書以詩畫名於時避亂居東鄉王家山嘗作鵑夜啼詩五十首抗論時務慷慨激昂咸豐十年城陷遇賊罵不絕口被懸樹間搒掠受重傷死

徐啟玉溧水五里牌人咸豐六年城陷啟玉約里人三十餘與賊

格鬭中賊矛死同時死者有張世衡張繼鵬世衡廣嚴寺邨人咸豐七年正月世衡以團練拒賊敗歸懷刃藏炊草中賊至突出手刃悍賊二還與賊鬭傷賊數人力盡被殺繼鵬孔鎮人咸豐八年三月賊擾鎮繼鵬有膂力率鎮丁五十餘人與賊血戰斃賊目二力不支被戕

楊召伯溧水豐慶鄉楊段莊人慷慨任俠咸豐七年賊踞溧城總兵傅振邦率兵薄城下圍攻甚急賊由北路湖熟開泰邨繞道爲外援召伯首倡團練得丁千人堵要隘與賊鏖戰不敵衆潰召伯屹立高處不少卻賊圍之身被重創負痛赴水死其屍僵立水中不仆其友張本彩倪謝張邨人驍勇屢破賊亦力竭陷陣死

陶堃溧水人諸生咸豐八年閏三月避賊於孝陵衞大營潰被執子正琮請代父死遂皆遇害

徐大鏞溧水人咸豐七年提督傅振邦收復溧水鏞以鄉導功賞六品銜八年辛酉避亂江北築土圩禦寇五月捻匪至鏞守禦十數晝夜圍潰支解死

許晉錫字康侯溧水人邑廩生家貧授徒攻苦不輟性和介無疾言遽色咸豐八年避亂石臼湖九月賊撲溧水晉錫於舟中爲賊追顧謂妻子曰事已至此萬無生理惟有一死以全節耳妻應之遂與妻魏氏握手赴水子玉麟子婦劉氏孫女英從之

司徒沛溧水人邑增生品學純粹咸豐十年閏三月賊至沛指賊大駡被拷投水中死屍浮七日張目怒視見者奇之時年七十五

楊金範邑諸生溧水儀鳳鄉人咸豐十年三月聞賊警遣家屬逃避自以步蹇不願往賊既退家人漸返見金範已死冠履端坐不仆首有刀痕血流至踵十指皆落時年七十有九同時諸生楊陶

然亦於是日被執閉目不瞬賊脅之引頸受刃死
諸林芳溧水人邑諸生性慷慨好施與道光年間嘗倡捐助修城垣及歲祲勸募義賑全活頗眾飢民賴之年七十餘咸豐十年賊至聞其名脅授偽職不屈死之其族人一春一康咸豐七年賊船由金柱關下駛竄擾石臼湖濱同時拒賊被殺又于麟年七十一暨一湖一濮均於十年三月賊至脅降不從皆遇害
劉鳴岐溧水人邑諸生家貧舌耕養母咸豐十年閏三月聞警負母逃猝遇賊以兵劫之使棄其母岐涕泣不忍釋告以母老相依為命攖賊怒母子俱被刃死
周保龍溧水白鹿鄉西陽莊人少倜儻有膽畧咸豐三年省垣失陷向軍進屯孝陵衛知府趙德轍諭紳民結團守禦保龍奉檄於土山西善橋率民團協官軍助勦屢卻賊以功洊升把總委帶江

甯城守左營兵十年克復松江得五品頂戴同治元年四月克復青浦松江解圍保龍遇敵每裹創力戰奮不顧身七月初十日以傷潰死於軍

蕭用仁一名濟時太學生溧水南門人治團咸豐六年五月城陷賊至其家見練勇旂械詰其何爲用仁厲聲曰將以殺賊耳賊窮其黨問何往答曰今雖潰散旦夕引官軍至且磔汝輩矣賊怒拶其家屬駢戮之妻薛氏子承明承艮姪承雙子婦二孫一孫女二均被戕

徐振毅溧水儀鳳鄉人業儒性端嚴訓子弟必恪守禮法年九十猶精神矍鑠時逆氛屢警猶課其孫諸生海鰲從孫雲衢讀書不輟或勸之他徙毅笑曰吾年逾耄耋忍死須臾而作他鄉之餒鬼不已傎乎咸豐十年三月賊踞縣城脅以僞職不屈祖孫同赴水

死

邢德序溧水儀鳳鄉人有至性家貧食力養親弗怠咸豐十年三月賊氛將逼徒跣負祖母逃難至十餘里外復歸負母或尼之序曰安有舍母弗顧者疾馳至家則母方閉戶以待負之行未出郵遇賊脅之不從母子俱被害

趙文壽醫士也讀書通文藝與其妻吳伉儷甚篤居溧水南鄉聞警謂妻曰脫有變吾兩人誓當同死恐倉卒離遏宜早爲計妻然之咸豐十年三月賊入境夫婦不忍離以繩相屬赴水死

孔廣貴溧水南儀鳳鄉人咸豐十年三月賊犯境貴繕守自衛賊至各持農具大呼逐賊搏擊移時賊來益衆被戕者十四人時城陷未久賊沿郵肆掠勢甚張鄉民日望官軍馳勦合力堵禦死難者不可勝計同時黃起炳等率衆禦賊被戕死黃慶源與妻楊氏

拒賊不克被焚死劉錫源劉永根以眾寡不敵死
姚國田業醫溧水南鄉人咸豐十年賊病募良醫延治不往敦促甚急賂以衣物迄不受曰甘窮餓死誓不願見賊無已必置毒以進賊遂殺之姚廷祿者農民也為賊俘獲令負擔祿怒瞋目叱曰何物鼠賊敢役使乃翁吾頭可斷吾肩不能為賊任也賊舉刀斫祿奪之不克被賊亂劉死
施肇名字嘉錫溧水大西門人業酤豪放嗜飲咸豐六年五月賊初陷溧水舉城洶洶逃避肇名方獨酌痛飲或勸之行不肯去曰盍飲酒吾有利劍何畏乎賊至使執役肇名乘醉怒罵賊裸其衣以繩繫兩拇及左右趾懸梁間鞭之以馬箠且問曰汝今願從否肇名甘受搒掠絕而復甦終不屈翌日乃死其長子基洪亦於十年三月罵賊被害

施肇峻溧水書吏咸豐八年九月城陷峻被執不屈與兄肇崐均遇害峻妻毛氏年二十一倉卒匿舍後聞賊出門漸遠寂然久之始出睎庭內見夫斷頸臥血泊中亟持其首以髮辮繫已髮上奔出門外血淋漓滿面衣襟盡赤賊見之錯愕不敢近遂赴大西門河下投水死

趙茂有溧水思鶴鄉人年十六母患病適賊至族人呼與偕逃茂有曰母病在床安忍舍母而他適乎卒不往賊擄之去至郈前推賊墮水奔赴母側賊怒追及之中槍傷死事在咸豐十一年

張文恭溧水人年六十一被賊執罵曰吾欲食賊之心臠賊之肉非此不足洩恨賊乃婉言使爲鄉導文恭罵愈厲被殺其妻端木氏絕粒以殉

陸葵溧水拔貢生累世僑居金陵其大母杭氏年二十七而寡子

湘甫四歲卽葵父也忍死撫孤操井臼以篝燈紡績課子讀冬衣一敝緼每夜湘罷讀就臥不解衣而寢或拳曲臥足後愷體冷傷兒如是十年城陷葵率鄉勇巷戰力不支馳歸杭慨然曰汝受國恩義不可屈遂率湘婦諶暨葵葵婦許孫女一曾孫男女各一投水死諸生丁紹曾字序堂亦僑居江甯亂後居蘇州十年大營潰其友勸之遷紹曾曰君有老母義當去吾家屬衆走將焉往且蘇常一失何處更覓乾淨土卒不往蘇城陷闔門死焉

胡象賢溧水人居金陵爲捶絲匠人有膂力咸豐四年與上元稟生張繼庚等爲內應登城殺賊將開神策門以迎大軍事洩支解死又有陳肇緯者業銅匠賊使治火器緯厲聲曰我豈爲汝役賊殺之

馮必有溧水馮郘人業染布有技勇年六十八歲猶矍鑠咸豐八

年城陷必有戒郵中老弱匿從而約壯者居郵中爲衞賊入其鄉必有率十餘人伏郵中衆伏郵口賊甫入郵伏起賊走郵口伏亦起雜蹂之㦸悍賊數人次日賊麕至勢不敵被擒入紅蘭埠賊寨倒懸楊樹上搒掠之至死罵不絕口

吳必正江浦人郡諸生奉委辦理城北團練咸豐八年八月城陷必正督練隨官兵巷戰陣亾其妻蘇率二女俊姑完姑閉戶自縊賊毀門入乃與二女開後戶赴水死

張懷善江浦人監生寄居江甯城陷閤室縱火其友魏一貫知其必死是夕往視之火甚熾亟升鄰屋將拯之出不得近遠睇之見懷善與其家人以巨綆相屬纍纍然長跽火中作籲天狀狂呼之不應火出屋屋覆一貫痛哭返

達成榮六合八邑達馬常王諸姓之族居南北門者世習回回教

士人稱之爲教門人雍正中達子敬以拳勇名梁宋閒後有達五雷公者習其技成榮其子也故又號雷公達八云偉軀幹高顴巨鼻膂力絶人奔馬逸蘆洲中數月野性如虎豹人近之輒傷成榮令衆譟逐之身伏大樹旁馬奔過飛一足洞馬腹斃之淮北鹽徒白三之婦某率其徒輦私錢十六車過境少年某亦以拳勇稱與辜少要諸途某削頂骨斃焉衆號救於成榮成榮約衆毋前持流星鐵杖獨追之衆聞刀杖錚然有聲遥而望則見白光如輪十六人者環白光而攻之炊時許一人中仗倒婦摇手呼曰止止君非達八雷公耶吾夫屬過六時候君起居妾忘之傷君兄弟妾之罪也指兩車錢曰留此爲君兄弟養傷費耳成榮既以勇名遠近又頗敦信義然諾不欺城鄉有盜警知縣官以禮致之輒擒獲盜渠道光閒淮北梟匪充斥監司聘成榮主巡鹽事梟斂迹請之大府

檄爲潛山營外委久之以病歸咸豐癸丑春粵匪自武昌順流東下在籍檢討徐鼒與署縣事温壯勇公紹原謀之成榮爲捍禦計部署未定賊奄至倉卒得勇士百餘人冒雨禦之龍池橋士民操梧從者如堵牆成榮曰第扼此橋賊未測我虛實不敢逼也衆易賊少譟而進麾之不止進則墮賊伏千總徐琳死圍數重成榮與達敘疇達掄鑢周錫堂繆長庚長酉兄弟者揮刀步鬬手殺百十人而我戰士死者亦九十餘人成榮刃折復以鐵杖擊賊大呼曰男兒報國正在此時諸君勉之賊大至鎗子中成榮肩麾壻李祥和曰汝去我死此矣與敘疇掄鑢繆姓兄弟周錫堂皆遇害掄鑢中賊鎗死腰開賊首猶興興也是役以百餘人抗賊酋林鳳翔萬餘衆自晨至午殺賊過當賊徘徊不敢進知縣温壯勇公得以其閒集鄉團斷橋守河副都統德崇阿亦率馬隊至遂乘火起大破

賊城卒完祥和後領城勇守小東門與達掄英掄富皆以賊地雷炸死

夏定邦字治平六合人以武舉官督標右哨千總性嚴重每較所部技藝鞭罰不少貸咸豐三年奉檄守六合禦賊於梁塘鋪東溝屢捷四年九月賊結木簰築壘穴礮下竄定邦要之於八卦洲焚其簰進攻九洑洲平其壘擢守備五年三月督水勇斬沿江鐵練六年正月巡撫吉爾杭阿謀復鎮江檄六合勇助勦溫壯勇公命定邦與守備徐鎮海各率所部數百人渡江往應甫安營而賊至他營閉柵自守定邦搴旗出賊譟呼六合妖來（賊謂官兵爲妖）鬨而走進平其壘壁上觀者咸慴伏尋賊陷江浦奉巡撫檄歸援六合隨張忠武公國樑攻復江浦功最多旋平石鼓山土匪擢江陰守備八年正月再攻江浦身先陷陣爲諸軍冠升都司加游擊銜賊圍六

合急定邦以所部兵死守城中糧竭縋勇下城奪賊糧以進有謀突圍走者定邦不可曰兵勇不皆孝子順孫脫出城星散吾屬爲虜矣城陷自刎屍不仆賊疑其未死也猶槍擊之鎮海儀徵人其歸援六合也分道自儀徵遇賊策馬渡橋先進部衆莫之繼賊取其首去

毛國祥六合南門人絕有力幼時嘗貸於戚人不之應則提其人鼎舉之嘗爲壽州營兵以捕劇盜功累官千總以事革職時在籍贊善徐鼒方督城守事檄國祥守西門骯髒使氣不爲上官所喜八年賊圍城國祥守甚嚴屢手刃梯城賊城陷血戰死

王金禮六合回回人習拳勇而好以禮貌與士人相接初安小東門礮位金禮請於在籍贊善徐鼒願自備資斧監礮積功至六品頂翎八年賊圍城從溫壯勇公登陴守賊放火箭呼壯勇速避之

而身受火箭死
劉承炳字紫藁六合人道光丙午舉人與弟訓導文生榮炳辦團練局事兄弟俱性剛好面訐人過人亦以戇直恕之承炳議敘知縣揀發廣西道遠不能赴八年八月賊攻城急承炳議以火箭盡燒城外民居知地道所向水灌之議格不行承炳知事不濟痛哭於明倫堂題絶命詩城陷偕子簪桂仗劍學宮前大罵賊賊斫之榮炳至賊又斫之家屬殉焉同時舉人殉難者有葉琳林中芬琳字仲璆六合人咸豐辛亥舉人年已五十矣性端謹閉戶課徒地方事皆不問城將陷終日朝服坐廳事或問之曰免臨時倉皇耳城陷從容死妻汪氏殉中芬字香谷六合雷集人道光庚子舉人官咸安宮教習性狷介言笑不苟溫壯勇公好謾罵士人中芬心恥之閉戶不出賊掠鎮破執無懼色賊欲降之中芬詈賊求死賊

支解之

朱廷碩字蘇生六合廩貢生官江陰訓導丁艱歸分守北城兼司團練總局事不避勞怨選甯國府經歷不之任願終守城事遂遇害

金森字子喬六合歲貢生候選訓導工書善繪聲名藉甚與子蘭芳治城守事城陷先二日森具衣冠端坐謂蘭芳曰事危矣爾守城死城吾居家死家各有死所毋相顧蘭芳號泣不忍離叱之出城陷罵賊不屈死蘭芳巷戰死闔門殉者十人方賊之圍城也外援絕城中糧將盡人人誓必死本籍紳士與城守死事最烈者有王兆蘭陳慶榮慶華孫應奎父子黃國錩兄弟李允恭陸沅孫彭年談春池汪長清王鶴齡陳樹槐兆蘭字映庭廩生性誠慤不與外事以寇亟始協守北城咄咄籌死所賦絕命詞城陷挺刃力戰

賊斫其顱去慶榮字鞠原恩貢生候選州判與弟六品銜諸生慶華俱守東北城賊將至母汪氏病兄弟奉母出城就醫母止之曰吾病易愈耳守城大事也遂返慶榮妻徐氏亦以侍姑入城城陷兄弟同巷戰死母驚死妻徐氏自縊以殉應奎字節音諸生精練明決勇於任事守城六年功稱最城破偕家屬自焚國錩諸生守北城以功得從九品城陷登高埠衣冠指揮練勇殺賊賊攢刃之兄廩生國楨投水不得死後自戕允恭字光輿六合增生工詩司東門盤詰事賊圍城允恭年八十猶晝夜登陴小東門陷禦賊受重創死家屬亦遇害沅字仲湘彭年字繼箋皆諸生皆題絕命於明倫堂城陷皆血戰死春池字澗南諸生工書年七十餘與城守事巡警不懈與諸生戴文泉以老儒死事長清監生六品銜年八十守東城徹夜露立城陷巷戰死闔室殉焉鶴齡字晉笙增生守

東城見賊攻急告其父諸生增增奮然曰以死報國耳毋多言城陷鶴齡受重創歸增不納痛哭至明倫堂自縊增不屈死樹槐字蔭三諸生城陷先數日集明倫堂曰寇深矣若之何則皆哭各題絕命詞書於壁城陷巷戰死陳氏一門死難者附貢生陳瀾增生陳懋政監生陳朝鑅朝源文生樹樟樹楨樹棟樹棶

方文湛字實華六合諸生積軍功得六品銜世居北獨山督西北鄉團練禦賊屢有功他團長或恣橫實華猶恂恂老書生也八年八月浦口陷文湛率所部陳於屏山書大旗曰同心殺賊爲官兵援賊由六合桂家營犯巴山及北獨山文湛迎戰晝夜殺賊無算而團兵死者亦衆火藥竭退守郵壁嘆曰六年之功潰於一旦死而已賊圍壁與弟監生文泮子輔等率三百八血戰死之賊焚其郵

夏毓萊字蓬壺六合人年七十素方正咸豐八年八月赴北鄉集團勇二十五日由盛家岡督勇援城至練水壩而賊已渡河北竄迎擊半日中鎗死又有董籌字鶴田六合增生素端方尚氣節在練水壩遇賊手刃數人死

唐肇熊六合人邑廩生秉性清介有文譽咸豐三年後六合無歲不被兵肇熊閉戶授徒嘗喟然曰吾老書生義不受辱賊至持械擊之創死族姪諸生嘉楨保訓導守東城與父監生肇龍同巷戰死時有田錦春者亦六合人習吏事善治軍書積功授六品辦竹墩五堡團練九年四月賊至錦春力戰死之又武君榮者竹墩人有善人之目八年以團練戰於破山口力竭被執不屈死

賀廷槩字敬之六合諸生性孝友爲文宗理法屢躓名場晏如也咸豐八年八月粵逆圍城廷槩與城守事度勢不支寄書與弟廷

壽曰逆賊鴟張邑城莫保予家世受　國恩義在必死死何恨特不能與吾弟聚首爲憾耳城陷殉難家屬同殉者凡二十二人

康國楷六合諸生所居公廨鋪咸豐八年賊警國楷聚族人而謀曰今賊逼六合勢甚猖獗不幸城破當闔門殉之城陷國楷偕弟慶宜姪議敘八品國標從九國梁國鑑國柱國松姪孫士魁士鉉士鑫士釗士鑄及其戚王芳慶等持械奮往擊賊巷戰死家屬及僕從死者凡二十七人

厲會字洛耆六合增廣生居竹浦橋東聞警家人勸之出會怒曰吾年七十三矣恨老邁不能殺賊敢偷生乎賊至大罵不屈死妻謝氏殉焉族諸生炘監生式珏壎炳皆拒賊被執及於難時耆民殉難者陸詳年八十三田寶春年八十二劉應祺年八十一張會遠年八十三陳祈黄年八十四黄聚五年九十一皆抗節死

爲國㮾議敘八品銜咸豐八年賊至國㮾偕塾師孫某拒之孫被戕國㮾身受重傷仆於路賊捨之去國㮾弟武舉國標負國㮾歸翌日賊復至其家被剖腹死

薛體元六合人布政司理問自咸豐三年辦理團練勤於事八年秋賊大股至體元率練隨同官軍往來助戰城陷後猶督鄉團爲規復計九年三月賊分股犯青龍鎭一帶體元於祠山下接戰衆寡不敵力竭陣亡方便字時安從九職銜與同族文湛辦西北團練精悍爲諸團最咸豐八年賊竄擾便與文湛率練擊之走嗣大股賊圍其營便與文湛率敢死士血戰陣亡

徐鼐字吉芝六合歲貢生候選訓導早慧能屬文十四遊於庠文名藉甚舉動必以禮法嚬笑不苟或謾語則掩耳走人呼爲二夫子與弟鼒友愛無閒粵寇陷金陵鼒以御史在籍辦團練鼐閉戶

治經濟如也鼐乞假歸囊橐如洗多借貸於人鼐曰弟自不甘淡泊兄甯餓死不與若輩言八年八月賊再犯六合時鼐已選福建福甯府知府之任鼐子承禧將以家人赴閩請鼐偕鼐拒之曰在家未必死出外未必生偷生而餓於道甯守義而死於家乎固請不許既被賊執罵曰吾讀書數十年肯從賊求活乎賊怒殺之子承禧婦姚氏承祐婦吳氏女素玉孫女雲姑同日死

曹上林六合西曹人賊脅爲鄉導上林以北獨山練總方文湛嚴陣待賊也誘之往賊衆從行已數里諜來知其詐磔之妻龐氏聞上林死哭曰吾從夫地下矣遽投水賊囘西曹殺上林家二十餘人厲昆六合人性戇而善製火藥當事令其守局賊至昆恐火藥爲賊所資也持械以身護門賊怒斫之時賊焚掠徧四鄉鄉人皆憤欲殺賊有葉鼎森魏德增章學書鼎森六合人以團丁戰潰受

創逸至家伏積草中昏夜中聞馬蹄聲忽大呼殺賊賊搜殺之德
增接代寺人賊酉館其家德增供驅役甚勤賊不疑一夕抽刀殺
賊斫賊顱未死大吼羣賊亂刃死學書亦接代寺人年六十聞賊
至麾家人去已栖門閣上俟賊入濳以巨石擊賊斃賊搜殺之
閻大閻二六合人佚其名剛而好鬬人以金剛目之城陷兄弟各
執大刀亂斫賊賊圍之怒目曰我閻金剛豈畏人賊亂斫之同時
范二亦揮鐵棍擊賊卒爲賊殺
厲經伯六合人賊逼有勸其出者曰城守事急人皆走誰與助乃
以幼子錄銘登陴已與長子錄功次子錄圖購軍糧三子錄賢爲
從兄寅泣挽之走夜行見火光燭天泣曰吾父兄陷城中吾安用
生遂冒險復入城經伯與四子皆殉
六合巳練山義民某不知何許人八年八月賊犯六合雖團練甚

先攻浦口營營潰江浦浦口陷又北陷天長盱眙東陷揚州儀徵圍遂合四鄉在陷穽中賊以其閒併力攻巴綀山土團團潰賊無所忌大焚掠鄉民挈妻孥負釜甑循河西走大英施官諸集時捻方踞滁來全三城在六合之西而東南北三面皆粵賊民之西向也以其非長髮賊冀少紓禍至則焚掠一如賊鄉民泣且憤某倡言曰殺賊與爲賊殺等死也不如先之乃聚議丁壯居前老弱婦女後築壘三以耰鋤爲兵誓必死捻遊騎至殲之次日復殺其步隊百八越一日黎明捻眾麕集先以馬隊雜蹂後營盡殺老幼婦女哭聲震天前營返顧捻步隊乘之義民操白棓力戰兩時許殺捻數十眾殲焉是役死者凡二萬人雖嬰兒無不飲刃者

唐國楷字子模六合諸生善屬文八年秋賊犯六合楷聚族謀曰賊猖獗甚不幸城破當閤門死之眾泣諾城陷楷率眾巷戰死之

男婦從者三十二人時有唐世標者亦六合人候選從九品八年守東城其家負郭而居賊用地道穴城闔室十三人皆爲火藥轟死世標巷戰歿

彭會安六合諸生大營集人其先世克惠以舉人官中書克寬官知府均爲鄉里矜式會安植品勵學好談忠義咸豐三年聞金陵陷與弟諸生會明會康誓族人曰吾家世受　國恩萬一不虞勿貽先人羞衆曰諾會捧檄辦團爲官兵聲援八年八月賊大至會安率團衆血戰於大營集力竭死彭氏一門男丁戰死者凡三十一人婦女殉節十三人

袁仁安字心田六合監生生平矯矯樹名節城將陷具衣冠祀其先人謂其家屬曰爾等願死節乎衆曰諾城陷自妻汪氏以下均屬以一繩投塘死仁安笑曰吾一門清白矣遽拍手躍入水其友

繆潮亦監生也謂其妻曹氏曰事急矣生辱不如死安皆投井死
子汞祥亦被戕
侯綜六合諸生侯家橋人敦孝友工詩年七十有二猶策杖指揮
鄉人治團事賊將至重門洞開衣冠據門坐曰吾年老不能殺賊
必罵賊而後死賊入厲聲大罵賊殺之子秉鑑殉焉同時老人罵
賊者如諸生葉慶祥監生葛朝言薛克家賊抉齒死諸生葉慶祥
年七十二從九孫詒祜谷茂公年七十五賊剖腹死王西文谷長
山徐學彭徐士喬俱年八十賊割其舌猶噴血罵不絕聲秦爲才
年七十八率妻王氏弟爲福子學熙學明皆以罵賊亂斫死胡慶
元監生五岔路人年八十二賊將至家人挽之行憤以刀斫几曰
胡慶元終不能偷活人世遂絕粒越三日賊入其家昏瞀中猶喃
喃罵賊死

陳宗鏞字仲之六合歲貢生耄而好學賊至脅充書識不從賊割其耳憤絕粒死同里文生潘鏞賊脅書告示鏞呵之曰吾不能爲賊人書賊手刃之文生陸焱森亦爲賊脅憤舉硯擊賊中賊顱血淋漓賊亂斫死

周廷楊字蕊元六合廩生先世有名登者自湖南道州來六合遂家焉數傳至祖文昇父濤力行善事見義行傳廷楊性純厚淹貫經史有聲庠序閒嘗與邑人厲式琯魏之樑創立施材惜字諸會咸豐三年知縣溫壯勇公諭治南城外團事四月賊犯龍池率練丁隨禦之賊熸廷楊請錄死事者以聞於是潛山營外委達成榮等十餘人得旌卹又籌款掩埋骼胔八年浦口營潰溫壯勇諭招北鄉士團事甫集而賊已分股自揚州竄入廷楊倉卒率衆迎拒於甘泉縣所屬之桃花山勢不敵廷楊身受重創從容書絕命詞

衣帶閒陷陣戰死

施蔚林六合移風鋪人從九品銜城將陷集家人誓曰吾不願見賊積薪後堂閒變先驅其妻子七人入呼曰吾事畢矣自投烈燄死徐澄六合仁和鋪人亦積薪樓下率妻子居樓上曰不幸城破燼於是城陷全家殉焉同時閉門自焚者徐嘉穀四人達玉三人陳大玉五人孫元魁十五人袁文鈞十九人而田文燦家屬先以三年自焚於省城

朱金標字劍臣六合人道光庚子武舉人咸豐四年六合募勇禦賊以金標率之五年春施橫江鐵鎖於黃天蕩當事檄金標率礮船防賊下竄設子母礮屢卻賊舟尋充三起練勇左隊長城陷死

同血戰死者有王金鼇劉訓金鼇六合武生勇而善戰從游擊夏定邦領頭起練勇大小數百戰屢破賊積功擢千總城陷迎戰受

重創流血及踵猶手刃三十餘人力竭死訓亦六合武生年七十有一聞變與家人增生昌齡文生昌言等十人合八品銜達鳴鵠等十人會戰於東城殲焉

萬其相六合廣佛寺人六品外委治團衆稱精練賊至慟哭誓衆大戰於王家渡死之團丁萬錫齡等數十人俱殲焉六品外委萬大觀亦廣佛寺人率團練於張家堡力戰死郁大芬年八十六鐵牛墩人業歧黃性方正賊至衣冠瞑目端坐賊疑之試以刃無聲亦無怖色賊咋曰此怪人也將舍之大芬突起奪賊刃自刎

仲有義六合泉水冲人有義孝友歲時伏臘偕弟有德有能奉酒爲母壽愉愉如也嘗曰吾田舍子無他求但博家人歡足矣八年偕弟有德有能率團練出遇賊德能戰歿有義負創歸哭弟病臥賊入舍之忽大呼曰賊殺吾弟吾何生爲自戕逾月面如生

任厚安六合人見父載揚爲賊戕奮起徒手擊賊賊斫之仆地死頃忽兩手作攫拏賊狀賊復斷其右臂去孝子死賊者有鄭宏業劉斌汪達科宏業六合人賊殺其母丁氏宏業請降懷利刃將以刺賊酋事洩磔焉其妻劉氏亦支解死劉斌六合賈人事母孝聞警母曰吾老矣死何惜爾宜速避斌泣曰母在焉忍離賊洶洶斌以身護母號賊怒一揮刃母子皆斃妻某氏女大姑殉達科六合人年十五賊執其父達科跪紿曰父老矣不能執役吾願從賊舍父父逸度去已遠大罵賊賊戕焉

李萬有六合人爲西鄉團長善戰八年九月僞降賊於魚子塘謀焚賊巢事洩賊剖腹死

雷春圃六合雷官集人監生果毅有爲九年三月官軍將收六合賊來援春圃倡義集團要擊血戰數十餘次被執賊臠之監生楊

懋昭亦倡義捍賊於大營集眷九年七月總兵李若珠帥師攻六合浦口援賊分股援懋昭麾眾拒戰力竭死其子允成等七人先殉八年之難

厲錄授六合文童咸豐八年秋爲賊執欲逃無間賊脅爲書記授將有所圖也遂忍之九年夏賊挾至浙江使協守平湖授欲堅賊信招其妻入城其從弟寅恐授附賊貽書有要當熟審是非無忘根本等語授覽書曰弟烏知予之心耶會潘總統鼎銘帥師次平湖賊堅守待援授謂妻曰吾之志今可伸矣遂陳利害勸賊酋陳啟才反正賊意動授徑造册縋城投大營約官軍詰旦入城返即傳令賊眾薙髮賊酋見勢瓦解忽中悔囚授曰女非爲我實賣我授厲聲曰我數年含忍不死欲伸志也今志已遂任女所爲賊酋遂殺之明日官軍入城其妻戴氏訟冤於潘鼎新幷呈其從弟書

及授臨危語鼎新憫之誅賊酋陳啟才及其弟陳五陳六以殉並護送戴氏扶柩而歸此同治二年十一月初二日事也

劉錫六合皁隸也事母孝賊至負母出城一夜走數十里母恐累子伺便投於河錫亦躍入水死同時有隆元者六合烏石寺僧賊至焚香誦佛號求免焚掠賊不聽遂大罵割舌死

史傳經字家田高淳廩生五歲失怙事母卞氏左右就養無失敬性耿介貧尤聰慧八歲卽能文史交推為一邑之望尤工詩多慷慨悲歌暇則究心韜鈐咸豐十年賊首黃有才陷高淳傳經合永成鄉人誓之曰為國殺賊公義也護家保身私情也因隄成壁借河為濠事易辦也南約金寶圩西合永豐圩相與犄角敵愾勢易集也況聞鄂撫胡侍郎曾已率師南下滅賊在朝暮間耳我輩與其從賊而生何如誓不與賊俱生雖死亦作忠義鬼乎眾曰唯傳

經乃部署兵法修器械召募勇丁購得獵水鴿鎗手數十人扼要築壘截河排艦盟金寶圩堵西南以備太平甯國永豐圩堵東北以備丹陽高湻城賊經營數日遂與史丹書沈登魁周乃曦王廷讃李合浦葛謙吉卜墉等尅期舉事屢勝賊黃逆懼下僞書招降不屈賊乃乘永豐圩圍之疏決隄水灌之圩沒團丁潰永成鄉遂增北路之防十一年九月初旬僞對王洪賊自蕪湖來攻水陽水陸數萬高湻城賊黃有才來攻雙橋一帶經整隊迎擊城賊擒斬賊首黃有才殺賊數百人賊復由金寶圩乘我鄉團以得勝之師迎勦燒船二十餘隻殺賊數十越五日洪賊復以眾四面圍攻高湻城賊亦出眾寡不敵團勇敗潰一鄉男婦聚而殲焉經家屬八口暨老母同時遇難經率勇潰圍出退至金寶圩三日歸保聖圩欲收合餘燼見事不可爲嘔血數升卒口占云嘔斷血腸心未死

九泉再報九重恩聞者傷之

史褒字嘉之高淳人歲貢生學吏不成遂讀書學術淹貫能古文品尤純粹知縣許湘嵐嘗歎曰史某不干訟事不出入公門眞有品之人學使青麐亦贈以經明行修額咸豐六年知縣某舉充立信鄉長褒入署大言曰生不諳公事止知讀書古今之事承明公問有不知者生恥也餘不敢聞長揖而出明日訪之則行矣咸豐十年賊至謂其子華國曰此父子不相見時也子勉之吾止此矣國泣而逃公乃從容投池中死焉越三日尸植立水上面如生所著有易四書註日記十六卷藏於家

田萬青字江峯高淳人道光癸酉科舉人制舉文法張曉樓人品高潔辭受取予不可干以私咸豐六七年間知縣某舉辦防衞事從容鎮定未嘗以賢智先人十年城陷萬青避地鄉閒人有餽以

十金者萬青知其不潔卻不受或請其致書權要蘇夙逋萬青曰飢糠覈死分耳我手可斷此書不可作也後見永成鄉相國圩起義殺賊往依之圩破遂殉難於青雲庵側著有來青草堂詩藁

趙鴻高滄諸生品學純粹敦孝友時闡發先正格言勉人爲善咸豐六年賊突至迫降不從遂潛匿小莊山母墓旁涕泣五晝夜絕粒而死高滄士人殉難尤著者有陶斯詠芮步青魏福夏超羣斯詠邑諸生以孝聞咸豐十年賊入其室迫脅之斯詠厲聲曰吾惟有死耳豈從汝等作賊耶賊亂刃之火焚其屋闔室六人殉焉步青邑諸生敦品力學賊犯境步青負其母李逃匿遮軍山中被賊搜獲欲傷其母步青願以身代賊竟殺其母步青痛憤大罵賊並殺之福邑諸生博學能文同治三年流賊竄其邨福侍父疾不忍離賊迫之去福大罵被賊殺家人驗其屍衣帶中有讀聖賢書所

學何事八字夏超羣國學生事母孝湯藥必親嘗然後進賊踞城時母年已九十矣超羣將負而逃適賊突至脅之不從賊怒繫其頸强之去超羣知不免大罵被害

孔慶壽高淳人性至孝咸豐四年七月突遇賊至急負父逃行至宣城之横郵復與賊遇以其父似儒者欲脅之去慶壽固求之不許乃抱持其父厲聲痛罵被刺死又有諸人理諸人麟亦以孝聞會賊至人理母趙年已八旬罵賊被殺人理護救賊並殺之人麟遇賊至負其母逃中途被賊獲殺其母將脅人麟去人麟引頸就刃

楊應南高淳武生年三十有一咸豐四年七月賊犯境應南集壯丁數十人隨官兵勦賊東壩戰敗被執脅之降罵不絕口見殺是役同殉者凡四十餘人有楊廷有者時年七十八與賊鏖戰重創

投於河面如生

楊廣生高淳人事母至孝母濮陽氏臥病賊至廣生不離母側母不堪賊擾同聲罵賊俱被殺又有楊廷淦年三十九賊入其家廷淦護八十二歲老母身中數鎗忍痛竊負其母並攜三歲子而逃賊追至與子德善被害母未與也又有丁存桂年四十賊至室向其母索財欲拷掠之存桂求以身代被支解死母得脫此皆咸豐四年七月事也

杭益進高淳崇教鄉人僑居江甯有膂力善刀槊城陷脫圍出居秣陵關從江甯知縣王某帶勇勦賊以戰功得六品銜是秋從賊之沈獸醫逸出遇於東善橋益進詫曰此非沈內應事之沈某耶吾鄉張炳垣先生及張士義劉隆舒朱碩齡甓皆死於是烏可釋遂執詣知府趙德轍德轍令益進手刃之剖腹取心馳報劉隆舒

之弟後從其相識高德泰貸金以買馬曰吾有馬可馳賊中取讐人頭以洩忿五年益進同里管帶城勇有紀律六年賊陷高淳益進爲所獲賊見其雄武勸之降益進叱曰我前在金陵時不知獲賊多少今日復作賊亦何面目見忠義於地下賊怒乃剖其腹死

沈登魁高淳廩生學有本原慎取與賊陷高淳時在相國圩團練經營籌畫日不遑暇咸倚以爲重圩破爲賊擒至宣城水碧橋賊脅之降不屈伺隙投水死妻徐氏子維叔亦同死

張玉成字斐然高淳人事繼母能孝友愛弟兆達同爨共食咸豐六年賊至正言責賊怒割其耳越日死

李馥字尚周高淳諸生性謹厚事親以孝聞咸豐間賊陷高淳相國圩練團殺賊馥實主其謀人倚以爲重馥弟彬亦邑諸生善奇門告馥曰金有破聲此必不利馥曰吾非不知但勢已如此義不

忍獨生耳圩破馥罵賊被戕其子昭墉亦自投固城湖死
劉金瀛高淳武生勇而驍卒團勇守仙人橋屢出奇兵擊賊多所擒斬賊恨甚欲甘心焉圩破爲所擒殺於橋上且剖其腹有王維城亦武庠生多力善射自備貲械在淳城管帶城勇志期滅賊咸豐十年血戰受重創死其子定國隨提督鄭魁士勦賊南陵管帶二起鋒凱勇亦力戰陣亡
邢上森字裕廷高淳歲貢生學優品端文有磊落奇偉之氣前學官呂文節公亟賞之咸豐六年聞賊警其徒買舟欲逃請師偕往森曰吾亦坐而待斃耳賊至奮罵之鬚髮皆張賊斷其唇舌死
吳文錦字雲衢高淳諸生性誠篤以節義自持不妄言笑咸豐十年粵匪陷城賊用李自成箍腦法索富人金錢賊捕其父珣去年七十矣錦慨然出見曰吾父老不堪若辱願以身代況家政自我

操家資已盡今日只有一命耳請就死賊拘之獄拷掠備至百二十日終不屈而死

趙必球高淳唐昌鄉人趙彥賓邑武生兩人性剛直幼相善也咸豐六年六月賊陷東壩掠梅塘邨球賓勃然怒率族人數百驅逐之殺賊十三人越一日賊率衆來欲得球賓而甘心焉二人慨然出曰苟全一族萬死不辭卽將我二人縛獻以紓禍爾等往建平請兵滅賊報仇可也賊擁二人去置牢中又指名索多人衆知事急往建平營中泣涕乞師秦德兩提督爲之感動令邑人曹獻龍率勇作向導遂復東壩高淳賊亦退救球賓從牢中出已拷掠無完膚不數日死衆義之祀於祠

張慶枝高淳人其弟慶寶於咸豐六年破賊執枝憐弟幼不忍逃遂貌爲癡向賊乞食乘閒攜弟出中途爲賊獲剜心刮舌死死最

慘烈者有湯正沐濮陽觀森胡脩信正沐業儒純粹好學咸豐四年賊至衆皆逃或曳之去不從閉門賊破門入劫沐沐歎曰讀聖賢書柰何從賊罵不絕口賊怒斫其脛斬其頭去觀森性剛直咸豐十年賊至森負八旬老母而逃到大磡隴賊脅之去森戀母不從賊曰先劫其母將焉往森怒與賊搏被執捆樹臠割死母免焉脩信字春林武童生咸豐十年賊陷高淳林謂賊可善言勸坐待之賊果至陳說百端不聽繼以罵賊碎割其肉死

顧得勝字雲峰江甯人文莊公八世孫也幼負氣節避粵亂雖顛沛間事母備極孝養因時勢愈蹙供養殆缺乃投營自效受知於提督鮑超所戰皆捷洊保至副將嗣率勇進攻廣東嘉應州城與賊鏖戰於城西之平成鋪單騎陷陣所至披靡大軍繼之賊將潰忽爲飛礮洞胸而死州城遂克得勝在軍中十餘年恩威並濟能

得士卒心歿之日親軍有哭踊終日不絕聲者

流寓

湯貽汾字雨生常州武進人祖大奎福建鳳山縣知縣殉林爽文之難父荀業隨侍任所亦死焉貽汾少受母教世所傳湯太夫人斷釵詩海內和者數千人貽汾以難蔭洊升浙江樂清協副將罷官後僑寓金陵營別業於小倉山曰獅窟徜徉其中以詩畫倚聲自娛書法近董香光尤爲世推重與邑人侯雲松梅曾亮許宗衡金鼇爲金石交所居琴隱園水木明瑟峯巒積翠掩映庭戶閒每當春秋佳日招邀勝侶結詩社觴詠無虛日名士渡江來者必詣其廬而一門風雅子女皆以丹青名家癸丑春金陵戒嚴當事延入籌防局凡所建畫皆格不行友人勸以避地貽汾笑指其廬曰吾將死於是此先人木主之所在也城陷作絕命詩一章其詩曰

死生輕一瞬節義重千秋骨肉非甘棄兒孫好自謀故鄉魂可到絕筆淚難收藁葬毋予慟平生積罪尤從容投池中死初貽汾第四女適山東新泰巡檢王瀛時歸甯在家貽汾將就義遣女去女曰焉有親將死而避其難者曰然則女盍先爲計女曰未葬親不敢先貽汾諾之女覘含殮畢自縊死事聞奉 上諭有三世殉難之襃謚貞愍建專祠

潘諮字少白浙江山陰人以布衣薦中書舍人不赴卓犖有氣節好遊名山大川入蜀居青城大酉適晉居藐姑射在江介居龍眠九華入峽時舟敗身僅免守令饋之金不受讀書姑射山大吏欲識其面不可致則以計遇之生平兢兢義利之辨居惟一襆被日兩疏食有餘以周窮乏者自山西歸有數友潛與偕賫金爲其母壽抵越始知之不可返乃同抵家其母怒曰汝見僧以如來像丐

市者乎吾其爲像也乃謝之去母卒後徧遊幽燕歸寓居金陵四
松庵咸豐三年年七十八目已瞽聞城陷憤極不食死
錢繼文字堯章候選國子監典籍浙江嘉興縣人寄居江甯內行
肫摯於書無所不讀江甯戒嚴當事檄帶團練守西北門城陷繼
文歸謂家人曰我家世受　國恩義不可辱爾等奈何其妾吳氏
曰主人不肯負君父妾亦不敢負主人遂取佩刀刺喉血涔涔下
繼文揮之去乃投池次子獻芝從焉繼文揮其長子玉芝之於外手
刃季子成芝投幼女甕中長女年十四痛哭赴旁舍自縊繼文抜
刀啟戶出大呼殺賊賊矛洞胸死事聞賞雲騎尉世職祀嘉興金
陵昭忠祠
婁家蘭字香谷淮安清河人道光乙酉舉人僑居江甯性淡泊事
母孝由大挑知縣借補山東臨淸州同丁憂歸咸豐三年襄辦保

衛勤其職城陷賊脅之降大罵不屈遂遇害

程正剛湖北武昌人附監生寄居金陵咸豐三年督勇儀鳳門外二月初十日力戰殺七八時城已陷無所歸遂被執不屈賊亂刃之

胡元博字小初廣西桂林籍母氏袁爲隨園女公子少隨母僑居金陵道光二年舉人九年進士由兵科給事中授浙江糧道後以事鐫職効力浙江糧台以功開復仍以道員留浙候補十年杭州陷殉焉自兵燹後里人轉徙至浙者無識與不識盡周之士類多被其澤元博是時已罷官不名一錢矣

駐防婦女

鑲紅旗戰兵哈希納妻張氏三十而寡守節撫孤四十年聞賊入儀鳳門泣謂子婦成喜妻嚴氏曰我家世受　國恩當死難垂老

人死不足惜惟兒輩死不忍目覩也遂於十一日攜長女鳳妞投河死嚴氏攜次子松齡次女田氏三女芷妞外孫女田存存殉焉先是鄰女闞松壽在側聞張氏言慟哭欲持刀出殺賊張氏曰當此時能殺一賊可洩憤果被賊殺亦無憾誠恐婦人弱質一入賊手則求死不得反爲玷矣闞唯唯見張氏死亦同時自裁

趙四室女某駐防某旗人善雙刀內城陷手殺數十賊最後乘屋以瓦擊賊復斃其酋力竭自刎死惜軼其名

七邑婦女

秦耀曾妻畢氏字還珠上元人陝西巡撫承恩子婦鎮洋尚書沅次女也生有宿慧年十餘卽通古今大義過目不忘業師王耦夫吳中名士嘗語人曰惜不櫛耳不則可繼武秋帆矣又從王蓬心先生宸學琴宸謂琴理幽邃非依譜勾拍所能得畢能與古音合

著有絳雪齋古今體詩三卷詞韻辨訛一卷十九歲歸耀曾承恩方自伊犂赦歸家道中落畢罄嫁資爲家計質聲溢戚黨嘉慶戊辰耀曾舉順天時承恩已得疾畢侍奉湯藥衣不解帶未幾病日甚畢翦左臂肉和藥進之得少閒又翦右臂肉療之卒不效承恩卒哀毀盡禮得歐血疾耀曾以兵部郎中左遷畢遂奉其姑錢氏回里錢氏失明十年皆畢左右之咸豐三年城陷謂家人曰我家世受 國恩不可從賊我志定矣二月十一日投河死之家屬從者十二人

曹士鶴妻管氏名懷珠字藏眞上元人舉人管同長女性仁孝幼時即以行善助其父聞誦孔雀東南飛詩輒能背誦父早卒助母撫弟理家事如成人歸士鶴後時念母不置道光丙午士鶴乞養歸服闋補陝西淸澗知縣管未及隨而粤寇犯金陵泣謂弟嗣復

曰姊夫食君祿吾義不可屈於賊汝當相幾爲脫身計吾有書煩汝寄姊夫可乎嗣復泣諸之城陷管氏隨夫兄森入朱莊恪祠自縊園樹不死復取大石自碎其首血涔涔下宛轉於地而絕自署其衣衿曰陝西清澗縣知縣曹士鶴之妻管氏爲國捐軀於此士鶴啟其遺書畧曰賊氛日熾危在旦夕妾以此自誓斷不爲小醜所屈伏念得侍箕帚十餘年未有絲毫補益於夫子只此爲國捐軀差堪仰慰耳惟願夫子努力功名勿復以妾爲念讀者悲之

周聽鈞妻朱氏江甯人前甘肅布政使周開麒子婦幼聰慧喜讀書十行並下九歲能詩長淹通經史鍼黹皆精妙持家勤儉賢聲溢戚黨著有儷香閣古今體詩拜玉詞咸豐十年避亂居浙江東陽縣之潘澤邨賊至偕庶姑汪女繡姑走匿山後叢莽間賊見繡姑爭前掖之汪氏以身蔽繡姑厲聲叱賊矛洞額死朱急挽繡姑

投崖下頭面破碎卒不死乃以頭觸崖手拾石且擊且駡遂被賊亂刃死繡姑受傷重已昏臥一賊近前扶之將負諸背先繡姑出避時朱以利翦付之且曰脫有急卽以自戕繡姑以繩繫肘下至是出翦亂鑿之賊大怒揮以刃斷其首去事聞附祀浙江忠義祠

范城妻芮氏江甯人避亂居蘇州賊陷城索金帛縛其母鞭之芮紿賊曰勿苦吾母我有金釧藏篋中請釋母當以此報賊許之芮僞爲搜篋狀故遲遲出度母已脫乃攜女急奔追之且走且駡與其女杏姑投河死

汪淑莚江甯舉人士鐸長女文生吳榮曾妻幼偕次妹淑蘋侍其父讀書好春秋左氏傳及司馬公通鑑其父纂南北史補志二女爲檢書櫛比鱗次皆有條貫淑莚年二十一適榮曾甫半月其壻游幕彰德以明年客死淑莚奉姑姑苦家居江甯之陷欲投水姑

泣尼之因隨姑遯居句容北門外許郵六年五月向營潰投水死

淑蘋字上元范氏城陷時淑蘋倉卒投繯繩絕不死後毋沈謂之曰女父年老今有子方數月盍忍死其保全之淑蘋泣受命一意撫弟夕則臥陰溼地以求死嘗代母受賊婦箠五十坦然無苦色賊婦又强後母負米恆忍飢抱幼弟坐待之歸然後食旣而母病弟失乳死淑蘋哭之慟曰哀哉天竟欲絕汪氏乎余竟徒生數月乎亦不食死

節婦秦士科妻何氏江甯舉人何德昌女幼聰慧工詩嗜唐人集成誦者凡千餘首歸秦氏事姑以孝稱夫歿家道中落以紡績佐生計訓子際唐甚嚴經書皆口授偶輟讀必扑之泣曰此汝父志也際唐九歲始就外傅歸自塾必課所業父寢疾亟何禱於神刲股和藥以進疾遂起人以爲孝感咸豐三年二月城陷時何歸甯

母家日夕籌死所嘗徘徊柏樹下弟師孟過而詢之曰枝高又指池曰此非死所乎顏色從容如平時十三日之夕自窗躍入池同死者爲從姊王弟女瑞芝王亦青年守節者

何師孟女字瑞芝江甯人性婉懿能得父母歡城陷長姑秦氏從姑王氏以歸甯居母家師孟督團勇巷戰敗歸集家人告以大義約同赴池水火其屋皆諾瑞芝獨盛粧飾如平時或曰此何時而汝如此也瑞芝曰人之畏死者以遠親戚故若父子兄弟拚命一時則地下之樂勝人間多矣且吾不可以褻服見祖宗也遂從長姑從姑投池死瑞芝之素喜談古節烈事輒慷慨如身際之其弟延慶尚幼遽詰之曰若然姊胡不效之瑞芝笑曰死有日女何急也至是竟踐其言云

趙學棨妻蔣氏上元副貢蔣新次女住鼓樓咸豐三年城陷賊突

至其室脅之出蔣與賊力爭賊刃其右臂蔣揮血臂擊賊且駡賊怒斫其口蔣乃以左手拾瓦石擊賊中顱賊臠之

貞女伍花姑上元伍承鈞妹性至孝侍親不嫁避亂居松江十年五月初城陷偕其兄女杏姑投水死杏姑性婉淑撫弟妹有恩其死也家人尤慟之同里貞女陳大姑候選知縣陳昌緒女性純孝亦侍繼母終其身工詩善琴三年城陷投水死

易家臺母某氏上元人家臺居北鄉治團擊賊死咸豐四年賊擄其邨氏乃與子婦言曰吾雖老烏可見賊汝輩年幼宜早自決刎爲賊辱其子婦與其女外孫女奉某氏以繩相結投於水中曰雖死猶連屬一家也

羅笏女字愛蓮上元人母趙氏生子女六人孝女其長也咸豐三年城陷笏奉母避亂居蘇州十年春挈家北徙適金陵大營再潰

閏三月十八日至周家山山臨江滸無舟可渡寇騎充斥流民千萬聚山下呼號動山谷愛蓮年甫十七以敗絮覆面隱叢薄間趙慮不免既投幼女於江而挈仲女隨之愛蓮猝出大呼曰祖母衰病弟妹又稚母毋然兒願代母即奮身投洪濤中負趙孺人以上賊怒以戈舂其喉血逆流數尺江水爲之赤母暨弟妹均免於難

同時江甯文童張兆坤妻陳氏以溺器擊賊於樊甸邨死最烈

孫澍妻耿氏上元人十年大營潰遇賊華家邨逼之耿紿之曰願相從若牽曳驅迫有死耳賊信之耿乘賊懈躍入池水死其娣張同時躍入水爲賊持以手自破其面血出乃舍去不食死

施源通妻曹氏從九品丞昌母也年老多疾聞城陷罵賊不輟賊至大罵賊欲殺之子婦丞昌妻王前曰我姑有癡病可勿較欲殺殺我賊舍之掠丞昌幼子去曹憤不食死王慟哭曰天乎上不能保

老姑下不能庇幼子他日夫君歸何面目向之覓一銅燭臺尖將自刺爲人覺乃潛赴戶後池中死越二日子婦殮之屍如生

車持謙妻袁氏字青照江甯人妹適天長廩生崇一潁名嘉字柔吉隨園先生女孫也皆工詩持謙故名宿閨房唱和有林下風青照著歸來軒詩集嘉著湘痕閣集嘉年二十五一潁歿子復殤依母家以居守節三十餘年城陷姊妹俱投園池中青照死嘉遇救乃潛赴僻處以頭撞柱腦裂死

張鑄女五姑江甯人性至孝得父母歡博涉書史城既陷賊令嚴酷一家眷屬必析男女爲二遂侍大母暨母居女館中母代大母受賊杖遂病未幾大母死母病益劇五姑侍湯藥日夕不解衣母病篤時呼五姑屬之曰吾所難舍者惟汝耳汝父又遠出將何依五姑流涕答曰尚一不諱兒惟從母去母頷之遂瞑五姑不哭亦

不言視含殮畢徧拜閭室及鄰婦轉瞬失所在旋聞驚呼聲曰五姑投河矣河在屋後家人趨視身半浮水中首昂出急持竿迎援之姑不顧含笑而逝後數年五姑之姊瑞卿字刑部主事林廷燨子之琨亦以殉夫死於京師見節孝譜

李月溪妻張氏字約蘋江甯人訓導張琴女張氏故多才媛約蘋齒最稚最才善繪事人稱爲女龍尾嫁後家中落典粧奩爲活不繼乃謀賣畫以供薪水其夫爲調脂墨畫成鬻於市約蘋卒無怨言咸豐三年城陷夫婦對縊死所作詩詞甚富貧未梓亂後與畫稿皆佚

楊錫候妻朱氏江甯人句容文生朱質女年十七歸楊越二載夫故守節咸豐十年三月聞賊警卽絕食賊至赴水死同時上元舉人丁自求妻劉氏聞警投水死於北塘邨下自求姊張聞之泣曰

娣死而我獨生何以對吾弟與幼女俱殉焉

孫顧民妻張氏江甯人住上新河青年守節撫孤賊至欲污其女喬姑張身衛女大駡賊受七刃死女喬姑殉焉同時有江淮八幫旗丁陳姓毆楊某氏以賊欲搜其裏衣急以刀自刎不殊自縊死而織造府機匠楊姓婦女十三口亦以不受賊辱被殺死

周大成妻董氏閩浙總督教增從女咸豐六年舉家避賊至丁水郵時四面皆賊蹤董促其夫及子家達速行以存宗祀而勉其子婦倪同死倪泣諾之賊驟至董赴水死賊競趨倪倪奮起擊賊賊怒斫之仍匍匐至姑所死

劉庸　庶母趙氏上元人次子欣以在城巡防賊至其家見旗械執欣以去趙謂家人曰似至此萬無生理汝等速自裁言畢即仰藥其子婦二人及孫女皆從死

仇席奇妻王氏字瑤圃上元人訓導王德輿姪女也歸仇未二年而金陵陷王勉其夫使遯迹以存宗祀卽投池鄰人顧氏拯之王曰婦人以潔身爲孝儻被强暴何以見父母舅姑於地下哉家人防之嚴王俟其懈取金吞之不死復投繯死

田寶雙妻蔣氏上元人賊初圍城卽挾翦刀自隨城陷將就死謂其子婦曰從姑吳氏年八旬不可同慘死且門內子姓百餘人幸逮及之吾不忍也遂託辭避親屬處率其弟婦馬子婦金女四姑二姑投水死而同里監生葉廷鈺妻張以杖擊賊裂其首遂被害

嚴桂楝聘妻劉氏上元人劉正元女城陷後避居蘇州劉年十九而桂楝物故遂徹簪珥屏脂粉守貞於嚴事從翁姑稱其孝撫猶子爲子稱其慈蘇州之陷也劉曰避賊不如遠賊吾籌之審矣投滄浪亭池死同邑貞女死者有邢氏項長生邢氏上元人文童李

雨農聘妻年十六守貞於李氏城陷死焉長生上元項榮女幼許字何某何遭亂無音問父母以貧故欲嫁之不可以鍼黹自活城陷賊欲逼之女大罵投水死

張吉祥妻洪氏居江甯上新河子外出獨與女靜兒居咸豐三年賊至懼不免偕其女縊死次日鄰人瘗之面如生衣之表裏上下皆連綴不斷賊見之亦歎息去

周祐妻金氏江甯人性賢孝城陷翁夫被掠姑病亟家人見賊至奔竄金以侍姑留賊驅金入女館鞭撻之金身衞姑悲痛哀賊賊義釋之俄翁逃歸金具以告且曰賊雖去他賊必來向所以忍恥哀賊者以姑側無人耳今翁歸義不尚活請就死翁慰之金不答逕赴水翁趨視之金身半入水猶轉身泣拜翁浮水面而歿翌日夫逃歸屍猶浮瘗之面如生其寡嫂李氏聞之曰侍姑病我之責

也姒乃以是死吾何以對吾姒亦投水死
柳之麒妻金氏江甯人城陷虜生張繼庚謀内應之麒與焉溷泥水匠中給賊曰城中無善圬者吾所識皆在外當出城招之遂潛赴大營引官軍八人入雜匠中操作師期既定之麒導人登城殺賊外援不至事洩之麒亾去先是金聞夫謀曰君當努力姑雖老有我侍無憂内顧也至是賊索得其家屬窮治之金曰吾夫見事不成憤而出且引官軍速攻城旦夕磔汝輩矣賊支解之其姑王氏及夫女弟某外甥陳二官同被害
端木址妻聞氏江甯人同邑聞澄之姑也守節四十年事舅姑孝撫遺孤錫彤成立寇氛逼由城外徙澄家城陷澄謀死節聞曰我老寡婦也久當死今又攜此兩幼弱何以生爲當從汝死耳澄乃奉其母焚死聞及女孫孫婦燼焉後錫彤妻章氏亦偕其女死慈

湖之難端木氏婦女死節者端木埒妻金氏挈幼女俱入城城陷偕女仰藥死端木藝妻守節四十年遇賊常熟不屈死子錫鼎妾方氏先期投水死

葉儒珍妻馮氏江甯人年十七以母韓氏病篤刲股進母愈又十年母再病其妹五姑亦刲股夜夢神云天鑒爾孝延母壽三年五姑曰僅能延三年耶果爾我當刲心籲天三年母果病五姑懷刃自摫其胸其母恐大呼五姑至曰前者天念爾姊妹孝屢展我年今不能再延爾毋徒自苦言畢遂絕城陷儒珍偕其妻子與寶女歡寶赴五姑家謀殉節五姑欣然與姊其仰藥儒珍女覓一繩跪請其父母勒之力弱不殊與寶泣曰奈何儒珍乃結一長綆於梁先將子女投繯中儒珍與馮氏又繼之遂絕

徐堯臣妻郭氏名淑琴江甯板橋人幼與妹淑閑在家塾讀書語

其弟妹曰女四書中大半烈丈夫事豈獨爲兒女子言耶及笄適徐采順盡婦道咸豐三年賊薄城擾及四鄉徐夜半呼子女告之曰爾父外出五日未歸恐不測賊勢如此安可生挈其長子湧幼子七女蘋姑投水中家人急救惟湧蘋姑得生妹淑閑適同邑文生魏雲程居城外陸郎橋雲程卒守節撫孤更百苦以教子同治元年賊至其鄉淑閑潛匿祖墓旁絕粒死

陳伯銘妻陸氏江甯人名憶蘭字夢香幼穎慧從叔湘學繪事能得其意又善小楷歸伯銘後以鍼黹佐讀或手一編與共事舅姑庶姑孝城陷時伯銘外出陸百計經營奉舅姑庶姑脫圍出居解溪未幾舅姑相繼歿哀慟盡禮咸豐十年賊擾解溪滛雨屢日陸扶其庶姑抱幼女走泥淖足盡腫止叢葦中有訛傳伯銘凶耗者乃泣告庶姑曰是尚可生乎庶姑曰願與汝偕死遂以繩相屬投

塘庶姑朱氏監生陳維楨妾卒年四十二

鮑必成妻張氏江甯人性賢孝夫早卒事姑撫子人所不堪姑病臂難屈伸飲食櫛沐皆張左右之四十餘年夜事鍼黹篝燈達旦不寐城陷張諭其子光廷曰汝速走以存宗祀予從爾父於地下矣遂自經遇救卒不食死一時節婦死者又有葉國楨妻劉氏黃廷樑妻張氏顧鏞高妻王氏徐蔭亭妻馮氏劉氏江甯人五月而寡赤貧無子女茹苦守節五十餘年聞變投水死張氏江甯人嘗刲股療母年二十二夫歿以鍼黹自活鄉里欽其節孝公籲學使青馨書節凜冰霜額以旌其閭咸豐六年大營潰從容投水死王氏江甯人守節撫孤鼎曾俾成立城陷賊執鼎曾去王憤極仰藥死鼎曾脫歸葬其母投于河馮氏上元人居徐家冲盛年守節賊至其邨馮氏大罵不屈爲賊剖腹抽腸死尤烈

貞女唐著儀上元國學生唐濟舟女性端淑幼字同邑周秉均爲妻十六歲秉均病故父母祕不以告貞女偵知之泣謂父母曰兒不幸罹此大故命也夫何怨然此身已爲周姓人矣願孝養舅姑如有他命敢以死誓父母允之旋以寇警未果也咸豐三年避亂蘇州茹素奉佛爲舅姑祈壽十年四月蘇城陷女泣向父母曰兒死期至矣但不克事舅姑又不獲事父母天也遂偕未婚弟婦鄭氏投井中鄭先入貞女繼之水淺貞女不得死復投承天寺大井中死

卓滎妻程氏江甯人同邑程上琳女幼以孝聞咸豐三年之難舉家陷賊中程勸夫出走乃竭蹶事姑姑未食不敢先四年賊令人刈稻程乃奉姑與母脫圍出未幾姑卒隨夫避亂居杭州十年賊圍城糧絕程忍飢推食奉母及其夫若子城陷與母程宋氏女二

姑殉

盧佩之女二姑江甯人上元諸生徐家駒聘妻咸豐三年城陷父佩之率練勇巡防被戕家人謀死節二姑時年十七潛入廚下引刀自刎適其母至見女臥地項下血涔涔然大驚曰毋苦吾當舉火期速死乃闔門自焚

陳濤妻王氏江甯人濤名諸生工書法敦品力學常幕游齊魯閒三年城陷王以夫遠出子家駒等尚幼謂之曰予幼習姆訓略知古來節義事祖宗清白傳家豈可與賊共天日今必死顧爾輩何如子女皆泣曰諾是夕率子女祀祖先畢乃東向呼夫而泣曰婦道自此終矣遂皆仰藥王年四十四子女殉者七人

王士英妻江氏名淑惠江甯人舉人江文熙季女性端淑少時喜讀女四書每得解輒曰女子不當如是耶癸丑髮逆之亂隨兄避

居南鄉宋莊旋歸士英士英家慈湖距城九十里爲賊往來要道淑惠謂其兄曰賊氛不靖慈湖地當衝脫有變妄用生爲咸豐九年歲大饑賊知民乏食遂大至驅少壯上船淑惠泣謂其夫曰事亟矣比年饑饉餓死命也我當順命安能從賊遂投井死年二十六

田志蓮妻郭氏句容人事翁姑以賢孝稱亂後居南鄉之趙家塘咸豐十年聞賊將至郭與家人相約同死圍大塘席地坐賊索金銀且曰不得當殺汝全家言畢覓刃去郭泣曰吾婦人也安能死賊手且吾不死翁等不得生家人皆哭挽之而賊已露刃至郭厲聲大駡投水死

施國成字紅英句容人旣受周氏聘夫歿矢志守貞斷髮自誓同治元年遇賊不屈死尚王氏尙德鎭妻賊至其家訊富戶何在王

不答剜劉無完膚終不言而死闔邨賴以完

楊明純妻劉氏句容人劉東樊長女年二十一夫故守節家極貧飲冰茹蘗十五年如一日聞賊將至赴夫墓祭埽輒閉戶絕粒鄰人隔窗詢之勸以食不聽乃絕粒而卒其上下衣裳皆密縫云

曹政脩妻徐氏句容人避亂居茅峯下之南鎮街咸豐十年賊至徐方有孕而病力疾扶姑走匿山中一賊尋蹤至欲犯之徐大罵賊怒斫之孕墮受重創死時有曹全智妻王氏亦句容人咸豐六年遇賊鄉間賊負之王紿之曰我從爾勿以背負我使人氣促曷任我安行從入城何如賊信之行至山澗躍入水中死

王定銀妻許氏句容南門外三莊邨人咸豐六年大營潰其子從九品銜錫萱不忍行賊至王厲聲罵賊被刃死錫萱痛哭持械與賊鬬於庭亦死

王玉堂妻徐氏句容茅山鄉人咸豐十年爲賊執誘之不屈賊縛
置輿中自投於池救之起復大罵不屈死
丁步楷聘妻佘氏句容人佘開生女在室年十五賊至攫開生殺
之女憤詈奮擊賊勢不敵赴前塘中死猶罵不絕聲
陳紹芳妻王氏句容人事夫謹夫歿孀姑尚高年苦節王以鍼黹
奉甘旨姑歿貸産以葬有誘之入城中者堅拒之同治元年絕粒
死其小姑名羊姑年十四遇賊不屈刃死
朱紹頤妻甘氏溧水人江甯副貢生煦長女也性淑婉幼事嫡母
聶先意承志以孝聞好涉獵書史聞古今節烈事輒淚下累日不
懌長歸紹頤盡婦職事祖姑以下皆得其歡心戚黨間無閒言朱
氏世僑居金陵城陷吞釧不死乃佩紹頤所用圖章一語家人曰
他日遺骸以此爲識遂與庶姑汪投水死祖姑葉爲賊迫入女館

大駡不屈死

張居銀妻某氏溧水倪謝張邨人事翁姑無失職咸豐十年賊至某匿舍後複壁中賊擄其家曳出之某哭詈不屈鄰嫗爲之緩頰某曰久拚一死義不受辱豈至是倘望生耶賊怒斫之披髮流血猶奮拳擊賊被亂刃死

朱復初妻蕭氏溧水人咸豐六年城陷時倉卒謀死所始食鹽滷家人强止之未死乃紿之曰在家決無生理賊至則死無地矣盍潛匿隙地以避其鋒遲啟後戶奔赴魏家塘投水死

章蘭妻朱氏溧水人江甯廩生朱錫圭女僑居金陵城陷後脫圍出朱預藏酖毒以防不虞至南鄉殷巷遇賊驅至大宅中朱懼辱仰藥死

徐振鉞妻陶氏溧水人咸豐十年在上元鄉遇賊躍水中僅及骭

不得死賊羣至牽之上岸乃厲聲罵賊被十數創死
徐振啟妻朱氏溧水人咸豐十年在蘇州大角遇賊將躍入水遮之不得入遂大聲罵賊賊擊以刃背傷數十處血透外衣罵猶不絕適賊他顧乃匍匐入水死
葛繼管妻范氏溧水人管早卒矢志撫孤咸豐十年賊至其家逼之不從罵不絕口支解死
濮琮妻俞氏溧水人咸豐五月溧水失守姑年垂暮命往夫任所俞哭泣不忍離賊至赴水死
徐景松聘妻湯氏湯孟門女溧水上原鄉人年十七字徐景松咸豐十年在白鹿鄉山中遇賊强曳之驅迫以前女牽母衣號且詈母泣曰事急矣兒將奈何女曰兒惟一死義不受辱乃以頭搶地觸巨石中顱血涔涔下握石擊賊賊斫殺之

王繼人聘妻謝氏溧水人庠生謝蕃姊也年十七未嫁而夫死女驚聞號慟幾絶以死自誓其母最鍾愛慰女曰吾當遂爾願不汝奪也謝家故式微又值歲不登女守貞不貳與嫂操井臼紡績以自贍賊黨咸稱之無何城陷女偕其嫂閉戶自經死

王德昌妻秦氏溧水人住石湫壩夫早世家綦貧僅幼女一咸豐六年歲大祲日挑野菜夜紡績以自給八年聞警投水死

尹𡤻姑者溧水恩貢生尹鳴球女咸豐十年閏三月隨父避亂句容之葛邨一日譁賊至𡤻姑與父相失顧謂同伴曰吾父幸強健宜速避兒請就死煩寄語父勿以兒爲念同行者慰之𡤻姑不答逕赴水死

王氏女溧水上原鄉周村人字韓氏子未婚年十五值粤逆之亂女屏居輒有深念攜翦刀自衞咸豐十一年賊突至女蓬首垢面

賊以金誘之女懼不免遽出袖中刃刺賊中其顱賊怒斫之焚其廬去

沈元粱妻史氏溧水贊賢鄉人性不茹葷酒年四旬不育爲夫置兩妾生子女各一子甫周晬妾死撫子成立女擇壻嫁之同治元年聞賊至匿路旁古廟複壁中絕粒死年七十二

徐大文妻陳氏溧水人逮事兩姑家無閒言文卒後撫孤勵學卓有家法咸豐七年正月避難句容李壋邨遇賊投水死時年五十有五

鄭樹菁妻曾氏江浦人年十一刲股療親疾十八歲適鄭戚里稱賢咸豐六年避難之六合依母家八年聞賊警語其夫曰君攜子遠颺以存宗祀吾不忍離吾母也城陷與母俱殉

王貞女字香姑江浦人幼字吳量寬在室聞訃泣請以衰麻往弗

許請以便服許之入門縞素哭泣盡哀翁姑憐其幼命歸女家女誓爲夫代子職夫家素貧祖姑久病不起謹侍湯藥扶持掖搔之翁姑歿殯葬以禮咸豐六年賊再犯浦口女年四十九偕鄰女同殉於園中賊退改葬面如生揕胸之剪刀猶在也貞女同時死者有顧楊兩貞女顧宜敬女字仲冬江浦人幼許字萬氏夫亡在室守貞咸豐六年三月聞警投水死楊貞女亦江浦人幼受王長元聘王久出不歸訃至女年二十八歸王守貞家貧織屨以養翁姑生事死葬皆盡禮咸豐三年死粵寇之難

洪某妻金氏江浦人青年守志無子夫兄弟不之顧惟操作度日咸豐三年之亂金年已七十矣賊至投水死

江浦縛樹女子不知何許人咸豐九年爲賊擄年二十餘欲污之婦不從脅至黃脫嶺上縛於樹根婦以頭撞樹流血被面披髮大

罵曰吾恨不剜汝之肉嚼汝之心肯受汝辱乎賊佯怒以刀恐之婦翻身引領就刃至死罵不絕口有陷賊中者親見之

蔡氏六合人前內閣學士兼禮部侍郎銜葉覲儀母年九十八聞賊犯六合蔡氏謂孫輩曰我家受　國恩重爾輩當竭力効死及城陷孫附生珏從九琨守城力戰被戕蔡氏避居北鄉聞變率孫婦輩朝服投水死事聞建專祠

汪釗妻丁氏六合竹鎮人咸豐九年隨釗避賊於盱眙賊氛漸熾丁勸釗速行釗不應丁欲以翦自刺釗去賊至欲污之授子於姑母謂賊曰此老弱可使去度去遠遂罵賊觸石而死同時有李讓泉母楊氏居帆山保年六十家多少婦聞賊警令早避之楊盛服端坐賊至欲解衣求金楊自刎死

綠衣女六合人不知姓字美姿容賊據城女在南郭外被獲賊將

犯之女紿曰吾不能爲汝曹辱乞獻於王賊擕女過龍津橋將由南城獻之女急趨橋之中流而殁

孝女史大姑六合史樸女居孟絲塘咸豐八年八月賊殺其父樸館於其家女曰賊殺吾父不報讎非孝也殺賊復讎不死難非烈也是夜舉火女與賊俱焚同時孝女夏珠姑六合監生夏銘齋女年二十四慟父被戕以翦刺賊賊支解之

厲式玫母汪氏六合人住台浦橋早寡通書理明大義玫少負時名皆母教也聞賊警指窗前修竹謂玫曰吾能爲節婦爾當爲義士有如此君八年八月二十五日聞式玫督團戰死於東門外汪自經

陳箠魁妻王氏六合人住樊家集青年守節在謝家集遇賊挾之馬上至中途躍馬下者三不死至三十里墩復自擲下腦裂死

沈焕章妻汪氏六合人青年守節時五十四歲子光照客常郡朱歸聞城陷向空中泣拜曰吾一死可對亾夫矣但願天毋傷我子叩畢投井死

任兆蘭繼妻馬氏六合人青年守節聞賊攻城急謂其姑王曰吾欲見亾夫久矣姑年邁無人侍奉奈何城陷投塘死

劉國擎妻陳氏劉國經妻平氏世居六合程鶊橋陳年十七歸擎甫五年擎歿而陳遂守節平年二十歸經越十年經以債負歿於水而平亦守節平遺孤女適周夫弟國緯遺孤子而夫婦夭兩節婦遭家不造奉衰姑嫁孤女哺弱姪貧苦有堅操咸豐八年賊竄程鶊橋搜家無所得將驅之爲縫紉計兩節婦怒駡曰咄吾輩豈爲爾役耶攜手同溺於水

董貞女字六合文童馬廷龍事父母孝幼識字讀列女傳能解析

父母歿後兩弟策籌俱幼敎養成名嘉慶三年廷龍歿時女年十九往夫家守貞咸豐八年避亂居練水壩董莊時年六十矣八月聞粵匪警曰此吾全節之日也從容投水歿嗣子嵩同殉貞女死者有王鄭氏常李氏鄭氏六合文童王永齡妻年十九在室聞夫故往夫家守貞侍翁姑孝翁姑曰有婦如此吾兒不死矣咸豐八年八月賊至鄭勸翁姑避翁姑猶豫不決鄭泣拜曰吾不可遲致受賊辱遂投河死李二雲姑六合李慰懷女幼字常聞夫故在室守貞不字咸豐八年賊圍城女慮被污翦髮割面以自誓城陷墜樓折股未死旋自縊年三十六

汪經培妻王氏六合人年二十七夫故守節聞賊警謂其夫妹小姑曰不幸城陷求死恐不及何如早死以留清白小姑從之遂同投井死小姑年十三同時有詹敬之妻許氏亦六合人幼嫻閨訓

明大義二十七歲夫故守節持家勤苦撫子女成立戚里賢之咸豐八年賊氛日逼許謂家人曰吾守節二十餘年誓死以完節汝等若何二子及壻勸之避許曰爾等不可偕亾宜遠避以完宗祀麾之亟去八月賊入境偕其長女輩至河干笑曰此眞清淨域也躍入波中死

王柏女文姑六合人年十八咸豐八年奉母避賊猝與賊遇賊欲殺其母文姑哀乞請以身代賊弗聽將剚刃文姑延頸就刃賊遂殺之釋其母而去時人哀之

孔繼奎妻徐氏六合人居新安幼知書明大義城陷賊令縫裳徐厲聲曰我孔聖人後豈屑爲此遂自刎

達家巷婦人皆回回人咸豐八年賊陷城達姓男丁大半巷戰死婦女十八人被驅至女館夜半合謀縱火殺賊事洩支解死惜姓

名不詳

陳治隆妻孔氏高淳人善事翁姑盡婦職撫孤成立賊入門擄掠孔責以大義被刃傷死同時婦女死尤烈者有陳艮瑾妻周氏陶光杞妻朱氏周氏高淳人年十九夫歿周守節撫孤事翁姑盡孝遇賊不屈與其子正恆俱被刃傷赴水以殉朱氏亦高淳人光杞妻賊入門肆掠朱懼污自碎其面賊欲強之朱氏大呼投水死時年二十三

流寓婦女

朱慧仙湖北江夏人武昌舉人徐仲璐聘妻僑居江甯城陷匿民間會逆酋楊秀清病目募知醫者慧仙應之以藥進置毒焉酋嗅其味疑之使人嘗立斃乃治慧仙慧仙大呼曰吾父兄俱死汝輩手吾所以不死者欲殺汝酋耳事不成天也速殺毋多言賊詰其

主使堅不承支解死

監生李大錦江甯人妻貤贈恭人朱氏年五十四歲守節至咸豐十年遭粤賊難以兩孫開來開科被賊擄加以痛死悲生抑鬱而死時年六十三歲計守節九年開來名圭現官浙江海甯州知州

監生李大欽妻徐氏年三十四歲守節至咸豐十年閏三月遭粤賊難抑鬱而死時年六十三歲計守節二十八年子天洲邑庠生

監生李天淦妻贈恭人朱氏年三十歲守節至咸豐十年閏三月遭粤賊難以兩子開來開科被賊擄罵賊嘔血而死時年四十二歲計守節十二年開來名圭現官浙江海甯州知州

文生李天沼妻高氏咸豐十年閏三月遇粤賊抱幼女沉水殉

李天泮妻王氏咸豐十年閏三月遇粤賊不屈被戕

續纂江甯府志　卷十四之十

續纂江甯府志卷十四之十中

上元秦際唐分纂

人物 忠義貞烈

駐防

江甯將軍忠勇公祥厚 宗室名 臣有傳

江甯副都統果毅公霍隆武 福州駐防 有傳

休致副將潔義公伍郎阿 妻蘇氏 妾 王氏 有傳

江甯協領壯愍公伊伯訥 妻常氏 子果勒敏額附傳 果仁額 媳余氏附傳

愍節公托多洛 弟普慶 子舒錦 姪舒敏 妻傅佳氏附傳 媳趙佳氏 姪媳趙佳氏 孫女一附傳

威肅公色勒興額 弟烏政額 弟婦常佳氏 偏佳氏 妻王佳氏 子 姪恆瑞 姪恆玉 姪某 媳趙氏 女四妞 姪女某 附傳

愍恪公和謙佈 妻玉氏 附傳

敏節公奎光 妻巴氏 有傳

果恪公增福 妻王佳氏 女某有傳

壯節公瑞麟

肅義公德祥 附傳

介節公鳳格 妻關氏 妾秋氏 孫生音圖 孫媳劉氏 曾孫孫某

江甯佐領佛喻 妻梁佳氏　媳某　子清元　二兆　孫某 達哈斯琿 額圖琿 孀母

昂佳氏　妻趙佳氏　媳傅佳氏　子森林　秀林　蘇藩　女某　孫女某 福倫 永秀 妻楊氏　子幼

丁幼　女一口 福勒鑑 妻馬氏　子某　媳某 多勒通武 弟柯勃通武　子恆慶　妻羅佳氏

弟婦某　媳王佳氏 惠倫 子祥照　恆照　妻瓜勒佳氏　媳梁佳氏　瓜勒佳氏　發來為奴同犯阿巴伯尼克

萬成 順安 孀母某　弟匯源　子玉松　秀松　茂松　姪普羣　姪某　孫某　妻孟佳氏　弟婦張

佳氏　胡佳氏　媳闞佳氏　媳某　弟祥奎　姪女三口　子青松　孫幼丁 祥瑞 妻闞佳氏　子文童錫慶

有傳　媳洪佳氏　孫女某 輝罕泰 有傳　弟安惠　吉慶　姪文光　延明　孫文凱　弟媳某　妻某

媳胡佳氏　姪女三換 貴安 慶陞 雙慶 烏林佈 玉衡 祥奎

果仁佈 金順 貝琿佈 吉亮 果勒敏保 妻佟依氏　子松倫　媳平佳

氏　孫女月妞　次孫女某 全福 瑞慶 妻胡氏 舒翁克訥 森福海明

妻某　弟婦金氏　弟海連　子來朝　姪色勒佈　來瑞　姪女某 多喻 母柏佳氏　妻張氏 全順 妻王

氏　子廣亮　媳某　孫女某 保全 妻闞氏　妾吳氏　子五　女一　媳王氏 成玉 叔母闞氏　妥

張氏子大鐵二鐵女洪姑有傳 廣慶妻張氏 貝輝佈妻王氏 萬全子薩炳阿
媳常佳氏妻常佳氏女一口 炳元子前鋒海潮步甲海壽妻耿氏子某女某有傳
休致佐領順保子松亮孫春惠西林榮媳關佳氏孫女四口 廣慶 百啟
江寧防禦祥德妻周氏女一孫女一子某媳某幼孫一 哈福訥妻趙氏子晉成媳李
氏孫常林次孫某三孫某 慶順 玉順 蘇勒芳阿 祥德子福慶安慶
妻關佳氏 赫順 恆喜妻那佳氏子幼丁女某附傳 芳春妻常氏女某子幼丁
瑞祥子三名孫某妻那佳氏孀媳張佳氏 烏政額 成玉妻傅氏子晉德弟東
玉弟媳巴氏 連奎妻楊氏子廣清廣生弟文奎弟婦楊氏女某 愛仁 恆昌
成惠妻張氏媳楊氏 梁仁佈 慶秀父吉祿弟慶福氏弟媳趙佳氏 妻趙佳子某
女某姪某姪女某 青年 增祿 興林 安桂 烏拉保妻朱氏子晉
秀明秀 薩勒杭阿弟阿爾杭阿依勒杭阿子海全二奎妻那佳氏弟媳關佳氏常佳氏
崑山 貴祿 增瑞子永興姪恆明妻某孀弟婦某女某姪女某 恆炳 全

貴妻李氏 賽沙佈妻羅佳氏姪媳常佳氏姪孫文方姪孫女目妞 吉慶 松柏姪額

洪額楊蒙額妻某孀弟媳季佳氏姪媳某女二口 松亮附傳 貴林 業鏗額

萬全 墨爾根佈子福成壽成妻吳佳氏子幼丁 貴玉 年長阿 扎

勃賞阿母吳佳氏妻趙氏 松清母吳氏妻姚氏 清年子恆慶和慶妻某子某 鍾

祿子普照祥照姪平陞母楊佳氏妻柏佳氏女某有傳 和順子某媳某妻某孫女某

休致防禦錫齡額有傳 妻趙氏邵氏 媳洪氏孫熾昌 佛玉妻常氏子普亮媳洪氏

女三妞 吉祿

江甯驍騎校多奎 業鏗額 祿年兄福年嫂秋氏姪幼丁妻楊氏女大妞二妞

奎源 慶順妻洪佳氏女萬妞 普慶父和謙佈母關佳氏妻王氏子幼丁女某

恆陞妻赫氏子慶潮慶炳 德清孀母某妻趙佳氏子幼丁女某 恆慶妻李佳氏子

幼丁女某 順貴妻李氏子幼丁女某 惠林 善慶有傳 富貴妻趙氏

崑玉 瑞智 龍福 貴福妻李氏子順齡姪吉齡次子幼丁姪幼丁五名兄喜福

楨福 忠福 喜福 叔母莫氏 妹大姑 二姑 弟婦何氏 趙氏 吳氏 姪女四口

依機斯琿

瑞昌 **順成** **雙奎** **福惠** 孀母胡氏 妻趙氏 堂弟廣會 惠福 堂弟媳關氏 子慶祥

慶祿 堂姪某

札勒克蘇 **成明** **壽年** 妻韓氏 弟新年 弟媳 崔氏 子廣陞 廣慶

女大妞

哈達 **廣志** 妻趙佳氏 子 幼丁 女某

鈕勒呼訥 弟杭西納 子茂慶 茂

林 妻胡佳氏 弟 婦傳佳氏 女某

鍾靈 **熾昌** 子恆海 妻蘇佳氏 媳 胡佳氏 女二口 孫幼

丁二口

哲克通額 **吉慶** 母王氏 妻胡氏 弟福慶 弟婦 金氏 長女某 次女某 三女某

毓秀 **玉陞** **麟書** **吉安** **祥瑞** 弟林福 子慶喜 連 喜陞喜 孀母某

妻某 弟婦某 媳某 姪幼 丁 孫某 女某 姪女某

德成 **長永** **哲克通阿** 妻吳

氏 子林書 林生 媳周氏 女某

賽蜚納 承嗣母 胡佳氏

慶明 妻傅氏 長女 某 次女某

喜興 母葛氏 嫂蒼氏 弟惠慶 姪某

福慶 母金氏 叔母楊氏 嫂柏 氏 姪發陞 妹一 女三

慶明 **桂福** 妻鄒氏 女一

依濟斯渾 妻王 氏

恆陞 孀母某 妻 郝佳氏 子

幼丁 女某

長永 弟長年 母柏佳氏 妻馬佳氏 子幼丁 女大平 幼女二口

休致驍騎校恆秀　格綳額
江甯委前鋒校吉陞孀母某妻某子某女某　德全　重慶　惠慶妻瓜勒佳氏孀媳趙佳氏女某孫幼丁　台元　額能寶妻胡氏子元子女大妞　塔清佈
金升　惠林　貞福　多囉哩　清松　志祥　慶瑞　烏爾滚泰　全安妻某子生茂女大妞　連得妻龔氏女大妞弟連明　塔清佈妻佟氏　志祥妻張氏子連陞女二口　成玉母趙氏兄郝順嫂李氏弟哈達弟妻孫氏姪秀安姪婦李氏妻佟氏子幼丁姪女一口姪孫幼丁　福玉妻金佳氏
副前鋒校德全妻趙佳氏子炳奎連貴女大蘭二蘭
恩騎尉音登額
經制筆帖式達哈納妻哈佳氏子幼丁女二　貴祥　恆慶　清松
候補筆帖式福勒赫子廣楨廣祥廣義媳佟氏　崑源母戴氏妻唐氏妹二　善奎父惠柱弟福奎妻楊氏　全順母某妻某子幼丁女小妞　貴祥子幼丁女二　富

勒赫女二
畢八慶明子恆正恆瑞妻趙佳氏媳張佳氏女某　依濟斯洪額子炳正炳亮妻某
女某　慶雲　貞格妻周氏妹一口子某女二口有傳　薩哈佈兄阿哈佈嫂那呼
氏弟額勒赫佈姪女大妞姪孫女一姪綳武圖姪媳蘇氏女大妞二妞　妻關氏姪孫某　慶德
妻關氏弟慶玉子文瀛媳金氏　全德艾仁阿松惠薩炳阿連慶海慶趙佳氏關佳氏張佳氏
常佳氏張氏女二口
文生惠祥子幼丁女二口　訥爾洪額　書奎孀母某妻余氏　錫峯　啟賢弟薩
勒哈吞薩畢吞某弟媳平佳氏　子和林清瑞妻常佳氏媳唐佳氏　崑秀妻梁佳氏子姪存仁
幼丁女某　玉順　銀松妻吳佳氏弟奎松　伊克精阿　元明　萬順妻蘇
氏　茂芳　金奎　慶秀　光照　普慶　陞慶　積善　祥
麟　海元　善福　崇喜　札勒哈蘇　恩昌　賽尚春　喜
林子文彬妻趙氏媳丁氏　慶祥　吉安　貴明　文慶　陞玉　新

惠　秀山子魁映妻唐氏女二　舒嚕　福林妻何氏女臘妞媳張氏五妞　奎

祥　金慶　金長妻金氏　元慶　金祥妻十氏　廷瑞妻趙氏　玉

成妻王氏子某女某　伊長阿　罣爾根佈　慶昌兄慶元嫂傅氏妻唐氏

姪善德子二女小妞　經祥母姜氏叔占明妻楊氏子恆喜恆林恆義媳陳氏　順全

妻劉氏子幼丁女小妞　都綳額母劉氏妻關氏子幼丁女小妞　雙貴母關氏妻蒼氏

弟雙蕙子吉山　玉順妻王佳氏子二品女大妞二妞　成瑞父墨勒克圖弟興瑞妻鄒氏

子興年　普慶父柏玉母傅氏　慶瑞　雙全　成順　元安母胡氏嫂常氏

弟元廣元音弟媳胡氏姨母黃氏兄元慶妹蘭妞子茂林女貴妞　悅林妻張氏女小妞　寶

賢　祥元　雙秀妻郝氏　薩音佈妻郝氏女改妞　茂林母王氏妻趙氏子一

女二　志林妻王氏　達哈佈　慶元母劉氏弟百歲妻吳氏如祿　連慶

母趙氏子永妻吳氏女二口　恆齡　明志　文藻　有順叔色楞額弟有福有

壽堂弟義祿妻蘇氏　保賢弟崇賢金春　妻關氏子慶春女大妞二妞　成順妻郎氏

勒爾恆額伯母節婦楊氏母節婦傅氏妻楊氏弟瑞祥愛祥子大欒二欒　啟豐[illegible]

某妻陸佳氏　玉山妻卜氏　郝爾根佈妻李氏　奎明妻趙氏子恆楨女二口

福意　愛仁拉春妻朱氏　安慶妻習氏弟文興文瑞弟媳艾氏　廣元父慶

善母色氏妻朱氏兄廣全子幼丁女二口妹一口嫂成氏姪女二口姪幼丁三名　志林妻馮

氏　廣元妻王氏妹二口　秀慶子巧元妻某女某　金元叔舒錦弟小本子崑鋼

崑要弟幼丁孀母劉佳氏叔母關佳氏妻某氏妹某氏女某　定長兄定康妻某子幼丁女某

和瓏武孀母某妻某子幼丁女某　銘鼎妻余氏有傳

貢生奇山弟奇山弟媳丁氏楊氏妻巴氏　奎明子恆楨妻趙氏女二　福意妻余氏

愛仁拉春妻朱氏　陞興　重意弟玉全玉芳增意子幼丁妻某弟婦柏佳氏姪

幼丁女某

繙繹生百歲父湯武哩母楊氏妻張氏　巴哈圖母梁氏妻張氏

武舉奎慶妻某子一女一　蜚林佈妻某女某子幼丁次女某　溫綽諾阿

爾杭阿　慶成　雙喜妻朱佳氏子一女一　文玉　雙德弟恆明志德母
馬佳氏妻趙佳氏子幼丁女某　瑞德　瑞明　德惠　慶雲　陞德妻某
岳興泰子慶德惠永母某妻某女某　福柱　松恆　松猛　恩昌
文耀　連貴妻白氏弟連慶　札坤珠　慶成弟慶雲妻關氏　祥林祖母關氏
母李氏妻傳氏子一，　訥勒赫佈　秀山　烏勒赫佈　瑞興　俊
奎　海奎妻趙氏子連升　松瑞妻胡氏子某女某　德明　珠綳額妻關氏
延林　噶洪額　金坤　連慶妻馬氏子某女某　惠慶妻李氏　賡
慶妻富氏子興周　登福妻唐氏子鄂棲你次子某　奎明堂祖母某堂嬸母某堂弟額騰額
慶元妻關氏　惠林兄惠祥嫂某姪成保母某姪女小妞　德哩佈妻鮑氏　三元
父成明兄來福嫂吳氏妻某姪某姪女某　佈都爾呼訥妻余氏　廣志　賽
沙佈妻金氏子元年　多罕妻關氏　三音額父德克精納弟霍嚨武薩炳額妻陳氏有
傳　波勒洪額　訥爾琿額　薩勒洪額有傳　林福　福明阿

喜納佈　雙慶妻王氏子某女二口　福慶　廣永妻奚氏弟廣森子三元
女某　阿芳阿　阿巴納妻洪氏子和尚女四口　蓮安　蘭桂妻馬佳氏子
幼丁女一口　戈勒本　烏勒古恩佈　伍爾滾佈妻王氏　廣惠孀母
蘇氏妻孟氏子幼丁堂弟藍陞廣生女大妞二妞　廣茂兄廣義妻龐氏　納爾洪額
嫂平氏妻胡氏子莫赫納雅赫納　薩爾洪額堂弟德嚨額堂姪有福妻趙氏女川妞　長
生妻某子全春　金崑妻葛氏子某女某　克克色佈妻卜氏　更慶妻馬氏
西哪佈妻伯氏子惠元喜元孫恩子姪孫三口姪幼丁兄阿勒吉泰嫂吳氏姪舒安廣元姪
媳李氏何氏姪女二姑三姑姪孫女三口　長慶母何氏妻李氏子幼丁女二口　阿巴那
母吳氏妻郝氏
武生那郞保　墨爾精額弟訥爾精額格圖肯額妻余氏弟媳金氏　連海兄慶瑞
連成連生嫂吳氏陳氏劉氏妻唐氏姪札勒哈蘇札勒位蘇　祥明父鎖琛母何施氏嫂格機
勒氏姪女抓妞　吉生　錢亮兄吉勒呼納弟坤亮弟媳常氏妻偏氏姪喜福子定昌族

續纂江寧府志　卷十四之五　人物　六

姪瑞昌興昌姪孫耀昌兄海呼納　志福　族叔會海弟五福秀福喜福族弟永祥妻傅氏子生

茂生如　拉林阿　母雙氏弟塔林阿弟媳安氏妻張氏子克克色佈姪三女大妞二妞

貴玉　妻某子幼丁女小妞　文祥　弟連惠連福堂弟連福堂姪舒昌姪文祿文瑞妻劉氏

薩哈納　兄伍勒西納姪茂林姪媳吳氏姪孫某姪孫女某　瑪玉　母某弟瑞玉妹大妞

存明　姪喜福喜山　納爾渾　母鮑氏嫂孟氏弟木雅渾弟媳王氏子金秀女多妞　金

亮　班精佈　母覺羅佳氏嫂白佳氏弟哈拉佈妻傅氏子生秀生瑞姪林生懷生　薩哈

春　妻某子某女二口　依車納　孀母曹佳氏妻某弟嗎勒琿納　志明　妻唐佳氏子幼丁

女一　三慶　妻傅氏女一口　炳昌　妻李氏子某女某　都喻泰　妻卜氏　崑

慶　妻王氏子某　林玉　妻胡氏子瑞秀瑞興　秀福　妻米氏弟慶福　烏勤西春　妻余

氏　他樓納　妻顏氏　福祿　妻巴氏　福祿　母何氏妻吳氏子幼丁女一　連

祥　子幼丁女一　福陞　妻那氏妹一　佛玉　姪森瑞妻張佳氏子幼丁女二口　貴順

子依堅額妻張佳氏女某　奎祿　姪連喜子幼丁孀嫂趙佳氏妻蘇佳氏女某　增祿　叔瑞

喜阿納庫弟貴祿子廣志叔母某妻某弟婦某女某

吉瑞弟吉成孀嫂某妻某子幼丁

四川彰明縣知縣麟勳有傳

左營額外升補外委奎山

正黃旗

領催瑞慶弟瑞祥子幼丁妻某弟媳某

貴陞妻李佳氏子幼丁媳某

豐阿拉並弟文明子慶芳慶陞孀母某妻唐佳氏弟婦關佳氏

恆敏父福慶叔普慶子幼丁二口母某妻余佳氏女某

多勒吞佈子平陞孫幼丁妻某媳某

增慶弟恆慶子清元母席佳氏妻郝佳氏弟婦瓜勒佳氏媳江佳氏孫女某

炳照弟長陞妻鄭佳氏女某

金祿幼女

貴順子茂芳茂林茂新妻某女某

明貴妻某子幼丁女某

奎元父倭西渾泰弟志明志亮母趙佳氏孀叔母趙佳氏子幼丁姪幼丁女某姪女某弟婦二口

貴祥母某妻某子幼丁女某

順全弟德惠子金亮興亮成亮母鄭佳氏妻關佳氏女某

訥蘇肎子索林阿母某女某妻關佳氏子幼丁三

圖瓦卡佈妻德佳氏子幼丁母某女某

蘇畢吞母某妻某女某妾某子幼丁　明倫妻某子幼丁女某　連瑞弟鍾瑞
妻某子幼丁女某　玉崑妻某子幼丁女某　恆舒弟庚舒妻穆佳氏子幼丁女四口
慶喜妻某子幼丁女某　德明妻某子幼丁女某　薩炳阿妻某子幼丁女某
慶奎弟慶祥慶恆妻某子幼丁女某　尚志子炳倫炳元炳耀炳章母某妻某孀嫂某
媳某女某姪媳某姪孫某姪孫女某　金順子玉慶玉明妻某女二　增慶妻某子
幼丁女某　鍾林妻某子幼丁女某　萬慶妻曹佳氏子幼丁女某　固勒渾保
妻某子幼丁女某　金全弟德祿子海慶姪海雲妻常佳氏弟婦李佳氏妹三
前鋒鍾秀父章福子慶陞次子幼丁母某妻楊佳氏妹某　惠慶弟惠得妻李佳氏女某
子二幼丁　金玉弟銀玉孀母臘佳氏妻某子幼丁幼女三口　文惠兄文奎姪林書子幼
丁嫂某妻某女某姪女某　重倫子奎照福照妻某女某　鍾慶母某妻某子某女某
志亮妻某子幼丁女某　陞奎子吉成妻某弟婦某子幼丁女二　瑞玉孀母臘佳
氏妻某子幼丁女二　福玉妻金佳氏子幼丁女某　鍾林妻某子幼丁女某

連奎　弟連瑞子幼丁　妻某女某　貴林　妻某子幼　丁女某　文奎　妻某　恒慶

妻某子幼　丁女某　百歲　弟百順子德新德　惠妻郭佳氏女某

馬甲長惠　父成永弟長根　母某妹二　順平　子長瑞次子幼　丁妻某女某　恒林　父　惠

明叔有得叔母　某妻某女某　雙慶　孀母某　子幼丁　妻某　女某　明純　子貴芳　妻某　孀

母某　汝某　明舒　孀母某　子幼丁　妻某　女某　善明　妻某子幼　丁女某　慶成　弟木　克佈

姪查淸阿　妻某子某　孀母某　女某　孀嫂某　姪女某　三音阿　孀母某　子幼丁　妻某　女某

吉祥　弟永祥慶祥福祥孀母某　妻某妹某子幼丁女某　永慶　孀母某弟幼　丁姊某妹

某　翰查佈　弟佞黑佈穆金佈穆眞　佈子幼丁妻某女某　蒼林　父貴祿叔　金祿弟蒼

福母某叔母某妻某　弟婦某子幼丁女某　慶德　子格圖肯　妻某女某　長順　弟懷　順

子順明順喜瑞元瑞春姪幼丁　妻某弟婦某媳某女某姪女某　貝渾額　弟貝渾納　子幼丁

孀母某　妻某女某　喜福　子鍾恒妻某　子幼丁女某　金書　弟林書子生祥　生福孀母某

妻某　女某　普純　弟平正平寬平勳孀母高　佳氏妻某子幼丁女某　文興　弟文　明

文廣孀母某妻某弟婦某子幼丁女某

色拉佈兄阿林佈弟多嚨武妻某子幼丁女某

吉陞弟玉陞孀母某妻某妹某子幼丁女某

玉明父哈哩佈子金陞弟幼丁母某妹某

妻某

志順弟志祥志成孀母某妻某妹某子幼丁女某

萬年孀母某妻某妹

某子幼丁女某

佛玉弟明慶幼丁孀母某孀叔母某妹某妻某弟婦某子幼丁女某

海林父順貴兄慶林母某妹某

順喜弟順祥孀母某妻某子幼丁

戈什訥子富

勒佳訥孀母某妻某女某

貴林孀母某妻某子某女某

克仁額弟哲克凍額孀母

某妻傅佳氏子幼丁女某

萬松堂弟萬清孀母某妻某子幼丁女某

長福子來慶滿喜

孀母某妻某女某

恆林叔順祥妻某子幼丁女某

惠茂父噶爾哷佈弟幼丁母某妹

某

換林妻李佳氏

喜奎妻某子平長女某

萬喜孀母某妻某子幼丁女某

全福妻某子吉順女某

長慶弟惠慶惠長孀母某妻某子幼丁女某

奎祿孀母

某妻某子如林女某

查克當阿孀母某妻洪佳氏子崑玉幼女二

崑秀叔阿克當

阿弟崑亮崑有孀母唐佳氏叔母某妹某妻某子幼丁女某

阿勒杭阿弟慶貴弟婦

某妻某姪某姪女某子幼丁女某**都嚨阿**妻某子萬陞女某**喀㹩阿**弟喀明阿

子豐年萬年姪如年會年崑年妻某姪女某孫幼丁媳某**林惠**弟林貴堂兄多喻佈

孀母某妻某妹某子幼丁女某**明會**弟興會孀母某子幼丁妻某女某**雙福**妻某

子某女某**什德**父哈芬佈母某妻某子幼丁女某**克仁額**妻某子幼丁女某

雙成弟雙興子長秀長永妻某女某**陞喜**堂弟長海孀母某孀嫂某妻王佳氏子幼丁

女某**懷福**姪額勒敏孀嫂某妻某女二口**福玉**父某母某妻某子幼丁女某

連崑父某叔春福母某妻某子幼丁女某**托克通阿**妻闕佳氏子幼丁女某**崑**

照妻某子幼丁女某**明舒**弟新舒平舒姪崑揚崑亭母周佳氏弟婦某姪幼丁三口孫

女某**連慶**子雙喜雙秀雙成母某妻某媳某子幼丁女某**喜慶**弟噶嚨阿母某妻某

女某子萬林**大山**母某妻某子幼丁女某**瑞福**母某妻某子幼丁女某**鍾祿**

子喜玉貴玉妻某女某**瑞祥**母某妻郝佳氏子生玉幼丁幼女某**金順**孀母某妻某

子幼丁女某**長永**弟長玉妻王佳氏弟婦某子玉成女某**順貴**孀母某妻某子幼丁

某 女 **成新** 弟成瑞 某 子幼丁 孀母某 女某 妻 **壽昌** 父某 馬佳氏 母某 子幼丁 妻

某 女 **惠全** 父某 某 子存志 弟瑞全 女某 妻 **奎德** 父某 陞 弟奎成 母某 叔金 妻某

子幼丁 弟某 **納穆精額** 父某 妻某 兄哥圖鑑 子幼丁 母某 女某 **寶陞** 父德喜 弟寶

慶 母某 **文恆** 父某 子幼丁 母某 女某 妻某 **連玉** 父某 子幼丁 母某 女某 妻某

惠廉 父三音額 某 子幼丁 母某 女某 妻 **恆瑞** 父某 子幼丁 母某 女某 **愛仁泰**

父瑞玉 母某 妻某 叔良玉 女某 **德有** 叔福瑞 某 妻某 六十 子幼丁 母某 女某 叔母

塔清佈 叔銀福 芬車佈 弟依車佈 妻某 子幼丁 棲車佈 女某 **庚慶** 妻某 丁 女某 子幼

昆年 父農音佈 母某 妻某 子陞慶茂慶 媳某 女某 **奔阿納** 子林書 妻某 母某 女某

全福 子福祿 某 妻某 福春 女某 母 **恆福** 弟玉福 某 孀嫂趙佳氏 弟媳那佳氏 妻穆佳 母

氏 女某 子幼丁 姪女某 姪某 **祥慶** 姪來元 某 子幼丁 母某 女某 妻 **慶保** 弟慶 常

孀母某 子某 妻某 女某 **文興** 堂弟文海 子幼丁 孀母某 姪某 姪女某 妻某 弟婦某 女某

雙喜 弟雙慶 妻某 弟媳某 子克克色 女某 **鍾明** 妻某 某 女某 子 **吉順** 兄惠順 妻某

子某女某
惠祿 子德喜孀母某妻某女某
福年 姪慶林妻某子幼丁女某
存順 孀母某妻柏佳氏子某女某
順年 子炳忠妻某女某
意順 子茂準連元妻某女某
書爾汗 孀母某子幼丁妻某女某
長有 父阿克當阿弟明有母某妻某弟婦某子幼丁姪幼丁女某姪女某
慶元 弟順元孀母某弟婦某妻某子幼丁女某
東格 兄牙額葉額妻某子幼丁女某
倭克金阿 叔萬全堂叔多福孀母某妻某子如林如興女某
有陞 兄有德德全孀伯母某妻某子幼丁女某
志全 弟志新志祥弟婦某妻某女某子幼丁
墨爾根圖 叔順玉弟墨爾根桂孀祖母闞佳氏孀母趙佳氏孀嬸余佳氏妻同佳氏姪幼丁二口幼女某
全格 子墨爾根桂妻某女某
銀福 兄順福妻馬佳氏子春茂女某
貴福 弟喜福子如意姪如茂弟婦某妻某女某
蘇藩 孀母吳佳氏妻張佳氏
順祿 父全福叔成貴妻席佳氏妹三姐幼女某
安慶 子連奎連德妻某媳某十幼丁女某
忠福 妻趙佳氏幼女某
萬順 妻某子幼丁幼女某
保林 妻某幼女某
金全 妻某
伊拉棲 弟順祿次弟幼丁母某妹某
伊鑑額 子正根次子幼丁
果仁

佈
兄圖瓦哈佈
妻某　子喜慶
姪女二口　妻傅佳氏
嫂童佳氏　幼女某
星　妻某
媳爪勒佳氏

有山
子崑玉
妻某
托哩
姪貴林　妻趙佳
氏　孀弟婦某
福陞
妻某
丁

孀母某
幼女某
玉慶
弟玉祥
妹某

清年
兄豐年
弟清年
佈哏阿
子
廣
妻某
子幼丁
順

喜
妻
某
秀成
父閔
妻某
弟永陞
子幼丁
連成
幼女某
蘇喻佈
子恆明　喜
貴　妻某

媳某
某　孫女某
幼女
吉善
弟瑞善
某　子幼丁
妻
存祿
妻某
子幼丁
慶書
妻
某

多普通武
弟連慶
某　子巧
子恆元　妻
元　幼女某
吉瑞
兄明順
子金陞
弟吉貴
姪波東武

波勒和木　妻某　嫂某　弟媳某
媳某　姪媳某　女某　姪孫幼丁
和明
弟動洪　妻某
子幼丁　女

某
慶恆
父吉山
妹某
弟幼丁
妻某
萬順
弟志惠　妻某　子
明書　次子幼丁
春

阿納
弟祥恰納　姪喜成
妻某　孀嫂某
喜祿
弟吉祿　堂弟金安　妻某
子長在　幼丁　女某

志成
妻陽佳氏
子幼丁二口
法芬阿
孀母某　妻某
子幼丁　女某
連慶
母某　妻
某　子幼

丁　妻李佳氏　子
女某　幼丁　女某
潤陞
林福
妻某　子幼
丁　女某
成慶
母某
妻

某　子幼
丁　女某
慶喜
妻某　子幼
丁　女某
順興
孀母某　妻某
子幼丁　女某
哈拉

佈孀母某妻某子幼丁女某　吉瑞母某妻某子幼丁女某　罕扎佈母某妻某子幼

丁女某　吉蘭佈妻某子幼丁　貴福母某妻某子幼丁女某　賞慶妻某女某

慶德母某妻某子幼丁女某　祥保母某妻某子幼丁女某　順祿母某妻某子幼

丁女某　富年母某妻某子幼丁女某　奎志妻某子幼丁女某　廣祿母某妻

某子幼丁女某　廣慶母某妻某子幼丁女某　瑞玉母某妻某子幼丁女某　福

慶母某妻楊佳氏子幼丁女某　萬年妻某子幼丁女某　銀福兄順福母某妻馬佳

氏茂子春女某　長松母某妻某子幼丁女某　達哈泰妻某子幼丁女某　德

陞母某妻某子幼丁女某　福興母某妻某子幼丁女某　吉順妻某子幼丁女某

順貴弟順常妻某子幼丁女某弟婦某姪某姪女某　慶昌妻某子幼丁女某　賽

尚阿妻某子幼丁女某　文明父多尊佈母某妻某子幼丁　百年孀母某妻某子

幼丁女某　連貴妻某子幼丁女某　林奎妻某子幼丁女某　文慶妻某子幼丁

女某　烏林阿妻某子幼丁女某　哈勒慶阿妻某子幼丁女某　文秀

[illegible]人物　七

父某母某妻某孀嫂某姪恩林子幼丁女某

普照 妻某子幼丁女某

殿奎 妻某女某子幼丁

金奎 妻某子幼丁女某

達哈蘇 弟該哈蘇同芳妻某子幼丁妹某女二

絨林 妻某子幼丁女某

慶玉 妻某子幼丁女某

榮茂 妻某

波東烏 妻某

明貴 兄明吉明春子昆玉妻張佳氏子幼丁女三

志陞 父某母某妻羅佳氏女某子幼丁

志政 妻某子幼丁女某

玉祥 妻某子幼丁女某

文寬 妻某子幼丁女某

清亮 妻某子幼丁女某

滿喜 妻某子幼丁女某

雙貴 妻某子幼丁女某

萬順 妻某子幼丁女某

貝琿阿 妻某子幼丁女某

保常 妻某子幼丁女某

蘇倫佈 妻某子幼丁女某

文耀 妻某子某女二

福陞 父某母某妻郝佳氏子幼丁女三

永任 叔吉山弟德坤堂弟德成慶成叔母某弟婦某妻某子幼丁

連奎 堂叔春格兄志正弟連貴孀母某子幼丁姪喜慶吉慶連慶嫂某弟婦某妻某姪女某姪幼丁某女二

佛德 弟順德孀母巴佳氏孀嫂張佳氏妻黃佳氏弟婦唐佳氏子幼丁二

志新 弟志林母某妻某子幼丁女某

文明 妻某子幼丁女某

闗順 妻某子恩惠恩

貴女某

瑞昌 妻某丁 女某 子幼

恆慶 妻某丁 女某 子幼

福祥 妻某 子幼丁

某 女

鍾祥 妻某丁 女某 子幼

柯勃通武 妻某丁 女某 子幼

舒精 妻某

子幼丁 女某

舒敏 妻某丁 女某 子幼

金陞 妻某丁 女某 子幼

新奎 妻某 子

幼丁 女某

德祿 子瑞升 妻某 母某 女某

全貴 弟全慶 東興 子東亮 妻某

祥慶

妻某丁 女某 子幼

惠林 叔德慶 林叔母某 弟彩林 妻某 貴林 子幼丁 和林 女某 該

德慶 妻某丁 女某 子幼

福瑞 妻某丁 女某 子幼

文喜 妻某丁 女某 子幼

惠順 妻某丁 女某 子幼

慶元 妻某丁 女某 子幼

保春 妻某丁 女某 子幼

德興 妻某丁 女某 子幼

塔清佈 妻某丁 女某 子幼

普興 叔順德某 子幼丁 妻

某 女

瑞慶 妻某丁 女某 子幼

愛仁泰 父瑞玉 妻某 叔良玉 子幼丁 母某 女某

舒爾罕 妻某丁 女某 子幼

惠福 妻某丁 女某 子幼

廣壽 弟廣茂某 妻某 母

子幼丁

森瑞 妻某丁 女某 子幼

鍾恆 妻某丁 女某 子幼

奎福 妻某 子幼丁

某 女

保亮 弟保長某 子幼丁 孀母某 女某 妻

全明 妻某丁 女某 子幼

全

永弟全陞妻某子珠勒罕圖女某成慶妻某子幼丁女某慶昌妻某子幼丁女
某鍾慶妻某子幼丁女某新福妻某子幼丁女某雙喜妻某子幼丁女
某惠明父果棋斯渾兄惠弟惠喜母某妻某子幼丁女某德明子伯年妻高佳氏
幼女某安祿子貴玉妻某幼女二安常妻某子幼丁女某福明妻某子幼丁
女某保慶妻某子幼丁女某金元妻某子幼丁女某德順弟永年孀母
某妻某子幼丁女某本祿妻夏佳氏子幼丁女某慶林弟慶成昆秀孀母某妻
某子幼丁女某福年妻某子連成女某愛仁妻某子幼丁女某善奎妻某
孀嫂佟佳氏子幼丁姪幼丁女某愛仁佈妻趙佳氏子幼丁女某順貴妻某子
幼丁女某善慶妻某子幼丁女某瑞年妻某子幼丁女某都倫佈弟德稜佈
子孝順阿他克新阿婦某妻某女某姪某孀嫂某弟姪女某鈕勒渾妻某子幼丁女
某珠爾繃阿妻某子幼丁女某豐伸額妻某子幼丁女某貴福妻某
子朋元慶元媳某孫幼丁幼女某佈郎阿妻某子幼丁女某福勒敦妻趙氏

子森林秀林女某**巴哈納**妻某子幼丁女某**恆年**妻某子幼丁女某**烏**

雲珠妻某子幼丁女某**福貴**妻何佳氏子喜福銀福姪成慶**濟蘭佈**妻吳佳氏

女某子增保**鍾慶**弟鍾亮姪奎喜堂姪奎心妻趙佳氏弟婦趙佳氏姪女某姪孫女某**賽**

沙佈妻胡佳氏于順德**潤陞**兄倭克金阿倭施渾阿母鄭佳氏嫂王佳氏妻李佳氏姪女某

貴林祖父瑪賞阿堂叔瑞玉母臘佳氏妻傅佳氏妹二**德善**母曹佳氏弟哈明阿子成順

賡音阿妹某**喀爾莽阿**弟喀賞阿姪萬年秀春妻張佳氏弟婦趙佳氏姪媳張佳氏女某

本祿嬸母趙佳氏嫂鄭佳氏弟婦夏佳氏女某姪女某**清亮**堂祖嚆洪阿父記名叔記順

兄清林清秀伯孀母某嫂某**烏遠珠**弟來元孀母某妻李佳氏弟婦李佳氏姪平文幼丁

瑞福母趙佳氏妻李佳氏**萬順**繼母關佳氏妻陳佳氏女大姐**什德**父哈芬佈妻某母柏

佳氏**愛仁**弟興惠孀母柏佳氏妻佟佳氏**恆成**弟崑山林山叔母羅氏孀妹從夏妻瓜勒

佳氏媳攝佳氏女蒼姐幼女某婢馮連子**金陞**父扎克當阿弟金敏金秀母關佳氏嫂康佳氏

弟婦康佳氏姪秀丁妹某姪女某**德慶**叔存祿兄成慶祖母趙佳氏母卓佳氏叔母馬佳氏

嫂趙佳氏 妹福姐 姪小滿 姪女三口

陞慶 姪榮廉 仕廉 子清廉 母 王佳氏 妻郝佳氏 弟婦高

佳氏 女二 姪女二

德春 弟德生 堂弟德山 德成 孀嫂王佳 氏 余佳氏 孀母吳佳氏 嫂戴佳氏

姪 女某

玉書 孀母童佳 氏 妻某

定福 妻 某

喜慶 孀母趙佳氏 姊大姐 [illegible]

步甲囊音佈 弟湧恰佈 姪成有 孀母某 姪女某

祥順 孀母某 子[illegible] 妻某 女[illegible]

鍾

瑞 弟連瑞 孀母某 妻 某 子幼丁 女某

湯烏納 姪連順 孀嫂某 妻 某 子幼丁 女[illegible]

阿查佈 孀母某 子森巖 次子幼丁 女某

昆明 弟昆林 孀母某 某 子幼丁 女某

廣

秀 孀母某 子幼丁 妻某 女某

生林 弟玉明 孀母某 妻[illegible] 某 子幼丁 女某

[illegible]弟

喜 母某 妻某 子幼丁 女某

瑪龍阿 母某 妻某 子更 林 恆林 新林

廣 [illegible]

母某 妻某 子幼丁 女某

雙喜 孀母某 子幼丁 妻某 女某

春惠 父某 母某 妻[illegible] 子

幼丁 女某

連舟 父某 弟開舟 子幼丁 母某 妻某 女某

安慶 父某 母某 妻某 子幼丁

連山 父某 母某 妻 某 子幼 女某

扎勒罕佈 母某 妻某 子幼丁

安祥 母某 妻

某 子幼 丁 女某

慶昆 孀母某 妻某 子幼丁 女某

金奎 弟順奎 母某 妻 某 子幼丁 女某

慶明婦母某妻某子幼丁女某　依爾根額婦母某妻某子幼丁女某　德陞　順

林妻嚴佳氏子合意幼女某　金玉弟炳亮堂弟恆亮婦嬸母某婦母某　蘇巴爾翰弟蘇

哩納妻某氏　金春妻某

閒散奎山　壽豐兄壽慶叔母張佳氏弟幼丁婦伯母南氏姪女某幼女二口　祿松父巴

圖嚨阿伯巴哈納叔巴爾江阿伯母某叔母某母陳佳氏弟幼丁妹某　萬喜弟萬吉　成

松兄常松堂兄廣松婦伯母卜佳氏嫂柏佳氏妹二口姪幼丁姪女某　喜書

礮手瑞福弟興福有福婦母某妻某子幼丁女某　恆源婦母某妻某子幼丁女某　源

照弟松照婦母某妻某　康書弟貴書堂弟平舒母柏佳氏大伯母鄭佳氏二伯母關佳氏　林

根堂弟林喜婦母唐佳氏姊某妹某妻關佳氏

匠役色結春弟達哈春婦母王佳氏妹二　凍陞婦母某子幼丁妻某女某　順林

婦母某子幼丁妻某女某　成慶父某母某妻某子幼丁女某　奎銀妻某子幼丁

女某　金元叔圖法祥阿婦母某妻某子幼丁女某　恆陞婦母張佳氏弟福陞　三

音 妻某子連春幼女某

花甲福純 堂弟德福妻某弟婦某子伯勒塔

惠根 孀母某妹某

福元 弟惠元堂弟有福

孀母某妻某子幼丁女某

滿順 孀母某妻某子幼丁女某

玉順 孀母某妻某子幼丁

女某

恆年 孀母某妻某子幼丁女某

福元 弟炳元孀母某妻某妹某女某子幼丁

莊祿 子連照銀照喜照妻某女某

重道 孀母關佳氏弟幼丁妹某

農陰阿 孀母

某妻某子幼丁女某

德照 孀嬸母某妻某妹某子幼丁女某

喜福 弟喜順母某

妻某子幼丁女某

和春 母某妻某子幼丁女某

擺林阿 妻某

連喜 母某妻

某子幼丁女某

萬全 孀母某妻某子幼丁女某

松山 弟和景訥孀母某妻某子幼丁

女某

福全 父某叔德貴奎喜弟平福母某妻某弟婦某子幼丁女某

穆都哩 父某

母某妻某子幼丁女某

惠成 孀母常佳氏妻某子幼丁女某

廣照 母某妻某子幼

丁女某

達哈蘇 子惠祿母某妻某女某

喜祥 母某子幼丁妻某女某

鳳保

孀母某妻某子幼丁女某

惠德 孀母某妻某子幼丁女某

雙惠 妻某子幼丁女某

瑞慶 孀母某妻某子幼丁女某　本安 祖舒喻佈孀母某弟喻佛納姊某　奎福 孀母某

保志 弟保長保星妻某子幼丁幼女某　伊成額 妻某幼女某　阿克達春 父某

母某妻某子幼丁女某　瑪克塔春 父全祿子保慶媳某次媳某　保成妻某孫幼丁孫

女某

鑲黃旗

領催和鍾阿 妻某子某　林安 妻某子某女二口　志成 妻趙氏子松慶松瑞金聲

媳陶氏　積惠 孀母某妻某　都爾吞 妻某子幼丁女某　奎林 妻李佳氏子金崑

賡音納 弟倭什納子森源森茂妻某女二口　愛仁佈 弟蘇克佈子金安文治妻妻佳氏

弟媳傳佳氏姪媳闞佳氏姪孫女某　吉祥 孀母李佳氏妻佘佳氏子文奎女歲妞　雅爾

哈噠 父春德子沛源妻傳佳氏女棠妞小二　攝車佈 妻姜佳氏子某女某　文福

弟生福子福興福金姪福林妻某姪媳某女某　雙喜 妻季佳氏女某子福勒赫圖　全

林 孀母康佳氏妻董佳氏子榮陞媳常佳氏女某　同鼐 妻趙佳氏女某　鍾福 妻王佳氏

子二名女一口

志猛妻某子幼丁女二口

志祥妻某子庚音

森林孀母某妻吳佳氏子某

惠玉妻王佳氏子二女二

枯勒渾保母洪佳氏妻馬佳氏子松林松茂女某

吉福兄愛福姪恩祿德慶嫂某妻某

德慶妻某子某女二口

色哷春額弟福珠嚨阿舒明額弟媳某姪二弟媳王佳氏妻王佳氏姪女二

祥松弟廣松子多補吞連根妻某

和祥孀母盧佳氏妻洪佳氏子某

廣惠妻余佳氏子新明

安祥兄安惠姪炳元嫂某妻某子某

善奎孀母金佳氏妻金佳氏子愜川女二

法福哩妻某女二弟多托哩

智永妻陳佳氏子某女一

固勒洋保妻巴佳氏子某嫂吳氏

勒哈敦孀母趙佳氏弟某妻王佳氏女某

色爾春額妻劉佳氏子幼丁女某

德清妻崔佳氏子幼丁女某

志成妻陳佳氏子二女二

玉魁孀母黃佳氏妻弟元德余佳氏女某

慶德孀嫂佟佳氏姪幼丁姪女某

雙喜孀母梁佳氏弟幼丁妹某

河鍾阿妻吳佳氏子某女一

前鋒福山弟福惠子楨祥次子某妻某女大妞二妞

金瑞弟福勒赫弟媳吳氏姪濟拉盟

妻楊氏子某 吉祥 弟吉瑞妻某子玉陞瑞陞炳生 長有 孀母某弟長安妻鮑氏

女某 方和 妻某子喜昌永昌媳某孫某 永陞 妻某子幼丁女二 喀勒春

孀母卓佳氏弟媳卓佳氏姪女墨妞常妞妻赫佳氏弟媳卓佳氏 吉奎 子幼丁女二

副前鋒濟奎 妻楊佳氏 志勇 妻趙佳氏子慶玉瑞玉 德陞 妻楊佳氏女信妞

馬甲慶成 叔穆登額女某妻張佳氏 瓦芬阿 妻某子幼丁女二 湍哩 妻某女某

姪珠赫訥 芬車佈 子雙喜氏姪某 妻朱佳女一 惠亮 妻某子某女二口 庚音

納 妻某子某次子幼丁女一口 奎祥 弟貴祥媳侯氏 惠祥孀母張氏弟楊氏妻闔氏子慶

廣二 姪某女姪女某 清元 弟貝琿額鯍秀妻某 姪 施赫特衣 弟倭爾格特衣子

森瑞孀母某妻某 惠全 妻朱佳氏子某女二 倭爾戈春 孀母佟氏妻王氏子某

槐元 妻某子某女二 致恆 弟壽昌恆昌妻趙氏子金成姪女二 成瑞 弟成喜喜瑞

妻某 祿祥 妻長氏女二子二幼丁 惠元 子長有次子幼丁孫幼丁妻王佳氏媳孫

佳氏孫女一 文陞 子百年孫女二妻某女某 果爾精阿 弟哈當阿札欽阿妻某

續纂江寧府志 卷十四之五 人物 十六

孀母某
文奎 妻赫氏子幼丁女某次女某
金全 妻某女某子幼丁次女某
懷元 妻某子幼丁女二
猛赫訥 妻某子幼丁女二
樓克垣佈 妻某
烏勒呼訥
金貴 妻某
音海 妻某
啟惠 兄善惠弟福爾哈納姪索陞福坤妻某
愛仁 弟連廣連陞妻某
準達佈 妻某
林書 弟金書慶書新書妻某
保春 妻某姪春福子幼丁女二
默爾根佈 弟功格佈福元妻某
鍾秀 弟秀明秀林秀奎妻某
額爾色拉 妻某
薩畢圖 妻王佳氏子幼丁女某
玉陞 弟金陞吉陞妻某弟媳二口
文元 妻某
祿陞 妻某
祥保 弟奎祥子萬呂姪林福潤福妻孫佳氏姪媳關佳氏趙佳氏女黑妞
貝琿阿 子榮妻戴佳氏
札普尚納 妻某
恆林 妻王佳氏子永慶
彭貴 孀嫂崔佳氏妻某女某
成貴 孀母喀佳氏子某妻赫佳氏女某
福年 弟成年子品林姪炳生妻姚佳氏孀嫂姚佳氏弟媳楊佳氏女某
福勒鑑 孀母素托洛氏
賞慶 孀母孫佳氏孀嫂柴佳氏妻某子幼女一
松順 弟松全妻某
新年 孀母張佳氏妻李佳氏子炳松
連陞 妻某女某
烏勒西蘇 弟額哲蘇志亮子玉明玉慶妻

吳佳氏弟媳二口媳 張佳氏女某姪女二 **吉興** 妻某 女某 **成慶** 弟福陞妻盧 佳氏子幼丁

吉林 孀母吳佳氏妻某 子幼丁女某 **尚志** 妻某子幼 丁女二 **阿年佈** 子連 惠

孀母陳佳氏叔 某妻某女某 **金海** 弟銀海孀母余佳氏 妻卓佳氏妹某 **志祥** 孀母 某

弟媳色佳 氏妻某 **恆蒼** 弟恆秀妻 某女某 **倭爾洪額** 妻某子幼 丁女某 **甯**

攝哩 叔施蒙額子長慶 長年妻某女某 **阿拉山** 子多佈吞妻某 媳赫佳氏女某 **罕札**

弟安札子大秀二秀孀 母傅佳氏妻楊佳氏女某 **山虎** 妻某媳關佳 氏女傅妞 **慶瑞**

弟吉明 妻某 **定祿** 孀母某子幼丁 妻某女某 **依倫泰** 妻某子幼 丁女二 **札**

勒噶蘇 子雙安妻某 次子女二 **金格** 姪庚喜庚興 妻某弟婦某 **有福** 弟貴福 陞福

子薩畢圖 海連竝妻女 **三格** 子吉慶 妻某 **楨祥** 孀母卓佳氏妻 傅佳氏子三 **奎**

倫 兄崑倫弟添倫姪明 海妻某嫂某女二 **春福** 孀母余佳氏妻王 佳氏弟某女二 **哲**

楞 妻 女 **蘭福** 妻王氏 女二 **班吉圖** 弟陞格圖巴克色圖明 安圖孀嫂王佳氏妻某

金亮 弟銀亮銀秀金秀妻傅佳氏 子沙琿阿弟媳某姪女二 **抓哩** 妻某 子女 **林福**

弟雙福吉福妻某 **卓哈佈** 妻某子幼丁女二 **福明** 妻某子女 **額圖琿佈**

嫞母某妻某子女 **文順** 弟有順萬順姪金喜嫞嫂某妻子 **恆有** 弟有海子妻某

女 **興惠** 妻女 **舒明額** 妻傅佳氏子連喜 **吉福** 姪福善妻某 **培玉** 妻子女

二 **金貴** 叔德保妻子 **連州** 嫞母柏佳氏嫞嫂柏佳氏弟林州妹某 **彩州** 弟祥州

子彭年海年妻某 **連喜** 弟金喜妻康佳氏子默爾根圖 **榮奎** 妻郭佳氏子某 **舒**

祿 妻某子吉祥 **長生** 嫞母傅佳氏妻馬佳氏弟媳姜佳氏弟長任姪某 **保惠** 嫞嫂喀佳

氏妻子 **薩勒哈圖** 妻子女二 **陞格圖** 妻郭佳氏子金秀 **倭什琿佈** 子連根

雙根德彩弟祥保媳二孫某 **榮根** 嫞母毛佳氏妻王佳氏弟某子幼丁女二 **色勒**

鑑佈 叔定德恆德嫞母張佳氏妻王佳氏子女 **吉祿** 妻陞佳氏子幼丁女二 **德車**

佈 弟依拉佈鎖卓佈妻某 **吉安** 弟志亮志昌克克色佈姪愛仁蘇愛仁額弟媳二妻子

連興 嫞母某妻趙佳氏弟文興弟媳某 **施蒙額** 妻關佳氏子貴興女某 **瑞元** 弟吉

格瑞福嫞母某弟媳某妻子 **志陞** 子慶喜慶昌妻某 **多永武** 妻王佳氏子一

女二
奎書 弟貴書金順妻趙佳氏
雙貴 弟慶奎妻某
有志 弟尚志姪溫卓諾吞車衲姪媳某
棲布森額 子茂元茂林妻某
森懇 妻傅佳氏
金陞 弟客勒春依緋鍾額妻余佳氏
松成 子三格妻某
吉善 妻余佳氏子三女二
法什賞阿 叔嗎林佈惠福堂弟恆秀恆陞恆善堂弟某叔母佟佳氏嚴佳氏堂弟媳趙氏王氏妻梁佳氏堂姪二堂妹某女二子二堂姪女二
吉興 妻某子二女二
貴森 弟金陞嬬母馬佳氏妻子女二
穆圖衲 嬬母某妹某子二
崑山 妻子女二
連惠 妻李佳氏子長年
連成 子東年妻某
施猛額 妻某
德年 妻周佳氏弟某子女
金源 嬬母某嬬嫂鄭佳氏妻王佳氏子女
存成 妻女
烏勒西蘇 妻孟佳氏媳趙佳氏孫女紅妞
阿棲罕 兄阿什罕阿納罕嫂蘇佳氏
連明 妻佟依氏子女
順明 妻蘇佳氏女某
裕嚕岱 弟蘇嚕岱妻傅佳氏女某
順有 叔文順嬬母王佳氏妻傅佳氏
長發 嬬母某妻女
瑞年 妻楊佳氏子一女二
沙喀 妻李佳氏子一女二
滿福 妻張佳氏子女
金陞 妻柏佳氏子二女某
珠爾罕圖 妻趙佳氏子一女二
志瑞 妻闞佳氏子二女一

三音佈妻王佳氏弟某子女存格子木罕木成佈媳鄧佳氏孫炳永炳陞成亮
子長惠長貴妻某姪志全姪媳某鍾全妻某子奎祥恆山妻某嫂馬佳氏姪某姪
女某成明弟成慶妻女揚保孀母羅佳氏弟德安林福妻柏佳氏子恆廣福
爾琿阿妻某子二哈拉佈孀母楊佳氏妻某弟妹元福弟森福子文慶姪志安妻某
弟媳趙佳氏姪媳某阿克桑阿子松林松山妻楊佳氏德新孀嫂李佳氏姪一姪
女某妻女棲克淸阿子元慶妻某永林孀母吳佳氏妻張佳氏弟全林祥林妻子
札倫佈弟賡音佈妻某克克色佈弟克淸佈子連瑞長瑞姪林瑞妻某弟婦某
長慶子恆德恆有妻某慶福妻某子文海次子女二瑞安子貴慶妻楊佳氏
志亮子愛仁額妻趙佳氏興貴弟興惠妻女永德妻攝佳氏女某廣祥孀嫂文佳
氏弟媳姚佳氏妻某弟某姪一姪女女二崑全妻蔡佳氏倭什琿佈妻女愛
仁阿孀母某弟賡善妻子鎖琿佈弟色克圖納妻女金全孀母曹佳氏妻張佳氏子
某尙志子松年次子媳某赫爾精額妻某姪一弟媳某姪女二愛仁佈

弟某妻子女二
成林 妻穆佳氏子三
廣茂 嫡母某妻吳佳氏子茂林媳女五
瑞 妻某
雙亮 弟雙明妻康佳氏子懷慶昆慶呵琿武女毛妞龍妞白妞
炳元 妻某
子和洪武
嗎克他蘇 孀嫂某妻某姪悚拉遜
志方 妻某
佛松 弟吉昌妻王
佳氏姪開茂子女
新安 母于佳氏妻王佳氏
長茂 弟志惠妻某
春奎 妻某子女
金惠 弟連惠子順祥姪吉祥妻某弟媳某
柯普通武 弟平元妻某子奎連
祥元
弟慶元連元弟媳某妻某
廣志 子金坤妻某
廣貴 孀母某妻某子二
金山 妻金
佳氏子女
波洛哩 妻李佳氏子一女二
貴安 妻某子女
廣森 子德喜妻某
克
克興額 弟克克色納子廣玉廣興妻某
秀林 子金茂銀茂妻某
班吉哷產
孀母關佳氏金佳氏子某妻
札勒噶泰 子炳元妻某
文祥 孀母某子森永妻某女
二
鍾格 子吉安妻某
恩貴 妻某子女
賽福 妻子
德元 妻吳佳氏子女
德阿 弟廣祥妻吳佳氏子毓秀女四妞
札拉芬 弟青山
惠玉 弟連玉金玉妻某
貴祥 妻某
文成 妻子口女二
恆明 妻柴佳氏德春女二子
伍哏阿 子一女二

興瑞 妻趙佳氏女某　舒昌 弟西幾斯琿妻某　興惠 弟興全興元　陞如 妻某子女

奎山 弟貴山惠山妻某　賽尚阿 子士榮妻粱佳氏媳某女某　鈕琿阿　雙

德 孀母汪佳氏妻張佳氏子鈕琿阿媳楊佳氏孫女貴香巧雲　圖米勒 孀母某嫂某妻某

姪一姪女一　福爾哈納　瑞玉　音海 孀嫂胡佳氏妻蔡佳氏子二　金貴

子一女二　烏勒蘇 弟某　奇克揯佈 子一女二　金陞 妻唐佳氏子女二　額

勒色佈 節母胡佳氏弟某女二　保春　準塔佈 子二女二　林福 妻巴佳氏子女

祥保 孫一姪一孫女二　文元 母胡佳氏妻王佳氏弟某子一女二　吉陞 妻孫佳氏

子一女二　連陞 子女　恆貴 姪一子女姪女一　扎普淌納 孀母汪佳氏子一

女二　文元 妻粱佳氏子二女一　貝洪阿 妻何佳氏子一女二　珠隆額 孀嫂

李佳氏姪一姪女三　長順 妻穆佳氏子二女一姪女二　芳和 妻楊佳氏弟某女二

廣明 孀嫂姚佳氏子二女二　才福 妻巴佳氏子二女二　廣林 孀母楊佳氏弟某妹一

恆亮 孀母朱佳氏孀嫂粱佳氏妻王佳氏弟某子姪妹二女三姪女二　汪阿 孀母巴佳氏

弟某子一女三 奎元妻趙佳氏子姪一女二 慶善弟某妻文佳氏弟媳吳佳氏

女二 永德妹存姑適趙止姑妻攝佳氏子二女二 祥茂孀母唐佳氏妻陳佳氏女二

倭什精額妻余佳氏子二 通奈妻周佳氏子一女冬姑 智慧妻巴佳氏弟某

女止姑 鑑色佈孀母趙佳氏妻文佳氏子一女存姑 格洪額妻吳佳氏子女

阿吉罕妻梁佳氏弟某 金康孀母李佳氏子一女存姑 長松妻王佳氏子女

長陞妻某子一女秋姑 長秀妻傅佳氏子女 瑞明妻王氏子女 長柱妻李

佳氏弟某女春姑文姑 長文妻聶佳氏子女 精奇都妻陳氏子一女海姑 塔

瓦圖嫂張佳氏弟某姪女秀姑 薩畢吞孀母某弟某弟媳李氏 吉陞妻平佳氏弟

某子一 裕嚕岱妻王佳氏姪某子志亮 德陞孀嫂余佳氏姪永惠姪女一 吉

福妻徐佳氏子文海女一 安祿孀母楊佳氏妹某弟志永 興福妻佟佳氏子二女三

德恆孀母錢佳氏孀嫂柏佳氏弟文海子有能妹止姑姪女一姪一 扎倫佈孀母巴佳氏

妻吳佳氏子姪女二 慶祥妻李佳氏子長海女一 喀勒春妻孫佳氏子女 達

哈斯渾孀母林佳氏妻梁佳氏弟長海子一女二拖哩妻馬佳氏弟某子一奎亮
妻王佳氏子女誠順妻巴佳氏子女祿祥孀母李佳氏孀嫂梁佳氏弟海洲弟媳王佳
氏姪一妻趙佳氏姪女一廣元妻孫佳氏子女文貴孀嫂王佳氏妻何佳氏弟某
姪一德陞妻文佳氏子一穆可佈妻張佳氏子女扎勒哈蘇孀母常佳氏弟二
妹止姑福勒洪阿妻沈佳氏子女三音額妻王佳氏子女惠福妻余佳氏
子女永泉孀嫂劉佳氏姪一姪女一愛慶孀母喀佳氏妻唐佳氏弟某子一攝
車佈妻楊佳氏子女恆柱孀母李佳氏弟妹福林妻洪佳氏弟某女一福善
妻王佳氏子女福陞嫂文佳氏姪一姪女一吉生孀母謝佳氏弟妹寶惠妻王
佳氏子女薩哈圖妻楊佳氏子女順祿孀母張佳氏弟妹恆安妻錢佳氏子女
慶元孫女二連根妻敖佳氏子一女二志亮妻周佳氏子一女二雙根妻王
氏子一女二瑞福妻巴佳氏子一女二克克色佈妻張佳氏子女什蒙
額子一女二森寗孀嫂王氏妻謝佳氏姪一女一赫爾精額子一女二崑全

妻王佳氏弟某子一女四**文智**孀嫂孫佳氏妻王佳氏子一女一**納蘇肯**妻楊佳氏

子二女一**基勒哈春**妻伍佳氏子一女二**達哈斯渾**孀母蘇佳氏孀嫂楊佳氏妻王

佳氏子二女二**鄂福**妻張佳氏子一女三**海齡**嫂王佳氏妻孫佳氏姪一子一

蘇法納母趙佳氏弟某妻王佳氏子二女二**德生**妻巴佳氏子一女二**新年**妻江

佳氏姐存姑妹某子一**珠爾罕圖**妻柏佳氏子一女二**薩畢納**妻黃佳氏子女

妹止姑**恆山**妻王佳氏子女孀弟媳朱佳氏**永秀**妻李佳氏子女**順喜**孀母呂佳

氏妻巴佳氏子二女一**寶書**孀母楊佳氏妻王佳氏子二女二**增壽**妻馬佳氏子女

恆安妻孫佳氏子一女二**書林**孀母梁氏妻王佳氏子女**貴慶**妻巴佳氏子一女二

林書妻孫佳氏子二**文元**孀母李佳氏妻王佳氏子女**榮林**孀母劉佳氏孀嫂楊佳

氏妻王佳氏子一**塔詪圖**妻王佳氏子一女二**扎拉芬**孀母馬佳氏妻梁佳氏女

一**音登額**妻常佳氏子女**金秀**妻楊佳氏子三女一**慶昌**孀母柏佳氏妻王

佳氏弟某子一女二**德元**妻李佳氏子二女二**金玉**孀嫂王佳氏孀弟媳梁佳氏子一

女二　雅蘇喀妻江佳氏子女　秀林妻汪佳氏子二女一　廣元妻平佳氏子一
女四　存安妻黃佳氏子二女一　明安妻孟佳氏子三女一　恩齡妻梁佳氏子女
順福子一女三　慶成妻包佳氏子一　廣明妻毛佳氏女二　志芳孀弟媳平佳氏
子女　玉瑞孀母柏佳氏弟妹　成林妻黃佳氏子女　忠秀妻郝佳氏子女
慶山子一女二　慶元妻吳佳氏子一女二　志惠妻王佳氏子一女二　廣玉妻吳
佳氏子女　貴祥子一女二　廣茂妻汪佳氏子女　明泰妻王佳氏子一　吉慶
孀母柏佳氏妻徐佳氏弟某　長元孀母佟佳氏弟妹女一　尼揚阿孀弟媳胡佳氏姪一
女一　海拉春妻王佳氏子二　東福孀母楊佳氏子女　文惠妻巴氏子女
步甲福爾精佈弟慶全姪庚吉特　春林姪興貴姪媳某姪孫喜慶　森茂孀母愛氏弟
廣茂妻某　戈明泰　福全弟永清子二女一　吉慶　奎源　曾陞弟森
陞妻李氏子一女二　蘇綱妻陳佳氏子一　恆明妻王佳氏女春姑　新山孀母平佳
氏弟某　清存孀母某　懷他納孀母某弟倭什納妻女　成松妻徐佳氏子一

汪阿孀母某妻子女二　佛克拖妻汪佳氏女二　成松妻某子一女三　瑞
玉妻王佳氏子一　存德孀母關佳氏　順祿孀母楊佳氏妹某　恆玉孀母某叔母
某叔鍾秀妻子　安福子舒安妻某　成柱姪有林妻某　慶林妻某妹一女二
色克圖納妻徐氏子一　祥亮孀嫂李氏姪一　百茂子全松妻某　貴年子祥
安德安林年妻某　波勒和納孀母戴佳氏妻王佳氏　貝渾孀祖母關佳氏孀母余佳氏
孀叔母某妹二堂妹一　他彥佈孀母某妻某弟他納佈　清秀　奎元妻巴佳氏
子女　多托哩妻王佳氏子女　貴福嫂陳佳氏姪一姪女一
養育兵克仁額　達哈佈　佛哩弟佛哩圖姪毓秀二秀姪孫永慶孀母張氏嫂唐
氏姪媳唐氏　松年弟清年　炳永孀母某妻卜氏子女　墨德哩弟積生妻某子
有壽　萬昌孀母某妻王氏子一女二　額哷恩佈　崑山　喜山　福
勒呼圖　永生　延書孀母某妹二　巴爾伽佈　康福弟東福弟媳某
福全孀母孫佳氏妹某　松福　恆謙　濟永　哲克通額叔德彥圖　額

哷納　連喜妻常佳氏子二女二　炳生　興元弟恆山　哲爾杭阿弟哲
克東阿　法克桑阿　什祿　特克興佈　果洪武　成瑞嬸母關佳
氏　沙琿　百全　喜成嬸母某　瑞明　愛仁訥嬸母某妻某子一
女二　福慶　廣陞　波鐸子方海妻某子一女二　海連　畢揚方
林山　恩奎妻關佳氏子二女一　長年　德春姪百春圖嬸嫂趙佳氏姪媳嚴佳氏
姪孫女某　連山　喜恆嬸母石佳氏妻趙佳氏子某　三柱　惠祥　文
茂　長明
閒散　和謙佈妻王佳氏子東亮女銀鈕　吉陞子文惠妻李佳氏媳王佳氏　安昌子賞
林陸陞妻柏佳氏　特吞佈　保林　圖勒訥　成全弟長元　百春嬸嫂
安氏姪阿年佈姪媳安氏姪孫連惠姪孫女　特欽弟依車佈姪吉爾噶春猛爾哷春子海拉春
孫薩哈吞嬸弟媳柏氏媳李氏姪媳盧氏姪孫蒙哷圖　壽山子訥蘇肯媳李氏嬸媳余氏
賞福子文治文坤文寬媳某　文安弟音安子蘇番訥蘇番阿媳某　和欽　海

明 弟海林 姪薩畢吞 孀嫂 李氏 弟媳張氏 姪女 貴玉 子鄂倫 姪達哈斯琿 妻傅佳氏 媳常佳

氏 姪媳巴佳生 氏 姪孫炳生 額勒精圖 弟和龍圖 珠爾嘶圖 妻周氏 子吉祥 吉嚨阿

子榮年 妻阿佳氏 祿年 妻戴佳氏 媳趙佳氏 三子如松 孫女愛妞 慶德 妻佟依氏 子新年

貴年 女某 姪女三妞 普春額 子德生 媳 某 妻女 福勒琿阿 子薩畢納 薩畢衲

妻某 女二 喀福哷山 子二奎 妻女 雙福 子卓林阿 媳周佳 氏 妻某 孫三 該哈

蘇 弟額勒赫蘇 孀母某 妻 王佳氏 媳關佳氏 女某 惠福 媳趙佳氏 姪 孫 姪孫女 湍監

佈 子寶書 銀書 妻某 媳某 孫施蒙額 孫女 哈拉佈 子雙喜 孫某 妻某 媳趙佳氏 孫女銀

品福 子永秀 永阿 呼 清阿 妻某 媳某 文福 愛明 孀母某 妹一 恆齡 弟恆 山

恆順 姪中州 成州 妻某 弟婦傅佳氏 連玉 弟連奎 妻某 裕豐額 弟萬 順 全松

弟書林 姪貴山 弟媳某 姪女貴妞 明松 弟佛松 子恆安 媳某 孫一 福志 弟吉明 子曾

喜 曾壽 曾祿 曾瑞 妻某 媳某 文明 子福勒洪額 妻 某 媳某 孫一 祥瑞 子三音 阿 媳

某 妻某 志猛 弟志勇 子榮林 姪納斯洪阿 妻喀佳氏 媳王佳氏 弟媳趙佳氏 姪女一 孫一

志林
興祿 子文廣 媳某
陞懇 子林書 佳氏
孀 弟媳楊佳氏 姪保書 銀書
媳胡佳 妻西

氏 佳氏
姪媳蔡 孫一
庫蒙額 子倭爾精額 佳氏 蘇佳氏
子五 媳何 孫女四
玉亮 子 貴

慶 妻蘇佳氏 佳氏 孫四
媳蔡 孫女二
亮根
音登納 弟登幾衲 子金秀
穆庫衲 惠明

妻某 媳 蔡佳氏
業鑑額 弟音登額 常佳氏
雙陞 妻女 堂
子波鈕 媳某 姪
孀母 女某
添

順 弟成順 拉芬
妻某 子興林 媳二
秀山 孫女二 扎
音登額 妻喀 佳氏
連慶 妻某 子

一 女二
德惠
成濤 孀母王 佳氏
長順 子善 慶
成順
福亮 子長 兆

妻某 媳某
淵哩 孀母關 佳氏
佛格
陞格圖 弟達蜚圖 氏 妻傅佳氏
孀母傅佳 弟媳

王佳 氏
新福 子慶昌 妻某
鎖柱
成福 孫蒼林 沛林
永林 媳余佳氏
陞林 妻張

佳氏 梅妞
孫女 歲妞
穆克特衣 子元德 佳氏 媳某
長德 孫女一 妻洪
金奎 弟金 玉

子吉昌 妻趙佳氏
孫瑞陞 弟媳楊佳氏
玉陞
孀叔母余佳氏 媳關佳氏
德明 子喜昌 妻韓佳氏

長順 妻關 佳氏
嗎克塔春 弟阿克他佈 喀春 雅蘇喀
子賽喀春 妻某 媳某 伊
成全

子該哈蘇 孀母吳氏
次子 妻女
孀嫂蔡佳氏 姪女二
官福 子文元 妻某
文福 女三
增

安弟存安明安子惠陞妻某弟媳某 福瑞子廣元妻某媳傅佳氏 福惠子秀材
妻唐佳氏女某 特克吞佈子廣明妻某 彩福妻某子一女三 該哈蘇子慶
成姪順福百德陞妻某姪媳某 喜福子恩林孫有祿妻關佳氏媳年佳氏孫女二 順
成弟占奎子祥茂雙茂妻曹佳氏女某
礮手圖欽衲妻王佳氏子一女一 音登納姪倭什琿佈棲勒精佈 福秀妻某子女
全林妻傅佳氏子女 班幾衲孀祖母柏佳氏佳氏妹蘭妞 孀母余秋妞 崑生弟崑
惠姪文清妻西佳氏嫂關佳氏妹常妞二蘭姪女改妞 玉瑞
匠役祥惠子奎亮妻某 固林佈妻巴佳氏子一 存根孀母雙佳氏妻常佳氏子有林
女一 春喜孀母某妻某 明安妻陶佳氏孀母某 全德孀嫂黃佳氏姪某 萬
安孀母赫佳氏妻子 松茂妻吳佳氏子一
花甲田福 廣福妻梁氏 安仁額 壽春妹某 達赫佈弟保亮子二妻
王氏女一 炳祿孀母高佳氏 音壽 貴森弟一 克仁額孀母王氏弟一姐某

額爾滾佈弟額勒鑑佈　雙慶子祥松慶松妻王氏　呼圖哩　戈勒精佈
母洪佳氏　陞福妻海佳氏弟某女某　大福妻張氏　志亮弟一　額哲蘇妻徐
氏　愛仁額妻某　崑山姐某　喜善弟某　額哼恩佈嫂某　達哈佈
妻某　康福弟某　巴爾伽佈妹某　永生姐某　福勒呼圖孀母余氏　炳
生孀母汪佳氏姐某　額哼納孀嫂某　吉永孀母某　松福妻唐氏　特克
興佈姐某　什祿姐某　法克桑阿妻某　玉明孀母林佳氏姐某　瑞明姐某
百全妹某　沙琿母某　果洪武妻某　必揚阿母某　海連姐某　廣陞
嫂某　福慶孀母某　三柱姐某　連山嫂某　長年母某　林山妻某　惠
祥姐某　特吞佈妹某　文茂嫂某　長明妻某　余升五年馬陵陣亡
守糧成喜妻梁佳氏子女　長貴父某佳氏　母某姪四　嫂某姪女二　弟婦艾女一

正白旗

領催成慶　祥瑞　呢斯洪阿　龔額佈　順玉　瑞興　格圖

貞存善　志玉　秀明　連山　順祥　海陞　慶善　文
陞　成明　赫德衣　海明　全善　明貴　德貴　東山
關慶　納蘇貞　蘇勒通阿　金源　培善　棲車佈　德存
以上均全家殉難家屬名氏無考　志亮母趙氏妻吳氏女五妞　大善　金玉之子
生茂　茂林妻趙氏女變妞
佐領松慶之弟松秀母吳氏妻傅氏子潤子
前鋒福順　惠祿　順祥　文瑞　依普山佈　慶春　恆祥
鳳春　東陞　茂陞　普照　惠成　金善　海有　維善
松廣　慶春　德春　多福　八十七　金瑞以上均全家殉難家屬名氏無
考　順祥之弟存祿妻張氏弟婦葉氏子連銀女玉妞　維善之子裕麟妻傅
佳氏女二能妞
副前鋒吉祥之子小炳妻趙氏

馬甲阿勒寶　喀勒春　瑞祥　春玉　春星　春慶　生喜
連根　春瑞　金元　海有　海亮　惠陞　金玉　法桑阿
玉柱　金順　順貴　雙祿　慶善　吉祥　金元　金壽
查勒杭阿　玉順　依鑑額　吉順　百順　文耀　額勒
錦佈　瑞順　貴祿　惠祥　全善　所柱　喜昌　壽昌
連山　貴順　成興　吉善　吉嚨阿　松林　恆德　英山
玉山　惠亮　長年　根柱　玉陞　連柱　善祿　福山
連全　文全　德濤　存林　松年　林瑞　金祿　長喜
雙喜　安祿　萬全　長明　長順　連德　滿全　百年
祥順　貴昌　文明　有明　惠順　文志　庚貴　安祥
善福　雙慶　恆貴　雙全　鍾慶　廣亮　增祥　額勒
根佈　祥瑞　明玉　奎玉　永亮　連生　海元　玉福

圖明阿 成祿 玉柱 普慶 林善 哈藍佈 鍾陞 貴

善 清山 金昌 松慶 廣善 錦陞 連玉 恩志 色

克通阿 德慶 順玉 雙貴 德泰 星春 惠慶 生瑞

祥林 慶昌 秀明 恆瑞 炳文 慶陞 鍾順 安慶

春慶 慶元 色克圖 蘇哩納 炳陞 雙喜 春年

金惠 喜善 額圖渾 查法庫 連忠 年貴 成喜 該

哈蘇 達渾阿 松清 喜順 貴慶 存慶 萬順 格綳

額 金祥 安祥 恆山 連喜 萬清 東明 恩興 喀

林阿 存亮 關喜 連奎 惠元 清內 耀陞 文成

哈達納 陞慶 雙根 雙茂 順玉 金玉 松陞 依仁

額 依勒喜蘇 惠玉 雙倫 成喜 都林佈 庫猛額

海明 文順 達哈蘇 特猛 特吞 蒙烏里庫 賽陞

有桂　吉松　福元　賚祿　春慶　百年　連庚　祥書
生喜　貴順　連喜　方德　折克旦　金慶　永陞　法什
賞阿　文奎　金祥　文祥　成元　銀善　至善　喜亮
惠昌　良德　貴善　長善　保林　永年　長順　長命
存福　猛溫佈　哈岱　貴山　三音佈　全德　吉祿　玉
明　定柱　納爾渾阿　榮貴　百啟圖　長年　花長阿
雅爾呼岱　德成　玉陞　炳陞　烏爾滚佈　貴山　松慶
惠玉　炳松　祥貴　松惠　依鑑額　伍全　陞慶　雅
爾哈產　文智　金成　興福　先賢　金陞　善慶　忠興
金祿　愛慶　培德　善祥　本善　哈芬阿　榮陞　圖
塔佈　文瑞　札勒罕佈　長泰　年貴　陞祥　成順　杏
春　如意　巴圖嚕　松年　恩成　炳文　壽昌　龍順

貴山 曾順 庚申 存命 吉善 札勒哈蘇 金祥 恩
奎 鍾順 喀龍阿 關陞 慶明 連奎 正祿 祿慶
連桂 生春 百全 百年 哈蘇基 孝順佈 連喜 從
亮 淮亮 克仁阿 噶嚕岱 東福 依長額 東順 先
元 蘇呑鑑 以上均全家殉難家屬名氏無考 常善 喜善 母余佳氏妻余佳氏 二
善 玉善 駿猛之孫連根 媳朱氏 額勒赫佈之子陞德 妻余氏
依鑑額之子志順 妻蘇氏 雙意之子志明 妻常氏 良善之弟恆
善 妻傅佳氏 銀善之弟彰善 多善 有善 妻趙佳氏 平祿之子廣
慶 廣茂 妻巴氏 托塔佈之子小潮 妻傅氏二轉 三轉 女大轉小換
文生馬甲積善之子裕曾 妻吳佳氏女四 海雲之子永保
步甲林祿 祥明 志福 福元 文年 喜善 長山 德星
寶山 存明 來貴 鍾慶 查普山佈 惠成 祥慶

貴祥　慶善　惠祥　慶喜　成慶　奎慶　來福　玉貴
志祥　雙貴　果仁圖　呼克什圖　楞直佈　存柱　藍翎
那保　穆奇先　安仁佈　七十八　哈芬佈　炳林　來
柱　成明　培恆　慶善　慶祿　存命　巴圖隴阿　懷德
以上均全家殉難家屬名氏無考　寶陞　納寶之子貴全　貴福妻趙氏
養育兵達春　金祿　貴亮　來福　春林　連陞　貴福　全
福　奎善　吉春　福慶　東福　阿隴伍　圖清阿　金惠
長柱　慶玉　年福　八十一　貝渾　銀貴　炳榮　海
長　來祥　文書　奎元　連喜　吉明　喀林阿　多善
定柱　貴山　松林　彰善　恆元　愛仁蘇　該哈蘇　富
呢雅罕　松興　壽山　永喜　隨意　岳敬　喜順　格綳
額　喜林以上均全家殉難家屬名氏無考

閒散三惠　喜生　色克清阿　永貴　福山　玉陞　珍山
依奇先　愛仁泰　海成　吉亮　安壽　雙星　培德　興
惠　成陞　廣慶　明安泰　阿昆佈　玉昌　慶奎　貝都
哩　連喜　祿福　連壽　祥慶以上均全家殉難家屬名氏無考　慶明母關
氏嫂王氏妻關氏　蘇哩鑑　連喜母蘇氏嫂李氏　銀陞　來陞母趙氏妹艾
姑　肆拾　珍善　金善　舒明阿母馬氏　公清之子增喜
慶興　金春妻赫氏　存祿之孫清秀　清華妻葉氏
幼丁如陞母趙氏弟海陞　炳陞母孟氏弟壽山　炳陞母張氏　和有母吳氏　甯
攝哩祖母吳氏姑母小五妞弟波洛哩　炳茂曾祖母馬佳氏母關佳氏
礅手來生　吉罕　萬年　年貴　金元　成松　綳武　松福
波勒戈蘇　春元　年貴以上均全家殉難家屬名氏無考
匠役壽昌　色克吉蘇　永春　元昌　全慶　有陞　祿全

伍成 福志 炳陞 封陞額 多隴阿 塔納 全順 秀志 伍成以上均全家殉難家屬名氏無考

花甲 喜陞 炳榮祖母趙氏母唐氏 全喜

鑲白旗

領催 三存妻江氏妻田氏子一 蒼林 崑源妻張氏 吉林 瑞山母關氏 薩畢圖妻金氏 騰依特衣 善明妻孫氏 全亮妻王氏 文治

阿勒薩朗 吉祥 金亮 陞額佈 祥林妻李氏子一女一 文惠 鄂木純佈 貴山 松林母周氏妻彭氏 慶崑 百全 德林

魁林 文壽 海潮 匯祥 薩畢圖 豐陞圖 匯昌

恆元妻佟氏

前鋒 全祿 俊祿 桂森 額勒赫蘇 萬善 墨爾色特衣 慶秀 廣惠 祥林 志有 祥陞 台源 明倫妻趙氏 穆棲

先（母關氏 妻佟氏） 恆茂

馬甲正喜 永陞 福山 安定 慶昌 志有 銀山 穆克

山 慶奎 福喜 奎祿 來慶 他棲先 噶嚨武 西咵

佈 慶元 祥林 哈拉佈 多福 萬昌 廣祿 德意

恆元 德明 明玉（母桑氏 妻羅氏） 富車佈 郎查 奎慶 喜成

拉林泰 萬祥 文彬 崑明 連喜 慶喜 瑞陞 舍

圖青 愛仁佈 存祿 倭仁佈 伊哩山 格爾克 雙桂

瑞明 那斯運阿 志林 汪阿 長陞 阿常阿 恆安

彬安 來慶 興玉 喜慶 倭日佈 瑞清（妻李氏） 慶松

雪保 玉成 雙明 順祿 拖哩 長連 吉壽 玉陞

慶格（妻索氏） 匯祥 倭什鑑額 罡呼根 普慶 多克吞

佈 烏能依 蘇呼佈 存昌 順祿 順林 志猛 普慶

罡爾根 瑞祿 存明 喀隆阿 種祿 穆克善 札克
丹佈 連新 得桂 喜格 新格 格喜格 志能 愛仁
訥 玉山 阿尼雅山 德源 法斯哈 伊勒哈 新春
多金泰 桂亮 鍾山 明瑞 他佈根 新年妻趙氏 瑞志
春元 和倫佈妻洪氏 慶福妻童氏 炳明 祥松 富車佈
芬車佈妻關氏 瑞祿 慶奎 克克色 惟定 種全 文
志 薩坒罕 海林 珠瓦哩 定昌 懷敬 伊勒哈圖
慶玉 庚音善 多倫 克什訥 他那產 明奎妻郝氏 清
全 珠爾罕圖 惠山 陞額特衣 炳奎 成松 慶陞 慶
明 懷智 會元 穆圖哩 郎查 惟智 文彬妻何氏 西
喇佈 珠爾罕 萬年 金奎 文倉 雙玉 志祥 吉貴
吉成 倉明 文斌 吉春 吉奎 他訥 慶舉 志昌

倭克濟訥　瑞祥　巴地哩　興春　興祿　納勒赫蘇
貴玉　彩玉　興陞　興有　秀德　墨爾格蘇　拖多嚨武
喜明　他清佈　清池母韓氏妻郎氏　成書　蘇喻佈　福林
連奎　德升　萬昌　長順　額勒登　恆全　尼楚赫母桑氏
妻張氏　搭哈蘇妻韓氏　德明　惠喜　攝車春　明周　興順
德陞　永亮　福喜　福明阿　貝琿阿　鍾明　特吞佈
薩哈圖　秀玉　德順　壽瑞　明奎　多奎　志秀　志
永　祥林　吉崑妻朱氏　札法庫　慶元　拖明阿　甯古塔
祥貴　廣祿　壽林　公興　秀祥　雲秀　貴陞　恩瑞
倉明　秀林　慶喜　德貴　惠祿　鍾秀　秀玉　珠爾
罕圖　秀林　慶如　得元　慶瑞　慶林　愛什訥　福喜
金源妻席氏　西扎母邵氏妻李氏　訥墨產　惠祿　哲克東阿

德昌　那喇産　喜順　順興　容福　定元　慶秀　慶瑞

秀德　慶喜　福勒鑑圖　吉隸　穆林　清泉妻吳氏　克

什訥妻趙氏　法富哩妻李氏　西喇佈母趙氏妻洪氏　陞額佈妻紀氏

元格妻樂氏　庚音善妻唐氏　松陞母孫氏

步甲雲慶　波囉哩　金明　扎勒哈産　連順　安貴　文斌

囉穆呼恩佈　明惠　廣奎　得源　騎車佈　額納佈

喜祥　鍾全　炳明

養育兵珠爾罕圖妻蘇氏　桂玉　福奎　文智　連玉　正林

正祥　長秀　瑞山　波囉哩　色明阿　祿昌　炳明　金

倫　新年　達哈佈　恩倫　元格　瑞年　瑞山　連有

秋格　瑞清　順山

閑散朝格　瑞格　圖瓦哩　成春　瑞慶　瑞林　海雲　瓦

卡佈　珠爾罕圖　清林　瑞山　海桐　色勒圖　森源

礮手該哈山

匠役吉貴　吉成妻李氏　吉祿　色克圖　蘇喜

正紅旗

領催福喜子炳元妻韓氏　依勒渾納妻柏氏　哈樓納妻劉氏子春秀媳吳氏

恆順子青山妻韓氏　阿崑佈子恆祥妻傅氏女一　納音佈子瑞林元林妻余氏

慶年弟有年妻陳氏弟婦藍氏女二　慶秀子同林同秀妻沙氏媳文氏　慶喜弟春喜

子連貴妻常氏女二　喜祿弟喜瑞喜元妻羅氏女二　鍾明妻顏氏女一　富勒謙

阿妻泰氏女一　薩畢圖弟愛根子成慶妻曹氏弟婦朱氏女二　慶喜妻李氏子廣陞

女二　奎慶子吉山妻江氏媳王氏孫女二　業佈肯子文年福年妻艾氏媳趙氏女

一　尚德子陞興陞喜妻那氏女一　金陞子恆通母趙氏妻張氏女一　慶惠母馬

氏子和謙納妻張氏女二　吉貴妻關氏子平安妹一　德清妻吳氏女二　祥雲子恆

林恆森妻戴氏女二 **哲哷精額** 妻沈氏子增元女二

前鋒花沙佈 妻蘇氏妹一子安祥女一 **玉春** 弟慶春連春妻沈氏弟婦張氏王氏 **喜**

山 妻劉氏弟慶山弟婦某 **金貴** 子慶年瑞年妻唐氏 **連喜** 子慶瑞恆全妻闞氏媳趙

氏 **瑞慶** 妻沈氏女三 **林壽** 妻羅氏子玉格女一 **德昌** 妻鮑氏子永慶媳唐氏

女一 **吉成** 弟吉慶妻邵氏弟婦平氏女二 **恆瑞** 弟恆祥妻馬氏弟婦佟氏女二姪三元

馬甲法克精阿 子陞貴妻孔氏女二 **恩惠** 子慶福妻楊氏 **果勒明阿** 妻王氏

順貴 弟安貴瑞連妻吳氏弟婦某 **有格** 弟玉露有德妻唐氏弟婦某 **哈勒渾納**

弟鄂克多納妻周氏 **塔蓋圖** 妻許氏 **吉慶** 妻顧氏 **惠山** 弟玉山子奎明福明

妻葛氏女一 **鍾玉** 弟鍾明鍾秀子春源妻羅氏女二 **鍾貴** 妻傅氏 **富克**

精阿 妻米氏 **富明阿** 子三音額三音阿妻包氏 **色精額** 妻顏氏 **成慶** 妻梅

氏弟玉陞玉麟 **雙貴** 妻索氏弟順貴弟婦高氏 **富貴** 妻蔡氏子順林 **興惠** 妻富氏

子吉慶 **哈芬佈** 妻高氏 **奎成** 子榮福母趙氏妻常氏女二 **他納** 妻常氏

貴昌弟連昌惠昌子永慶妻常氏弟婦戴氏張氏女二 貝渾納弟依斯渾妻艾氏弟
婦卜氏 金敏子永惠妻王氏女二 玉露弟玉陞玉福喜慶子連吉妻艾氏弟婦王氏
趙氏女二 貴慶妻馬氏 福慶妻崔氏子長在長永 陞興弟陞玉陞貴妻陶氏
弟婦龔氏 保山弟玉露妻朱氏弟婦孔氏 慶喜子成壽妻謝氏女一 慶雲子如
山妻孫氏女二 格圖肯弟格圖肯額子長壽長春妻王氏女一 慶成子林惠妻陳氏
圖他佈妻曾氏 額特佈妻蘇氏 愛仁特妻柴氏 罡哷根額子萬松
妻懷氏 春福子吉慶妻洪氏 玉福子陞貴妻白氏女二 烏林納弟福喜佈妻梅氏
弟婦余氏 德奎弟鍷山德喜妻趙氏弟婦王氏 德玉弟德貴妻包氏弟婦高氏 永
恰佈妻索氏 賞納佈子平林妻沈氏 依車佈妻余氏 成喜弟成慶妻湯氏
祥年弟豐年妻黃氏 金惠子德林妻米氏 金瑞子喜元妻汪氏 興額納弟陞額納妻
楊氏弟婦夔氏 文廣妻趙氏 珠龍額弟珠龍阿妻田氏 金玉妻孫氏 廣
音納妻林氏 吉祥妻奚氏 玉福子卓精阿妻梁氏 基蘭佈妻包氏 奎

山妻常氏 吉林妻巴氏 德喜妻江氏 色克圖肯妻曹氏 基勒圖
堪子文玉文光文華妻沈氏女一 興貴弟興惠妻吳氏 舒龍額弟依克登額都赫崩額
妻江氏 全柱子普元普惠妻程氏 基勒圖堪子同連妻關氏 白赫弟業赫妻王氏
弟婦姜氏 金玉妻田氏 祥恰佈妻宋氏 平安弟德喜妻奚氏弟婦馬氏
春喜子連福妻姚氏女一 林壽弟順秀子喜慶妻鮑氏弟婦王氏女二 慶山子貴
昌妻黃氏女二 春元弟春杜春潮妻洪氏 萬年弟松年妻吳氏 金奎妻金氏
松山弟雙山妻龐氏 業肯額弟寶清阿子志成妻余氏弟婦楊氏 學順阿妻巴氏
春喜妻傅氏 金山弟平山妻馮氏 恩惠子奎玉妻趙氏 塔葢圖妻葛氏 達
哈蘇妻張氏 和福弟春福松福惟福妻沈氏 費揚阿弟達簪阿妻奚氏子文華女
一 庫蒙額妻舒氏 業佈肯額弟鍾依額妻湯氏弟婦趙氏 慶瑞妻洪氏
富勒果春子廣林妻席氏 賞林妻康氏 吉林阿弟基勒通阿妻黃氏弟婦馬氏
瑞山弟瑞陞 書金妻張氏 果渾武子慶惠妻韓氏 福恰佈妻陶氏 祥

雲妻孔氏 賽沙佈弟傒清佈阿察佈妻錢氏弟婦趙氏 廣啟弟廣喜廣祿廣壽妻呂氏
萬魁妻馮氏 吉春弟吉山吉祥妻謝氏 萬年弟萬元妻周氏 慶多弟慶祿慶全
妻孫氏 祥貴弟祥喜妻張氏 金元妻那氏 玉保弟玉山子森林妻吳氏弟婦王氏
喜祿妻洪氏 金喜弟慶玉妻馮氏弟婦巴氏 烏勒西春妻常氏 果樓斯
運妻席氏 惠元弟福元慶雲妻孫氏 祥明子文元萬元金元妻周氏媳楊氏
慶林妻朱氏 卓哈阿弟興王妻洪氏 恆忠弟恆林妻陳氏 金安弟森安妻余氏
弟婦卜氏 玉安弟福成子瑞福妻張氏女二 年安弟惠安子祥玉 慶成妻謝氏
慶壽妻周氏 瑞照妻王氏 志山弟志林志玉妻何氏 順秀弟順喜妻艾氏
弟婦唐氏 業宵額子炳恆慶雲妻同氏 波春武妻平氏 玉山弟奎山妻赫氏
成貴妻蘇氏 文明弟福明妻傅氏弟婦姚氏 貝渾納弟塔樓納子海全妻佟氏女
二 哲業額妻唐氏 金祥弟奎玉妻李氏 玉陞妻卜氏 德喜弟春喜妻施氏
弟婦曹氏 文順妻朱氏 森惠妻王氏 台元妻奚氏 雙喜妻蔡氏

阿渾阿 弟額渾額妻佟氏

慶陞 弟金成金順妻洪氏

愛仁阿 妻李氏

廣昌

妻吳氏

祥恰佈 子森年妻龔氏

萬惠 妻蘇氏

蘭格 子瑞林妻何氏

機蘭佈

子喜惠妻黃氏媳楊氏

惠元 妻張氏

有德 子陞興母佟氏妻柏氏

惠福 子陞

祥母雙氏妻關氏

定瑞 子福慶福興福順妻趙氏女某

萬清 子常林母王氏妻張

氏

哈福納 妻柏氏

恆昌 子茂林母赫氏妻金氏

炳秀 弟定秀福秀有秀

母巴氏妻吳氏妹二

來保 弟祥保林保母張氏

連保 弟福保母戴氏妻康氏

留

柱 子全順福順妻江氏

吉安 子平壽妻趙氏

榮福 祖母吳氏母吳氏妻趙氏弟喜福妹

某

海秀 弟海惠妻王氏女一

瑞保 弟興保惠保妻艾氏子成福姪有福弟婦趙氏

惠山 弟文山子連福庚福祥福妻趙氏女二

玉山 妻關氏嫂陳氏女二姪媳蘇氏姪孫

永祿姪孫女某

奎山 子甯雅哩妻戴氏

雅格 子和瑞母佟氏妻張氏

成福 妻席

氏

惟福 妻黃氏

德興 子學明妻雙氏女一

德猛 弟德祿妻佟氏子瑞成弟婦卜

氏

喜慶 妻王氏

萬喜 妻楊氏

百年 弟慶年有年子永福瑞福妻孫氏弟婦王

氏張氏女二**萬元**弟萬有萬慶子文彬妻關氏女二**惠明**子松林秀林妻趙氏

果勒精阿子賞納佈妻周氏媳楊氏**依昌**子炳林妻張氏**慶雲**弟長元妻關氏

弟婦李氏**廣志**弟成志子祥順祥永妻王氏女一**金福**子恆陞妻趙氏**廣祥**子喜

順妻康氏女二**哈達**弟哈賚哈里子雙喜妻巴氏女二**貴祿**妻陳氏**成興**

子炳祿妻陽氏女三

步甲

雙全弟雙祿子懷福妻朱氏弟婦江氏女二**吉春**弟林春妻趙氏弟婦曹氏**克**

仁納妻錢氏**祥玉**妻奚氏**金貴**弟連貴子福慶福呂妻朱氏女一**崑都**

妻崑氏**波洛哩**妻裴氏**永惠**弟永連永祿子吉元姪福元妻馮氏弟婦周氏女一

成名妻姚氏**格圖肯佈**弟富哷渾佈妻徐氏弟婦卜氏**珠克登額**妻夏氏

福陞子德興恆奎妻楊氏**阿精佈**妻蔡氏**貴春**妻蔡氏**基勒展佈**妻唐

氏**喜昌**妻卜氏**多尊佈**弟崑都納妻高氏**奎福**弟東福照福妻江氏弟婦關

氏**成福**妻李氏**蘇龍額**妻吳氏**端啟**妻莫氏**德連**妻陳氏**祥**

順妻陶氏　富勒精額妻余氏　德亮弟德明妻巴氏　成年妻柏氏　惠明
妻藍氏　百歲弟福惠母楊氏妻某妹二　長歲子成福妻艾氏女二　金成弟金
玉妻江氏　永恰佈妻鄭氏　慶玉弟慶祿妻張氏　學順佈妻陶氏　慶福
子七十三七十四妻黃氏　裕福妻周氏　舒明母金氏弟文清　虎格妻關氏　金
順妻朱氏　基勒圖堪妻張氏　喜林妻周氏　朝格子廣林妻奚氏女二
養育兵雙恰納妻呂氏　如意妻余氏　果仁佈妻龐氏　蘇福妻馬氏
悳有妻包氏　六十妻莫氏　玉順妻常氏　果任子連貴妻赫氏女一　甯
雅哩妻范氏　尚海妻關氏　福有弟福秀妻高氏弟婦鍾氏　森祥妻夔氏
慶福妻張氏　恆彬妻佟氏　慶惠妻劉氏　春元妻崔氏　奎山妻平氏
陞貴妻常氏　福瑞妻康氏　依伯納妻葛氏　勒福納妻何氏　有根
妻龍氏　恆瑞弟志瑞妻色氏　貴德妻洪氏　那拥阿妻高氏　慶奎弟慶貴
弟婦馮氏妻李氏　順惠妻孫氏　惠山妻陳氏　清順弟成順妻黃氏弟婦施氏

喜志妻梁氏　有格妻懷氏　阿木長阿弟札普賞阿妻何氏弟婦朱氏　恩祥妻周氏　文全妻巴氏　恆奎弟恆明妻卜氏弟婦朱氏　來格弟禎格妻尤氏弟婦常氏　貴善妻朱氏　烏雲妻李氏　懷明妻關氏　祿慶妻那氏　慶福妻唐氏　五十八妻趙氏　春明弟春林妻沈氏　奎山　秀山妻張氏　普恆妻王氏　添貴弟春貴祿妻趙氏子福祿女一榮　連春妻黃氏　萬順妻馬氏　森祿弟森寶妻江氏　雙成妻江氏　順克佈弟惠克佈妻錢氏　萬祿母王氏妻李氏　海潮妻劉氏　慶奎妻劉氏　恆瑞妻黃氏　吉山妻李氏　雄崑弟根山妻王氏　福興母趙氏妻李氏妹一　福慶妻陳氏　慶昌妻沈氏　志元妻趙氏　恆林妻吳氏女一　玉福妻朱氏　山林子惠福妻楊氏女一

閒散三元　福慶弟慶壽妻何氏　廣山　蘇昌　薩囒阿子陞海妻赫氏媳孟氏　福山　海林子祥玉妻金氏祥瑞媳劉氏成順　德平　德福子多倫佈塔納佈妻楊氏塔精佈媳傅氏　巴哈納子順全妻劉氏恆亮媳余氏恆成　貴成

山格　增喜妻關氏　玉露　興祿子塔武納明安納德山妻江氏媳卜氏
色克圖　克仁佈妻蔡氏　春年　銀瑞　永秀　金武佈子他納
妻關氏媳馬氏　基勒圖堪妻胡氏　寶清阿子秀昌妻富氏媳茅氏　松慶弟貴
慶碣慶妻宋氏弟婦舒氏　賞慶妻何氏　林祥子永在永秀妻羅氏媳王氏　平
祿　霍隴武　蒼福弟多倫武卓林阿妻余氏媳吳氏　霍甯阿　阿理圖
妻席氏　虎格子連慶連喜妻顧氏媳曹氏卜氏　多福　貴德子慶瑞妻興瑞
趙氏媳馬氏余氏　寶啟　順福子祥奎三喜妻唐氏媳魯氏　全林弟全惠妻蘇氏
喜成　順安弟順泰順瑞子春林榮泰榮明妻關氏弟婦王氏媳楊氏　桂芬
克蒙額弟赫崩額　法克精佈　木克佈　如意弟廣惠連惠妻花氏　海
福　達杭阿　祥福　恩玉　依勒渾阿　倭喜春弟瑪克達春賽沙
春圖恰春妻王氏弟婦平氏佟氏孫氏　安壽　全明　固林阿　色勒佈
弟富勒渾佈妻蔣氏弟婦何氏　文格弟雙惠全貴妻柎氏弟婦楊氏　金武佈弟富車佈

妻劉氏佈璋阿　森秀　奎元　特蘇阿　圖薩佈　祥林弟祥
桂妻吳氏弟婦卜氏　慶海弟慶祺關氏　慶興叔母李氏　堂弟慶永母平氏　祖母妹某　松
元連松　慶惠　阿察佈　綳任弟冊任妻傅氏　長明　文彬
愛仁納　瑞玉　金祥　文保　慶惠　封阿拉　成瑞　萬
林　瑞松　賞阿納弟陞阿納妻常氏　奎明弟貴林妻朱氏　慶敏弟慶禎慶銀
妻吳氏　慶永弟慶瑞妻王氏　慶祥子成興弟婦周氏女一　邁拉遜子德興妻趙氏
福林子金陞妻孫氏　金祿媳平氏　金昌　陞格子札普賞阿喜妻何氏　慶喜媳沈氏　萬
白氏　穆克納弟富勒謙訥妻陳氏　福元　鍾在　鍾年　平安　多
喻佈　德安　蘇喻佈妻色氏氏　媳唐孫女三　留福妻張氏　慶成
吉瑞　吉壽　札普賞阿　沙普通阿　薩勒哈春　吉祥子祥
舒惠　祥明媳蔡氏　祥　海源弟海福海惠　連山弟志山李氏　祥山弟婦卜氏　妻
塔武納妻江氏子女　喜祿子瑞昌氏　妻黃媳卜氏　德貴弟森貴妻朱氏　喜格

弟順喜妻佟氏女某　崑源弟貴元妻孫氏弟婦吳氏　成山保子奎慶妻席氏媳楊氏

連安弟海安金福妻嚴氏弟婦尤氏　都遜佈　成柱子吉福孫長壽妻平氏媳湯氏

礮手普成妻趙氏　萬明妻張氏女某　雙福子如松妻常氏女一

匠役波春武妻馬氏　全海妻程氏　金玉妻洪氏　明奎妻彭氏　吉福

妻李氏　喜安妻龔氏　鄂哼遜子吉照妻巴氏女二　志年子福瑞海順妻席氏

成林妻關氏　全保妻張氏

幼丁如松母劉氏　增昌母關氏妹一

綠營千總慶雲妻赫氏子一女二

綠營馬糧金福妻黃氏子女　奎慶妻張氏　墨哼根額妻趙氏女二　墨哼

根弟玉松玉壽妻趙氏女一　那慶妻梁氏子一女二

鑲紅旗

領催萬順妻戴氏　法兆母關氏妻孫氏　惠亮妻張氏　固明吞妻佟氏女某

同順妻趙氏子二媳吳氏　錦春妻佟氏　連福妻趙氏弟海福子二　萬福妻偏

氏　慶福妻羅氏　順安妻榮氏　瑞源母沈氏妻柏氏　林山母柏氏妻趙氏

增慶母卜氏妻李氏　成貴妻汪氏　長貴妻姚氏子二水女二　安慶妻王氏子女

阿拉納妻卜氏　慶昌妻江氏　長慶妻卜氏　銀福妻陸氏　塔法納

妻江氏　依長阿妻任氏　成慶妻卜氏女一　塔清阿妻金氏姐二女二

額能佈妻呂氏　額特佈母呂氏妻卜氏女一

前鋒萬升妻王氏　噶洪阿妻李氏　萬順妻卜氏　烏勒西訥妻李氏

札克當阿妻任氏子女　愛西山妻卜氏女一　福明妻李氏　吉惠母馬氏

妻佟氏　慶元妻葛氏　海明妻關氏　倭仁佈妻傅氏　安順妻王氏

馬甲萬年妻卜氏　全山妻江氏子女　吉春妻卜氏子女　全慶妻江氏　萬

全妻成氏　松青妻王氏女某　慶明妻江氏　機勒哈納妻乜氏　依勒

西納妻卜氏　松青妻呂氏女某　慶明妻戚氏　機勒哈納妻呂氏　依

勒西納妻任氏 接喜妻王氏子女 雙慶妻成氏子女 文雲母柏氏 恆

齡妻江氏妹一女一 關山妻呂氏 慶成妻周氏 哈都納母梁氏妻葛氏 同慶母關

經綸妻呂氏 根蔭佈妻卜氏 德興妻卞氏 貴明妻卜氏 金

氏妻劉氏子培女二 堆琿佈妻卞氏 吉明妻卜氏子一 忠林妻江氏

玉妻成氏女一 青林妻江氏女一 鎖林妻卞氏子某 強齊鴉佈妻卜氏

恆秀嫂也氏子一 伍榮額妻呂氏女一 達郎阿妻卞氏 凱龍額妻江氏

拖克拖阿妻卜氏子一 金成妻方氏 銀會妻方氏 吉貴妻江氏 賞

慶妻郝氏子培元女二 訥蘇鏗額妻江氏 唐阿納妻王氏 如山妻汪氏

佈喻佈妻方氏女一 新雲妻郎氏子一 烏勒西訥妻郎氏 如喜妻周氏

萬順妻江氏 福緣妻江氏 萬慶妻江氏女一 圖瓦音額妻方氏子女

色機斯納母關氏妻傅氏 愛西春妻方氏女一 貴成妻卜氏子某 如玉妻方

氏子一 錦春妻丁氏 悅福妻江氏 喜福妻丁氏 金明妻卞氏 遷

慶妻丁氏　八十一母葛氏　永齊鴉納妻丁氏　郝爾根阿妻方氏子女

薩勒哈笨妻陸氏　慶喜母馬氏妻郝氏　賞慶母曹氏妻丁氏　色拉佈妻蘇氏

達斂嫂關氏　百勒格圖妻鮑氏　金崑妻丁氏女一　海洪阿　哲圖

肯妻丁氏女一　蘇倫佈妻江氏　珠爾新阿妻成氏　會舒妻江氏女一

福森阿妻鄭氏　全喜妻卜氏　賞明妻方氏　奎慶妻卞氏　成慶母蔡氏

氏妻傅氏　永瑞妻張氏　慶善妻卞氏　奎海妻卜氏　克達春妻王氏

泥克佈妻卜氏　文升叔母卜氏妻江氏　福森額妻方氏　成永妻方氏

阿察佈妻傅氏子二　成升妻方氏子女　如海母鮑氏　連明妻趙氏

依罕母方氏妻嚴氏　東山母卜氏妻嚴氏　全福妻傅氏　懷福妻王氏　金山

妻曾氏　有全妻曹氏子女　德明妻傅氏　百意妻關氏　壽福妻黃氏

貴山妻趙氏　金全妻卜氏子女　萬成母卜氏妻卜氏子一　忠海妻乜氏

吉順妻傅氏　海亮母艾氏妻趙氏　全福妻關氏子女　倭恆額母張氏妻郝氏

克克色納妻涂氏　金興妻孫氏　海照妻艾氏　圖瓦哩嫂吳氏妻江氏

成貴妻吳氏　克克色妻關氏　文會妻洪氏子一　色伯尼妻姚氏　慶

秀母宋氏叔母卜氏　福元妻方氏子二女二　朋全妻趙氏　承惠妻佟氏

永貴妻關氏　順喜嫂趙氏妻關氏　平山妻蘇氏　發富哩母傅氏妻胡氏　格

洪阿嫂吳氏　廣亮妻關氏　興瑞妻郎氏　志成母關氏妻關氏　全林妻李

氏子二女一　蒼松嫂何氏妻張氏　倭什渾佈妻趙氏　興福嫂關氏妻胡氏

喜慶母金氏妻柏氏　車連妻高氏　會山妻卜氏女一　瑞祥妻方氏　如喜

母卜氏妻卜氏女一　松青妻方氏　存會妻卜氏子女　文順母方氏妻卜氏子一

福爾蘇納妻江氏　泰普母江氏妻也氏　福亮妻牛氏妹二女二　榮福

妻江氏女一　扎拉芬阿妻趙氏　蘇龍額妻楊氏　喜春妻關氏　會安

妻馬氏女一　惠舒妻江氏　永升妻方氏子女　棲車訥妻江氏　茂崑妻卜

氏子女　長安妻甘氏　依鏗額妻常氏　文順母巴氏妻楊氏　福亮妻方

女一貴有妻方氏奎玉妻舒氏女一舒玉母羅氏妹一妻崔氏女一有喜

妻副氏女一慶林妻楊氏女一金林妻方氏女一金順妻戴氏女一貴福

母吳氏嫂馬氏忠亮妻方氏賞慶母卜氏妻乜氏會元妻趙氏貴升妻方氏

女一裕林妻卜氏子一連元妻方氏妹一女一金喜祖母郝氏母郎氏雙

喜妻方氏棲成額妻金氏子女金瑞妻趙氏增貴母關氏妻鮑氏成瑞

母張氏嫂江氏妻江氏興順母江氏妻成氏子一順貴妻柏氏女一萬順妻季

氏子一福成妻牛氏女一麟瑞妻呂氏女一海松妻江氏女一慶奎妻錢

氏子女興貴妻牛氏文秀妻江氏女一奎海妻江氏森慶母江氏妻牛

氏女一金慶母李氏妻成氏女一福成妻張氏女一連惠母牛氏妻卜氏女一

麟瑞妻方氏銀順妻卜氏穆都哩妻方氏棲克西訥叔母方氏妻

卜氏子一恆順妻趙氏喜貴母孟氏妻郎氏永順妻傅氏萬喜妻洪氏

卓哈呵妻江氏女一恩林妻巴氏明惠妻劉氏福瑞妻張氏汪阿

哩妻卜氏　珠綳阿妻蘇氏妹二女二　永秀妻卜氏女一　金秀妻張氏

阿車佈妻余氏　成順妻關氏　百福母卜氏妻余氏　德齡妻成氏　滿秀妻李氏

喜瑞妻李氏子一女二　禎瑞妻卜氏子女　順貴妻方氏　恆炳母卜氏妻鄧氏

唐伍納母戴氏妻戴氏　如意妻艾氏　根連母卜氏妻江氏子一

瑞慶妻方氏女一　金貴妻方氏　雙全妻卜氏　錦昆妻乜氏　約桑阿妻方氏子女

慶祥母楊氏妻唐氏女一　明奎妻江氏子女　穆錦佈妻江氏子女

舒敏額妻汪氏　格蒙阿妻方氏　額特額妻牛氏　有年妻江氏

塔清佈母牛氏妻牛氏子一　松林妻金氏　札勒哈蘇妻康氏　林山妻卜氏子女

哈哈泰妻牛氏女一　烏勒西春母牛氏妻李氏子一　固平春妻姚氏女二妹三

文玉母商氏妻田氏　同慶妻傅氏妹二　餘慶妻王氏　春茂妻牛氏女一

額能保妻胡氏　拴貴妻江氏　尚達妻成氏　春秀母陶氏妻汪氏女一

達斯杭阿妻江氏　會成妻臧氏女一　福森妻牛氏　[illegible]

妻江氏子一 桂林 母江氏妻卜氏子一 福爾晉 母張氏妻方氏女一 金喜 妻汪
氏 拖克拖佈 妻張氏 達桑阿 妻卜氏女一 廷元 妻江氏女一 順奎
妻汪氏子一 文奎 母卜氏妻任氏子一 惠山 妻乜氏 芳祥 妻成氏 增林
妻王氏妹二女二 順貴 妻卜氏女一 連貴 母卜氏妻方氏女一 連升 母方氏
妻李氏女一 金祥 妻張氏 松山 妻方氏 成林 母伍氏妻方氏子一 色勒
重額 妻成氏 蘭貴 妻呂氏 廣玉 妻呂氏女一 禎元 母呂氏妻方氏女一
松年 妻江氏子女 春永 妻成氏子一 連成 妻汪氏 惠順 妻成氏子一 慶
成 妻江氏 如慶 妻金氏子女 善吉 妻成氏 祥慶 妻李氏子女 春茂 嫂邵
氏 妹元妞 姪炳章 煥章 餘慶 母王氏 妻關氏子 大榮 二榮 女唐妞 同慶 母富氏妹大
妞 從戴 二妞 三妞
步甲恩魁 母楊氏妻常氏 鳳山 妻王氏女一 德林 妻江氏女一 玉慶 妻佟氏
懷志 妻江氏女一 順成 妻汪氏 玉書 妻喬氏女一 如松 妻江氏 圖克

丹納妻梅氏　懷格妻牛氏　穆克納妻江氏女一　惠玉妻牛氏女一　連
福母張氏妻張氏子一　恩成母雙氏妹一　喜貴母牛氏妻方氏子一　萬有妻江
氏子女　依勒杭阿妻成氏子一　鎖林妻江氏　芬得妻江氏　滿成妻成
氏　烏勒西蘇妻趙氏　文瑞母方氏妻牛氏女一　圖拉佈　文松
永惠　伍升　存山　志奎　福勒鑑圖　滿奎　拖喻　永
惠　該哈蘇　安貴　喜慶　福明阿　哲爾機納　金慶
金貴　連貴　全瑞　海林　連順　如意　禿哷　烏爾渾
佈　海福　樓成阿　有喜　明瑞　得喜　喜元　芳連
惠成　玉貴　額楞額　萬年　如奎　多仁佈　順喜　連
順祖母昂氏母蘇氏叔二名　福德母余氏嫂趙氏梁氏弟志會妻雙氏姪滿會滿朋姪女
二姪一
閒散穆克納妻丁氏　海會妻卞氏子一女三　會雲母佟氏嫂佟氏姪一姪女一

連山妻方氏子女 有林妻丁氏子女 恩慶母丁氏妻方氏子一 愛圖妻卜氏 金瑞妻江氏子女 茂芳妻牛氏子一女二 慶亮妻丁氏女一 金秀妻丁氏女二 福貴母方氏妻卜氏女一 貴舒妻方氏女二 萬福妻王氏 阿克達春母姚氏妹二 芳玉妻吳氏子二 依勒江阿母趙氏弟滿昌妹一 九十八妻張氏女二 順安妻滿氏女二 壽昌妻吳氏子二 金貴妻卜氏 庚申妻丁氏 奎玉妻卜氏子女 雙貴妻江氏嫂江氏子一 玉貴母卜氏妻江氏女一 慶永妻方氏子女 阿林妻方氏子女 同慶妻丁氏 貴昌妻江氏女一 升喜妻成氏子女 三順妻洪氏女一 文玉妻呂氏女二 連元妻趙氏女一 海昌妻金氏女二 順貴母卞氏妻方氏女一 連玉妻丁氏 慶壽妻江氏女一 芳慶妻丁氏 常山妻丁氏子女 連奎妻唐氏子一 恆明母黃氏子女 清雲母趙氏妻丁氏子一 長元妻江氏子女 成明妻戚氏子一 雙成妻江氏女一 恩倫母丁氏妻丁氏女一 會明妻江氏子女 森茂妻戚氏女二 萬

松妻江氏妹一女一　連山妻丁氏　新春妻丁氏　固俚了吞妻方氏
文忠妻丁氏女一　萬元母方氏妻丁氏女一　春元妻金氏　文升妻丁氏女一
如華妻方氏女一　玉崑妻丁氏　達喻妻方氏　額闊妻丁氏　克克
森額　強齊雅納妻王氏　懷志妻丁氏　吉祥女三　文秀子一　捨
都宵　格圖宵　銀舒　如喜　玉瑞妻于氏　賞慶　萬會
額滕額妻張氏子一　雙興　森瑞妻丁氏女二　銀鼎　銅鼎妻卜氏子一
更慶　曾瑞　貴全　祥山　萬全　月福　懷必　金慶
長青　壽昌　金崑　福會妻卜氏　茂松　惠明子一女二　海
潮　德順妻王氏　興瑞　賽西春　興奎　興旺　如春　興
惠　達琿佈　納斯渾佈　多仁佈　年春　果仁佈　蘇巴
哼罕　果勒敏佈　興安妻丁氏子一　松蔭佈　武貴升　永齊
雅佈　依鏗額　達平納　慶玉　餘慶　吉慶　志猛　侯

西平阿　志永　安泰　達哈蘇　全喜　恩明　喜惠　金
惠　萬舒　德壽　瑞年　會安　年根　福成　伍爾松阿
珠爾松阿　都爾松阿　札渤沙納　喜渤車納　依勒哈
納　棲克興阿　依斯平納　順貴　如意　雙明　松柏
金升　長志　志玉　奎福　圖鉛佈　都喻佈　哈福納
愛仁佈　倭西佈　克西納　福森額　達桑阿　連松　吉
成　連喜　豐福　順興　吉成　春福　順明　慶奎　文
有　金貴　連喜　慶雲　文升　坤元　慶升　金安　春
元　福崑　鐵根　慶喜　增齡　百啓　百志　車西納
薩勒哈納　阿阿勒錦佈　凱嚨額　龍蔭額　穆克納　阿
明阿　何明阿　慶祿　萬奎　滿慶　奎慶　德昌　玉福
升慶　廣興　成瑞　慶祥　海秀　如山　廣舒　順德

松年　錢亮　富拉渾　豐尙阿　塔井阿　克克色納
集昌　銀順　松茂　存貴　志明　蒼山　連喜　連平
庚齡　培林　會祥　會舒　伯勒　瑞亮　文松　鎖福
永年　豐有　春根　滿林　貴海　連貴　文升　鍾秀
升慶　積玉　茂山　茂升　順興　慶昌　慶成　鳳林
廣升　志惠　喜福　穆錦　阿明阿　阿勒精阿　特東阿
儂依納　圖瓦察　捨嚨阿　固祿克　果勒精阿　新元
海林　淩雲　全山　連順　新海　新喜　滿清　滿興
永瑞　存福　貴慶　福元　川元　廣元　貴元　慶秀
長福　阿納庫　阿納庫　猛伍納　阿泥羊阿　長秀
成福　順有　廣玉　森林　會慶　連喜　森永　森茂
格森額　福勒渾　連元　春林　安慶　貴慶　貴明　成

元　連貴　慶雲　茂雲　升雲　崑雲　瑞雲　錦雲　吉

綸　吉慶　有慶　如華　恆明　潤華　志華　興華　順

華　淩華　英華　萬慶　文瑞　清雲　長雲　萬奎　恆

炳　全山　春喜　賞慶　懷山　吉善　繹善　興瑞　鐵

鐺　鐵泥　鐵崑　雙成　恩成　貴升　連元　連存　都

綳額　色爾重額　額爾重額　額圖洪額　波翁烏拖　孫

卓拖　車連保　蘇重阿　鐵永　永貴　金昌　金華　吉

崑　興泰　恆明　文永　慶升　慶壽　福慶　金慶　禎

鳳　喜惠　根茂　豐雲　普豐　文元　文奎　貴芬　文

會　文耀　車順　興元　法達　萬慶　松茂　得根　福

海　成順　會林　文平　達喻　同福　福惠　福元

礟手泥沙納妻江氏　保福母柏氏妻成氏　秀林母聶氏妹一　阿克敦佈妻佟

氏　明順妻何氏　成瑞　萬全　泥沙納妻張氏　保福母卜氏妻方氏

錦興

匠役海亮母胡氏嫂佟氏　有喜　廷貴　倭哩佈　松山妻方氏子女　順貴妻江氏　豐年　麟瑞　連明　連喜母沈氏姑二妹二　成瑞母關氏妹一　廷瑞　祥坤　車西納　達杭阿

花甲金斎妻關氏　連奎妻卜氏女一　志明母牛氏妻伍氏女一　文瑞妻方氏子女　祥保妻江氏　滿升妻卞氏女一　達俚庫妻江氏子一　文會母方氏妻李氏　滿山妻方氏女一　烏榮額妻金氏女一　阿克敦妻李氏　阿納庫妻李氏子女　阿納洪阿妻江氏子女　文成叔母吳氏　林山妻方氏　喜魁妻李氏妹二女二　達巴哷罕妻牛氏　西拉亮妻周氏　松林妻江氏　升全妻金氏女一　西懶妻方氏子女　興亮母江氏妻江氏　惠元妻關氏　伍勒西納母孟氏　有法妻李氏　卓勒渾佈妻卞氏　泰蜚圖妻尤氏

子女 林山嫂李氏妻李氏女一 扎勒芬母方氏妻李氏子一 志昌妻李氏子女
賞慶妻李氏女一 成山妻關氏 吉奎妻呂氏女一 如意妻方氏 連
元妻金氏 文祥妻方氏子一 德林阿妻趙氏 福林妻卞氏 貴山妻楊
氏 根連母馬氏 金全妻王氏 文海子二 銀山 滿圖妻張佳氏
慶玉妻李氏 約克青阿女二 全貴女一 海秀 增齡妻卜氏 順
喜子一 喜永 松壽女二 德山 瑞玉子一 萬有 志祥女二
吉玉 鎖林 明奎妻尤氏 增貴妻于氏子一 慶雲 慶瑞妻何氏
棲車納女二 阿克敦 依鏗額妻王氏 烏榮阿妻呂氏女二 有
發 林山子一 卓勒渾佈妻柏氏 塔蜚圖 泰蜚圖 扎勒芬
貝都哩 志昌 賞慶妻田氏子一 長喜 鎖貴 成福子一
連有 連慶子一 連喜 迎興妻田氏子一 拉林 金升 升會
玉順 貴明妻柏氏女二 伍勒西納 惠元 文治 成山子女

貴升　喜升　連根　炳坤　連山　魁山　廣順　蘇喻
佈妻子　長慶　新崑　玉瑞　喜順　永喜妻子氏　升林　錦
元　慶福　貴成　雙泰　松柏　恆慶　連根　巴克塔蘇
農依佈　福勒鑑　泥克泰　孫張阿　文英妻李氏　禎元
根永　志寶　文海　文貴　文治　成貴

綠營外委安順

綠營倉糧德明　崑瑞　慶惠　慶林　海泉　吉順　玉順
明秀　穆鑑額　哈青阿　連春　如春　明福　東惠　萬
林

正藍旗

領催姜阿弟姜阿納畢揚阿通阿子長春妻張氏　定成叔彩福母戴氏嬸母巴氏妻戴氏
子祥春祥順姪媳楊氏王氏孫廣昌廣榮　保福母某妻關氏弟九福靠福胡福弟媳覺

羅佳氏子女**賢順**弟慶壽妻嚴氏子新年媳關氏孫祥志**連順**妻趙氏子佛爾果春

松瑞**朝祿**妻傅氏子女**慶祿**妻傅氏媳萊氏子貴崙**董祿**弟凱祿妻張氏子炳

奎女某**德存**弟志存妻金氏子墨德哩子一女大懷**巴彥**兄塔勒哈春嫂某弟佛勒

果春妻趙氏姪美多萬貴子萬貴萬根弟媳關氏女二**金昌**弟扎勒富哩妻某弟媳王氏

子姪**果仁阿**母某妻女子二**林瑞**妻羅氏子福奎**色普正阿**母某弟色克東阿

妻劉氏子成慶**茂林**母某妻子**松茂**妻劉氏子元善次子**福噶**妻劉氏子女

達哈蘇妻張氏弟薩哈蘇子慶元**托克托圖**妻常氏女大妞妾杏**賞福**母柏氏

妻關氏弟喜福喜山子貴慶海慶三子媳趙氏女一**文林**妻吳氏女大妞**林山**妻王

氏弟媳某子格勒蘇媳關氏姪塔那蘇孫一**芮山**妻鄭氏子吉先三子三女**連山**

海年妻傅氏嫂哈氏弟海連弟媳趙氏子銳福姪文秀**特恆額**母某妻某女二子

金古納富車納**普陞**母鄭氏弟普賢子恆裕**章玉**妻常氏子普福女大妞**金玉**

父葉肯額妻吳氏大女次女**文祿**母某堂伯母某堂弟文元弟媳某弟伍元秀林瑞元喜

祿子女姪某

蟒玉 妻錢氏子普惠普瑞

前鋒慶惠 妻佟氏子善福女某

德順 妻胡氏子文貴一文奎文惠

克仁額 妻傅氏子一

來慶 叔文祥母某弟來長妻某

春林 叔龍山福山弟貴林弟媳某子年德有德媳佟氏孫一

壽年 母韓氏伯母韓氏妻王氏女二

生瑞 母張氏妻吳氏弟森茂森元森銳森發森萬弟媳闞氏傅氏大女二女子某姪某

春明 母李氏妻女

長年 母韓氏伯母佟氏妻王氏子和尙女唐妞密妞

馬甲阿克敦 妻金氏弟如成子倭什佈

萬興 妻劉氏弟萬慶子女

貴祥 叔鈕格彩格子貴玉妻某

林玉 妻某

依棲哩 妻某子一姪廣貴廣元廣陞

保全 叔貴格姪慶春哈拉佈妻子

增祥 妻某子女

拉林阿 妻趙氏弟勒林阿巴克阿弟媳某子都蒙額施蒙額姪特恆額姪一姪女一

萬順 叔五福伯母某妻子

慶順 叔萬林母某弟成順妻佟氏嬸母趙氏子一姪一女一

祥瑞 妻闞氏子連元

佛爾格納 妻闞氏子福元增元媳常氏女一

祥玉 父高福母江氏

瑞圖 母倪氏叔倭西佈志陞佈妻蘇氏子一

高玉兄高祿弟高林堂兄高安高明母某妻馬氏堂嫂某堂姪恆祥族姪金貴慶桂族嫂郎氏女一**遜勒額遜**母張氏嬸母趙氏弟格圖肯和年妻余佳氏弟媳吳氏子一姪一姪女一**志蒙**妻柏氏子克克色佈次子三子女玉妞**吉爾通阿**叔雙成玉成什成弟阿芳阿塔林阿嬸母闕氏妻楊氏弟媳傅佳氏子達哈蘇該哈蘇妹一女一**德昆**嫂楊氏妻闕氏子林玉**佛保**弟文保如保陞保妻張氏弟媳張氏陶氏女三**色哱楞佈**弟希拉佈堂弟果勒明阿遜扎佈堂嫂郝氏堂弟媳某弟媳某妻某姪額勒赫堂姪富勒赫堂姪一堂姪女某**色楞額**妻吳氏子女**森林**父秀祿伯母常氏弟連保妹貞妞妻覺羅察氏堂弟炳元如年松年子一**順福**弟祿福惠福堂弟玉福妻某弟媳唐氏劉氏堂弟媳某子炳永堂姪一大女次女堂姪女一**扎勒哈蘇**嫂楊氏妻趙氏弟薩哈蘇子如意女一**尙祿**堂弟全貴全惠妻子女一**克什納**弟蜚特呼納子慶成潤成妻王氏女三**圖哩納**妻劉氏子雙安喜成媳某**蘇嚕納**妻佟氏子常喜女一**平安**母趙氏妻李氏女二德**達哈佈**妻聶氏**陞祿**母某弟慶祿妻錢氏弟媳錢氏子一**存根**妻闕

續纂江寧府志　卷十四之二十　人物

氏子戎全女一托多哩兄托多洛嫂某妻某子女廣志父福全母鄒氏妻常氏

子一烏仁阿父有全母劉氏伯母某堂嫂葉氏妻傳氏堂姪文斌玉明妻關氏子額

勤柏圖媳關氏子二噶穆哩叔興福奎福孀母關氏妻唐氏女翠妞連春母某兄

林春弟惠春妻王佳氏子女森奎叔舒松阿哩妻子順明子蘇沖阿庚姜阿妻子

煙登額妻卜氏依成額母某妻劉氏子一秋菻妻洪氏子一興玉叔伊

克精訥赫精訥弟恆玉妻唐氏金玉弟慶玉弟媳某子松年松順松壽姪松安松秀妻子女

福玉弟連玉妻某子女東海妻梁氏子蟒機蘇祐福族弟隆舟子連喜妻某

金亮兄金蓮弟賽達哈妻孟氏如意母余氏妻王氏弟來意女一圖丹佈妻某

子女志祥叔霍沖武廣明廣祿妻關氏子雨水女二玉福堂弟順福子善慶善奎

妻某子女來玉妻某恩特赫納妻某子壽昌族婷奎明廣惠伯母關氏弟廣藍

惠元叔志存母某弟普惠額哈額弟蛇圖懇額子恆有妻女安慶母常氏妻韓

氏堂孫普惠玉慶堂叔忠年堂叔母趙氏弟福順妻趙氏妾王氏堂弟扎蘭佈哈蘭佈鄂明佈

子薩畢吞步女二

吉慶子普銀妻女

三慶子普義扎勒哈蘇普歲妻趙佳氏女一

西勒新額兄施蒙額姪普瑞

愛仁額父圖本杭阿母某叔福志堂弟金喜妻某

棲噜勒罕母某堂嫂某妻赫氏堂兄薩畢勒罕哲勒機納女一

攝產佈叔西勒新母

黃氏妻安氏子一

陞奎子如福姪秀福佈妻女

如意叔富生額嫂趙氏妻金氏姪

阿那庫子二

棲龍額母胡氏弟德龍額雨露妻唐氏妹大妞

廣瑞父巴杭阿母某

妻某子女

色勒沖額妻某子雙喜

奎元父明母某弟金順

玉順母某兄懷塘

阿阿敦保妻某子文年

尚祿兄敵祿出海

子妻子

瑞昌妻某姪德奎

德存妻女

姪桂元

法什尚阿妻康氏女一

桂玉妻某子女

格圖肯阿弟哈木郎阿子福

陞子一妻女

巴哈蘇弟改哈蘇達哈蘇堂弟金瑞玉瑞子恩廣恩星妻某

佛爾

洪額妻某子女

金順弟連存連陞連惠弟媳某妻某姪女二

金祥叔散祿弟金陞

瑞祥步妻某子女

柏福兄志福堂兄春福妻某姪依機斯渾子女

德昆妻闕氏子一

女玉妞

陞祿弟東陞福元姪蒙古時衣佛爾呼泰

改哈蘇母某妻某弟哥勒蘇姪

連奎子女 愛勇阿母某妻趙氏子女 棲蜚妻某子阿年阿女一 奎順弟明順
妻女子松阿哩姪德順孫雙森 玉福妻某子女 多索佈妻女子三瑞喜瑞 訥木
精阿妻某子女阿長阿 弟恆安弟媳索氏 索祿叔廣志妻某子女 奎福母蘇氏
妻劉氏子女 桂福妻王氏子小森女一 福山子如川 吉福叔母李氏趙氏 錢氏
母覺羅蔡氏妻關氏弟園福 惠慶叔蛇圖肯子萬昆圖年弟惠成惠祿有壽慶壽 恆
福父安林母楊氏祖母趙氏妹大妞 巴克納妻某子二女一 連元堂伯春福堂叔格
棲圖弟長喜妻梁氏 吉福妻佟氏子法克什佈媳某孫女一 依罕佈堂兄烏元佈堂嫂
王氏嫂陳氏恆茂恆生 妻胡氏格綳額 弟媳吳氏堂姪媳趙氏 子百歲姪松茂堂姪女大妞
棲車佈弟阿達佈妻張氏姪木幾能額木精額姪女一 鎖林妻趙氏子特犒額烏勒星勒
吉慶妻某子女 吉秀妻某子女 興順妻某子女 成順母某妻女子納蚚洪 薩
勒杭阿 瑞慶堂叔希勒圖慶弟萬慶 堂兄裕妻某 勒豐額母關氏妻劉氏 妹某子女
順根妻佟氏子二女一 薩哈蘇妻某子女 烏勒西春妻馬氏族弟薩炳額

一悅慶 **全慶** 堂叔赫綳額堂弟德順連奎全順妻某子女 **同秀** 弟貞傲連傲文有

妻、某 **春祿** 妻鄭氏女一子文柯斌柯恩柯 **萬年** 妻安氏弟貞文 **陞額圖** 父羌恰

弟陞慶妻江氏子武奎弟媳洪氏 **棲成額** 妻某子女 **額滕額** 弟特綳額妻趙氏子女

三音額 妻闞氏子達罕圖 **舒勒恆** 妻某子永全永林永祿 **林陞** 父緇福母某

妻子 **全德** 叔全安有全德全妻某子春福春慶春奎 **林根** 母某妻戴氏女一

保玉 伯母某堂弟德玉連王堂弟媳羅氏子松山文陞堂姪廣德林瑞堂姪媳某堂孫平倫

堂孫媳某 **成玉** 妻某子女 **三音額** 妻某子女 **棲成額** 母傅氏兄墨勒根佈嫂孟

氏妻傅氏子銀舟姪棲補沖武柯普沖武和龍武和松武波中武姪媳劉氏姪媳某族姪雙昌明

成族姪媳某 **綽勒昆佈** 妻關氏弟委哩佈瑪哩佈子金瑞弟媳崔氏 **來根** 父哈豐阿

母洪氏妹一 **果勒敏特衣** 父明格希勒特衣依金特衣巴哈特衣妻江氏弟媳某

穆金特衣 海格巴圖魯特伊姪農機圖阿昆佈妻某次女族姪媳族孫女 **機勒哈**

納 妻某子女姪廣慶 **萬年** 母某妻某族弟連陞連慶子金棲先族嫂趙氏族弟媳傳氏

陞額圖母王氏妻聶氏弟西勒圖和倫圖子一**阿格達佈**母常氏妻闕氏子女

額勒德蒙額父汪阿哩弟粟能額妻某子女**慶成**叔恆裕弟慶陞妻某堂弟慶

德有德子女**明玉**弟貞玉妻某子一**克克色佈**妻洪氏子勒額女二**巴**

克欽佈妻某子有壽姪連壽**松山**弟林海妻蘇氏子一**連泰**母余氏弟連福妻某

族母傅氏族弟阿步炳山族姪文瑞姪森秀族姪媳闕氏二**萬慶**母傅氏**龍福**

嫂趙氏姪女大皮妞二皮妞**陞格圖**父增福母吳氏弟塔蜚圖克克色圖妹了頭妻韓氏

弟媳朱氏子一姪一**銀福**母田氏弟有福新福妻王氏弟媳馬氏姪女二**棲囒**妻趙

氏**奎玉**子森安森惠媳張氏女美妞孫一**悅山**弟林山九山子墨特哩妻傅氏

女小妞**奎柱**妻某堂弟慶元**新瑞**父格圖肯弟萬瑞金瑞妻某**炳森**母某妻子

玉貴妻某子女**歡玉**弟林玉妻某堂姪有陞賽陞吉陞堂孫雙明佈**伊機嘶洪**

阿妻某子慶文慶喜**都勒芬**妻某子女**佛松額**嫂傅氏多松額妻某弟訥木陞額

姪慶雲步萬慶姪媳王氏姪孫女平妞**音登納**妻某子女**伊機嘶洪額**妻劉氏

子萬蕓
墨克滕額 母某妻孟氏弟媳傅氏馬氏姪慶連堂姪慶雲萬慶姪媳王氏姪孫女一
額哈額 妻白氏子萬喜捷喜女大妞
喀納沖額 妻某子慶春慶瑞
德沖額 叔雙義弟訥清額恩楞額西楞額妻某女一
波勒洪額 妻某子女
西穆能額 子慶陞慶惠慶壽妻某女二
農音額 弟特格興額妻金氏女一
元瑞 弟元貴元明妻某子女
瑞福 叔玉瑞妻某姪慶連
金山 妻佟氏弟羌恰佈女綵妞
慶瑞 妻子
金惠 叔伊勒杭阿堂弟德玉妻某堂姪吉瑞子
恆慶 妻某子生吉圖姪炳茂
波勒和蘇 弟有林堂弟恩林子穆赫倭赫棲赫妻某
志祥 妻某子女
萬全 弟德全妻某子吉存悅林姪玉林姪媳某
順年 弟順全妻某子生林姪瑞喜
圖瓦卡納 子哈當妻某
巴哈 弟薩哈鄂哈妻某子女
文耀 弟廣耀妻某子一
正福 妻某子女
綳武 父定成叔貴安妻余氏子吉先
塔納 子金春妻某
吉陞 母吳氏妻劉氏子阿林阿女二
有順 妻某子女堂姪連奎
海順 母趙氏弟東海妻蘇氏弟媳劉氏子順克佈次子姪女某大女二女
陞福 母趙氏弟善福

妹二妻女　靠福叔該哈蘇子長松長陞　喜慶母某妻趙氏女某　生奎母某

妻子姪連奎　海祿弟海慶妻胡氏女二　海玉妻關氏子順福　秀慶父蟒格弟吉慶

惠慶妻某堂兄成祿　美格弟和格姪福慶妻常氏子一　連陞母韓氏妻康氏子女

貴昌姪恆松妻某　福成弟大成妻某堂弟四元五元　綽勒渾佈子武穆圖妻某姪

蘇勒松愛仁特　波勒和產弟阿芳阿妻某希拉佈子福喜步　托普沖武妻洪氏子舒

金女一　波松武子來全妻某　戈機嘶渾姪汪阿哩阿納哩妻某　柏福弟來

福妻某族姪悅林堂弟托佛哩弟媳關氏興林姪托咈隴佈連喜　先福妻王氏弟連福堂子

噶囒苦囒堂姪福囒媳關佳氏　特洪額子廣興姪廣生廣滕妻李氏　有陞父薩林阿

妻某兄連陞弟連福　克西納父音能額弟恩特赫納薩哈納堂弟雍恰納妻某　書

昌堂叔蜚特洪額成姪有陞堂弟文妻余氏　煙勒功額子林舟妻某　貴玉子扎蘭

咈勒吉蘇妻某　海昌堂弟東玉妻某子承壽承基　沖阿哩妻子　如玉弟龍玉

嫂趙氏妻余氏堂弟連玉弟媳錢氏子普先普照媳藍氏　韋玉子普貴妻某　海玉族叔

韋順堂弟普玉妻某二女 子鎖子一媳梁氏妹一 **普山** 父佛玉母江氏 弟普成妻張氏

妹某 子 二女一 **普康** 堂叔廣玉 叔母常氏 妻多氏 子阿 恆茂 堂弟媳馬氏 堂姪一 堂姪女一

增玉 弟普坤 普壽 妻某 子一 **青茂** 父普福 母關氏 叔普新 妻傅氏 **德克登額**

妻某 子女 **新壽** 子聚喜 妻某 **蜚哩納** 父連泰 妻某 族弟 伊勒達穆 慶勒有 **巴雅**

納 姪忠慶 忠祿 **鄂密納** 妻柏氏三女 子普慶子一 **扎勒哈蘇** 子蛇圖肯 嫂 格圖肯

楊氏 妻趙氏 **貞祥** 父貴福 母孟氏 兄順興 妻某 **壽祥** 父克們 叔苦們 族叔額能 弟東祥

銀祥 堂弟 奎祥 妻某 **正祥** 妻吳氏 子 三女一 **慶祥** 弟惠祥 妻趙 氏 子炳喜

有山 妻某 子女 **玉貴** 堂叔吉哈山 弟玉祥 妻 某 子惠生 額勒赫納 **波囉哩** 堂兄 文全

堂嫂李氏 妻某 堂姪春慶 祥慶 子吉慶 堂姪媳吳氏 堂孫烏正額 如意 孫女二 **吉慶** 妻 某

堂叔雙保 堂兄甯攝哩 堂弟萬順 圖瓦哩 如慶三 **戈仁泰** 弟綽勒渾泰 薩炳 泰 妻某 子女

磚格 叔東福 子 金瑞 妻女 **羌恰佈** 堂弟色勒佈 弟富車佈 **克克色奉** 父圖 卡佈

泰 母某 妻洪氏 弟羌特 蜚特渾泰 堂姪柏山 **朝元** 堂兄德明 妻某 **福貴** 母赫氏 嬸母

續纂江寧府志 卷十四之十一 人物 五十

某妻陳氏弟福秀福春步　福榮堂弟圖恰佈女一　**廣山**堂兄穆棲吞堂弟　吉山弟連山慶

山嫂某姪　女某妻女　**連陞**妻某子恆　興女一　**增元**族叔德山妻某　子恆明恆林

伊勒圖子波羅春妻某子　一媳吳氏三女　**金貴**族叔玉慶妻某　堂弟生奎子女

班機納母趙氏妻卜氏堂弟愛仁納堂嫂趙氏堂姪慶　喜金喜堂姪雙喜三音阿連喜堂姪媳劉

氏堂姪孫萬林萬　松萬如姪孫女一　**新安**妻洪氏媳周氏　孫清奎孫女雙六　**奎元**

塔爾哈春妻郎　氏　**炳南**妻趙氏　妹一　**有瑞**母李氏嬸母張氏弟　妻趙氏嫂雙氏

媳傅氏子　來子姪一　**烏勒希春**妻馬氏子　元慶喜慶　**勒馮額**母關氏妻　劉氏女二

順根妻某　子女　**訥爾精額**　**稀拉圖**妻某　子女　**瑞慶**母周氏弟　萬慶榮慶

佈　妹二　**揮哈納**妻郝氏子興坦　媳高氏孫六十　**炳生**母趙氏伯母吳氏　妻趙氏姊三

妹大　妞　**全慶**妻余氏子　思柯女三　**依機斯洪額**妻劉　氏　**墨克滕額**妻　孟

氏　**雙乃**妻田氏嫂　康氏女一　**萬慶**妻郝　氏　**元吉**妻龐氏　子女　**志成**

陞慶　**舒勒恆額**　**奎祿**　**增元**　**額林額**　**文有**　**貞福**

依機斯洪額　松格哩　星壽　元格　色勒佈　三哈蘇

阿林阿

步甲萬慶 母傅氏兄慶雲妻王氏女一　惠海 妻張氏子永福恆福女二　來昌

薩炳額 妻某子女　東海 嫂劉氏姪女換始

閑散秀喜　鎮山　慶瑞　恆慶　喜山　如川

花甲雙惠 妻蒼氏　慶元　文瑞　喜福　額能額

守兵廣有　棲赫　林海

礮王福義 嫂偏氏母傅氏妹大妞姪敢成

幼丁德林 曾祖母蘇氏祖母劉氏母羅氏李氏姑二妹一　新科 母鄭氏弟文科　文炳

裁旗興恆 祖母關氏母葉氏弟文惠阿妹一

鑲藍旗

領催阿勃呼山妻劉氏子小虎女三
松年妻巴氏子二女三
鍾福妻王氏女二
萬林妻陳氏子二女三
順山妻余氏子愛仁佈仁海女四
哈初先妻趙氏子二女二
貫成妻何氏子一女三
鐵柱妻周氏子一女三
江阿妻成氏女三
文明妻邵氏子赦
翠福妻吳氏女三
萬清妻王氏子一女三
福森額母劉氏妻邵氏子祉哥媳邵氏姪媳王氏
懷慶母何氏妻朱氏女二
志永母張氏妻趙氏嫂舒氏姪女秀姑
善慶妻吳氏子一女三
阿長阿妻于氏子二女三
塔清阿母夔氏子一女三
達哈蘇妻黃氏女二弟媳艾氏姪女大妞
卓嗱佈妻成氏子二女三
德惠妻巴氏子二女二
福元妻洪氏妹一子二女二
鼐昌妻趙氏子二女二
萬成妻何氏妹一子一女三
柏福妻趙氏子二女二
海潮妻張氏女二
文成妻于氏子一女二
廣亮妻吳氏子二女二
成全妻夔氏子二女三
連貴母趙氏妻趙氏女二
春哥祖母田氏姑母一
囊昌妻成氏子二女二
克克色勒妻吳氏子二女二
志永妻趙氏女秀妞

前鋒茂林母王氏子一妻趙氏女二　連陞母趙氏子一妻吳氏女二　忠秀母郝氏妻巴氏子一女二　有瑞母李氏妻王氏子連玉媳高佳氏女四　文祥妻王氏子一女二　惠祿妻那氏子一女二　連德母廣氏子一妻丁氏女二　阿勒呼訥妻趙氏子二女二　雙慶母張氏妻趙氏女二　都聆額妻吳氏子二女二　托勒　山佈妻趙氏妹一子一女二　瑞明妻吳氏子一女二　保德母趙氏妻佟氏姪秀安媳李氏孫一姪媳沈氏姪孫一　德喜妻周氏子二女一　萬祥妻吳氏子一女二　多洛哩妻成氏子一女二　改哈蘇母何氏妻柏氏女二　貴林妻鮑氏子一女四　福祥母關氏子一妻黃氏女二　福清妻何氏子一女二　馬甲套喜母趙氏弟福喜培喜來喜妻傅氏弟婦傅氏朱氏女蘭姐子一　葉勃春母關氏妻鮑氏子大榮哥二榮哥妹一女二　連福妻趙氏妹一子一女二　清年妻吳氏子女　鵬年妻傅氏子二女二　瑪勒呼山妻康氏子拉子女二　安順妻吳氏嫂朱氏子一女二　貴明妻成氏子一女三　安福母巴氏妻那氏子一女二

長有 妻王氏弟萬有弟婦尤氏佟氏子林福春惠媳李氏巴氏女二姪春奎恆喜姪媳邵氏周氏姪女一孫女一姊孫女二

柏山 妻馮氏子一女三

全山 妻朱氏子二女二

吉崑 妻黃氏妹三女二

恆明 妻張氏子二女三

恆年 妻夔氏妹一子二女二

貴昌 妻王氏子一女二

賞慶 母朱氏子二妻屠氏女四

保祥 妻周氏子一女二

吉林 妻郭氏子二女二

林福 妻于氏子一女二

順祥 母于氏妻成氏子一女二

餘慶 母陳氏子一妻于氏女三

志昌 妻何氏子一女二

蘭山 妻周氏子一女二

長安 妻馮氏子一女二

吉安 妻周氏子一女二

運瑞 叔母趙氏妻哈氏嫂官氏

祥保 妻邵氏子一女四

葉勒春 母鮑氏叔母錫氏妻偏氏子榮恕女三

彭年 妻巴氏子一女三

惠福 妻柏氏姐一子一女二

伍福 妻于氏子一女二

善安 妻吳氏妹一子一女二

松年 妻郭氏子二女一

重喜 母何氏妻趙氏子一女三

祥瑞 妻巴氏子一女二

色爾重額 母趙氏子二

德慶 母吳氏子二妻王氏女三

惠林 妻馬氏子二妹一女三

白 妻王氏女三

祿妻趙氏子一嫂王氏女二　依杭母關氏嬸吳氏妻吳氏女二　福瑞母謝氏妹五妻烏氏女二　炳元母佟氏伯母赫氏妻趙氏妹二子一女二　恆慶母王氏妹二妻鄭氏女二　依杭阿妻成氏女二　喜亮妻那氏子二女二　志玉母色氏子二妻王氏女三　雙亮妻趙氏妹一子二女二　志方妻洪氏姐一子二女二　定祥母吳氏子一妻王氏女三　妻　書慶母成氏妻吳氏子一女三　倭清阿母吳氏子二妻李氏女二　玉陞母吳氏妻李氏子二女三　明玉母巴氏妻戴氏子一女二　志成妻王氏妹一子一女三　順成妻吳氏子一嫂郭氏女四　武勒西佈妻于氏子一女三　默勒根佈妻包氏子一女三　福保妻金氏妹一子一女三　吉慶母王氏子一妻傅氏女二　陞福母張氏妻鮑氏子女　祥林母于氏妻趙氏子一女一　雙福妻趙氏子一女二　烏勒渾佈妻成氏子一女二　德林妻王氏子一女二　多拖哩母周氏妻王氏子一女三　賞格妻李氏子連山孫鶴年姨姜氏　福山妻吳氏子一女三　同昌妻于氏子一女三　貴德妻巴氏妹一子二女二　惠

昌妻周氏子一女二　全德妻何氏子一女二　恆林妻周氏子一女二　默
爾根額妻巴氏子二女一　畢揚阿妻趙氏嫂吳氏子一女二　吉祥妻侯氏
子一女三　萬林妻趙氏子一女三　赫本妻偏氏子二女二　該哈妻楊氏子一
女二　雙貫妻陸氏子二女二　存喜妻徐氏妹某子一女三　瑞山妻余氏
子一女三　存福妻于氏子二女三　德喜妻葛氏子一女三　吉全妻李氏子一
女三　訥木清佈母余氏子二妻成氏女三　連喜妻王氏子一女二　海松
妻何氏子一女三　祥順妻周氏子一女三　喜慶妻于氏子二女三　連德
妻歸氏子二女三　萬壽母何氏子一妻于氏女三　保福妻李氏子坤女三　賞
慶妻維氏子二女三　伍爾滚佈妻卜氏子二女三　三音佈妻趙氏母郝氏
子二女三　志山妻郭氏子二女三　滿福妻于氏子二女三　慶元母趙氏妻洪
氏子二女三　福亮妻王氏子二女三　順明妻趙氏子二女一　慶昌妻何
氏子二女三　長年妻吳氏子一女二　吉陞妻葉氏妹一子二女二　連松

妻何氏子一女二 **葉勃宵佈** 母葉氏子二妻于氏女三 **訥蘇坑額** 妻巴氏子二
女二 **松年** 妻戴氏子二女一 **志哈** 妻訥氏子一姪一女二 **貴祿** 妻喬氏子
女妹二 **賞貴** 妻姚氏子一女二 **呼松額** 妻戚氏子一女三 **松林** 妻鮑氏
妹二子二 **棋奎** 母王氏子一妻趙氏女二 **約桑阿** 妻吳氏妹一子一女二 **桂林**
妻余氏子一女二 **倭精額** 妻李氏子二女三 **順玉** 妻王氏子一女三 **托**
勒圖蘇 妻鮑氏子一女三 **福明** 妻李氏子二女三 **蘭桂** 妻吳氏子二姪一
女三 **得山** 妻王氏子二女三 **長慶** 妻趙氏子一女二 **祥元** 妻郝氏妹一子
一女二 **新寶** 母拿氏子二妻吳氏女三 **根堅額** 妻周氏子二女三 **成瑞** 母關
氏妻巴氏弟一子二女二 **華林** 妻戚氏子一嫂吳氏女二 **額勒堅額** 妻那氏子一
女三 **默爾根泰** 妻王氏子一女二 **固爾精額** 妻王氏子一女三 **順**
長 妻于氏子一女三 **塔淸圖** 妻汪氏子二女二 **多倫佈** 妻赫氏子二女三
雙祿 妻何氏子一一女三 **特薩佈** 妻巴氏子一女三 **依勒罕額** 妻姚氏

子二女二

圖薩佈妻洪氏妹二子一女三

固勒班母吳氏妻姚氏子一女三

松山妻沈氏子一女三

祥林母王氏子一妻耿氏女三

恆昌妻吳氏妹一子一女二

志寶妻余氏子一女三

志元妻趙氏子一女二

保成妻李氏妹一子一女三

安慶妻宋氏子一女二

慶順妻徐氏子一女三

有福妻沈氏子一女三

成明妻趙氏子一女二

根珠妻吳氏妹二子一女三

佛勒洪額妻馮氏子二女二

柏圖妻于氏子二女三

廣祥妻朱氏子一女三

勒福納妻何氏子一女三

穆都聆阿母關氏妻屠氏妹一子一女三

志奎妻趙氏子女

瑪勒遜妻王氏子一女三

哈吩佈妻秦氏子一女二

阿艮佈妻馬氏子二女三

奇奎妻李氏妹一子一女二

約揚阿妻朱氏子二女四

雙慶妻王氏子一女二

雙年妻那氏子二女一

雙林母郝氏子一妻于氏女二

明喜妻趙氏子一女三

祥林妻王氏子二女二

賞哥妻那氏子二女三

祥元妻姚氏妹二子一女三

勒都佈妻郭氏子一女三

塔哈佈妻尤氏子二

女三　**生林**妻那氏子一女三　**雙露**妻于氏子一女二　**恩特赫圖**妻吳

氏子一女二　**玉書**妻成氏子二女三　**寶德**妻周氏子一女三　**喀色佈**

妻巴氏子二女三　**雙安**母于氏子一妻成氏女三　**玉瑞**妻余氏妹二子二女二

連安母何氏子二女二　**普昌**母成氏子一妻巴氏女二　**塔哈佈**妻趙氏子一女

二　**恆瑞**妻薈氏子一女三　**墨綳額**妻拿氏子一女二　**蘭祥**妻何氏子一

女三　**平山**妻胥氏妹二子女　**金福**妻薈氏子一女三　**廣有**母傅氏妻松

氏子喜哥女大貞妞二貞妞　**慶明**妻趙氏子一女三　**興祿**妻朱氏子一女三

遮佈勒妻王氏子一女三　**隆昌**妻巴氏女三　**福祿**妻許氏子一女三　**慶**

春妻王氏子一女三　**恆慶**妻呂氏子一女三　**長年**妻施氏子一女二　**祥**

保妻金氏子貴哥女二　**復生**妻高氏子福哥女三　**瑪哈佈**妻張氏子二女二

慶祥妻陶氏子一女二　**連安**妻秦氏子一女三　**恆慶**妻姜氏子一女二

錦福妻曹氏子一女三　**長青**妻洪氏子一女二　**永有**妻金氏子一女三

志玉妻何氏子二女三　貞玉母關氏弟昆玉妹二　新年妻高氏子一女三
新玉母高氏妻傅氏子一女三　新陛妻關氏子一女三　阿芳阿妻康氏女一
子成玉瑞玉　潤魁母關氏　富洪額妻關氏女一　賞哥妻李氏妾姜氏媳金
氏孫百歲　有祿母關氏子一妻黃氏女二　慶玉妻吳氏子一女三　長山母趙
氏妹一妻那氏女二　有壽母趙氏妻李氏子一女二　定祥母王氏姐一妻巴氏
女二　阿那佈叔母趙氏妻李氏子一女一　惠祿妻王氏子一女二　貞哥
妻于氏子一女二　平安妻成氏妹一子一女二　全山妻趙氏子一女二　言
林孀母拿氏子一妻成氏女二　恆德妻何氏子一女二　普安妻余氏子一女二
全順孀母那氏子二妻吳氏女三　色佈正額妻仇氏子一女二　松林母關
氏妻戴氏子六哥女大文妞　圖薩納妻羅氏子一女二　有元妻關氏子一嫂趙氏
女二　炳元母佟氏叔母張氏妻趙氏妹二子一女二　連惠母傅氏妻張氏子炳
秀妹皮姑　喜成母嚴氏妻色氏妹美妞子一　喜量妻關氏子一女三　福喜

妻拿氏子一女二 **福興**孀母那氏子一妻巴氏女二 **福量**妻張氏子一女三

咈嘵勒妻耿氏子二女二 **玉瑞**妻拿氏子二女二 **萬慶**妻李氏子名秀女二

勒木蘇哩母高氏子一妻吳氏女二 **納興**妻成氏妹二子一女二 **清安**孀母

傳氏子一妻李氏女二 **畬哷重額**妻洪氏姐一子一女大妞 **福貴**妻姚氏子嬸

何氏女二 **大連**母余氏妻關氏媳于氏子一 **貴明**母王氏妻朱氏妹四女二 **瑪**

勒虎珊妻蒼氏子一妹四姑女三 **阿勒虎山**妻劉氏子一女二 **祥林**妻耿氏

子一姪女牙姑女二 **連松**妻傅氏妹一子一女三 **毓書**母馬氏妻趙氏岳母趙氏二

女金妞 **王賽**妻阮氏子一女二 **擺唐阿**妻馬氏子一女二 **廉昌**妻洪氏

子一女大義子二義子 **會昌**妻李氏子一女大改妞二改妞 **福昌**妻俞氏子大貴

女二 **萬昌**妻俞氏子連保女二 **恆德**妻張氏妹三子一女二 **薩炳阿**妻吳氏

妹一子一女二 **克格克**嫂吳氏子一妻李氏女三 **納新**母馮氏妻巴氏子一女三

廣源妻易氏妹一子一女二 **兆慶**母何氏子一妻吳氏女二 **福勒呼圖**妻趙

氏子二嫂吳氏女二
根秀妻李氏子一嫂成氏女二
德春母于氏妻余氏子一女保妞
生祿母蘇氏子一妻關氏女三
書慶母關氏子一妻吳氏女二
岳賚阿妻巴氏子一女二
依罕妻洪氏子一女二
阿尼雅佈妻蒼氏妹一一子一女二
圖蒙額孀母傅氏子一妻成氏女二
圖倫佈妻吳氏子一女二
文興妻李氏妹貞姑子二女三
興卓妻夔氏子一女二
文林妻關氏子名倉女二
興順妻吳氏子一女二
祥元母何氏子一妻吳氏女三
富勒渾額妻巴氏嫂成氏子一女二
如山妻王氏妹二子一女三
如意母沈氏子一妻李氏女二
貴玉母關氏妻任氏子一女三
德林妻馮氏子一女三
秀春妻那氏子一女二
賽格妻佟氏子一嫂吳氏女二
札年妻蒼氏子春哥女三
明亮孀母于氏子一妻郝氏女二
金玉祖母夔氏母張氏妻楊氏女二
明海母維氏妹一子一女一
清明妻朱氏子一女二
格本額妻周氏子一女二
霧秀母蒼氏妻那氏子紅哥女二
納木精額妻關氏子一女二
訥木清額妻孫氏子一女二
福祥母王

妻巴氏子一女四 **克木仁額** 妻洪氏子一馬姑娘女伯妞小妞 **呼尊額** 妻吳

氏妹文姑女二柏姑子一 **圖雜佈** 妻趙氏子一女二 **穆錦阿** 母關氏子一妻

關氏女二 **烏完珠** 母何氏子一妻周氏女三 **定亮** 妻成氏妹一子一女二 **新保**

妻郝氏子一女三 **增祥** 妻鄭氏子一女二 **吉存** 妻曹氏子一女三 **喜祥**

妻吳氏妹二子一女二 **順奎** 妻蘇氏子一女三 **順喜** 妻孫氏子一女三 **勒福**

春 妻李氏子一女二 **拉柱** 妻于氏子一女三 **吉全** 妻朱氏妹二子一女一

秀順 妻何氏嫂李氏子一女二 **納斯洪額** 妻成氏子一女三 **額滕額** 妻關

氏子一女二 **炳阿** 妻卜氏子一姐平姑女二 **吉明** 妻郝氏妹二子喜女三 **倫**

昌 妻吳氏子一嫂周氏女三 **祿慶** 妻何氏子一女三 **達宥南** 母王氏弟小妙佈妻

關氏子一女二 **恆安** 妻吳氏子一女三 **照祥** 妻那氏子一女三 **裕秀** 妻余

氏子二女三 **炳元** 妻成氏妹二子一女一 **德興** 母張氏妻韓氏子一嫂馬氏弟

媳王氏女二 **瑪哩佈** 妻趙氏子二女二 **吉川** 妻錢氏子二女二 **伍勒吉**

納妻郝氏子一女二　福斯昂妻戚氏子一女三　金有妻王氏子二女三
薩炳阿孀母屠氏妻徐氏子一女二　改哈蘇妻蔣氏子一女二　麒麟佈母蘇氏子一妻李氏女二　文元妻馮氏子一女二　伍勒滾佈妻趙氏子二女一
慶元妻洪氏女一　德興妻色氏女紅妞　祥林妻吳氏女一　連松妻何氏妹一
瑞成妻那氏女一　連福妻吳氏　訥補清佈妻胡氏　松年妻王氏子一
彭年妻倉氏女一　清年妻巴氏妹一　克木仁額弟勒爾清額勒彌精額呼尊額松年妻洪氏弟媳吳氏闞氏佟氏孫氏子連瑞迎瑞祥瑞媳拿氏王氏吳氏張氏女柏姑娘小姑娘二柏大馬文妞
步甲喜林　寶祥妻吳氏子一女二　保壽妻沈氏　順年母吳氏妻于氏女一
巴哈納母于氏妻王氏　連貴母朱氏妻于氏子女　雙哈佈妻趙氏女一　富拉渾妻楊氏妹一　富勒渾妻傅氏女二　圖克海妻金氏妹一　保全母吳氏妻巴氏
南山母何氏妻朱氏　色色圖佈妻吳氏女二　桂山母陳氏妻孫氏　森

林母姜氏妻汪氏　吉星妻成氏妹二　阿克佈母朱氏妻吕氏　文都妻江氏女二

海林母包氏妻江氏　錦福妻黃氏子一　納福納妻陸氏子一女二　長青妻那

氏妹二　吉山妻方氏女二　喜祿妻于氏女二　吉勒通阿妻岳氏妹一　謹

順母高氏妻沈氏　根音圖妻方氏子一　蘭瑞妻袁氏妹一　祥貴母吳氏妻方氏

連桂母王氏妻吳氏　清林母郝氏妻那氏　安瑞妻李氏子一　萬瑞妻吳氏子一

平安妻吕氏子一　恆貴妻方氏女二　松順母吕氏妻沈氏妹二　松濱妻孫氏

子一　文慶母方氏妻色氏女二　惠年妻色氏子一　薩蜚圖母李氏妻那氏女二

喜林妻許氏妹一子二　連瑞妻吳氏子二女二　雙喜母趙氏妻方氏　蘇

勒法佈母方氏妻吳氏

閒散多喻　慶瑞　松亮妻何氏　格圖肯　春慶　索成　錦祥

妻李氏女一　如依嬬母何氏妻于氏　喜慶妻成氏妹一　依成額妻李氏女一

連元母余氏妻那氏　春貴妻吳氏妹一　武成妻李氏女一　順祥妻吳氏女一

囊明妻何氏女一
森元母張氏女一
森露妻成氏妹一
秀林妻汪氏女一
業登額母王氏妻吳氏
恆林妻沈氏女一
赫本額母高氏妻吳氏妹一女一
雙成妻汪氏子一女二
碩成妻趙氏女二
吉兆母成氏妻吳氏子一女一
南安妻王氏女一
忠慶妻何氏女二
升林妻張氏子一
雙噶母于氏妻李氏
遮正阿妻吳氏女一
喜成母汪氏妻汪氏
倭清額妻許氏女二
合林子一女二
玉露母郭氏妻王氏
重慶妻沈氏女一
金玉妻倉氏子一
志福妻郝氏子一
阿長阿母金氏妻那氏
塞山阿妻倉氏子一
貴興妹一女一
惠德妻成氏嫂吳氏
如伊妻呂氏子一
士山妻姜氏女二
依克堅阿妻吳氏姐一
連升母江氏妻于氏
色佈清額妻甘氏子一
連有妻吳氏女二
伯瑞母王氏妻于氏
該阿妻巴氏女一
滿德妻朱氏子一
倭清那妻黃氏子一
滿噶那妻姜氏妹一
倭西渾妻那氏子一
墨爾根妻朱氏女二
加勒山阿母童氏妻王氏
都那母姜氏妻屠氏
言順妻呂氏妹一
強林妻李氏子一
永保母李氏妻何氏女一

薩畢圖妻吳氏子一　重喜妻巴氏女二　多喻妻那氏妹一　有山母李氏

妻何氏子一女二　松山妻吳氏妹一　木山妻成氏姐一　普貴妻許氏子一

岡貴母錢氏妹一　慶瑞母高氏妻王氏　松秀妻那氏子一　望露母趙氏妻吳氏

額圖經母周氏妻汪氏　廣木母何氏妻于氏女一　得能額母王氏妻巴氏　申福

妻洪氏子一　重壽母岳氏妻洪氏女二　秋喜妻陳氏子一女二　廣元母吳氏

妻王氏子二　懷保母金氏妻伍氏女一　鈔全妻伍氏妹一子一　明海母巴氏

妹一妻漆氏　碩林泰母高氏妻汪氏　重福母何氏叔母沈氏女一　順祥妻袁氏

子一妹一　威福妻吳氏子二　木都哩妻洪氏女二　章祿妻那氏妹一　阿加

佈母趙氏妻陶氏　果捫佈妻姚氏子一　喜福母朱氏妻江氏　永年母何氏妻于氏

赫林額妻成氏子一　雙林母沈氏妻姚氏　受露妻傅氏妹二子一　品元妻洪

氏子一　吉清妻方氏子一　雙福妻袁氏女二　長壽妻洪氏子一　塞石經

母姚氏妻傅氏　賞志母鮑氏妻徐氏妹一　秀林母洪氏妻黑氏　業登額妻巴氏妹一

子二　愛仁納母馬氏妻汪氏　雙奎妻金氏子一　錦慶母方氏妻沈氏女二

珠爾噶圖妻成氏子一女二　雙惠母汪氏妻江氏　雙慶妻巴氏子一　照明

妻吳氏女二　祥清母姜氏妻伍氏　順喜妻那氏子一　茂德母吳氏妻佟氏　長德

妻李氏子一　德安妻袁氏女二　清安母方氏妻吳氏　雅爾噶阿妻陸氏妹一

成德妻伍氏女二　惠安妻納氏子一　寶明母郝氏妻朱氏　蘭玉妻何氏子一女

二　德西佈母戚氏妻于氏　金福妻洪氏子一　依呼岱母佟氏妻何氏　志發

妻洪氏子一　德祿母李氏妻吳氏妹一　雙喜妻傅氏子一女二　彬桂妻傅氏

子一　倭志妻方氏女二　吉亮妻方氏子一　萬玉妻萬氏妹二　祥年母李氏

妻洪氏　福海母楊氏妻王氏　慶安母徐氏妻吳氏　木安母那氏妹一妻王氏　雙

安妻陸氏妹一　有秀妻范氏子女　奎福妻巴氏女二　同玉妻納氏妹一子二

額楞額母胡氏妻那氏女二　委山妻郝氏妹一子二　松山妻巴氏嫂朱氏

女二　錦山妻李氏妹二子二　喜祿母范氏妻周氏姐一　達爾噶春母倉氏

妻巴氏子一女二

阿哈阿母朱氏妻洪氏子一

倭升泰母鄭氏妻汪氏妹二

雙恰佈妻朱氏子一女二

福慶母姜氏妻成氏子一

增慶妻佟氏子一女二

倭興額妻屠氏嫂蒼氏妹二

勒扶勒妻何氏子女

福成母趙氏妻成氏女二

福元妻田氏妹一子二

福惠妻郭氏子二女二

咈春母朱氏妹一妻沈氏

女一

法咈哩妻何氏妹二子一

達佈姑哩妻胡氏嫂拿氏子一

納黨

阿母巴氏妻于氏女二

萬昌妻于氏妹一子一

錦慶母梁氏妻韓氏女二

雙

慶母洪氏妻方氏女二

順亮母方氏妻吳氏女二

格圖肯母范氏妻陳氏女二

普長哈母哈氏妻那氏女三

杏格母田氏子二妻王氏女二

祥瑞妻拿氏妹二子

二

松年妻仝氏妹二子一

礮手萬年妻朱氏

惠祥母趙氏妻巴氏

升惠母李氏女一

重貫妻李氏妹一

萬年妻朱氏

山噶岱妻錢氏子一

吉福母郝氏妻陳氏

福玉母朱氏女一

王氏

匠役
福克津 妻舒氏
林玉 母巴氏妻江氏
佛克津 妻舒氏
海慶 母朱氏妻何氏
賞完 妻王氏妹一
長發 母郝氏妻方氏女二
賞貴 母易氏妻汪氏妹一
富勒渾 妻方氏女二
塔蜚圖 母李氏妻于氏女二
浯元 母佟氏妻傅氏
花甲
慶林
達呼納
志林 妻馮氏
蘭奎 妻巴氏子一
塔哈蘇 母朱氏妻何氏子一女三
松良 母周氏女一
二倉 母吳氏妻汪氏女一
囊林 妻王氏子一
強鼎 妻傘氏女一
運喜 母巴氏妻吳氏
松元 妻佟氏女二
有祿 妻吳氏子一
雙慶 妻汪氏女一
蘭瑞 母呂氏妻施氏女一
文慶 母許氏妻余氏
如意 妻朱氏女二
加郎阿 母趙氏妻呂氏
雙安 母于氏妻何氏妹一
森林 妻吳氏子一
桑林 母張氏妹一
慶林 母周氏妻呂氏
法佛哩 妻何氏女二
壽山 妻佟氏妹一
萬祥 母胥氏妻徐氏
萬松 妻哈氏子一
錦福 母巴氏妻余氏
德全 妻成氏女一
永年 母吳氏妹一
存德 妻戚氏女二
官昌 妻倪氏子一女二
額能額 妻沈氏妹一女二
哩德佈 妻許氏[illegible]一
雙奎 妻那氏子一
絅寬 母佟氏

妻傅氏　克勒蘇妻朱氏子一　福祥母何氏妻于氏妹一　百年母朱氏妻那氏
奎有妻方氏子一　慶福母佟氏妻吳氏妹一　錦昆妻袁氏子一女二　錦玉
妻洪氏姐一　克勃春額妻成氏妹一　生祥妻姜氏妹一子一女二　寶青妻方
氏妹一子一　喜昌妻胡氏嫂吳氏女二　錦昆母周氏妻余氏女二　炳海阿
母吳氏妻王氏　南喜妻蔣氏子一　重德妻方氏女二　重林妻袁氏妹二　祿全
母高氏妻王氏　三音額妻張氏子一　克仁額妻方氏女二　重喜母黃氏妻汪氏
重升妻龍氏子一　志露母吳氏妻于氏　塔哈佈妻郝氏女二　福祿母巴氏妻吳氏
氏　長青母吳氏妻王氏　約倫泰母傅氏妻拿氏　圖呼春妻哈氏子一　春貴母汪
氏妻王氏　臧祥妻方氏子一　吉成母范氏妻朱氏　吉清妻洪氏子一　南山
妻李氏女二　清明妻范氏子一　德那妻洪氏子一　海福母傅氏妻于氏妹一
豐爾哥圖妻吳氏女二　生瑞母傅氏妻于氏　平福妻呂氏子一　廣秀母方氏
妻吳氏　祥祿妻巴氏子一　福明妻洪氏子女　永昌妻許氏子一　錦安妻洪

氏　女一　慶雲　母逢氏　妻李氏　喜元　母王氏　妻趙氏　妹一　嗎奔額　妻郝氏　子一
貴玉　母何氏　妻汪氏　有年　妻李氏　子一　墨爾根額　母色氏　妻傅氏　妹二　倭元
母姜氏　妻陶氏　子二　蘇伯爾安　母何氏　妻吳氏　姐一　普德　母田氏　妻申氏　女二
清昌　妻王氏　子二　女二　岳嚕岱　母伍氏　妻桑氏　妹二　文柱　母高氏　妻何氏　女二
法稜岱　妻吳氏　嫂佟氏　妹二　愛仁佈　母吳氏　妻成氏　妹一　額佈德哩　母錢
氏　妻周氏　女二　依寗額　母吳氏　嬬余氏　子二　女一　連慶　妻關氏　妹二　子一
慶林　妻洪氏　子一　女二　迎瑞一　妻張氏　女二
幼丁森榮　母張氏　弟森林　扎勒額蘇　祖母趙氏　母張氏　喜哥　母曹氏
壯丁文秀　妻王氏　祥兆　嬬母趙氏　聚保　妻錢氏　妹二　有貴　姐一　連祿　母吳
氏　妻何氏　女一　萬年　母李氏　妻吳氏　文彬　母成氏　妻于氏　喜林　母李氏　妻何氏
綠營馬兵札勃通阿　妻黃氏　子兵玉差玉額　女二
向營陣亡駐防八旗甲兵廣全　壽陞　垣敏　連成　吉春

瑪勒哧特依 德機納 連陞 依仁阿 恆亮 惠成 都
綳額 鍾山 連玉 吉春 慶元 庚申 惠全 文祿
納爾精額 棲哧 阿嶺阿 林海 新坦 如川 茂德
有貴 玉秀 三順 福蘭均在營陣亡

駐防貞烈

翰林院庶吉士壽昌之妻李佳氏子茂春 直隸知縣吉祥之妻舒氏女平妞○以上旗籍無考 步甲金順之妻薩克塔氏女秀姑 慶成之孀母某氏妻萬佳氏子女三○以上鑲黃旗 馬甲明亮之母桑氏妻羅氏 馬甲長源之母何氏妻殷氏 馬甲嚕攝哩之母關氏嫂關氏 馬甲海祿之祖母關氏嫂馬氏○以上鑲白旗 領催海明之妻何氏女二妞 前鋒松廣之母卓桂氏妻嚴氏 步甲長興之妻馬氏女小止 馬甲炳榮之母趙氏妻錢氏 馬甲生祥之母善氏繼母屠氏妻余氏 馬甲永亮之妻常

佳氏女王何氏　馬甲魁亮之妻馬佳氏女佟何氏　馬甲文亮之妻關佳氏女佟何氏　馬甲榮陞之母赫氏嬸母楊氏　馬甲惠祿之妻郭氏女小老姪女大東小東　馬甲賞桂之妻王氏女大妞二妞氏嬸母馬氏女一口　馬甲雅嘞哈產之母某氏妻李氏女某　花甲林福之嬸母馬氏妻唐氏　花甲喜林之母趙氏妻關氏　猛温佈之母赫氏妻黃氏○以上正白旗　故馬甲德保之母某氏妻某氏○以上正藍旗　佐領恩照之長女某幼女某　領催興陞之妻葛氏女一某　領催順安之妻滿氏媳高氏女某孫女一　馬甲光發之母關氏妻關氏　馬甲克克色納之母傅氏妻康氏　故兵哈希納妻某氏有傳鳳如嚴氏松齡芷妞田哈氏田氏女存存鄰女關松壽以上鑲紅旗　陞正紅旗佐領福志之母張氏嫂馬氏妻韓氏女二　陞正白旗驍騎校阿勃達哩之妻李氏女一某　馬甲攏哈納之妻包氏子二幼丁女二口　馬甲新額特之妻魏氏子一幼丁女二口　雙恰佈

之妻趙氏女某○以上鑲藍旗

以上駐防婦女一門殉難

六品蔭生銀秀之妻朱氏旗籍無考　舉人祥瑞妻關氏旗籍無考　馬甲恆順之母馬氏　馬甲廣茂之母平氏　馬甲連捷之母張氏　馬甲連啓之母石氏　馬甲忠亮之母蘇氏　馬甲長凱之母趙氏　馬甲德元之母赫氏　馬甲瑞林之母趙氏　馬甲茂森之母包氏　馬甲海祿之母童氏　馬甲淸倫之母何氏○以上鑲白旗

故典史崇善之妻霍托胡佳氏　候選典史裕厚之妻趙佳氏　防禦興林之妻吳氏　領催所福之妻胡氏　領催法福哩之妻關氏　領催明貴之妻佟氏　領催祥明之妻富氏　領催蘭格之母趙氏　領催海陞之妻衞氏　前鋒金山之妻傅氏　馬甲恩奎之母張氏　馬甲貴昌之妻常氏　馬甲成春之妻關氏

馬甲薩耆納之妻孟氏　馬甲成春之妻周氏　馬甲來福之妻趙氏　馬甲末赫之妻黃氏　馬甲玉陞之妻邢氏　馬甲長泰之妻李氏　馬甲城元之妻張佳氏　馬甲都林佈之妻唐氏　馬甲庫猛額之妻王氏　馬甲奎山之妻劉氏　馬甲金陞之妻石氏　馬甲裕誠之妻常佳氏　馬甲貴亮之妻吳佳氏　馬甲秀善之妻楊佳氏　馬甲銀陞之妻柏氏　馬甲赫德衣之妻趙氏　馬甲海明之妻何氏　馬甲金善之妻催氏　馬甲明貴之妻佟氏　馬甲金祥之妻耿氏　馬甲成元之妻張氏　馬甲長命之妻佟氏　馬甲存福之妻趙氏　馬甲東福之妻傅氏　馬甲志奎之妻唐氏　馬甲恩惠之妻鄭氏　馬甲銀桂之妻洪氏　馬甲依鑑額之妻洪氏　馬甲孫卓佈之媳王佳氏　步甲三元之妻李氏　步甲中林之妻趙氏　花甲愛仁佈之母赫氏

花甲金春之母佟氏　花甲雙喜之妻楊氏　花甲殿元之妻趙氏　閒散貝都哩之妻鄭氏　閒散格繃額之妻傅佳氏　哈岱之妻楊氏　貴山之妻關氏　定柱之妻吳氏　雅爾呼岱之妻趙氏　德成之妻關氏　玉陞之妻那氏　穆奇先之妻周氏　成春之妻周氏　東山之妻王氏　祥明之媳嚴氏　松成之妻吳氏　炳陞之妻紅氏　烏爾滾佈之妻趙氏　惠玉之妻趙氏　雅爾哈達之妻傅氏　法佈賞阿之妻關氏〇以上正白旗　故馬甲孫紅納之妻泉氏〇以上正藍旗　馬甲連祥之妻王氏〇以上鑲紅旗　故鑲紅旗佐領祥安之妻黃氏　陞鑲藍二甲防禦長年之家屬　陞正藍旗防禦福林之家屬　陞正紅旗驍騎校海福之家屬　領催廣昌之妻何氏　領催海亮之妻李氏　馬甲德亮之妻張氏　閒散順亮之妻郝氏〇以上鑲藍旗　馬甲阿克黨阿之妻王氏　馬

甲雙祿之妻張氏○以上正紅旗

趙四女某佚名有傳○旗籍無考

續纂江寧府志卷十四之十中下

上元秦際唐分纂

人物 忠義貞烈

官

總督銜原任兩江總督陸建瀛湖北沔陽人壬午翰林在小營殉難江寧布政使祁文節公宿藻山西壽陽縣人建專祠名宦有傳侍女一婢女一贈光祿寺卿署江寧布政使江南鹽巡道涂文鈞湖北嘉魚人己丑進士家丁甘順蔣坤贈光祿寺卿江安督糧道陳克讓奉天承德人癸丑進士在隱仙庵殉難弟克誠子松恩同殉贈太僕寺卿江寧府知府魏亨逵妻韓氏妾張氏阮氏江寧管糧同知承恩鑲黃旂人贈道銜江寧府北捕通判程文榮浙江嘉善人贈道銜同知銜上元縣知縣劉武烈公同纓江西石城縣人建專祠名宦有傳弟文生同慶家丁陳升贈知汪泰贈知府銜江寧縣知縣張行澍河南祥符人任龍王廟殉難名宦有傳贈知府銜己革江都縣知縣陳第誦廣西鬱林州人贈知府銜試用知縣裘

傳江西新建人乙未舉人金川門陣亡　贈知府銜試用知縣李幼輿山東濟甯州人太平門陣
亡家丁陳六　候補知府劉春霆安徽六安州人丁酉舉人在漢西門陣亡　江甯織造筆
帖式圖桑阿滿洲人妻汪氏　江甯織造庫大使祥壽內務府正白旗人僕趙升
贈都察院經歷江甯府教授歐陽晉常州宜興人名宦有傳　贈國子監助
教上元縣教諭夏慶保揚州儀徵人名宦有傳　上元縣訓導陳耀奎清河人
妻某氏子二人　贈知州銜候補布政司經歷高鏡涵浙江仁和人　贈鑾儀
衛經歷江甯府經歷顧璜浙江仁和人　贈鑾儀衛經歷試用縣丞方
若夔安徽定遠人通濟門陣亡　署上元縣湻化司巡檢候補從九品朱慶煌
贈鹽運司知事前上元縣湻化司巡檢管兆蕃安徽懷甯人殉溧水難孫婦
路氏幼孫敬臨同殉　從九品前署秣陵司巡檢項錫綬安徽歙縣人金川門陣亡子
盛坤子婦節婦程氏次媳吳氏孫女大姑二姑三姑盛坤岳母吳方氏　投効廣東河源縣
藍口司巡檢賀龍恩順天大興人儀鳳門陣亡　贈鹽運司經歷前吳縣主簿

俞振鴻甘肅皋蘭縣人　從九品前山陽主簿陳如松浙江山陰人聚寶門陣亾　上元縣典史吳申之直隸人妻某氏妾某氏均同殉　贈鹽運司知事前署理甘泉縣典史從九品魏瀛廣順州人妻趙氏子學澂學易學信岳母趙吳氏女大姑細姑使女春姑　贈鹽運司知事江甯候補從九品錢巨源　贈鹽運司知事分發江甯候補從九品朱麒書涇縣人水西門陣亾妻胡氏　贈鹽運司知事試用從九品周之璠順天通州人雞鳴山陣亾　贈鹽運司知事試用從九品楊忠宰順天大興人雞鳴山陣亾　贈鹽運司知事試用從九品黃俊　贈鹽運司知事投効從九品李承訓安徽涇縣人陣亾世全承恩茂林恆胡氏張氏闞氏佟氏戚孀婦康李氏趙李氏崔李氏安李氏金李氏吳李氏吳喜姑同殉　贈主簿試用未入流章偉才順天大興人　贈太子少保江南提督壯敏公福珠洪阿滿洲八旗鳳門陣亾　升徐州鎮總兵督標中營副將程三光直隸邯鄲人陣亾　贈提督銜壽春鎮總兵武壯公恩長三年在老鼠峽陣亾　贈參將潛

山營遊擊署江甯城守副將沈甬徐州宿遷人陣亾附傳　督標左營遊擊
周成山西大同人金川門陣亾　蕭營都司袁壽峯山東歷城縣人三年老鼠峽陣亾　亳州
營都司董士準邳州人三年在老鼠峽陣亾　六安營參將壯愍公遇壽　江
南興武衛守備曹恩元陣亾妻某氏妾某氏妾某氏子婦某氏家丁徐奎使女二名均投
池隨殉　外海水師守備方翔湖北漢川人三年老鼠峽陣亾弟永齡同殉　江南興武
衛五幫千總杜階平直隸通州人陣亾母李氏妻馬氏同殉　千總衛栢林營外
委衛忠秀奉賢人子淇園淇澳淇漪淇篆　六品藍翎外委高捷潁州府阜陽人
姪六品軍功璘均在安德門陣亾　江淮二幫千總耿清海江北人　江淮六幫千
總哈普奇先佈　興武二幫千總趙在奎江北人　興武三幫千總
金殿榮江北人　安東千總譚永清江北人儀鳳門陣亾　徐州鎮標城守把
總孫魁亮銅山人三年老鼠峽陣亾　千總蔣極升海州人水西門陣亾　狼山鎮標中
營右哨千總湯兆欽通州人三年在老鼠峽陣亾　六套汛把總馬有良安東縣人

聚寶門陣亾　東海營把總王開祥海州人儀鳳門陣亾　督標右營把總包定國浙江人三年在浦口陣亾　贈千總漕標城守營把總章馨山陽人旱西門陣亾　候補把總徐容光荊溪人水西門陣亾　提標外委徐慶江江蘇人陣亾　徐州鎮外委賴振甲徐州人陣亾　贈千總洪湖營外委安濤清河人陣亾　贈千總洪湖營外委張廷揚清河人陣亾　掘港營外委錢會江北人陣亾　外委衛步雲江北人　徐州鎮額外外委何廣善徐州人陣亾　佃湖營額外外委楊石齡安東人陣亾　佃湖營額外外委欒玉成安東人陣亾　狼山鎮右營外委陸長泰江北人　外委朱開保海州人　江蘇縣丞佘敬一浙江平湖人　江陰千總朱鴻駿老鼠峽陣亾　以上見邑志　江蘇試用從九品章俊賢順天宛平人同殉　弟俊昌　佃湖營遊擊張如琳陣亾　江南漕標遊擊王紹麟淮安人陣亾　松江左營守備夏立本鎮江府人三年九江陣亾　贈守禦所千總蘇松鎮標千總署守備顧駿華崇明人三年東梁山陣亾

江淮五幫千總候補衛守備王國賓妻周氏婦某氏妾錢氏女大姑子婦孀二姑僕婦吳氏同殉　江甯城守千總王世長合肥人弟督標左營外委世椿均陣亾　吳淞營千總方顯揚寶山人三年東梁山陣亾　海州南汛千總劉允慶桃源人儀鳳門陣亾　督標下左營千總佛爾國春滿洲人陣亾　鹽城營把總陳鶴林淮安人東梁山陣亾　川沙營把總徐寶慶南匯人三年東梁山陣亾　吳淞營把總王長春寶山人三年東梁山陣亾　六品軍功外委徐忠明丹徒人陣亾　松江營外委俞永祥浙江人三年陣亾　蘇松鎮標外委施位中崇明人三年東梁山陣亾　靖江營外委許茂芳江陰人老鼠峽陣亾　外委劉錦春金山衛人陣亾　松江營外委陸玉貴華亭人三年陣亾　徐州鎮外委呂成立徐州人老鼠峽陣亾　督標外委奎山滿洲人三年老鼠峽陣亾　太湖協右營外委黃錫昆崇明人三年老鼠峽陣亾　泰州營外委張永松泰州人陣亾以上見備考　趙莊集汛外委賴振甲銅山人三年陣亾以上續訪

續纂江寧府志卷十四之十下　　上元秦際唐分纂

人物 忠義貞烈

上元

紳

贈太僕寺卿署山西大同府知府忻州直隸州知州曹森有傳　妻李氏　孫贈鹽運司知事文生裕昆　弟士鶴妻管氏　曾孫女得姐　安姐　均殉本城難　贈道銜陝西渭南縣知縣士鶴　死渭南事　有傳

贈太僕寺卿署浙江嘉興府知府邢吉甫有傳死杭州事　妾陳氏　王氏　姪孫女小祥　僕劉氏　均同殉○

贈太僕寺卿候補知府署貴州獨山州知州侯雲沂咸豐十年死獨山州事准建專祠　子克善　克嘉　克禧　克和　克嗣　胞姪敦保　敦惠　孫寶哥　姪孫辰哥　甥朱兆寅　胞妹李侯氏　妾喬氏　子婦高氏　女阿珠　阿營　阿歡　阿全　孫女平姐　幕友孫廷斌　譚慶長　家丁譚禧　顧標　吳升　胡貴　李臘　梁發　吳全　張忠　田貴　王榮　鍾林　田升　平安　張吉　王延慶　僕婦王氏　周氏　婢女荷花　大雙　招財　雙喜　進財　吉祥　來安　春香　均附祀專祠

浙江知府

前乍浦同知馬桂林浙江陣亾　妾金
氏　烏氏　同殉　贈道銜四川會理州知
州黃家聲死會理事有傳　子慶光隨殉　文生捷元　有傳
捷元本生母湯氏　母趙氏　青年守節　捷元妻吳
氏　胞弟賜元　保元　小姑張氏　才姐　佶符　信符
甘氏　謝氏　楊氏　發文　虎文　增生汝蘭　文生汝玉
汝金　汝爲　汝勤　毓文　毛氏　李氏　車氏　費氏　吳
氏　淑媛　思明　思智　思杰　思聰　思和　思誠　如姐
改姐　轉姐　臧倪湯氏○運同銜同知夏鑾湖南陣亾有
魏黃氏　均殉江甯難　附傳　傳　弟文童
家繆　同知銜陝西候補知縣世榮　陝甘陣亾　榮遠　殉安
徽難　欽　錦　鎔　增生家銑　殉本城難　有傳　家銑妻
蔡　贈道銜湖北武昌通判李芳死武昌事有傳　妻聞氏　親
氏　屬十餘人　家丁　何某　何某
妻一　何某子一　洪茱　輿八　胡某　胡某妻一　胡某子一
使女荷花　僕八　朱百壽　女僕二　同殉　同知銜浙江知
縣作相　作相妻汪氏　署浙江松陽縣知縣作幹　縣丞　通
作桂　縣丞作棫　浙江候補縣丞作杭　均死浙江事
判陶澤煊　從九品鈞　從九品鑄　從九品繼曾　從九品寶賢
從九品德焜　八品銜延增　監生寶蔭　監生澤
耀　文童澤煋　文童澤煜　澤煊妻趙氏　理問銜榜生　孫
氏　榜庶母唐氏　榜妻任氏　壋母張氏　用模妻董氏　母　孟
紳妻林氏　仲綸妻施氏　翰林院待詔梁　次女二
姑　府經歷熙女八姑　湘南次女李陶氏　僕一　贈知府知

本頁原殘闕，現據南京圖書館藏《光緒續纂江寧府志》（光緒六年刻本，光緒七年初印本）補字。

縣周洛有傳妻蕭氏弟文生部弟婦朱氏姪茂愷茂愔茂恬茂忠茂恕姪孫永川永發永齡
姪婦陳氏汪氏姪孫女淑齡德齡猫姑戚錢紅姑男僕某女僕一使女一五品銜知縣李
登綬霍山陣亡五品銜主簿宗淶文童宗蘭宗淶妻楊氏從九品琳妻劉氏僕陳升均殉本城難浙
江知縣方城弟某十一妻某氏弟婦某氏死浙江事揀選知縣孔繼周妻顧氏
五品銜監生許尚陛玉純玉影元茂元林元杏元裕元福尚陛妻王氏玉純妻顧氏玉
影妻朱氏承美妻宋氏承美女珍兒贈知州布政司理問銜郭慶霖庶母虞氏妻章氏
贈鹽運司知事文生進監生培壎翰厚嫂顧氏楊氏張氏姪婦金氏布政司理問謝方
坦弟東園子鶴年康年子從九品廷芳姪雨亭景培姪孫咬子孀母張氏堂嫂淇氏雨亭妻衞氏女貓姑
姪女巧姑轉姑姪孫女紅姑男僕王貴女僕曹氏直隸州州同朱金聲承熙鴻猷文童
金伯承垿承墉承憲承惠之健鴻謨文生煥章承喆承墂承墀承華之俊鴻泰金聲妻劉氏
金聲妾羅氏金聲子婦張氏孫女大姑二姑揩妻劉氏貢生南宮妻趙氏南宮女十姑字施十一姑字佘揮妻
倪氏揮女二慶姑金伯妻徐氏金伯女小春姑文生金牧妻邱氏煥章妻李氏煥章女起英姑姪女大換姑二

換　姑　三換姑　承憲妻王氏　承憲妾王氏　承憲女瑞英字
張　文生煥奎妻王氏　煥奎女愛姑　承惠妻王氏　承惠女
好英姑　來英姑　似英姑　承志妻徐氏　承志女大敏姐
二敏姐　三敏姐　聚奎妻陶氏　榮奎妻梁氏　榮奎女大潤
姐二潤姐　均殉本城難　贈布政司
都事貢生搢　監生揮　均殉溧水縣難
孝廉方正文生倪德
新
子舉人嘉禧　妻梅氏　子婦羅氏　朱氏阮
氏　孫宗巽　姪孫女三姑　四姑　孫女明姑
六品銜陞
芝年
妻沈氏
女槐姑
贈都察院經歷直隸州州判方恩露
母李氏　妹
楊方氏　女
河南祥符縣知縣張其昆妻方氏
男僕楊升　女僕楊某氏　菊仔
敎諭侯敦泰
文生敦詩
書吏敦豫
贈
國子監學錄訓導龔賜書
弟璋　弟文發　弟魁發　姪文生長
聯　弟婦許氏　葉氏　馬氏　姪女
好姐　如姐
更姐　三姐
贈國子監學錄訓導丁金鎔
文生金科　金科
妻陳氏　贈鹽運
司知事文生逢年　文生有年　炳年　金鑑　金鑑妻某氏
金鑑女大姑　二姑　大子有　幼子　逢年妻黃氏　逢年子有
有寬　妹大姑　女大姑　二姑
恭　三姑　四姑　文生奎年妻何氏
贈布政司都事訓導方
先甲
有傳　妻汪氏　姊戴方氏
女八姑字張氏　戚陳朱氏
贈國子監學錄訓導張子雲
長貴　兆鰲妻陳氏　兆
女小五　麟妻節婦陳氏
贈鹽運司知事從九品監生孫兆麒

府經歷王葆昕子婦閔氏均殉揚州難
贈鑾儀衛經歷浙江縣丞羅慶恩死甯國事○文童樾慶祥壽祿福喜原任河南榮陽知縣鳳儀妻朱氏鳳藻妻陳氏藻妾鮑氏女福官鈞妻王氏榕妻王氏淼妻董氏淼女福姑樾生母王氏樾妻薛氏樾叔母王氏周氏尹氏樾堂妹桂姑胞姪女安姑僕華何氏華愛仔侯許氏均殉本城難
五品銜浙江縣丞署平湖巡檢劉介臣浙江試用未入流紹熹十一年均浙江陣亡
贈國子監學錄前寶山縣訓導劉紹曾有傳妻汪氏妾姜氏熙榮連喜子婦節婦蕭氏孫女喜姑婢女翠羽
贈國子監學錄前徐州教授路聲和妻花氏
縣丞吳文鏞妻趙氏女巧姑澐澐妻施氏男僕陳福女僕李小家
六品銜陸海重駟
縣丞張普十年蘇州陣亡妻唐氏女秀鸞均同殉難文生耀乾句容陣亡
縣丞章清妻陳氏孫女七姑改姑止姑
縣丞馬士蓮浙江諸暨陣亡縣丞士蘭浙江包邨陣亡
縣丞曾玉亭妻沇氏
贈布政司都事八品銜周廷楨子婦張氏女戴周氏女二姑三姑
八品銜邱長佑文生長齡監生長祺長福妻何氏子婦章氏弟婦崔氏
贈布政司都事八品銜牛定邦妻劉氏啟祥

啟泰華紫女安姑姊節婦適欒姪女四姑　八品銜趙俊妻許氏自誠女秀英　八品
銜梅瑞芝庶祖母焦氏母胡氏妻朱氏女文玉僕一　八品銜陳長齡從九品又新妻
節婦王氏武生德滌妻節婦吳氏女槐姑文生德濂妻常氏　八品銜季仙槎妻王氏女蕙姐僕季
福劉林　贈鹽運司知事浙江按察司獄朱則彥致泰致善均於咸豐十一
年同殉浙江難　贈主簿貴州貴定縣典史王佐妻許氏子洪範妾吳氏女陞官
戚尚溶香　贈鹽運司知事前廣東河婆司巡檢萬棠妻何氏叔祖母朱氏伯母
許氏叔母任氏嫂宋氏女存姑父春田鈞澐僕一　署安徽湖樂司巡檢趙潤妻劉
氏　署安徽旌德縣典史陳濤死甯國事妾李氏　贈鹽運司知事浙江
從九品陳夫增十年死浙江事妻華氏夫鏞祖妾徐氏同殉難　從九品馬灝齡殉浙
江難女五姑恬姑九姑子婦顧氏長女郭馬氏同殉難　贈鹽運司知事從九品王
釗二元三元繼妻劉氏女杏姑秀姑　從九品汪雲上從九品靖弟婦孫氏妹德貞
從九品鄒元龍妻王氏　從九品邵培基母金氏妻陳氏　從九品江景麟

保元妻周氏從九品徐鑑母節婦葛氏戚節婦孫何氏從九品倪應昌母王氏起全
女周倪氏文生崟妻王氏僕李永全姚永發贈鹽運司知事從九品章大來妻徐
氏子醕從九品賈寶珊桂芬從九品翁天福天佑從九品彭
建合子澤贈鹽運司知事從九品陳寶琛母節婦蘇氏妻趙氏監生寶賢妹
鴻姑女雙貞雙如叔母蘭氏徐氏叔妾程氏浙江黃巖縣知縣寶善妻張氏寶善女雙桂寶賢妻蕭氏女僕
莫陳氏李某氏贈鹽運司知事從九品蘭維嶽母許氏伯國華繼妻史氏維炳維墉
維嵩維賢廷秀子婦朱氏維炳妻郭氏姪孫金釗弟婦王氏姪婦節婦賈氏妹張蘭氏姪女錢蘭氏外
甥女徐陸氏均殉本城難維嶽子兆龍八年揚州陣亡從九品田曉邨紹虞從九品
苗溱弟從九品瀛均殉河南難繼妻盛氏子婦張氏孫女如姑慶姑瀛妾宋氏殉本城難從九
品龍文學從九品長松奇妻佘氏文舉妻何氏長齡妻韓氏長松妻胡氏文學姪女玉姐從九長松妹
瑞林姐平姐恩姐杏姐菊姐秀林姐從九品姚有臨兆祜兆祺妻崔氏從九品
陳嵩年妻沈氏子婦方氏夏氏孫女平姐從九品周象沅妻吳氏宜祜宜祥宜禧宜

祚　為珍　長子婦鄭氏　**從九品茅永良**　文生順蛟　文生順鰲　順瑚　文生宗朝　宗林　宗林妻竇氏

縣丞永春妻朱氏　永牲妻經氏　明德妻張氏　女鳳姑十　順生妻陶氏　順文妻雍氏　順蛟妻許氏　順瑚妻黃氏

年均殉　湖熟難　**從九品歐陽宣**　邵氏　琥　鹽生　琥妻王氏　錚妻　周氏　琥子婦李氏　琥孫女小青

從九品呂振聲　弟婦節婦丁氏　姪長熙　長煦　長杰　姪　孫五品藍翎外委嘉績　浦口陣亾　姪婦張

氏　張氏　張氏　**從九品周元**　妻李氏　子婦　毛氏　朱氏　**從九品李世銓**　母張　氏

繼妻朱氏　笙　堂繼妻孫氏　**從九品許正禮**　祖母節婦鄭氏　叔祖母　節婦畢氏　五姑　七姑　**從**

九品馬坊　妻仝氏　嫂王氏　**從九品蔣壽昌**　妻徐　氏　**從九品鄧鈞**　千總汝　元子

婦辛氏　弟婦芮氏○　孫女如姑　二如姑　**從九品孫應騏**　嫂戴氏　陳氏　**從九品欒廷**

魁　妻趙　氏　**從九品殷兆履**　慎　修和　修存　修祥○　修鈺　嫂王氏　子婦王氏　**贈鹽運**

司知事從九品陶榴福　連福　龍華　德華　連福妻張氏　連　福嫂丁氏　守節十六年　姪婦孫氏

李氏　女六姑　姪女陳陶氏　姪女七姑　鳳姑　靜姑　女紅姑　姪孫女榮姑　婢女春喜巧齡　男僕鄒二　**從**

九品洪恩　妻程氏　文童　菾妻節婦王氏　**贈鹽運司知事從九品王起鸞**　妻陳　氏

起鰲妻汪氏 壽康妻顧氏 贈鹽運司知事從九品潘恩培 嫂管氏 婦丁氏 子 從
九品周德茂 繼妻汪氏 從九品李保龍 妻張氏 從九品周鴻儀 清涼門陳
亾 子國樑 叔母王氏 妻 張氏 子婦張氏 節婦楊氏 從九品徐蔭槐 文生楷 六品 軍功蔭柏 葉
氏 從九品潘玉書 監生萬里 從九品胡永齡 家屬同殉 從九品朱鍾
秀 妻徐氏 贈鹽運司知事文生修齡 鍾傑 鍾 仁 鍾和 湲 僕王升 王貴 鄰人徐模 從九品孫
義方 妻龐氏 從九品王本基 妻呂氏 女秀英 志熤 忠輔 忠弼 贈鹽運司知
事從九品金懷章 繼母崔氏 妻李氏 德成 妹松姑 從九品陸安 妻周氏 從九品寅
從九品彭 年妻彭氏 贈鹽運司知事從九品田潤林 潤書 職員江錦
源 妻金氏 得福 武童 得祿 得福妻尤氏 職員王高深 妻竇 氏 職員溫肇隆 妻陳
氏 職員張焜 嗣母江氏 庶母韓氏 叔母武 氏 繼妻王氏 乳保 妹咬姑 廣東游擊王
夢熊 署督標左營把總武舉占彪 洪湖營右哨外委燦 武生占斌 旗牌占祥 守兵占奎 武生占魁 署江
甯城守營都司雲騎尉吳攀鳳 陣亾 母宋氏 妻王氏 弟攀祥 叔祖暄 同殉 守備

王洪妻劉氏承道女葉姑衛千總戴黼廷弟文生森秉彝子江西從九品玉麟均陣亡子

婦陸氏姪五慶六慶八慶文生錫純妻顧氏女陳戴氏五品銜錫周妻呂氏孫女好姑姪女七姑姪孫長恩

長奉長鈞姪女陳戴氏千總洪長瀛妻闞佳氏把總王占奎陣亡占奎父母同殉名

佚督標中營千總海定國十年殉蘇州難〇江甯城守千總從龍〇本城陣亡六合城守千總成

龍六合陣亡有傳千總武舉傅大標外委慶春贈千總休致把總陳景元

有傳妻余氏孫女五姑〇贈千總江甯城守右營把總澐靖江營把總馬廷棟京口水師中營外委

安正長慶安正妻盛氏句容城守把總蔡錦元六年句容陷全家投水死黃浦墩

把總許長清妻姜氏銘揚姪女秀姑武童崧鑑崧泰銘安金福金才姪婦繨氏銘安妻牛氏

銘揚妻王氏僕魏氏城守右營把總佘萬金母祁氏承順妻趙氏休致把總

伍長霖家屬同殉把總范開先把總先煦督標中營把總郭萬年六品頂戴

延年城守左營外委韋安國陣亡妻某氏同殉外委艾光榮繼母楊氏妻李氏

妹大姑外祖母楊金氏江甯城守外委姚理左營外委鈞均陣亡妻周氏孫女一鈞妻

朱氏孫某○督標左營外委李衡妻孫氏城守左營外委許長華父克斌母馬氏弟長貴姪朝儀外委王金鰲妻戴氏子婦胡氏女金姐馬兵鎮泰永泰有泰恆泰景福起鳳妻馬氏僕李貴六品頂戴外委汪永清弟婦王氏外委邦寶清妻陸氏外委蔣大鵬母王氏妻葛氏八品頂戴培祥培祥妻陳氏七品頂戴外委沈新堂母俞氏妻厲氏子文錦女文彩姑外委蔡廷楨妻王氏外委鄭長庚蘇州陣亡祖父丹培祖母張氏姪從九品常林嫂張氏詹氏子婦吳氏妻曹氏姪婦李氏姪女美姑孫女如姑平姑同殉外委董光鈞妻富氏吏員殷兆履訓導田○以妻王氏上見邑志布政司理問銜李湘兄淦子緒宗妻何氏妾朱氏嫂陳氏弟婦陳氏趙氏女翠姑府經歷謝汝霖妻韓氏從九品夏賡颺戟門嬸母秦氏妻張氏狼山鎮標守備毛兆樑兄文生某儘先拔補千總俞秉鏞從九品學俊從九品正鼎正鼎母朱氏正鼎妻楊氏六品頂戴外委張名揚妻常氏外委金詔子齡母伍氏妻熊氏妾顧氏子婦楊氏熊氏江淮八幫旗丁九品頂戴田潤霖弟紹

虞○以上見備考

以上紳一門殉難

贈道銜安徽盱眙縣知縣許垣死盱眙事建專祠　知縣楊濟蘭南陵陣亡
知縣劉大鏞蕪湖陣亡　贈知州銜貴州試用布政司經歷侯克樹同治七年六月在貴州脩文縣屬彌陀寺陣亡　貴州候補府經歷顧宗楨同治三年十月在定番州釐局城陷殉難
五品銜知縣周德淵　贈知州布政司經歷文生楊起元
贈知州布政司理問宋善珍　州同管杰　贈道銜同知銜鹽大使蔣漢卿　贈鑾儀衛經歷鹽大使朱桂楷　教諭汪常林
訓導王兆海甯國陣亡　六品銜嚴熙浙江陣亡　六品銜邵康福秣陵關陣亡
府經歷俞凌松浦口陣亡　提舉銜縣丞王心畊　贈知府縣丞梅琦陝甘陣亡　縣丞孔昭榮　縣丞陶淦　八品銜郭嘉瑞　八品銜蒲淇浦口陣亡　八品銜周之燦五年六合陣亡　八品銜陶棨　八品銜蔣

兆景　贈布政司都事八品銜沈之延　八品銜梁義廣　八品
銜李宗泗　贈鹽運司知事陶德椿　主簿江元輔東霸陣亡　主簿
王光斗　江西小姑山巡檢馬逢春　直隸巡檢陶允吉　巡檢
崔上達溧水陣亡　贈鹽運司知事巡檢劉彭年　贈鹽運司知事從
九品孫錫椿浙江陣亡　贈鹽運司知事從九品傅和　贈鹽運司知
事從九品林西源　從九品顧金標　贈鹽運司知事從九品齊
鑄　從九品張雲翔　從九品談鈵　從九品秦錫麟　從九品
陞嘉穗　從九品江洪鈞　從九品徐錦源　從九品朱克昌
從九品殷兆謙游幕建德殉難　從九品欒宏趙太平岡陣亡　贈鹽運司知
事從九品鄭兆松　從九品張藎臣殉湖熟難　從九品宣長清六年陣亡
亡　從九品李德昌泉水鄉陣亡　從九品吳濤　從九品尹文正獅子山陣亡
從九品蔣德全　從九品季越航　從九品邵鐸丹陽陣亡　從

九品郭太平廬州陣亡　從九品胡濟川　從九品王準　從九品王
大達　從九品王渭川　從九品賈雲松十年太平門陣亡　從九品唐
耀章　從九品蔣以介　從九品紀巽　從九品林長年　從九
品易鴻采　從九品杜培基　從九品江得祿　職員李長林
副將銜署京口副將蘇松左營游擊張攀龍有傳　游擊周得雙
前安徽亳州營都司葉養福　都司吳長年湖北陣亡　贈都司守備
孫億魁　河標中營都司李發澐殉江西難　贈游擊都司陳志林陝甘
陣亡　都司王杰　贈都司安徽潛山營守備包廷芳有傳　泰州營
守備朱正源陣亡　徽州右營守備錢湘　贈都司守備陳朝淮陝甘
陣亡　贈都司守備潘貴標　江南提標中營右哨守備曹鎮國
江寧城守千總陳大勳陣亡　贈守禦所千總平望營千總李天麒
三年老鼠峽陣亡　溧陽營千總李大全　千總沐永勝　千總徐錦濤

贈守禦所千總千總蕭正興四江口陣亡　江甯城守右營千總王占先老鼠峽陣亡　千總劉慶榮　贈守禦所千總江甯城守千總江繼勳　千總丁義昌　千總用采石把總奚廷楨　把總王占興　江甯城守右營把總謝恩元　贈千總督標中營把總寇承恩三年老鼠峽陣亡　把總龔寅　江甯城守左營把總方鳳來　把總唐沛元　右營把總蔣錫麟　督標左營把總陳貴元老鼠峽陣亡　太湖營把總李其照　把總蔣文川　把總封全勝六合陣亡　把總馬英傑　把總徐占鰲　贈千總把總陳義方金積堡陣亡附祀劉松山祠　把總王宗福浙江陣亡　把總張明德同治二年金柱關陣亡　把總仇祖武　把總廖萬年　把總陸永鑑蒲圍橋陣亡　把總佘元林　把總馬長興　把總馬相如　把總汪占彪十年蘇州陣亡　贈千總把總彭長安陝甘陣亡　督標中營外委董長發陣亡　江甯城守協防外委席松年

溧水右營外委張發春（六年溧水陣亡）　外委鮑起鎔　外委丁德厚　外委王長春　外委唐錦潮　外委張其訓　外委許長林　外委馬得勝　外委龔得勝（祁門陣亡）　外委卞鋙　外委白如青　外委吳占鰲　外委邢保清　烏溪汛外委呂順（八年橫池陣亡）　外委官照坤　外委梁慶祥　外委張廷榮　外委程長福　外委董長成　外委艾金元　外委趙林陞　外委葛昌海　外委鄭萬春

左營百總魏士祥　常州東游千總鄭文謨（三年九江陣亡）　洪湖營右哨哨官王燦○（以上見邑志）　前浙江糧儲道胡元博（死杭州事廣西八原籍上元）

六品頂戴府經縣丞吳海如　六品銜葉廣發　主簿張霖

五品頂戴張克興　五品軍功監生王志懷　六品頂戴羅印襄

贈國子監學錄訓導胡嘉楨　贈鹽運司知事從九品林長年

從九品殷愷　從九品王策　從九品王愷　從九品王怡

從九品王斌　從九品黃承中　從九品江玉書　從九品黃昭榮　從九品程恭壽　從九品曾琳　從九品施鶴林　從九品袁震　從九品方光杰　從九品王某（住明瓦廊佚其名）　從九品胡廷楨　從九品胡桂楨　六品頂戴李可桂　六品頂戴晏鵬華　未入流葉從華　職員李長榮　記名總兵楊祺（陝西陣亡）　都司張啟泰　贈都司守備王玉順（陝甘陣亡）　守備銜千總凌湘　千總黃瑞祿　千總錢相　興武衛千總金殿奎　千總王兆春　千總熊德　贈千總五品軍功計長庚（上海張官渡陣亡）　把總汪邦超　把總金萬泉　把總王舉賢　把總李宏勝　把總許文斌　五品軍功外委梁國才　五品軍功外委鍾茂龍　六品頂戴外委程進興　外委葉祥發　外委王發曾　外委張德順　外委張德祥　外委陳運偉　外委鄧萬春　外委盛萬全　外委李得

勝　外委馬永林○以上見備考　贈都司守備王舉賢湖州晟舍陣亡　擬

保守備把總陳順昌湖州○以上見陣亡續訪

士

贈鹽運司知事文生王金洛有傳　妻徐氏　女菊姑　監生誥贈鹽運司知事文生爲璧　贈鹽運司知事文生濩　琮璧○內應死　芮　茨　全璧　植璧鴻璧　奎璧　珠璧　嫂節婦余氏　國棟子成　誥妻陳氏濩妻許氏　芮妻蘇氏　全璧妻馬氏　茨妻朱氏　著妻沈氏國棟妻夏氏　國棟女大姑　二姑　三姑　濩女松姑　誥女賞姑　女僕婦某氏　贈國子監典籍廩生張繼庚有傳　弟文童繼辛　觀保　贈鹽運司知事廩生陳書雲妻秦氏　廩生程兆棟文生慶燕　歲貢生鞠長華妻某氏　女三姑　四姑　副貢生石恩元妻金氏　八品銜恩奎　恩燾　葆晉　恩榮妻錢氏恩奎妻徐氏　龍章妻施氏　震南妻錢氏　震春妻邵氏　恩奎女秀姑　贈鹽運司知事廩生許仁瑞妻蘭氏　弟文生嘉瑞　女大姐　二姐　叔武生龍章　姪佾生沅　松筠　松筠妹平姑　荷姑　廩生陳寶書妻徐氏　廩監生丁書文子婦劉氏○有傳　女張丁氏　外孫女張大姑　廩貢

生黃淦女大姑廩生史佐廷有傳妻蔡氏子友仁子婦部氏女轉姑孫期生弟婦節婦李氏姪和尚姪女冬姑廩生汪星垣有傳妻王氏子紹先女大姑二姑三姑四姑五姑易氏贈鹽運司知事廩生張葆元母駱氏妻陸氏弟婦盧氏子仁山姪武生其勳姪婦朱氏女靜姑○姪孫順姪孫女鴻姑增生諶命官有傳母魏氏候選從九品配捷繼妻滕氏胞弟廩生命恩胞弟命圭命官妻王氏命恩妻秦氏命圭妻劉氏直隸豐潤知縣進士命年妻程氏命官子自新自齊自田自鳴自蕃命恩子自達自超配常命申命申妻張氏命圭女玉姑命官女七姑命恩女財寶命申女大姑二姑舉人旌德縣教諭配道妻劉氏文生命綸佾生自琦自琦妻某氏文生命鈞妻汪氏命綸妻汪氏命綸女大姑增生仇安元繼妻張氏弟職員安祥安祥妻于氏安祥子森森妻蔡氏從九品植基母王氏植基妻毛氏縣丞善培繼母王氏善培妻王氏善培子貢金植基女啟姑財姑安元三女小姑增生許廷賓監生有齋三年均殉揚州難增生沈國寶母節婦丁氏妻王氏女紅貞姪女順貞秀貞國瑞德馨○德新德昌國楨國楨妻楊氏增生黃鍾沛母王氏妻汪氏弟文生鍾毓弟婦王氏姪女鑫姑恩榮恩福光耀光裕光達光鈞光祖恩榮妻楊氏恩榮女喜姑恩福妻

本頁原殘闕，現據南京圖書館藏《光緒續纂江寧府志》（光緒六年刻本，光緒七年初印本）補字。

張氏贈鹽運司知事文生汪均母吳氏妻吳氏女安姑弟婦陳氏陳氏婷婦江氏女

蕙姐杏姐姪女祥瑛長年辭瑞○大雙二雙長生長圻長浩僕一文生譚某佚名妻某氏

女適李二姑三姑外孫李某外孫女李大巧姑文生李琛弟元贈鹽運司知事

文生鄭雲松女大姐文生張樹垣母邱氏監生俊發年福姪女慶姑文生張

臣欽妻陳氏女轉姑荷姑文生張德鵬監生德浩文童德鸞文生蕭入官妻王氏

廪生人俊文童人達人進圻謙大壯人達妻倪氏人英妻錢氏人俊妻金氏文生孫長華

有傳姪廪生應琦十年均殉難文生焦福謙弟如鴻文生毛啟驊武生啟英文

生王光煜妻郁氏子家培啟興啟隆長榮長華承緒黃氏子婦汪氏翁氏朱氏孫女小二姐

福姐○素貞姐贈鹽運司知事文生王城母汪氏妻濮氏子長壽文生王

大鈞妻陸氏女順姑六十四姑文生王世鴻桂如世仁盛武監生堃監生均監生倪

庭監生錦江僕一十年均殉湖熟難贈鹽運司知事文生楊堃妻王氏文生

楊俊賢子婦宗氏王氏孫女春官十年均殉蘇州難子贈千總把總善保○三年本城陣亾贈鹽運

司知事文生湯鐔有傳卞氏　灝妻周氏劉氏謝氏　樹銓沐濩灌白氏大姐二姐
從九品灝女二　文生汪復母秦氏伯母韓氏妻張氏汝梅嫂宗氏子元直元龍僕馬貴陳氏
文生江卉原孫婦倪氏曾孫强兒　文生李翼棠附見張繼庚傳姪文生振鏞　文生
李錫璋母馮氏○弟婦歸氏　贈鹽運司知事文生劉清廉父衍緒妻吳氏　贈鹽
運司知事文生馬慶滄母許氏妻王氏　文生唐恩發恩榮恩貴恩喜恩儀汝雯
氏　汝霖孀母趙汝霖妹一　文生秦學明八年在六合施家集陣亾姪婦增生士科妻節婦何氏三年殉難
有傳　文生周煌妻路氏弟森子大全弟婦某氏子婦顧氏　文生程兆洛弟監生兆熊
孀母汪氏弟婦周氏　廩生程源妻汪氏子婦孀婦孫氏子某三子五子五子婦某氏孫女如姐戚
女孫扣姐　文生洪銘孫啟昆裕昆嫂王氏姪婦徐氏姪妾唐氏姪女一　文生徐震妻方
氏　兄鼎子文彬女大姑二姑　文生余長華嫂趙氏韓氏姪女大姑二姑弟婦汪氏
文生朱文英母夏氏妻欒氏○弟期鳳姊某朱氏　文生朱琦附見孫際雲傳妻楊氏啟敬
孀母包氏○孀母熊氏　贈鹽運司知事文生朱雲遠母孫氏妻章氏雲連慶孫雲連

繼妻王氏　**文生俞晉**　嫂甘氏　兄妾張氏　堂叔大樅　堂兄昂　弟曉晴　堂姪維塏　維祺　子維甸　堂

姪孫士詮　堂孀譚氏　嫂節婦許氏　談氏　季氏　董氏　弟婦金氏　吳氏　李氏　妹蘭姑　姪婦王氏　夏氏　劉氏

姪女鳳姑　長女淑姑　姪女成姑　**文生俞長華**　祖母何氏　母汪氏○　弟婦汪氏　家丁于升　**文**

生吳奎　妻陳氏　**文生胡錦堂**　祖母張氏　母張氏　弟潤堂根堂　恩堂　旺堂　孀母王氏　弟

婦貞女祝氏　貞女張氏　妹興姑　僕朱氏　**贈鹽運司知事文生胡塈**　母何氏廷松　財保

廷松妻劉氏　**文生陳進**　妻唐氏　**文生潘雲麒**　妻向氏　子祝賢　女紅姑　姪祝彭　官保

姪婦王氏　**文生管濤**　妻劉氏　**贈鹽運司知事文生范樹屏**　祖母陳氏　母

柯氏　妻熊氏　堉垣　堂叔祖母夏氏　叔母李氏　堉妻朱氏　坤妻胡氏　垣妻汪氏　弟婦甯氏　**文生**

范棟　姪友之　姪婦曹氏○　妹顧范氏　姪孫虎保　**文生季通海**　母黃氏○守節三十年○嫂葉氏○守節

三十年　姪婦楊氏　姪女字朱　姪孫敦仁　禮仁　僕某氏　**文生顧澐**　殉揚州難　妻汪氏　弟瀅　子一

姪玉成　**文生葉長楨**　弟沂　弟滄　妻康氏　姪士全　婦許氏　王氏　**贈鹽運司知事**

文生陳元　母郜氏　妻張氏　妹適黃　秀蘭　綱　毅　鴻猷　三保　僕彭貴妻張氏　楊德生妻呂氏　駱李氏

駱小紅

贈鹽運司知事文生錢鶴齡 妻楊氏　女小姑　恩露恩霈　路生　子婦方氏

文生汪遇年 殉揚州難　母戚氏　兄延年　桂年　弟豐年姪慶麟　嫂萬氏　黃氏　張氏　妻王氏　弟婦邱氏　姪婦嚴氏　王氏　江氏　女翠姑　聰姑　姪女荷姑貞姑　喜姑　安姑　姪孫女平姑　二姑　均殉本城難

文生柯鍔章 有傳　妻葛氏　履堂　肇堂　兆元　家琛家璧　文生鈞達　妻節婦王氏　兆祿　文生鈞竟　母房氏　兆椿妻湯氏　履堂妻吳氏

文生戴榕 母徐氏○十年殉難

監生陶玉書 妻陳氏　女大貞姑　二貞姑○三年均殉安慶省難

監生王光祖 子婦高氏　孫國槐國棟　孫女七十

監生王欽晟 監生欽綬○十年均殉難

監生金煦 妻孫氏　子國楨　姪國潤

監生鍾世熤 妻笪氏女四姑

監生施兆蘭 妻龔氏　子監生鴻鈞　文生鴻順監生鴻起　鴻某　鴻某　弟婦丁氏　子婦雷氏　陳氏　弟妾某氏女某姑　大表姪女田楊氏

監生秦息園 妻沈氏　女二姑　三姑

監生李文田 妻董氏○十年均殉湖熟鎮難

監生李瀛 殉蘇州難○子六品軍功坦○殉浙江省難

監生史積星 妾王氏　子涫敍○愔熙　女王史氏

監生沈鏜 妻戴氏　妾陶氏　張氏　監生鏞　鏞妻張氏　湨　監生垣　垣妻張氏　姪孫某　淮妻林氏　淮妾孫氏　沅妻楊氏　沅妹二姑　沅妹四姑　僕李

氏

監生魏嘉濤　妻蘇氏　十　年均殉難

監生葛鏞　有傳○　妻周氏

監生易家臺　有傳○母某氏姪婦李氏○青年守節　二十年○妹陶易氏外孫女陶蘭英

監生熊淦　妻劉　氏

監生徐焜　妻楊氏贈鹽運司知事從九品佩　贈鹽運司知　事從九品福　瑞妻趙氏　彬妻趙氏　佩妻王氏

監生朱起棟　開勳　開錫　開祿　嬸母程氏○　弟婦洪氏　姪女大秀姑　二改姑

監生陳兆儀　妻張氏　女存姑○　文童淦　淦妻冷氏

監生曹鴻　玉衡　玉書　子婦　陳氏　次子婦陳氏

監生李家瑞　妻張　氏

監生趙敦原　妻張氏　子婦王　氏　監生起誠

監生易平泉　孫婦　梁氏　○世　楹

監生雷啟泰　妻史　氏

監生周化圓　姪婦陶氏　孫女翦姑　文生宋　聘妻張氏

監生蔣啟榜　女大姑　慶生

監生魏建勳　子婦夏氏　女成姑

監生劉長春　妻李氏　傳桂　傳禰　女適王　荷姑　安姑

監生周洪松　妻吳　氏

監生龐明德　子孝　純　孝孺　子婦陶氏　女　轉姐　岳母張鄭氏

監生李繼朝　監生　鄭陽

監生施質賢　妻蘭　氏

俏生毛懋勳　母王氏　妻李氏　子菊生　弟志量　叔母姚　氏　嚴氏　嫂何氏　女輿姑　潤姑　姪女金　姑　留姑○　男僕王貴

俏生王葆華　妻某氏　女　大姑　二姑

文童李長春　長永○　十一年

均殉甯國難 文童岳文淦子瑞符子婦張氏文洪妻節婦高氏文源妻汪氏 文童殷修
翰文童惇○九年殉難 文童王立亭母李氏○三年均殉安慶難 文童劉晴臯妻呂氏○
二年均殉安慶難 文童隨汝驥大科 文童蕭大鏞妻金氏 文童楊廷
烈妻葉氏子恩保型妻節婦翁氏 文童馬修慶安徽懷甯縣典史崇敬妻馬氏崇敬次女招姑
文童張光安光美光國映爲映發映華映沅映久映濤映壽治安吉人廣德映爲妻鄭
氏光美妻吳氏○三年均殉安慶難 文童濮肇勳父天成母龔氏妻談氏 文童劉士
興妻趙氏○女適蔡 文童林殿臣母宋氏妻樊氏子連子妹八姑姪女如姑弟殿英殿英妻
張氏 文童朱肇熙妻王氏子興子仍子 文童吳天石瑞昭瑞昭妻郝氏○五年均殉安
慶難 文童孔廣濤廣潮廣湧文童繼雲○三年均殉安慶省難 文童段榮華文童國柱
榮貴國發妻管氏榮先妻甯氏榮進妻金氏僕張氏李氏○十年均殉難 文童趙榮清妻孫氏
王氏輔清承壽王氏朱氏王氏○李氏妹戴趙氏○青年守節甥女劉大姑 文童陸鍾來龔氏
果蓁本女四姑弟姑來姑監生長炘妻江氏文生以康妻王氏文童以燮妻陳氏 文童馬則

劉附見夏家銑傳妻李氏 文童夏金堂弟玉堂叔從華叔母黃氏 文童耿順林祖母
康氏〇十年均殉蘇州難 文童顧燊文童榮 文童鄭長森妻金氏文童長發文童長桂
三年均殉安慶省難 文童陸照鈞照基妻周氏雙喜 文童王世治繼母鄔氏妹荷姐
文童王廷傑廷熠 文童郎鑄妻羅氏弟銘雲程妻汪氏 文童范樹穀妻裴氏
文童恩榮妻鞠氏 武舉史悠禧武舉悠祚 武生王家元家幹保如 武
生劉邦喜母妻妹子九人 武生侯文錦妻徐氏 幕友徐錫恆妻彭氏 幕
友金荔生家屬同殉難 幕友李祥永春〇以上見方氏邑志 增生丁學裘子昌
後昌佑子婦張氏楊氏姪婦馮氏 文生張文海繼妻林氏女吳張氏 文生楊長
寅景昌景祿鄰孫密官鄰王修齋 文生蔣士宏家屬十六人 文生何鍾秀兆桂
兆杞兆棠汝金〇汝玉妻徐氏謝氏李氏 文生朱芾弟六品頂戴外委蔭蓉芸英葵芹
文濤懷禮懷智懷信懷珍妻胡氏弟婦傳氏陳氏陳氏鄒氏金氏姪女蕙姑蓮姑 文生
後寶林廣德州殉難兄寶祿寶壽子喜纓陽生母顧氏妻阮氏寶祿妻余氏均殉本城難繼妻王氏

殉廣德州難係忠義局七十八案後姓恐有訛誤俟考　監生蔣德福弟鑑子紹廷繼妻霍氏嫂媚

婦王氏姪婦張氏姪妾施氏姪孫女大姑二姑女玉妲○女僕方某氏　監生鍾雲樵弟監生耀堂

姪文童守愚弟婦歐陽氏姪婦劉氏　監生何德昌子其發妻蔣氏　監生程德麟弟德潤

妻杜氏　監生李永祥繼妻黃氏　監生葉儒珍子興寶妻馮氏女歡寶咸涂馮氏○曾

割臂療母以孝聞　佾生李宗潞弟宗瀾宗澄姪女寶珍　文童陶必棨文童漣漣妻

丁氏廣東東莞縣知縣必裕妾節婦查氏張氏　文童王會圖姪二○妻吳氏　文童王寶華

住羅郎巷家屬七人　文童張德華妻吳氏岳母吳某氏　文童陳模弟夫堦　文童

徐錫麒妻程氏　文童朱恩榮弟恩福妻鞠氏妹大姑　文童李宗漢弟宗潮

妻胡氏　文童鄭燊弟督標城守中營千總天麒妻王氏天麒妻武氏天麒女寶珠　文童周

炳森妻李氏　文童桂馨弟某　武生馬某弟某　督標左營馬兵

武生歐長林姪督標左營馬兵武生松濤弟婦葉氏以上見備考　歲貢生江槐一門殉全

椒難　文生孫淇合門殉全椒難　監生俞保年合門殉全椒難　監生錢鐘母周氏

妻岳氏　弟鋐○○以上
妻隨氏　弟鉞　續訪

以上士一門殉難

貢生陳鶴鳴六年殉難湖熟鎮　廪生王培埼　廪生周模　增生張文槐十年殉浙江難　增生王榕　增生吳浹　文生張鈞生　文生華墫陣亾　文生張士沅　文生張祖勳　文生楊大鏞　文生田銘陣亾　文生楊慶春六年殉六合難　文生陶兆椿　文生王立宗　文生林傑　文生王步瀛　文生徐葆初　文生王銘　文生朱文霖　文生楊文燦　文生朱恩霖　文生汪汝楫　文生朱文煥　文生胡玉堂　文生黃學曾　文生李鑑　文生程寶麟　文生周開鑾　文生李克勤　文生嚴觀宣　文生萬錦城　文生熊懋　文生馮長清　文生徐湘　文生朱修齡　文生陳漸鴻　文生陳玉堂　文生秦熒　文生杜康林　文生阮杰　附監生趙

之桂　文生賈謨　文生季圭　贈鹽運司知事文生季琛　文生謝沂　文生江三捷　附監生鄭世壙十年殉淮安難　文生陸樨林十年殉句容難　文生卜鴻藻　文生岳長庚　文生葉金鳳燊附見孫長華傳　文生翁鯤　文生洪安榮　文生高士元　文生程大鵬　文生金之觀　文生宰煥章　文生孫澤遠　監生顧于湘　監生魯世森　監生李配韶　監生董桂楨　監生王國良　監生金鍾　監生楊通儒　監生陶永慶　監生朱厚田　監生陸覲榮　監生朱楠　監生東時升十年殉難　監生李家善　監生陳橋　監生姜開業附見孫長華傳　監生許仲平十年殉湖熟鎮難　監生王元德　監生王汝齡　監生王正文　監生佘明安六年殉難　佾生姚嘉桂　佾生高長齡　佾生方保健　佾生洪國楨　胡錦堂姑父文童吳季賢　文童李楷亭　文童馬鍾祥　文童林長繼　文童張

璪　文童李瀔生　文童朱燮臣　文童王仲德　文童徐錫麟
文童陸坦　文童程攀華八年殉難　文童劉侢三年殉安慶難　文童謝
竹橋　文童郎學洲　文童魏芝田六年殉難　文童陳荼寅　文童
胡燾三年殉安慶難　文童朱長員三年殉安慶難　文童鄒昭文　文童楊維
舟三年殉安慶難　文童周德璋　文童歐陽泰科附見夏家銑傳　文童楊勳
四年殉懷甯難　文童楊葆初　文童朱步占　文童顧珏三年殉安慶難　文
童殷兆霈三年殉安慶難　文童盧忠立十年殉難　文童毛夔熊　文童張
萬齡　文童張沅　文童張元燦　武生楊萬善　武生張葆清
武生田大霖　武生許長青附見張繼庚傳　武生雷長清　武生張
清彪　武生史久庚　幕友陳楚材　董事紀仁純有傳○以上見邑志
增生葉有鈞　文生張棫　文生劉竹居　文生范振宗　文
生張錦江　文生李濤　文生魏元愷　監生茅永朋　監生張

德輝 監生趙士翰 監生謝康年 監生殷致中 文童程光
祖 文童金文釗 文童殷惠 文童張觀保 文童張治安
文童張吉八 武生胡鎮濤 以上見備考 武生梁祥 文童許其
仁 文童鄭杉木 文童單鍾慶 文童石洪福 文童徐某 住土
街口 文童徐錫麒 武生李長青 以上續訪

兵勇團丁

五品軍功陸朝幹 妻張氏女二姑 五品軍功李載之 子婦易氏孫女大姑 五品
軍功王德福 德昌 六品軍功吳廷璋 妻張氏 六品軍功劉文煥
妻周氏女換姑蘭姑愛姑文熙均壎坤坪墀文熙妻王氏姪女有姑轉姑英姑全姑男僕陳
永○王炳 六品軍功吳步瓊 八品軍功步蟾步占妻周氏○均八年廬州陣亡六品軍功步占○九年
殉定遠難 姚錫齡 錫璋錫光均陣亡 高德明 陣亡○妻鄧氏孫女大洪姑二洪姑姪孫女
榮姑○同殉 王善富 祖母朱氏 張瑞年 妻王氏 梁正東 祖母周氏 戈聚洲

九洲均陣亾　華明　鍾士順士德濟門陣亾　均通　張裕揚裕儒順　裕宜法　陶天

鑑天增天寶○　于成嘉本金　王宏裕餘福本美　文炳本高○　易懷友邦洪

清　友經長雲　友　潘振法廷法舒華　世全國勳　孫學法學聚　李明才長祿

陳本惟啟鳴永盛　許春茂宏庚○以上見邑志　五品軍功汪春華父廷恩

母金氏妻楊氏　六品軍功團丁殷修源團丁修己童愼　文○以上見團丁恆備考

以上兵勇團丁一門殉難

五品軍功朱有廷　五品軍功陳全祿　五品軍功邵康福　五

品軍功葉廣發　五品軍功王長青　六品董占先老鼠峽陣亾　六

品軍功李可貴太倉州陣亾　陳維周　陳得卿　陳福　孫德源

孫兆瑞　袁繼成　袁李成　王柳橋　張金標　張彭齡　張

五　張洪亮　張鑫　張心成　楊懷儉　唐白　程松盛　田

平子　丁湯學　丁戴培　劉林　任均　高懋勳　曹銅匠

李天如　李小家　武壽昌　顧長林　芮俊　卜天保　季成
毛起英　陶澤春　王殿駒　王倫昌　王永和　王起鳳
王正文　戴培　郭金玉陣亡　紀仁純四年陣亡　陳明　侯大森
趙中元　金山廟團丁王尚貴　嚴聚寶　喬松太　李太全
吳行信　高啟太　錢本有　陸永盛　杜大發　東化成　周
國玉　匡遠臣　雷國啟　余大海　李天如　李大經　蔡文
知　伏朝武　鳥鎗兵邢安　弓箭守兵周佩璋以上六名均三年老鼠峽陣亡
孫兆瑞　彭占魁以上二名均隨徐州鎮陣亡　余大斌　王長林　王采
亮　梅興壽直隸陣亡○以上見邑志　五品軍功陳有林　五品軍功葉
毓祉　六品軍功徐崇鳳　六品軍功林長慶　六品軍功朱宜
方　團董潘履和　團董賈寶珊　捷勇包正喜　安勇金岐山
保勇徐得榮　團丁方得勝　續勇馬得喜　安勇朱榮昌

安勇張錦堂　捷勇李長升　勇丁吳一升　捷勇張金培　團丁李太　撫勇吳長林　勇丁張文龍　惠勇管立勝　續勇陳有義　勇丁張貴林　續勇秦有龍　捷勇汪學海　捷勇蔣國良　捷勇孫長茂　惠勇左聯發　勇丁孫榮豐　續勇莊必榮　團丁杜順　安勇艾永年　威勇袁永芳　勇目邢更法　捷勇郭友才　續勇王得　團丁周正興　團丁卜連升　湘勇劉連勝　捷勇童占標　兵丁楊懷德　兵丁艾銘恩　安勇王卓堂　安勇王恆勝　安勇王文謨　捷勇王天成　捷勇王永榮

○以上見備考

民

藩司書吏李鑾子沅　沂　妻汪氏　孫四兒　子婦湯氏　萬氏　汪氏　孫女節姑　七姑　靜姑　冬姑　和姑　歡姑　孫女趙李氏　樨子　外曾孫趙小鵐

總督書吏朱德煐母畢氏

總督書

吏陸大發張氏林氏二姐　布政司書吏洪萬源子筠圃妻孫氏子婦胡氏孫趙氏　上元

王氏　總督書吏康烺母王氏　總督書吏夏鍾秀王氏孫氏琴姐　上元

書吏舒長年　江甯府書吏王銓妻楊氏子婦高氏孫女秀雲　上元

書吏楊錦昌母節婦朱氏妻陸氏女義姐二姐嫂王氏汪氏子蔭洪蔭柯蔭長兄朝福朝祿

僕一　孫某住頭條巷〇一門八八〇均三年殉　宋某住三條巷〇一門十八〇均三年二月十一日殉難

吳慶祥慶富慶貴慶餘慶有慶聚　上元書吏楊承裕子金詔淇妻張氏吳氏

李氏孫長祿榴孫女杏姐　運司書吏丁曉嵐妻王氏曉郇曉郇母汪氏發奎曉郇妻吳

氏發奎妻王氏　上元書吏周長華父承基母陳氏　上元書吏項璜弟灼兄文光

子承業妻陳氏〇孫振聲孫女麟姐　書吏汪世桂母程氏孀母李氏弟婦李氏　府書

吏潘崑妻蔡氏　布政司書吏馮崑源金氏　上元書吏徐樹堂妻楊

氏　總督書吏朱稼堂母郭氏妻馬氏穎堂〇穎堂妻張氏妹夏朱氏　書吏陳金

門妻鮑氏　藩司書吏周淇園妻陳氏子之瑚之璉之珍女秀姑　總督書吏

續纂江甯府志　卷十四之十六　人物

朱芳弟婦傳氏　龍江關書吏朱蕙妻張氏　總督書吏胡森母余氏○子四齡
弟婦張氏女大姑二姑　織造書吏陳煜母汪氏妻萬氏姪恩源恩長恩發弟婦徐氏
上元書吏陳國才弟國順子兆福兆喜子婦徐氏孫女菊姐　上元書吏錢敬安
嫂易氏○子婦陳氏　糧道書吏陶慶豐子家槐弟婦張氏妻妹張如姑　總督書吏張
景箴有傳弟希載弟婦王氏　江甯府書吏湯崑妻蔡氏　糧道書吏汪世
經母程氏嬸母李氏姑母陶汪氏弟婦李氏董氏姪女愛姑　上元書吏劉繩曾妻金氏
興武衛書吏劉漢章妻顧氏女全姑　城守營書吏金石匱母梁氏○妻劉氏
弟石華○姊繡儒　上元書吏嚴長松祖母劉氏弟長林姪孫魁慶　總督書吏呂
艮庶母龔氏二弟婦姜氏○二弟妾馬氏二弟婦潘氏　總督書吏趙尚謙戴氏章氏永祥永
齡永壽○大姑二姑　總督書吏沈鈺妻王氏　總督書吏艾本淇母陳氏姪孫
培庚姪女東姐　織造書吏鄭庸母王氏妻汪氏子春沅嫂陳氏　衛書吏蘇某住成
賢街○家屬七八口　馮啟昆妻王氏子婦汪氏子鏞孫恩子　江茂昭妻于氏　洪載

福妻郁氏子婦顧氏女二姑三姑孫女大姐 鍾光裕光達光鈞光祖 龐正亮正美思

聚思雲繼艮繼賢繼保景康自明妻許氏士叔妻王氏繼才妻李氏正英妻周氏 龐永匯嫂馬

氏蔣氏弟婦程氏李氏朱氏氏姪女美姑才保僕胡石氏 施松林四保五保黎氏董氏沈氏

存姑○二姑 施國賢國孳節婦劉氏○徐氏杏姑二姑 韋印壽長年武生印祿妻趙氏長

年妻鄭氏長富妻金氏順姑琴姑巧姑均於咸豐三年在蘆蓆

塘殉難 吳德元妻沈氏弟婦周氏殷氏姪女平姑翠姑 黃啟發母秦氏 李安

母魏氏 董某住頭條巷一門十八 吳鏞妻姜氏女一 管紹業母王氏○均三年殉 郗

安坤邦照安榮安甯安福 呂靜夫沈氏 倪建勳殉河南歸德難弟燦勳殉本城難

徐光裕妻熊氏叔匯岳母熊陳氏 徐士鴻培劉氏○吳氏女一 徐承業母節婦夏

氏 舒惠周必昌周氏張氏奚氏陸氏大姑戚陸二姑 朱瀛洲陸氏玉姿 朱雲

連慶臻 朱廷齡有福 朱長德母趙氏長祿 朱倫福倫階 俞世

儀女二姑 俞正沅學陽朱氏楊氏 吳錦安松齡松年松華馬氏 吳德元妻沈

氏德魁德明慶祥慶瑞慶興慶餘慶有慶聚杰鏞德魁妻周氏德明妻殷氏雙桂德元姪女平
姑翠姑文瀾妻王氏鏞妻姜氏安姑　**胡廷松**妻劉氏財寶　**倪燦興**艮耀艮其胡氏楊
氏○石氏　**倪兆椿**妻周氏女大姑二姑　**倪德滋**德法　**倪潤生**妻陶氏○兄文生
女荷姑岳母陶陳氏　**梅廷璋**妻趙氏　**梅坤一**妻趙氏　**陳占鼇**叔母姚氏母周氏
弟婦王氏妻程氏姪女銀姐啟姐陸姐齡姐孫泰　**陳長齡**祖母王氏母常氏伯母青年守節吳氏
氏○槐姑　**徐某業醫**住馬道街男婦十一人　**陳文斗**妻孫氏姪光信姪婦李氏大姑　**陳
鈞**胡氏武氏　**陳天佑**妻羅氏天發天才天發妻許氏玉堂妻楊氏女桂姑孫女大存姐二存姐
陳彭齡妻朱氏女存姑○月姑錦堂錦燮　**陳綱**毅鴻猷三保　**陳長龍**妻宋氏
陳貴全厚培光遠德餘兆華克勤富善國景貴全妻王氏厚培妻魏氏光遠妻榮氏德餘妻
謝氏兆華妻孫氏慶瑞妻祁氏國欣妻王氏用和妻孫氏春和妻李氏慶鰲妻談氏富通妻朱氏　**殷翰
卿**妻吳氏石氏姪婦幸氏　**潘長均**弟長鈺　**潘翰初**母節婦葛氏嬸母楊氏　**潘榮
梅**妻朱氏　**潘長卿**母顧氏伯母葛氏長海姊凝姑福姑妹寶珠　**孫鋐**張氏徐氏劉氏

守節三十年李氏戚管孫氏汪孫氏僕一**孫甫成**國忠瑞林馮氏高氏王氏高氏子一

孫長喜加順正興長林蘇氏戴氏張孫氏張徐氏王氏孫氏大姑二姑**孫德才**德存

孫鍾如妻湯氏玉昆庭奏佐臣玉昆妻謝氏庭奏妻張氏**孫奉周**妻許氏啟福奉第妻

王氏**孫升庭**妻端木氏**孫開虞**觀榮○妻李氏**袁鎮**妻方氏**袁心齋**弟金鑑

子長庚弟婦胡氏姪長源長清子婦董氏姪婦李氏女蔥姑鄰婦王某氏戚董沈氏**錢遜**妻王氏

子錢哥女大姑二姑達妻李氏守節三十餘年僕一**姚希之**黑官**姚光照**永德

姚兆佑母王氏**高發**母魏氏妻張氏大槐女懷子**陶德鎰**德翊德平德耀妻李氏

德和妻劉氏德宇妻胡氏延訓延訓妻張氏女小姑延涇妻張氏延順妻楊氏延海妻王氏延齡妻李氏延

熚妻石氏女小姑澤川松如妻梅氏淑徠妻王氏澤遐澤杞兆魁澤嘉妻節婦楊氏女六姑澤喜妻節婦

朱氏**陶興麟**妻葉氏子恩子女如姑換姑轉姑**曹大椿**焜妻王氏六如**何九**

成妻沈氏女押姑**羅伯安**妻劉氏孫順子婦潘氏孫女蔥姐**王大壯**域陳氏**王平**

康童氏**王元福**母周氏妻陳氏玉麟惠麟遐麟妹宇陳女小姐**王世松**正和耿

氏喬氏楊氏大姑二姑孫婦某氏

王家彬妻龔氏

王之松孀母節婦陳氏

王家培啟興啟隆長華長榮承緒

王永泰有泰恆泰景福

王三槐岳母王伍氏妻王氏姨甥金幼保女大姑妻姊金王氏姨甥女金大姑

王長景母洪氏妻沈氏子嘉賓女多姑冬姑

王殿英殿駒殿驊殿傳殿恆妻張氏

王靜山懋揚尹諧懷周彬儒欣榮明賢宏仁宗富盛玉耀坤沛霖蒿衡振聲在邦殿英雅庭宗佑宗源宏南宏裕靜山妻許氏懋揚妻樊氏尹諧妻葛氏懷周妻陶氏彬儒妻李氏明賢妻李氏宏仁妻張氏宗富妻黃氏耀曾母葉氏士源妻范氏志仁妻陶氏明賢子婦楊氏惠山妻周氏潤章妻李氏念西妻李氏楝臣妻李氏黻廷妻袁氏魯珍妻楊氏松齡妻楊氏明青妻朱氏沛霖妻端木氏明柏妻吳氏少儒子婦陶氏麗廷妻朱氏宏恩妻竇氏紹裘妻易氏兆源妻蔣氏亦賢妻楊氏宗亮妻陳氏馥堂妻常氏謙泰妻黃氏用和妻祁氏瑞海妻唐氏殿恆妻張氏石民妻笪氏德元妻張氏運深妻竇氏欣榮女少姑

王瑞堯九齡長齡殿傳瑞海妻唐氏

王永發母姚氏妻周氏獅子

王德華妻易氏孫女壽保安保全保

王正錦妻戴氏

王秀峯妻夏氏子長齡子婦蔣氏弟婦余氏女大姑

張松年花子王氏謝氏倪氏任氏劉氏烏氏

王氏大姑 二姑杏姐 **張湑** 妻田氏庭楨女大姑字王○ 二姑庭楨妻徐氏朱張氏 **張永**

發 母楊氏妻 孫氏長順 **張家泰** 妻吳氏九兒毛 姑三年殉安慶難 **張老二** 老五

楊壽增 妻柏氏孀母黃氏○ 鈺女淑貞襲貞 **楊景福** 景琪 **楊西堂** 鏡湖○ 希況

學淦 鄭氏 學海 王氏 學潤 王氏 二官 魯氏 三官 項氏 小四 財寶 吳氏○ 五姑 **楊大化**

妻張氏淇 英 孫女大 姑 淇妻劉氏 英妻吳氏 **楊大啟** 繼母葉氏 繼妻趙氏 妹荷貞 女大安 二安

三安 大全 大年妻王氏 大 全妻秦氏 大年女幼姑 姪一 **楊光遠** 妻李 氏 **楊邦榮** 邦慶

妻李 氏 **楊貢禹** 妻戴 氏 **楊桂江** 信芝妻 端木氏 **楊士杰** 方氏 張氏 姚氏 平

姑○ 松姑 **方成松** 妻王 氏 **方順榮** 妻俞 氏 **湯繼先** 繼餘 **汪文炳** 子 婦

李 氏 **汪景淇** 壽子 孫氏 王氏 全姑 大姑字王 **汪汝梅** 元直 元龍 **黃恩榮** 恩 福

黃如玉 妻李氏 二順 **黃六橋** 妻李氏 嫂李氏○ 女大姑 姪女二姑 **程聯福** 聯登 善

麟 彭氏 善鳳 曹氏 李氏○ 金氏 **程立寬** 長隆 氏 東 劉氏 賡 張氏 孫 **明義宗** 母 吳

氏 戕 王大頭 **丁有恭** 有寬 **靖永春** 妻周氏 子 幼子 **應祖星** 錦和 宗壽 宗國 德

恆德魁德祥如松廷錫勝華德旺宋氏李氏許氏時氏楊氏馬氏戴氏陳氏李氏濮氏

陶氏佘氏宋氏周氏高氏謝氏宮氏　周永鈴啟泰啟瑞李氏金氏常氏　周永福

童氏聰姑　周瑞芳妻陳氏佩蘭妻朱氏佩蘭妹四姑　周善懋妻鄭氏女賽姑轉姑子善仍

周四槐五科母錢氏伯母朱氏姑美姑柱姑僕張氏　醫士周華嵩爲墉三年均殉桐

城難　周維翰孫福　劉森趙氏炘姑　劉瑞龍妻李氏廣全　劉祥太弟婦常氏

劉昌源家屬四八　仇三泌王氏陳氏小姑　金昌齡母蔡氏苦節十六年妻潘氏姪

以成以昆嫂陳氏汪氏姪女大姑二姑三姑四姑戚陳大姑　任大成弟婦汪氏女大姑二

姑○配中　談蔭淇松筠　談春岩鄭氏　甘泉妻王　董昆源妻張氏○子清臣

鎮西燮堂清萬監生德周妻節婦戴氏女二　李觀成妻周氏姪兆蘭　嫂節婦王氏姪婦王氏戚

王費氏　李祥麟祥鳳馬氏僕來喜　李庚培母許氏　李元德春陽春華春明

好子吳氏陳氏汪氏秀姑進姑　李鎮鎔母王氏　李履之家屬十八　李紹曾

子富春永春遇春子婦方氏錫齡妻顧氏大姑二姑三姑四姑姪婦方氏　李華年妻王氏

李有球子婦陳氏 孫女林李滙母張氏 妻何氏呂啟
姑 轉姑 巧姑 妾朱氏 女翠姑
榮妻陶呂國仁國會許竹如妻汪氏許志銘章氏許永
氏 子順齡 李氏
年妻麗醫士管紹業母王氏 妻張氏 卞氏 伯母某氏
氏 金氏 存姑 姪女榮姑 慶保吳氏
戚吳某李裕信招增 晉園 南英 保三 裕庚 岳華
氏 僕一 國印 正揚 國年 鈺成 芝之田 時
萬 曾權 曾耀 曾魁 曾履 曾三 曾盛 曾鈺 曾如
曾堅 曾鈞 秉星 濟川 子美 華高 幼子 裕信妻
賈氏 招增妻呂氏 崇芝妻楊氏 己明妻朱氏 承鑒妻吳
氏 承鈺妻楊氏 子和妻伍氏 永遠妻任氏 宗根妻張氏
利如妻趙氏 匯芳妻王氏 國忠妻麗氏 德輝妻趙氏
德欽妻王氏 如昇妻馬氏 慶江妻王氏 曙樓妻趙氏 松
泉妻孫氏 怡之妻任氏 次謙妻孫氏 紹周妻馬氏 冠明
妻孫氏 士豪妻陳氏 時行妻張氏 志超妻王氏 恆芝妻
戴氏 蓄之妻謝氏 女大姑 紹周趙政恆政迎趙坤儀
女小姑 利如女小姑 匯芳女小姑
妻駱鮑錕鎮葛氏蔥馬炳文妻高氏女秀姑馬乾
氏 姑戚葛何氏 子財官喜官
泰子婦蔣鍾嵐妻徐蔣兆鳳兆連 兆聯 啟櫟 啟架
李氏 氏 嘉樹 純蕙 節婦戴氏 節
婦戴氏 李氏 王氏 甘氏 李氏 謝氏○范墳妻朱氏
陳氏 張氏 焦氏 姚氏 大姑 僕李張氏 苑堂

垣陳氏柯氏李氏○胡氏寗氏汪氏夏氏**范永泰**妻陳氏**宋如松**發蔡氏

宋潮妻柏氏淇灝大賓德新淇妻余氏灝妻蔡氏大賓妻王氏大興妻孫氏**宋國勳**妻趙

氏國煦子婦施氏○孫婦邵氏德金德沅**傅振官**振憲母費氏嫂朱氏張氏姪女蕙姑女一

蔡世寅嘉斌妻李**戴如槐**玉姐**戴瑞珍**妻邱氏子婦何氏青年守節**萬春田**

鈞○霑哥**邵長松**母胡氏**邵鍾**大川恩保洪氏○楊邵氏節婦郭邵氏**趙謙吉**樂常

建周自順錫祺賡堂兆新蔭南泰純邀倫文化自誠寶山德基黼臣泰巽觀雲富生幼

子幼子幼子幼子幼子謙吉妻馬氏樂常妻許氏建周妻李氏自順妻李氏錫祺妻楊氏賡堂妻呂氏

兆新妻賈氏蔭南妻賈氏泰純妻許氏邀倫妻賈氏佩章妻史氏德廣妻陳氏藹堂妻王氏芳其妻汪氏侶賢

妻辛氏佑春妻孫氏序東妻葛氏恩妻陶氏珩妻陶氏佩英妻王氏聲遠妻王氏于相妻孫氏友凝妻呂氏

松年妾楊氏金華妻朱氏晉榮妻孫氏文德妻戴氏君益妻陶氏瑞孚妻陶氏世德妻徐氏妾劉氏佐廷妻萬

氏泰鐸妻王氏德英妻王氏明都妻高氏勝安妻戴氏亦盛妻孫氏小盛妻李氏軼羣妾劉氏愛之女玉姑

勝安女小姑松年女小姑樂常女大姑二姑**謝萬成**萬源萬全萬林子永發姪永盛永茂永濤

妻范氏弟婦王氏楊氏童氏子婦宋氏姪婦袁氏譚氏楊氏荷姑　**盛學炳**　行寶　**端木利名**　雷氏來珠利椿　**端木樂文**　妻王氏幼子利春樂美妻江氏禮階禮宸榮妻陳氏利海妻王氏賢盛妻陳氏樂讓妻賈氏○利湧妻潘氏禮富妻蕆氏蕊珠僕一　**畢從嘉**　張氏　**葛執倫**　妻舒氏文寬文宏文寬妻王氏乇兒　**霍桂福**　春斌長泰母李氏長泰妻郭氏女大姑二姑使女玉蘭荷花蔡張氏　**易國坊**　國均　**易懷遠**　妻王氏　**石永全**　妻王氏　**葉康明**　母李氏姊韋葉氏青年守節　**聶亭桂**　伯母梅氏妻劉氏弟婦陳氏　**馮雲路**　妻施氏孫女大姑二姑錫祺錫福錫祉　**馮書勳**　妻洪氏子幼子　**鍾廣華**　妻魏氏女鳳姑　**徐九齡**　母毛氏　**徐文壽**　母張氏妻劉氏明信文源文源妻毛氏文發妻朱氏　**徐照乘**　姪婦金氏姪女二姑戚金二姑職員光元母陳氏　**徐錫彭**　妻陸氏子廷玉孫保孫女蕙姑紅姑嫂節婦李氏子婦陳氏僕一　**余世儀**　女二姑　**余長齡**　妻潘氏　**余光發**　妻王氏起龍○子婦倪氏　**朱恭肅**　妻李氏子一哥女大姑二姑　**朱期錄**　淵涵文英母譚氏嬙母趙氏姊程朱氏周朱氏　**朱覲光**　妻吳氏○子婦江氏　**吳遵樸**　妻宋氏嫂黃氏　**吳聯義**

妻王氏　慶昌　慶祥　倪士鋐德潤母　陳秉意妻袁氏○
慶雲　姪女大姑　徐氏　孫女平姑
陳步鰲母　秦氏妻馬　陳進階二獅　温其　聞官　祥官
氏　女催姑　蕊官　僕雙　孫氏　孫楊氏
雙張氏　陳連捷妻王氏　秦松培妻沈氏　女陳秦　秦德泉
連桂　女紅　氏　二姑　三姑
母　貧氏　妻蔣氏　孫樹廷妻戴氏　子婦張氏　孫女愛子　田
氏　妹汪秦氏　永昌　永祥　永年四寶
潤林　潤書　姚厚基德祥　順祥　恆山母節婦吳氏　恆山妻
吳氏　弟婦揚氏　恆山女順子　不子
姪女　高瀚妻袁氏逸　王明琨妻張氏　子婦　王桂森秉
喜子　岳母倪氏　李氏　周年　森
王延成延功　王霖之桂　若霖　妻　王永儀洪庚　正子
裴氏　孫女順子　包兒　嫂
管氏　姪婦路氏　管氏○　王宗誾妻李氏　宏鏞　宏鐸
趙氏　姪孫女翠姑　冬姑　姪婦陶氏　宏鏞妻葛氏
宏鐸　王述曾妻余氏　純曾　王沅妻逸　王觀堂妻丁氏
妻陶氏　妻葉氏　沛齡　氏　蔭蘭
玉磬　忠　女周王氏　外孫女　王汝賓妻金氏　大鈞
轉姑　玉磬母張氏　忠女　松姑　汝齡　汝定妻羅
氏　子家樞　家彬　龔氏　子婦唐氏　女六十四　王天爵
大鈞妻陸氏　妹徐王氏　德元妻何氏　姪女順子
天渠　文鰲　文熙　文保　世恩　吳氏　陶　王義廣妻李
氏　女美姑　琴姑　愛姑　懊姑　孫女冬姑　氏

張長齡母章氏妹大姑　汪繡江妻徐氏玉雯玉霦　汪聃年妻方氏女榴姑　潘

小菽連科　楊鐸大成妻周氏杏貞瑞貞　楊銘妻吳氏女喜子貴子鑒鍾學淦學濬

學源學海學淵學瀛鑒妻鄭氏女才子止姑○鍾妻王氏女小五仕姐學海妻魯氏學淵妻項氏

章貢金妻徐氏　黃明母張氏○賢妻張氏　杭鳳鈞妻黃氏　姜大鵬妻曹氏錫春

錫源國華子婦龔氏彭氏姪婦姚氏　程起貴妻王氏潮榮　周秋巖妻方氏○女全子

履成履興小狗恩子小四姑母李周氏妻母方許氏妻弟方小六方葉氏　周廷璜母汪氏妻陶

氏廷卿妻陶氏姪女綠衣　周大悅楷母林氏　劉若愚守愚周氏　兆麟妻女好姐

李繼曾妻常氏妻伍氏永年永瑯舉官繼光繼儒妻伍氏姪女齡姑　李庭兆母王氏庭星

庭儒妻查氏　李長慶母蘭氏妻吳氏　李星泉妻趙氏陳氏　弟婦趙氏　許祥泰妻李

氏　許業修妻金氏婦黃氏師齊師鳴師道維新維城弟子婦曹氏毛氏周氏孫女容姑

止姑　夏世鋐家程維瀛家懷家棟家德妻湯氏女玉貞　趙輔清母王氏婦朱氏子姪

婦王氏妹戴趙氏青年守節　李景時元保孀婦石氏女青鸞文鸞　張輔堂戚姜田氏壻某

僕潘氏 葉昌肇周妻吳氏名昌妻陶氏承鑾女一 葉文元妻蘭氏 葉永長妻李

氏增生桂馨女安姑均六年殉難 葉孝祥宜寬宜福宜寬妻毛氏 王元福妻周氏子一

李某妻張氏 王二妻茅氏 施源啟永昌妻王氏 蔣留根妻繆氏 杭松

年妻倪氏 陳匯母方氏弟涵 熊竹溪妻楊氏女紅姑都司槐齡嫡母金氏槐齡生母金氏

張家英母朱氏○姪婦郭氏 周名藩母陳氏庶母張氏姑母節婦瞿周氏表嫂節婦張王氏

劉國棻妻祝氏弟婦節婦蕭氏國榮六品軍功國安○國安母鄭氏國榮妻張氏國榮子保兒女大姑

陶大受弟婦李氏 劉長元母馬氏妻周氏起元妹劉氏僕一 范保泰祖母孀婦嚴氏

母歐陽氏妹一惟賢惟忠惟貞惟德 謝德燧妻余氏巧姑恩元妻李氏姊夏謝氏甥婦華氏

子把總永祥子婦張氏 謝成高開心 席存信妻劉氏子元富元涂元淼元科子

婦許氏姪婦貞女王氏○女三姑孫女桂姑翁姑 楊寶善叔祖母張氏母徐氏 顧長齡妻劉

氏子婦楊氏妻姊歐劉氏 甯範之弟範模子金保弟婦楊氏子婦節婦宗氏次子婦張氏 隨步

成子嗣秋玉堂子婦項氏 陳玉廷玉盛子三鮑氏女三某姑 朱永年長年長年妻

賈氏玉齡妻郭氏玉齡養媳張氏戚汪三姑何玉崑妻趙氏妾杜氏弟婦曹氏席存仁妻陳氏○家屬同殉王德言耀斗、俞懿堂健庭文涵毛榮山華佩丁貴錦子婦魏氏王有德廷秀張勝培世照劉勝僑德全○均殉蘇州難張乃招戚楊崑山陳氏楊氏黃張氏席張氏劉彭年家屬十一八李維祿聚正李憲武偕佩良均李藹堂鹿戴氏戚戴某氏李炳南秀芝蔡鐸子書其龐慎之家屬同殉朱大家屬五八王啟順母葛氏謝長年景順旗丁敖松齡一門○以上見殉難邑志總督書吏張家渠子一生母某氏孀母譚氏叔妾某氏妻辛氏長女昭姑二姑三姑興武衛書吏周鳳樓住盈餘巷家屬三十餘人巡道書吏劉增祥子順保叔祖母童氏繼母陳氏叔母彭氏妻鄭氏堂妹大姑二姑書吏趙子君母某氏妻曹氏上元書吏陳鏐妻某氏錢某住侯府合戶門殉難錢寶倉妻某氏孫女大姑二姑三姑王某住狀元境弟某田曉住石橋一門殉難王乙昌姪春妻陳氏妾孔氏王長遐住五福街家屬七八蕭曉菴子某王某一門殉難外甥女

陸松姑浙江主簿上元楊馥聘妻隨殉
毛捷三家屬六人先投水死子一女一隨殉
王鳳池住紅花地家屬九人
王順和子金發妻劉氏叔岳母劉顧氏
曹五雲住四條巷一門殉難
陶延縉繼妻林氏嫂施氏幼女二姑
張某母秦氏妹某姑外祖母秦張氏
方能喜妻朱氏
沙廷揚子某妻葉氏戚葉郭氏戚紀諶氏紀聶氏
張德綬嬸母黃氏姪女素玉素貞姪女王張氏表姪女葛轉姑
張守義一門殉難
張廷梁妻趙氏子二
張瑞亭妻孔氏
張補堂住管家橋家屬二十餘人○戚田墨香妻田氏壻某僕婦潘媼同殉
畫士汪均外甥林安泰母某氏妻某氏女某姑
楊永錫子五品軍功寶瀛
汪承之妻金氏
潘長鈞弟長鈺○家屬三人
程裕民住成賢街○家屬十八人
程福培母張氏叔母鄭氏李氏姑純姑妹巧姝祥姝
楊某住石橋○家屬七人
丁遐齡姪慶保弟婦袁氏姪女貞姑
楊長發住土街口家屬六人
黃錦一門殉難
賈某住中正街家屬八人
周鼎妻某氏
黃瑞祥弟瑞福嬸母夏氏○夏氏妹桂姐狗姐
周節母朱氏李氏張氏毛氏妹平姑
周祥楨職員長興妻田氏長興女秀姑監生長庚妻王氏監生祥泰妻蔣氏
劉光泰妻高氏紅姐
劉咬官

弟二官母某氏沈映旓妻王氏劉某母翁氏妹大姑任某子老虎醫士馬某
一門殉難劉天祺姑母金劉氏劉長源姪傳金母趙氏嫂許氏姪婦吳氏姪女羅劉氏姪
女四姑女五姑金志和家屬十餘人劉觀五弟觀會兄觀泰姪二好子嫂梅氏弟婦周氏
女大姑二姑劉澐母蔣氏伯母汪氏陳氏嫂朱氏徐氏姊珍姐改姐妹儒姐姪女珠姐尤
某住義直巷○家屬二十二人金幼子祖母節婦某氏伯母裘氏母陳氏姑貞女四姑金某
母王氏妹大姑金某住土街口○家屬十二人查士俊弟士芳子錦章姪孫鐘弟婦陶氏孫女順
姑沈某子某姪一妻某氏子婦某氏戚某某氏○住馬巷馬鎮五母某氏沈某
住板井巷家屬十人馬國全弟國清國成國寅子大蘭妻王氏弟婦王氏高氏祁氏子婦李氏
李五六母許氏○住土街口李文濤子一妻一○妾一女大姑李某母某氏○住土街口
李宗漢宗潮李幼子弟某母某氏住板井巷李六兒母許氏李某
住石板橋一門殉難李德旺妻吳氏李振雙妻孔氏李在榕母汪氏董宗
元子存玉存普妻張氏○子婦孀婦吳氏孫女佩蘭趙某吳氏母劉氏某姑趙景仁母李

氏妻王氏○張氏三姑魏某妻某氏女大姑蔡大祝弟二祝母郭氏戴育之家丁胡福

林陞魏某妻王氏女大姑孟蓉塘弟玉堂戴瑞珍子婦何氏顧龍官母丁

氏妹華姑趙某母某氏趙長年父逸名妻魏氏女大姑顧長林祖母某氏母

某氏顧慈塋姪成章趙華子某孫某竇某住馬路街家屬七人盛一龍妻某氏

龐正福翼五妻節婦陶氏懋桂妻許氏隨某住跑馬巷家屬九人慶某住漢西門母與妻爲

賊驅至漢西門外被殺是役同死八百餘人姓名不可考龐思寶思琪懋才繼廷繼猛思恭妻郁氏葉

永發弟永椿母余氏僕某興武四幫旗丁葉常住石橋○弟文童某家屬均同殉童

紹鴻母李氏妻范氏妹大姑字方徐聯科弟聯登婦張氏姪狗兒母孀妹大姑二姑宮

文悅文懷明興明仁明和○文悅妻龔氏義和妻李氏倪照懷住城左營巷○家屬三十八

洪維新妻徐氏子艮輔女七姑陳枝姪二嫂朱氏妻王氏姪女大姑女二姑龔達

夫妻某氏陳濬源妻楊氏子連喜女美姐朱克衢恭肅恭肅妻駱氏朱景子霨

山孫某妻某氏子婦某氏朱恩幸弟恩才母趙氏江淮八幫旗丁陳某家屬十二

人○戚宓陳氏楊某氏子一女一隨殉 陳大隆一門殉難 陳大子二子三子 孫德明
妹小姑 袁某住土街口一門殉難 田桂章妻李氏 談芝房妻段氏○以上見備考
鄭向榮家屬同殉全椒難 陳恭仁武童鍌母王氏妻隨氏女容姑煥姑○以上續訪

以上民一門殉難

糧道書吏崔蘭 糧道書吏劉恩普 上元書吏周蘊章 總督書吏蘇攀福 書吏王華 江甯府書吏潘澤潤 書吏周星堂 書吏金漢亭 江甯南捕廳書吏李渭賓 江甯府署書吏蔣佑恩 馮長發 龐振銀 時忠桂 韋榮鈺殉浙江難 魚新昌 徐模 涂兆芳 俞鶴齡 蘇正鏞 西學溪 柴金元十年殉浙江難 梅齊鑣 季景時姨甥陳金斗 陳升 業醫葛志文 陳德新 陳華年 陳兆熊 陳墢 陳閎琳 陳載之 秦宗濤殉浙江難 孫長林 孫佐臣 袁鶴南 温東海 韓步雲 錢永龍

姚黑 蕭子濟 陶兆龍 陶竹圃 曹立福 毛燮堂 毛
捷三 毛際飛 范保泰 戚羅長發 柯德秀六年殉丹陽難 佘錦和
王升 王貴 王桂 王崑福 王魯濱 王洪福 王樂園
八年殉難 王惟均殉蘇州難 張載周 張鎮華 張德勝 張貴 張
桂 張廣成 張璪 張榮階 張朝棟六年殉難 張來喜 楊誠
五 楊進恩 楊維玉 方輿 汪根子 汪恬子 汪汝濟
汪定邦 彭起洲 彭盛 丁長壽 周佩玉六年殉難 周燦輝
周起俊 劉同慶 劉林 劉熙榮 仇森 侯永富 侯楨
邱小遲 金華 金引發 林方鑑 藍克成 董二 董宗瀚
六年殉難 孔慶春 孔憲綱 李福 李光大 李炳 李樂殉浙江難
李煥雲 李胙忠 李志柯 李倚松 李鴻臯 李錦文
許萬全 許廷棟 許存魁三年殉安慶難 許大煌 杜旭升 趙萬

順　馬長慶　馬線龍　夏天齊　夏廷詔　蔣兆寅　蔣成松
耿昌奇　柳如山　顧士遠　蔡嘉斌　改三　貝傳興　戴
光富　戴培　戴耀章　萬永保　邵干城　鄭榮　伏世堯年十
殉難　端木大中殉浙江難　葛稼生　葛兆康　石价庭　石葆晉
葉老八　徐葆初　徐長壽　余湧泉　陳進階　戚吳衡士　于
升　來起　雷敦倫　陳永　陳華年　秦洪道　袁繼成　韓
珍　錢煦　田午子　燕文　姚有臨　陶乾春　方來賓　王
大楀　王炳　王維邦　王天佑　王喜　張守義　楊大鏞
彭匯源　曾正愷　曾長年　劉起元　劉桂兒　任壋　金杰
詹有餘　馬發昆　李鑑　李洪亮　李長齡　李啟玉　蔣
士宏　夏立鏞　夏玉堂　宋大魁　蔡煥林　鄭積慶　萬錦
城　郭厚仲　葛元龍　柏在中　史元成　李永昌　卜天保

楊長楨　黎榮曾　閔老　田墨香　劉世科　熊霖榜　朱
居球　朱恭範　朱心德　朱德昭（附見葛芝山傳）　于國華　旗丁陳
心銘　韓三　何二全　李榮燦　季煥雲　王柳橋　武壽昌
王世仁○（以上見邑志）　總督書吏韓德琦　藩司書吏殷某　上
元書吏周本源　書吏杜興春　書吏王某　書吏朱某　田茹
賓　王日華　梁某　嚴世鰲　姚永發　王光喜　黃鴻昇
沈福　高國祥　王巧子　王慶餘　王君在　王家猷　王某
（住伏家橋）　王廷謹　王延成　王延功　王若霖　王鎮　張可喜
張某　張三　張花子　張貴林　張延順　張延昌　張義
從　汪敬堂　楊某（住土街口）　周某（死內應事）　周某（住盧妃巷）　劉恩　劉
德全　邱廣餘　邱廣盛　邱廣美　邱德昭　譚全倫　嚴春
圃　醫士馬春暘　馬大泰　李大　李寶善　李志柯　李道

生　李永全　李貴　李光耀　李永泉　管某住銀倉橋　武長貴
呂茂富　耿二　夏興美　旗丁蔡某　趙某　趙蔭堂　戴
儒槐　戴勝華　戴綦　邵宗元　鮑遵祺　郭某住高井　郭天
喜　業恤之　馮國之　江靑年　施源啟　徐某　徐長齡
徐昌元　朱貴　朱惟科　吳邅焯　吳自强　吳大興　吳才
勇　倪某死內應事　陳某住漢西門　衣業陳某　陳金山　文長源
陶詩圃　陶禮堂　徐羹和　倪絲　陳某住細柳巷　韓某住隨園旁
談陟岵○以上見備考　顧長庚有傳　周祥順十年殉難○以上續訪　以上民
靈谷寺僧悟開願靜淵平常法縄武明心量疇龍樹朗定　獅子窟僧並明徒三
人　封崇寺僧崑泉海齡純炳傳炎　道某　老誇　印川　凝空
炳元　勝智　士法　秋渡
以上方外殉難附

流寓

前任江樂清協副將湯貞愍公貽汾有傳　女山東典史王瀛妻湯氏　隨殉

工部郎中候選知府瞿敬邦武進人　僕雙桂

國子監典籍錢繼文浙江嘉興人陳氏子成芝　獻芝　妻吳氏　女二　均有傳

南河候補縣丞胡如淵浙江仁和縣人　僕張玉

從九品鄭言桂蘇州人　幕友萬時庚席素恭　劉莘甫

贈鹽運司知事候選從九品翟詢安徽涇縣人　幕友翟祥　僕彭盛

職員孫永基元和縣人　妻韓氏　妾韓氏　弟監生成基　子崇業　峻業　姪大業　敬業　女節婦張孫氏外孫女張七順　玉官　巧官　狗兒　百祿

贈鹽運司知事吏目陳萃光浙江蕭山人　王氏　葉氏　車氏　施氏　崔氏　李氏　楊氏　崔氏　堂姊一福昌　大姑

監生朱雲路安徽旌德人妻姚氏

監生姚徵甲安徽桐城人　妻費氏　子婦張氏　從九品子嚴　沭陽縣知縣儲繼妻潘氏　女宜姑　山東候補知縣坤復妻張氏　直隸候補知縣伯鸞妻周氏　開燊大女三姐　僕許宋氏

監生鍾華落順天宛平人　子婦張氏　女大姑

監生錢堯章浙江嘉興人

妾王氏子一女一　監生毛維翀蘇州元和人妻熊氏子婦黃氏志麟男僕陳升　監生
毛維良蘇州元和人慶成童子張氏沈氏張氏松姑轉姑　文童韓榮慶甘泉人弟榮
昌　七品軍功劉世興儀徵人妻王氏妾李氏子開福女蕙姑　林仲之安徽太平
人妾某氏　朱萬元丹徒人弟押林松　杜秀山靖江人妻董氏姊錢杜氏妹小姑女
長壽○戚葉五　蔣培之吳縣人妻羅氏子長松立三妻朱氏士志中妻張氏鑑亭妻王氏女羅蔣氏四
姑桂安○以上見戚羅長福○邑志　從九品蔣映杓吳縣人一門同殉　督標左營把總
李長慶旌德縣人妻裴氏三保女大姑二姑三姑　文生吳錫元浙江人女大姑　總
督書吏胡國椿太平府人○母余氏子八十弟婦張氏李氏姪女貞姑四姑　上元縣幕
友史雲松常州人○兄某妻某氏女大姑二姑婢女某某氏某氏　汪德保桐城縣人○母楊氏
妻夏氏　楊某江西人父某母某氏○子一妻柏氏女大姑　周藩上海縣人○四品銜候選同知
周衡妻陳氏　甯萬志潛山縣人弟萬源　戴芝田揚州人子一侍女二　沈老寅紹興
府人家屬九人　沈三麻子紹興府人寄居醬篷營一門殉難　李五蘇州人妻某氏　陳某直隸

人庵人某李恂蘇州人嫂節婦顧氏　兄妾周氏　王氏　姪婦孫氏　姪女二姑　八姑　姪孫女琳姑　四姑
外孫張培官　外孫女張雙齡〇〇以上見鄰婦顧王氏　顧大姑　周大姑　備考　張沅龍懷甯人一門殉難

以上流寓一門殉難

巡撫銜前廣西巡撫鄒壯節公鳴鶴無錫人在城殉難　浙江石門知縣
龔光煦潛山人　內閣中書潘諮山陰人有傳　贈知州原任山東臨清
州知州同婁家蘭清河人有傳　州同李汝璗四川順慶人七年秣陵關陣亡　候選知
縣祝同治揚州人　贈鑾儀衞經歷候補鹽大使張潓浙江會稽人　山
東候補州判吳士諤沐陽人　六品銜陳銓吳縣人　從九品楊玢瑞
浙江餘姚人　文生潘文煥江西人　文生孫成鋐安徽和州人　文生尹時
珍江西人　附監生程正剛武昌人　監生潘烈暉安徽婺源人　監生陳
長春安徽石埭人　張可恆山東章邱人　王芝祥丹陽人　施天福浙江餘姚人
龔鍾茂丹徒人　王松貫無錫人　王錫光四川華陽人　俞呂鴻江都人

葉五靖江人　陳孝增武昌人　呂柳谷吳縣人○以上見邑志　內閣中書陳克家元和縣人　河南府經歷湯慶祥武進人陣亾　贈鹽運司知事從九品鄭富壽潛山縣人婺川王家沱陣亾　署六合訓導程文俊如皋人在城殉難　五品軍功周彬華亭人○十年陣亾　六品軍功張以銓華亭人○十年陣亾　文生吳勳桐城縣人　監生陳善廣西人○五年陣亾　武舉周長興儀徵縣人　武生蔡瑾崇明縣人　姜大郎蘇州人　武生朱瑞章金壇縣人　王漢亭弟某懷甯縣人　楊某浙江紹興府人　榮某桐城人　李五官蘇州人　謝克正浙江餘姚人　莊鴻丹徒人○十年陣亾　吳立志休甯縣石田邨人　程先進江西人死內應事　鄉勇金雙子全椒人陣亾　○以上見備考　周兆鵬　沙得功　馬玉先　周兆琪　楊旭珍　李金琢　朱廣林　馬玉彪　王永安均阜甯縣人　高履泰　郭九鵬　張正國　許立安　崔萬俊　呂大選　李秀　刁鳴皋　朱長和　侯樹林　徐廣業　劉廣發　馬

得功　趙廷松　霍在衡　張萬桐　張秀山　孟敬寅　荀登
爵　李純　蕭懷國　趙立成　蔡懷慶　馮廷貴　劉維成
王福元　周定國　王保林　張仰漣　徐壽榮　盛廷錫　張
懷山　胡錦堦　徐開基　王廷揚　汪得勝　周聚嶺　劉倘
李定安　劉天福　湯振楓　李太和　左林　傅成章　韓
升　蔡殿元　湯魁元　顧永康　萬禹山　張惠亭　衡保林
馮廷玉均安東縣人○以上均係佃湖營馬步兵三年均儀鳳門外陣亡○以上見邑志　張國泰
王克城　蕭廣居　顧廣清　張懷亮　殷占元　黃映舉
李玉勝　楊大章　張占元　孫倉林　强占魁　曠明德　馮
萬春　陳士玲　王永振　丁玉琢　陳敬安　劉心勝　牛書
錦均淮安人○以上均係漕標兵丁三年隨把總韋馨陣亡　張金標　鄒佩珩　趙中元
閆景蘭　許得脩　張心成均徐州人○以上均係蕭營弓箭戰兵三年隨額外賴振甲陣亡

周殿邦　王尚英均徐州人〇均係徐州鎮標兵丁三年湖北老鼠峽陣亾　徐長清通州人狼山鎮標左營兵丁三年湖北老鼠峽陣亾　李恭　錢大心均華亭人　周瑞婁縣人　朱春榮金山縣人　姜廷濟南匯縣人　姜志元華亭縣人　周勳婁縣人　陳星南婁縣人　朱起豹華亭縣人　鄭鳳苞　周則林　沈奎　李攀鳳　沈亮　金文豹　奚永德　鞠尚高　顧忠清　夏華耕　黃得春　葉友生　顧顯昌　夏茂宗　沈鎬　楊成龍　陶俊修　丁大德　張慶高　丁得祿　朱桂華　黃炳榮均南匯縣人以上均松江營南匯營兵丁三年在城陣亾　趙洪發　潘九祥　潘裕堂　趙勝華　潘萬彩　顧坤敍　顧德忠　徐寶餘　金士元　金漢章　張近忠　張勝祥　胡其祥　丁宰揚　陸世恩　范恩照　陸全勝　衛全元　王得恩　吳世銘　孟兆奎　陳耀方均南匯縣人　陳繼榮奉賢縣人以上均係川沙營兵丁三年東梁山陣亾　兀玉芳　兀茂芳　王允中　王第

王文俊 吳嘉惠 吳彥榮 吳錦華 吳士玉 蘇得祿 蘇鳳章 桂步蟾 曹世榮 沈頤堂 朱恩 劉秉崗 方兆祥 孫爾曾 徐芳蘭 顧文彬 陳雲海 金殿榮均寶山縣人以上均係吳淞營兵丁三年東梁山陣亡 朱有松 朱泰 陳志巖 袁效邦 吳永餘 陳大雄 吳勝祥 蔡中懷 張運開 徐振魁 黃文生 徐亭 徐得魁 田中元 沈芝田 王玉林 顧成裕 高忠良 張元貴 孫順方 沈富傳 朱起祥 單懷仁 朱成濤 倪效明 王彥升 錢永年 張萬程 高得勝 周傳德 陳中立均江蘇人以上均係蘇松水師鎮標營兵三年東梁山陣亡 王瑞和 徐文光 吳錦昌 潘進 柏萬年 吳心田 曹榮海 徐得忠 顧榮瑞 盛謝元 俞鎮芳 王全德 陶四海 顧文光 熊照林 錢壽海 王永福 褚同勝 宋旭鳴 姚錦忠 翁金海

于浩咸　陸有長　張遇年　王兆祺　徐金標　朱得勝均華亭縣人　張壽和　吳金國　王升福　池長棟　吉恆　郭得明　姚得金　王得林　王元芬　顧文海　沈長臣均婁縣人以上均係松江營兵丁三年九江陣亡　吳咸焜　吳勝　王榮　劉勝　徐榮　張雲標均華亭縣人　沈得婁縣人　吳得勝金山衞人○以上均係松江營三年九江陣亡　毛忠保　孟明奎均婁縣人　顧玉奎　丁成發　趙文光　周長玉　王茂蘭均南匯人○以上均係三年安慶陣亡○以上見備考　伏朝武銅山人三年儀鳳門陣亡○以上續訪

以上流寓兵丁附○均係三年殉難以後無考

續纂江甯府志卷十四之十二上　上元秦際唐分纂

人物 忠義貞烈

上元

知州銜知縣朱希照母李氏妻吳氏　浙江嘉興府通判方傑妻譚氏韓城縣典史傳妻吳氏布政司經歷宇妻毛氏○孫阿同　湖南知縣李玉森妻張氏監生怡之妻任氏文童廷文妻林氏女大姑二姑廷文女小姑　布政司理問胡蘭如母李氏孀母節婦王氏張氏李氏馬氏朱氏陶氏潘氏嫂李氏弟婦宮氏馨德正齡馨壽翰培　布政司理問汪世縉繼妻董氏女愛姑　布政司理問蔣啟霑妻節婦王氏監生森妻節婦陶氏○僕張尹氏　廣東順德縣知縣崔增泰妻潘氏子悅妻祝氏子悅女六姑僕孫楊氏　鹽大使李培元祖母秦氏母陸氏　安徽縣丞吳壎妻許氏繼妻陳氏殉壽州難　浙江縣丞梅繹高母周氏妻李氏山東益都知縣纘高姪女字蔣　正任提標左營守備韋長貴妻史氏四姑子和尚女紅姐　五品

衙教諭程有年繼母于氏妻夏氏　訓導羅笏女愛蓮幼女某○有傳　訓

導田寶雙妻蔣氏有傳○增生寶書　寶泉　寶泉妻馬氏孀婦焦氏　晉階妻金氏　二姑字汪　四姑字

程　五品衙主簿彭俊母戎氏嫂余氏　姪錦森　姊平姑　五品衙巡檢朱

維濤聘妻張氏繼妻王氏　孀母節婦張氏　妹小姑　六品頂戴監生張國棟叔

母黃氏姊王張氏　素玉　素貞　表姊葛氏轉女　德綬　小四　職員姚紹裘母史氏妻陳

氏　從九品朱應元妻夏氏子幼兒　女小姐姑某姑　弟婦張氏　從九品章炳

妻端木氏若金妻程氏　監生士部妻陶氏　監生士鉉妻孀婦金氏　士部女平貞姑　從九品周祐

妻金氏有傳○嫂李氏　從九品周之球妻辛氏子婦楊氏女啟姑　安徽從九

品董渤源繼妻袁氏從九品宗海繼妻黃氏　從九品許元燾母俞氏元燦妻蔡

氏　元煒女順姑元燦子旺子連子　從九品楊步元妻陳氏女鳳姑　從九品金

竹坪妻蔣氏蓮裳妾王氏　從九品李鯤妻高氏女大姑　舉人張文銳

妻王氏先庚先甲　廩生周志謙妻萬氏文生志書妹五姑　廩生楊遷善妻

張氏子某○十一年殉浙江難　稟生朱兆蘭妻翁氏子祥殘女翠姑妹二琴姑三琴姑四
香　文生胡楫母潘氏妻王氏○鑾妻施氏　文生胡大璋妻何氏孫婦劉氏
文生陳金榜繼妻胡氏金諾妻節婦李氏文童沂妻節婦武氏　文生孫洪妻鄭氏
監生雲妻鄭氏　文生蘭允升妻柯氏子官保女財保　文生周晃妻李氏青年
守節啟泰啟瑞永齡○致祥妻常氏六年均殉江浦難　文生夏家鼎妻節婦顧氏子逸
名遵駒妻節婦李氏時熙妻節婦許氏承堃妻孫氏　文生尹汝諧妻李氏文生耕莘女玉姑
耕莘妹某尹氏　文生徐濤妻吳氏象妻祁氏　文生陳士龍妻黃氏文生士龍妻王
氏　文生王成穀妹徐王氏子三　文生賣泰湘妻孫氏女淑貞　文
生孫雨晨繼母夏氏妻耿氏弟婦林氏妹素貞姑　文生馬堯年妻毛氏女正
姑　文生傅振宗母費氏嫂朱氏妻張氏女聰姑　文生司廷傑妻盧氏
女三姑　文生伍承鈞妹花姑有傳女杏姐殉松江難　監生李朝選女翠
英乳母陶俞氏　監生唐九如子婦鄭氏女貞女適周　監生宋世榮妻潘

氏大女二紅次女連弟監生項葆德妻羅氏女貞姑監生易培嬸母朱氏
鴻妻朱氏元妻張氏培妻張氏繆生妻沈氏監生李福母顧氏庶母周氏王氏妻孫氏從堂
妹二姑妹八姑女琳官四官附監生戴勉恆母鄔氏妻姜氏岳母姜江氏表姑母吳周氏
弟婦吳氏周氏潘氏妹盛戴氏葉戴氏監生阮聲揚妻王氏監生鏡湖妻陳氏監
生劉宣讀妻朱氏女玲姑翠姑監生蔣啟桐妻周氏文童純勳妻李氏文
童陳錫三祖母沈氏妻尹氏文童秦仲華妻張氏旌表節孝女張秦氏文
童王廷楊妻楊氏子婦曹氏女大姑二姑三年均殉安慶難文童尤富源妻李
氏富淇妻陳氏監生培之妻繆氏文童郭奉璋妻節婦陳氏懷遠妻節婦蔡氏祥英妻節
婦陳氏把總陳家發祖母姚氏母王氏外委丁長興母金氏妻鍾氏
妹葱姑女如紫戎鑑華母郭氏嬸母余氏妹旺姑吉姑慶姑妹字章〇妻金氏熊某
氏姪婦某氏住保泰街朱方氏守節三十二年田氏朱郭氏吳氏朱荼武聘妻
貞女任氏恭益妻周氏汪朱氏朱惟悅妻節婦高氏惟榮妻祁氏明遠妻余氏樹堂

妻王氏　惟寶妻節婦李氏○高氏守節二十一年　吳嚴氏女二　吳承宗母顧氏妻汪氏
吳巨泰妻龐氏德春妻陳氏　盧王氏黃氏　梅後昆妻竇氏芝山妻董氏金源
妻許氏　陳蘇氏蘭氏徐氏程氏趙氏蕭氏張氏周氏姚氏王氏程氏銀姐啟姐陸姐
齡姐姪女一姪孫女三　陳金鰲妻節婦顧氏女大姑二姑僕洪氏王氏　秦沈
氏二姑字夏○秦三姑　孫澍妻耿氏有傳○弟婦張氏　孫登甍妻王氏女小姑
袁堂先母胡氏嫂節婦吳氏妻周氏姪女字楊　錢李氏守節三十餘年王氏○守節二十餘年
子一女二　蕭路氏守節三十二年張氏親戚張陳氏二姑　陶林萬妻賈氏繼妻華氏
德音妻王氏　羅劉氏潘氏蔥姑　佘乾庚妻張氏女幼姑魁源妻蘇氏　糧道書
吏從九品王震東妻錢氏轉姑小平　王安斗母蕭氏孀母郭氏堂嫂萬氏　王
長華妻朱氏女素貞　王明琨妻張氏子婦李氏周氏　王運深妻竇氏
德元妻張氏　王潤之妻傅氏女玉姑紅姑美姑　張朱氏郭氏　張陳氏二女
字金三女字楊　張秦氏子一女一　張李氏秀女　張陳氏楊氏　張孫氏徐氏

張慶雲妻節婦陳氏女大姑張永發母楊氏妻孫氏張蒼虬妻
劉氏延普妻李氏禮炎妻談氏禮堂妻王氏志洪女七姑張德峻妻易氏女翠雲楊陳
氏鳳姑楊柏氏淑眞龔貞黃氏楊柏年妻方氏女秀姑氏書年妻劉書年妾汪氏
書年女明珠楊戴氏鳳姐唐勳妻洪氏子雙兒雙興章張氏秦氏尤陳
氏某氏周二姑周女字夏總督書吏劉善先母趙氏男婦二十三八劉庸
妻楊氏孫女聰姑美姑劉秀階妻貝氏洪聲妻朱氏董映華妻孫氏家藩
妻陶氏家藩子幼子董玉堂妻沈氏女字袁李芝田嬸母吳氏妻顧氏女財姑
李載之子婦易氏孫女大姑李蕃妻謝氏女大姑許濟安妻黃氏
子婦柏氏氏華氏節婦程氏周殉上海難趙吳氏劉氏女二節婦馬李氏索氏
賈本德妻節婦張氏泰常妻任氏蔣楊氏徐氏四姑美姑顧丁氏子龍官
女華姑均在浙江殉難文童顧廷楷妻劉氏瀛洲妻何氏惠泉妻潘氏謝邦耀妻
節婦許氏子婦傅氏孫幼子謝作龍繼妻朱氏女待姑心畬妻王氏善祥妻趙氏尊常

妻趙氏占姑二姑尊常女大姑二姑三姑孟宮氏叩姑卓應昭妻徐氏應元妻張

氏節婦郭李氏鳳姑文韸郭嘉楨祖母楊氏伯祖母劉氏叔祖母盧氏生母

馬氏郭鏞妻楊氏錦堂妻竇氏士衡妻劉氏潼妻祝氏易趙氏女二張氏王氏守節二十

餘年王氏許氏易漢川妻李氏女大姑懷遠妻王氏敬修妻毛氏敬修妾章氏錦川女大姑

石震春繼妻邵氏震南妻錢氏葉明照妻趙氏慶勳妻倪氏女和姐地山妻金

氏徐志誠妻毛氏女九齡從九品孫駿姊二姑三姑袁胡氏女聘

楊袁成謂繼妻朱氏叔母節婦吳氏周氏妻妹大姑女聰姑岳母朱顧氏錢文

波嫂節婦胡氏節婦胡氏陸岑妻張氏莪妻梁氏錢鎰妻龐氏女蘭貞

蕭滎母張氏叔母賈氏陳氏陶先春聘妻王氏姊藹文堂妹寶珠王炳衡

妻竇氏女大姑張霞峰母江氏叔母武氏妻王氏諶錫平妻柳氏子婦羅氏

蔣王氏合家十二口〇女僕方氏同殉柳六和尚母顧氏妹愛姑蔡子餘妻

郭氏大節二節總督書吏顧潯川妻鍾氏姪婦陳氏姪孫婦許氏顧應松妻

梁氏應柏妻周氏　陸朝幹妻張氏女毛二姑　葉遵籌母王氏嫂謝氏吳氏
駱平妻李氏女小紅　聶永均妻樂氏永剛妻葛氏永剛子一　端木聞氏易氏
大姑　汪翰章祖母胡氏母李氏孀母朱氏姑母張汪氏　程傳氏子子婦姪八人　李
承圻妻王氏子幼子　織造機匠楊姓婦女合家十三口○佚氏○附見孫顧氏傳
馮崇起妻節婦董氏子國之　施源通妻曹氏子婦王氏　朱孝崧妻張
氏昌馭妻陶氏　吳萊庭妻馬氏鳳墀妻全氏　孫淩九妻節婦朱氏承九妻高
氏　高煥廷妻吳氏郁文妻許氏郁文女幼姑　陶光耀妻譚氏耀周妻節婦陳氏
楊國顯妻王氏邦慶妻李氏鎔章妻王氏亦山妻王氏石民妻王氏　仇席奇繼妻王氏
有傳○子恩銘○　董順才妻節婦戴氏家藩妻陶氏濟川妻堯氏超羣妻茅氏　項榮妻
某氏女長生○有傳　張黼華妻左氏子全子　劉西泉妻徐氏子桂兒　王
傅氏子婦柏氏○以上見曾孫女三邑志　鹽大使孫鑄妻周氏子婦張氏　縣丞李
汝霖聘妻貞女邢氏弟婦陳氏　從九品范城妻芮氏女杏姑　文生張

臣欽妻陳氏女轉姑荷姑　文生臧汝潮妻許氏弟婦顧氏女冬姑姪女如姑
監生葉德潤妻常氏文童廷鏞妻王氏　監生洪延清繼妻孀婦李氏子婦孀婦曹氏
監生徐廷庚母孫氏子婦陸氏李氏　監生舒德明孀母王氏妻金氏煥姑　女元姑戚金潘氏
監生温長發妻范氏監生長讓妻李氏　文童臧大
興母某氏子婦某氏女大姑　文童葉其蓁妻張氏其蕃妻丁氏　童耀庭弟
婦洪氏陳玉堂妻童氏僕徐嫣　孫義方子婦陶氏王氏　吳氏住板井巷某氏　陶
恩成母李氏繼母范氏妹喜姑　沈某妻徐氏女大姑二姑　王克善妻陸氏
女玉姑科姑　李保母某氏住同仁街妹大姑　沈鏜戚張陳氏子一　沈鏜僕
張顧氏子一女一　鄭向榮母林氏妻孫氏　節婦繆氏子某　楊錫妻翁
氏姪婦金氏　黃某氏住義直巷〇女大姑二姑三姑　周大姑字夏二姑　劉天興妻
張氏妹胡劉氏　郭濤妻馬氏潼妻祝氏　畢趙氏住單牌樓〇女大姑二姑　孫陳
氏王氏駱孫氏〇以上見備考　孫某氏黃墅鄉人子婦某氏

以上婦女一門殉難

湖北同知何慶治繼妻邢氏殉浙江難 理問銜王介眉妻潘氏 廣西來賓縣知縣高承瀛妻周氏 府經歷李鐄繼母節婦馮氏 浙江秀水縣縣丞江輝祖妻節婦張氏 提舉銜運判朱增嗣母曹氏 縣丞李森妻節婦方氏 五品頂戴監生郭鈞妻王氏 職員六品頂戴戴寅妻周氏 署岳山司巡檢顧承李妻趙氏 職員朱鴻母徐氏 職員孫淇妻謝氏殉溧陽難 職員程培福妻朱氏 職員韓寶齡妻王氏 職員李邦潤妻王氏 從九品施棟祖母節婦蔡氏 從九品洪興仁妻程氏 從九品諸葛溶母方氏 從九品胡文淵妻賀氏殉浙江難 湖北從九品張棟祖母萬氏 從九品歐陽文炳母高氏 從九品董長華妻袁氏殉浙江難 從九品許維新妻徐氏 從九品李念曾母王氏 從九品朱位中妻張

氏　從九品吳煥妹文姑　從九品羅得祿妻傅氏　從九品周澤妻鄒氏　從九品劉靜成妻楊氏　從九品談俊妻謝氏　從九品蔣啟桂妻許氏　從九品華鐸母方氏守節十六年　從九品荆如錞女大姑　五品銜未入流張開甲母趙氏　未入流吳邦彥妻張氏　浙江未入流郭俊妻邢氏　職員石楷弟婦趙氏　舉人郎選未入流蔣位三祖母陳氏　舉人余白玉嬸母何氏　舉人程燮母張氏　廩生林鑑子婦湯氏　增生王培德妻顧氏　增生陳鶴齡妻節婦張氏　文生俞廷颺繼妻許氏守節二十八年　文生李德輝妻趙氏　文生張祖栻伯祖母許氏八年殉江北難　文生熊鼎元母余氏　文生洪子尊繼妻金氏　文生涂新畬妻劉氏　文生吳榮曾妻節婦汪氏有傳句容難殉　文生胡冠英妻節婦江氏有傳

文生于汝諧妻李氏　文生何瑞芝妻高氏　文生黃位中妻

吳氏　文生程鵬南妾劉氏　文生伍鍾漢妻楊氏　文生馬樹
滋祖母李氏　文生馬占魁妻田氏　文生李炎叔祖母節婦達
氏　文生汪輔臣女適周　文生賈炳魁姪女大姑　文生戴錫
純妻顧氏　文生陸廉妻節婦張氏　職監生徐士彩繼妻孫氏
監生華承照繼妻節婦何氏　監生王念希妻節婦李氏　監
生丁沛霖妻魏氏　監生趙烈庶母汪氏　監生周福源妻節婦
席氏殉蘇州難　監生李作楝女秀英　監生李維善妻楊氏　監生
李永年繼妻彭氏　監生王光裕妻倪氏　監生王江妻顧氏
監生鄒楷妻董氏　監生李炳文聘妻趙氏　監生李善保繼妻
王氏　監生趙錫昌聘妻貞女薄氏　監生陸長恩妻節婦汪氏
監生王汝陽妻徐氏　文童楊九如妻趙氏　文童魏藻亭妻
陳氏　文童徐蔭亭妻節婦馮氏有傳　文童姜銳未婚妻貞女梅

氏　文童李雨農聘妻邢氏守貞十餘年　文童趙學棨妻蔣氏有傳
文童韓蔚亭妻琴氏　文童蔣棋妻節婦高氏　文童鄭維琪妻
節婦黃氏　文童易爾昌妻節婦孫氏　文童楊賡妻何氏同治元年
殉浙江難　文童李耀宗繼妻陳氏八年殉難　文童郭誠郁妻王氏八年殉難
兩江補用副將謝崇義祖母節婦崔氏　都司劉承恩妻胡氏
守備程鴻妻王氏　補用守備董安楨妻錢氏　千總衛石昌
夔妻趙氏　鳳中二幫領運千總李兆元妻金氏　千總趙世忠
妻董氏　宮耿氏　翁美姑　熊陳氏　節婦熊胡氏　馮炳榮
妻陳氏　龐作賢妻羅氏　沈梅亭妻妹施五姑　祁大有妻李
氏　徐王氏　徐厚卿妻節婦王氏　徐永桂聘妻金氏　徐九
齡母毛氏　徐逸名妻王氏　徐錫坤母趙氏　徐進斗妻郁氏
朱穀成母郭氏　朱顧氏　朱張氏　朱廷楨女萬朱氏　吳

王氏　吳朝妻林氏　胡本淵子婦何氏　胡德馨妻王氏　陳
姑　楊大化女陳楊氏　陳光祖母蘇氏　陳啟成妻宋氏　節
婦秦張氏　殷王氏　潘承隆妻節婦劉氏　吳若泉姊孫吳氏
孫王氏　孫鍾氏　蘭貫氏守節十餘年　韓王氏　錢鄒氏　宣
正揚妻董氏　焦張氏　姚兆祺妻崔氏　蕭錢氏　李東海女
孀婦高李氏　陶陳氏　陶松如妻梅氏　陶桐書妻吳氏　陶
丁氏　曹維桂妻魏氏殉蘇州難　張樹垣妹曹張氏　曹玉溪妻魏
氏　毛汝忠妻李氏　何貴氏殉江陰難　余舉仁妻侯氏　李觀成
戚王費氏　王陳氏　王錢氏　王永林妻方氏　王馬氏　王
承熹妻劉氏　王傳極妻楊氏　王啟隆妻黃氏　王西磵妾汪
氏　王瑞周妻謝氏　張聞妻王氏　張左氏　張陳氏　周甡
表姑母張王氏　張楊氏　張長華妻秦氏　張以臨妻王氏

張雲軒妻楊氏　楊殷氏　節婦汪李氏　汪孫氏　汪王氏　汪煥姑　汪嘉運妻節婦周氏　文生汪黼臣女周汪氏　汪殷揚女二姑　黃克家妻陳氏　李承訓戚孀婦康李氏　常朱氏　詹法興妻貞女張氏　程謝氏　曾聯升妻錢氏十年殉王墅邨難　劉應北邨孫女許陶　周美春妻節婦陳氏　邛樹庭女秋桂　劉吳氏　沈淮姑母劉沈氏　劉善耆妻陳氏　劉瀛妻張氏　劉庚妻沈氏　鄒翁氏　金鼎妻張氏十年在方山殉難　金長祿妻節婦何氏　金蓉堂妻張氏十年殉王墅邨難　金問湘妻陸氏　金秉貞姑字楊　林萬聚女年姑　任王氏　談有緣妻劉氏　嚴桂棟妻未婚守貞劉氏有傳　嚴世通妾王氏　李馬氏　李許氏　李張氏　李燕山妻許氏　李建勳妻節婦謝氏　李有琦妻遲氏　李朝儀姨江張氏　呂張氏六年殉難　呂立章妻節婦金氏殉懷甯難

沈鏜戚呂張氏　呂振芳母節婦王氏　許祥泰妻李氏　管孫
氏　趙錫昌聘妻貞女蔣氏　馬王氏　夏大姑　蔣兆珩妻節
婦戴氏殉難十一年　柳大妻顧氏　節婦沈仇氏　督院書吏范其
忠祖母節婦周氏　蔣大鵬妹范蔣氏　范錦和妻端木氏　宋
恩蔭妻楊氏　魏昌裕妻夏氏　傅謝氏　喻王氏　蔡張氏
萬德福母朱氏　卞元順妻從氏　邵胡氏　謝履和妻王氏十年
殉難　謝允文妻王氏　鄭長林妻節婦李氏　將軍書吏五品頂
戴鄧永鑑母節婦李氏　竇步隨妻林氏　陸陳氏　陸永福妻
童氏　宓濤妻陳氏　葛何氏　葛順安妻王氏　薛冠羣妻董
氏　笪自知妻王氏　節婦郭邵氏　馬灝齡女郭馬氏　駱王
氏　駱同富妻李氏　易許氏　易王氏　易友洪妻芮氏　石
龍章妻施氏　葉邦吉女爾桂　葉桂年妻施氏　馮仁裕妻節

婦蔣氏　洪子尊妻金氏　徐蘭谷妻孀婦常氏　朱張氏　朱
孝棣妻孫氏　朱昌祐妻李氏　朱彭華妻劉氏　吳桂盛繼妻
汪氏　陳胡氏　陳武氏　陳燮堂妻節婦葉氏　陳有基妻劉
氏　陳玉祥妻張氏　六品軍功陳家祥孀母貞女欒氏　錢銘
妻隨氏　陶蘭英　陶陳氏　文生陶熾女轉姑　王方氏　王
馬氏　王正錦妻節婦戴氏　王存昭妻李氏　王正東妻錢氏
　王文輝妻節婦戴氏　王永義妻陳氏　王濤妻高氏　張可
喜姑　張繼勤妻節婦戴氏　張鉅川妻鄭氏　張夔繼妻李氏
　張耀中妻談氏　楊錫侯妻節婦朱氏　楊型妻節婦翁氏
黃張氏　姜華昌妻袁氏　程謝氏　丁廷梧妻賈氏　周文魁
妻陸氏　劉冬書繼妻朱氏　劉載庚妻江氏　劉光煒女懷姑
　劉昌儀妹貞女大姑　談必探妻節婦李氏　談益其妻陶氏

總督書吏嚴廷富妻江氏　沈二妻某氏　馬王氏　李長齡妻王氏　李鴻儒妻陳氏　李恩榮妻祁氏　李永和女鍾玉　李鶴松聘妻曹氏　許士茂妻陳氏　賈唐氏　蔣王氏　阮王氏　郭永茂妻高氏　阮陳氏　柳恩元妻何氏　武東昇妻鄭氏　耿文月母史氏　冷葉齡妻鄒氏　哈國器伯母陳氏　夏棋妻黃氏　華繼祝女大姑　魏嘉濤妻蘇氏　魏五妻黃氏　易李氏　易陶氏　易張氏　易王氏　張恩廣妻倪氏　傅謝氏　愼宗志妻沈氏　卞赤懷妻節婦陳氏　翟開嶦妻孫氏　郭鈞妻王氏　陸朝楨妻李氏　文童葉淸臣妻節婦劉氏　葉長泰妻俞氏　柏長貴妻純氏　孔廣昭女大姑　笪光照妻馮氏　顧廷植母陸氏　甘可鑾妻周氏　俞應川妻周氏　陳敬妻金氏　孫履祺妻周氏　孫聞道妻節婦夏氏　張省庵妻賀

氏　楊錫侯妻節婦朱氏有傳　李恆妻戴氏　紀問秋妻沈氏
趙正義妻徐氏　馬友洪妻芮氏　賈雲卿妻唐氏　沈松坪妻
胡氏　蔡和圃妻李氏　戴本成妻孫氏　宋起麟妻某氏　謝
迺盈妻傅氏　陸景文妻孫氏青年守節　江俊臣妻周氏　熊燮元
嫂馬氏　胡耕妻夏氏　焦天淇繼妻彭氏　張童氏　孫念椿
妻許氏守節二十年　張必成妻朱氏守節二十二年　五品軍功張增漢婢
女來喜　馬智明妻邵氏○以上見邑志　湖南按經歷夏培妻節婦
韓氏　縣丞茅永萬妻朱氏　五品銜從九品凌裕麟母周氏
直隸三角淀通判司馬鍾母某氏　從九品梅崇高妻鄭氏　安
徽舒城縣典史李丙南母王氏　典史徐傑妻王氏　訓導殷葆
常妻王氏　五品軍功周增翰乳母周魏氏　職員楊永厚妻王
氏　職監生易時發女大姑　六品藍翎王鎔妻金氏　歲貢生

汪槐妻俞氏　廩生孫維祉女大姑　貢生孫洪姊大姑　文生陶恩妻張氏　文生陳進妻節婦唐氏　文生邵鏡湖妻萬氏　文生李煊聘妻孔氏　文生陳必昌妻某氏　文生陶紹鍾妻許氏旌表節孝　文生張霞峰妻孫氏　監生田文賓妻鄒氏　監生楊鼎妻戴氏　監生董德周妻節婦戴氏　監生唐濟舟女貞女著儀有傳　監生夏成塈妻孫氏　文童高鳳藻妻吳氏　文童湯錦岳母曹聞氏　文童王國棟妻湯氏　文童張竹溪妻顧氏　文童楊鐸妻藺氏　文童梁獻廷妻丁氏　文童程紫綬女二姑　文童周吉甫妻節婦金氏　文童顧雨亭女鳳姑　總督書吏鍾麟妻孀婦陳氏　錢藺氏　曹嘉善母韓氏　王永福妻節婦蔡氏　王廷棟母馬氏　王元妾某氏　王明賢子婦楊氏　翁氏　王培妻金氏　徐蔡氏　王試金繼妻錢氏　陳同妻姚氏

何某氏任板井巷 陳謙和妻顧氏 劉氏 佘學仁妻侯氏 張義位妻節婦許氏 王何氏 張家泰母楊氏 孀婦張蘭氏 曾氏 朱廷楨女汪朱氏 黄一明妻魏氏 孫信誠女素貞 程聯芳妻王氏 丁萬妻張氏 藩司書吏周某妹大姑 仇以剛妻許氏 任五妻陸氏 金王氏 孀婦金朱氏 金桂芳母鄭氏 陳謨妻張氏 金潤妻郭氏 談洪氏 談禮和妻節婦郭氏 嚴蘭氏 嚴克焜妻謝氏 節婦勾葉氏 馬大姑 李月溪妻張氏 魯澤枚妻王氏 李志妻宗氏 呂元愷妻蘇氏 呂象初妻姜氏 李長泰妻節婦宗氏 史小海母某氏 李吳氏 紀某氏 李陳氏 鄭椿妻程氏 李繼典妻趙氏 鄧氏 戴星垣妻周氏 李方良妻節婦趙氏 鄧洪義女魏財姑 李家棟女改姑 諸葛廷華妻方氏 童恭壽妻芮氏 江東母

某氏　吳琳妻汪氏　韓誠齋繼妻貞女王氏　蔡錦堂妻王氏
竇仁烈妻李氏　席元標妻節婦丁氏　漆繼宗祖母張氏
鐵耕妻李氏　洪福妻郁氏　陳士秀妻節婦佘氏　袁某妻節
婦某氏住隨圍另　易家堡妻王氏　趙德音妻王氏○以上見備考

以上婦女

福建典史曾勉仁繼妻王氏妾陳氏　女一湖南長甯人　候選從九品施錦榮
母徐氏妻周氏　改姑○以上見浙江餘姚人　邑志　從九品崔世綸生母潘氏武進
縣人○妻祝氏女某姑　未入流顧璜聘妻貞女許氏元和縣人○監生炳聘妻貞女許氏○以
上見備考

以上流寓婦女一門殉難

太和縣知縣王象曾妻節婦包氏安徽涇縣人守節四十餘年　廩生崇一穎
妻袁氏守節三十餘年○有傳　浙江錢塘人　仲師釗女二姑長沙人　袁仲氏仲師

劍次女夫家錢塘人女僕王張氏

舉人徐仲瑤聘妻朱氏湖北江夏人〇有傳〇以上見邑志

進士趙某女碧孃南陵人　知縣沈棠妻高氏直隸人　文生陸臻

妻節婦汪氏吳縣人　席素煥母丁氏吳縣人　朱氏定遠縣人〇以上見備考

金某女喜生婺源人〇以上續訪

以上流寓婦女

續纂江甯府志卷十四之十二中

上元秦際唐分纂

人物 忠義貞烈

江甯

紳

贈太子太保雲貴總督潘忠毅公鐸死雲南事有傳陝西巡撫鄧文懿公爾恒死曲靖事先正有傳○贈太僕寺卿知府爾晉○有傳○知縣嘉緒○均丹陽陣亾○嘉紹○殉昆明難○河南輝縣知縣爾復祖母蘇氏爾復妻方氏○均殉本城難○僕譚某○隨殉昆明難

四品封典文生胡沛附見孫際雲傳敔熙敔烈文生嘉樑嘉樑妻劉氏

贈道銜浙江衢州府同知陶定来贈道銜候補通判百齡贈知州孝廉方正定申僕祝升○十年定申叔母朱氏均殉浙江俞氏難○汝懿都察院都事定中妻范氏祖妾許氏均殉本城難

贈國子監助教諭柴沂○附見孫際雲傳妻朱氏女字陳氏鄭嫂節婦何氏節婦徐王氏姪婦節婦宋鄰周徐氏

前安徽祁門縣知縣王宮涂從九品文耀姪殿驃殿龍弟宮鎔子婦紀氏宮桂季氏妻樊氏蔣氏子殿駒弟婦于氏殿驊夏

氏　姪婦紀氏　女陸　王氏　堂姪女蕊姑　贈知府前浙江象山縣知縣孫廷松弟婦

節婦鍾氏　弟婦楊氏　贈知州布政司理問顧捷桂監生捷祿　姪孫宗霖　子文奎　捷祿妻張

氏　弟婦節婦高氏　弟妾陳氏　姪孫女柹姐　八品　衔文起母朱氏　文起妻胡氏　姪女好姐僕周氏　贈知

州布政司經歷衔何德宏妻蔣氏　文生師孟從妹王象乾妻何　氏○附傳　師孟從妹金何氏　師孟

女瑞芝　○有傳　五品衔州同夏家塈妻孫　氏　六品衔佾生朱銑本潔　本治

本寛　本洛　本濂　理問衔本淵　肇元　肇興　肇榮　肇　華　肇麟　毓籌　姪婦節婦姚氏○守節二十五年　張氏○

守節三十四年　張氏○守節二十八年　姪孫婦韓氏○守節　十八年　姪孫女三姑四姑　姪孫女二姑　本濂妻繆氏

肇麟妻　卞氏　六品衔奏守曾文慤公承業從子丹陽陣亡○妻王氏　女庚姑三姑　姪女二姑　宗泗

兵部郎中耀曾妻畢氏　廣東順德縣丞宗海繼妻馬氏　熾　成　監生熾盛　耀曾女蓮生荷生菊生　曾孫女東生

宗海女招姑　安徽候補巡檢宗瀚妻彭氏　文生熾昌妻汪氏　熾昌子科第聯第　女小涵　熾盛妻焦氏○男僕王升○

均殉　本　城難　六品頂戴高建川子婦劉氏　孫女大姑　贈國子監助教教諭方

培基有傳　文生志勳○太倉陣亡○文童嘉勳　長馨　祖勳　志勳妻端木氏　舉人胙勳妻盧氏　嘉勳妻易氏　增

生培厚夾女字程監生廷煒○有傳廷煒母王氏○均殉本城難國子監典籍銜教諭陸長
發弟縣丞應庚姪翰林院待詔登瀛贈國子監助教訓導孫際雲有傳○妻顧氏監生集
雲監生承緒承禧承禎文童載福永言永思永錫永椿永瑞姪女芸姑蘭姑孫女用姐大平姐
二平姐祿姐端姐姪孫女芹姐吉姐文生兆清妻汪氏○守節三十年從九品景韓妻節婦陸氏集雲妻劉氏
承緒妻殷氏承烈妻節婦萬氏承慶繼妻潘氏承貴妻王氏承曾妻節婦姚氏承禎妻濮氏載福妻顧氏戚郭承
儀永魁郭孫氏大巧姐二巧姐三巧姐鍾孫氏鍾大姐陳孫氏陳蕊姑訓導沈葆純祖母
程氏嗣母許氏生母石氏妻吳氏叔母陳氏嫂仇氏弟婦劉氏朱氏妹杏姑僕鄭大抑訓導單
鴻達文生立厔鹽知事立莊玉姐夏氏朱氏沈氏徐氏從九品王鏡湖母戚氏妻周
氏應魁鑫女字范二姑三姑四姑應舉妻周氏姪女二秀姑妹孫王氏僕劉氏七品頂戴諸
有和妻施氏從九品培基縣丞朱依容主簿魁文○均殉湖北德安難縣丞張玿監生
珠均殉懷甯難八品銜劉桂生繼妻任氏逵發女壽官八品銜監生鮑武
淦妻常氏監生代榮監生代恩贈鹽運司知事從九品光旭光裕文童光發昌鋐昌連代榮妻張氏代恩

女五姑光旭女鳳姑安姑光講妻汪氏光裕女轉姑改姑僕葛氏盧氏

八品銜馬蔭山子錦昌

八品銜翁模坤廩生鯤○有傳大純大椿長恩監生模增模增繼妻節婦高氏兄子大鏞

妻李氏

八品銜朱廷發妻吳氏逢年妻沈氏星燿妻于氏星照妻周氏

八品銜周國樑有傳○妻蔡氏

八品頂戴梁蔭庭妻張氏文炳文瀾文山永齡啟齡長齡培元

培禮培榮培仁培義培智培信培祥文炳妻陳氏伯母張氏楊氏子婦陳氏女香姑換姑珍姑

姪女巧姑永齡妻杜氏啟齡妻陳氏僕張貴張氏

八品銜顧蔭初妻王氏承熙承勳承燾

子婦王氏宋氏

八品銜周泗弟縣丞嵩齡

贈布政司都事國子監典籍

銜陳士悅殉本城難○從九品恭杞恭寅恭祥○殉王墅邨難

主簿沈燮堂從九品之淮

贈鹽運司知事從九品周濤妻洪氏嘉棟嘉桂嘉彬嘉楷贈鹽運司知事從九品嘉松

獅子子婦節婦金氏女二姑三姑孫女大巧二巧嘉松妻王氏

從九品萬德麟弟從九品德基

弟婦葉氏姪興姪女字張姪女如意姑小姑弟從九品德輝德樹德新弟婦張張氏女僕范氏男僕范某

贈鹽運司知事從九品姚體仁妻李氏子贈布政司都事八品銜慎齋長杰子婦楊氏

孫女巧姑桂姑 從九品朱靜卿子五女二 從九品王東明妻某氏子女子婦同

殉 從九品張禮堂開伊世珍世德世惠史氏李氏周氏孫氏曹氏范氏榴子葱

子 贈鹽運司知事從九品韓垣道弟婦吳氏魏氏毛氏弟慶道姪杏慶道妻徐

氏 從九品孫懷仁附見葛鏞傳監生雲瞻保瑜弟婦陳氏陳氏 贈鹽運司知

事從九品徐以諧有傳兄監生以謙妻費氏嫂姚氏節婦藺氏弟婦柏氏子婦蔣氏姪守仁

守智守恭守寬守敏姪孫永福永祿永禧姪婦章氏僕一 從九品周墉監生塏監生增

監生堦文童培文童垣德良德財德進陳氏任氏趙氏鄧氏德財妹大潤二潤杏姐 從九

品林鴻亮妻李氏子一女四 贈鹽運司知事從九品龔士惠監生鐫鑑

鐵從九品鐙從九品培興培敦培讓培恩培恬培雄培春培松培安培仁克厚克俊子婦祁氏

姪婦何氏李氏王氏節婦王氏李氏汪氏卞氏姪孫婦陶氏曹氏王氏朱氏姪女二姑雙姑平

姑菊姑姪孫女招姑姪曾孫女琴姑僕婦馬氏僕馮氏僕婦王氏 贈鹽運司知事從九

品隨春母俞氏妻曹氏崇禮先楂先珠光斗大歡二歡子婦范氏弟婦王氏姊金隨氏姪女巧

姐　孫女翠姐　從九品余順齡許氏　從九品王瀛洲克已　贈鹽運司

知事從九品高熊舉有傳　子贈鹽運司知事從九品德豐　贈鹽運司知事從九品德升　德豐妻謝氏

德泰聘妻徐氏　孫女杏姐○荷姐轉姐　族姪監生尚文　尚永　尚慧　從九品潘遇春妻朱氏

贈鹽運司知事從九品胡達源妻許氏　從九品恩錫妻汪氏從九品恩變妾陳氏　匯川妻陳

氏　雲姑　二姑　三姑　四姑　僕胡氏　從九品陳以勤祖母郭氏　妻胡氏叔母周氏　友張老六

贈鹽運司知事從九品王恩祥母汪氏　妻殷氏　長女秀姊　舅母汪泰氏　贈鹽

運司知事從九品錢大宗妻謝氏　弟大俊　文童大文　弟婦劉氏　柏氏　王氏　堂弟婦倪氏

子彭齡　增齡　姪保齡　華齡　瑞齡　子婦萬氏　姪婦周氏　張氏　大文妾王氏　姪女佩蘭　佩雲　佩珍　女佩琴

堂姪女佩榴　佩安　佩和　孫織　孫女端官　元官　玉姑　張錢氏　張大姑　匠人吳天章　男僕張三獃○有傳○

湯升　丁貴　女僕夏劉氏　毛朱氏　從九品王森堂德基　德基女慧貞　三姑　從九品

張世松世鉞　世鐸　職　世槐　文生世沅　監生開顯　開勳　永齡　本舉　小舉　世松妻周氏　世鉞妻龐氏

妾王氏　世槐妻王氏　女端姐　轉妞　世沅妻毛氏　女大鳳　二鳳　世榮妻殷氏　女桃姐　世鐸妻王氏　開顯妻

周氏開勳妻業氏女換姐開猷妻節婦余氏戚陳張氏來姐錢蘭姐僕張榮女僕潘媼從九品毛
德培從九品繼曾從九品許實然家丁二從九品監生夏遵魏文生之渠
從九品彭士琨子國義○六年陣亾從九品謝璋弟嘉謨子桂森姪寶桂贈
鹽運司知事從九品楊錦妻張氏子文淦文泉文淦妻陳氏從九品黃必廉
從九品必明從九品周文桂從九品文松子文槐外祖母節婦葉劉氏贈鹽運司知事從
九品許鴻妻陳氏天祐天祐妻周氏贈鹽運司知事從九品武元勳母節婦徐
氏妻張氏元魁德華福保從九品德貴母節婦鄒氏德貴妻徐氏從九品馬仁齋弟武舉步
原伍氏女秀貞姑國林裕德裕義從九品郎子華妻吳氏延禧延賡延增孫氏金氏
○招姑全姑均殉安慶難從九品葉兆元步瀛子婦孫氏從九品葉瑜主簿鑑
文生正華從九品謝永泰並家屬從九品李元美吳氏妻氏贈鹽運司
知事從九品姚會朝妻韋氏贈鹽運司知事從九品恩朝嘉華嘉楨女三姑姪婦黃氏姪女換
姑姪孫女荷姑美姑恩朝妻徐氏從九品方建中全椒陳亾妻顧氏同殉贈鹽運

司知事從九品張德培妻劉氏女巧姐孫女滿姐二春姐從九品張鏞沛益溱
益棪樹沛益女雙齡溱益妻錢氏僕張升時五贈鹽運司知事從九品鄒元禧
元瑞長齡二齡長福元瑞妻吳氏長齡妻王氏女錢鄒氏姪孫女大姑三姑從九品洪毓
恆八品衔毓文從九品陳楚箴母郭氏妻胡氏從九品張寶賢孝廉方正寶德母李
氏從九品周恩元開宇繼配妻楊氏肇元女喚三姑起元妻許氏○守節十四年恩元妻張氏
文生熙元繼妻朱氏熙元女乖姑文童隆鏘妻陳氏隆鉅妻姚氏隆師妻李氏○均六年營潰殉白塘郵難開富開
安妻孫氏文生銘恩肇元繼妻李氏姪女綠姑○七年殉秣陵關難封職監生柏湧從九品嘉駒
贈鹽運司知事從九品何東言妻張氏女愛珍秀珍連喜貴齡庚齡愛齡瑞齡
大好子二好子連喜妻蔣氏職員王湆曾母孫氏妻葉氏法曾嫂胡氏弟婦余氏女大姑
二姑三姑男僕某吏員宋星疇妻吳氏長福長壽長發坤五坤五妻李氏五品
衔千總胡慶生妻周氏封職武略騎尉謝士成九品衔連陞○陣亾○士成妻辛氏
孫婦朱氏文杰連陞妻程氏孫女巧姑連陞妾宋氏妾母宋王氏把總伍廸祥溧水陣亾○廸元

武生鍾華　廸魁　廸沛　大順　鍾華子二　崇順　三順
廸元妻馬氏　廸魁妻劉氏　陳氏　楊氏　廸魁母金氏　錢
氏　哈氏　某姑　○以上見大姑　二姑　大姑　邑志

六品軍功從九品王文洲姪康齡

福齡

從九品吳載熙母孫氏　從九品葉玉堂男僕於舉子　從九品徐錫中妻焦氏　從九品鄭澄灃子文童培根妻王氏　從九品周介眉文童恆德

恆立　子炳常　妻葉氏

未入流金鈺姪監生沅妻許氏　都司楊國富弟外委國美

子飛○以上見熊　備考

雲南候補通判署平彝縣知縣司馬楠子焜耀　死

平彝○以上事　續訪

以上一門殉難

直隸州知州陳兆平　贈知府知縣龔汝弼湖北陣亡　直隸州州判孫念揚有傳　知縣陳爕有傳　五品銜監生方作展　五品項戴監生江澄　五品銜胡家荃　五品銜孝廉方正文生張燦奎　六品項戴秦嘉猷　六品銜楊鼎　八品銜陳學元　國子監學正

銜題升淮安府教授和州學正盧光綸(和州陣亾) 贈國子監助教前
安徽歙縣教諭侯雲松(僕郭廣祥同殉) 安徽建平縣教諭蘭滋疇
贈鹽運司知事訓導陶繩武(十年陣亾) 訓導王寶鼎(六合陣亾) 訓導鍾
兆熊 教諭倪承勳 安徽府經歷鄭掞(廬州陣亾) 前安徽知縣降
調府經歷吳昌晉(原名鶩○孝陵衛陣亾○僕童貴) 贈鑾儀衛經歷山東府經
歷周蔭培 贈知州護浙江杭州府同知縣丞蔡懋繆(杭州死事) 署
江西金溪縣知縣縣丞高學易(金溪死事) 浙江縣丞錢壽昌 山東
縣丞范先爵 縣丞蔣大年 浙江侯補縣丞馬文年(孝陵衛陣亾)
安徽義門司巡檢王齡(桐城殉難) 縣丞朱繼宗(陣亾) 八品銜李家恩
(方山陣亾) 八品銜楊大禧 八品銜唐國標 八品銜陳槐 八品
銜周吉昌 八品銜呂家恩 八品頂戴邵璠(湖州陣亾) 八品銜周
幹臣 國子監典籍銜王志鋐(善橋陣亾) 滄州巡檢孫文驄(滄州陣亾)

安徽從九品杜國熙　五品銜從九品梁承誥（殉杭州難）　河南從九品魏福增　從九品陳樹勳（死甯國事）　從九品宋文魁　從九品錢壽齡（天長陣亾）　從九品宋世德（湯泉陣亾）　從九品黃徵祥（龍蟠里陣亾）　從九品陳錫勳（陣亾）　從九品胡梓　從九品王貴麟　贈鹽運司知事從九品張自安　從九品林長椿　從九品謝長貴　從九品鄭嘉兆　從九品雷永蕙　六品軍功從九品王長興　從九品王念祖　從九品劉隆舒（附見張士義傳）　贈主簿未入流黃懋和　從九品楊邦基　從九品陳杞（殉溫州難）　從九品王德基　從九品周永錫　從九品魯登瀛　從九品施寶成　從九品顧鼎升　九品頂戴謝筆庵（十年嘉興陣亾）　從九品易坤　從九品李錦（有傳○三年殉揚州難）　職員莊穆堂　職員劉辛園　職員陶時行　職員胡濟　州吏目林恩榮（殉丹陽難）　參將王家榘　參將劉錫榮　贈副將參

將用漢中鎮標甯羌營守備鄭成元陝甘陣亡　遊擊李德勝　都司李永祥　江南提標中營守備徐鎮海　守備鄧長勝　六合城守千總徐琳　千總戴輝廷　千總陳開牧浙江陣亡　千總朱亮儀　贈千總把總曹學榮金積堡陣亡○附祀劉松山祠　贈千總把總曹習榮陝甘陣亡　千總署督標中營把總童本　青山營把總胡飈　把總汪永源　把總卿桂林金積堡陣亡○附祀劉松山祠　把總柳正春陝甘陣亡　把總章楷同治六年湖北勦捻陣亡　把總朱昌齡湖州陣亡　贈千總把總王德五陝甘陣亡　贈千總把總張得元陝甘陣亡　把總章安邦　把總陳筱岩　把總張得勝　把總馬建坊　把總張長青　贈千總把總方振海　把總汪月鋤　贈千總把總黃得才　把總馬有良　把總謝兆豐　把總陸正洪　督標左營把總王鎮泰金川門陣亡　把總朱春陣亡　把總陳景濂　五品頂戴外委沙永慶　六品頂戴外

委劉鳳駒山東陣亡　外委王林　贈千總外委何詢口陝甘陣亡　外委
李金海襄陽陣亡　外委李盛林襄陽陣亡　外委龔長源　外委張鵬年
外委馬忠緒　外委張子垣　外委王得榮十年滄州陣亡　外委湯
得勝　贈千總外委葉成美　外委高長清　外委劉占鼇　外
委顏鳳麟涇縣陣亡　外委張得勝五年山東陣亡　外委黃培祿八年陣亡　外
委徐慶江　外委艾光華　外委蔣士芸　額外外委何廣芳○
以上見邑志　六品銜陳亮　州同銜林曰康　五品頂戴從九品康
長洲　六品頂戴馬步雲　六品頂戴黃萬元　縣丞江德潤
縣丞朱蔚如　縣丞文生陶惟金　從九品馮與齡　從九品馮
永年　從九品洪長全　從九品洪榮貴　從九品盧鏞　從九
品陳明東　從九品孟金華　從九品顧繹　從九品路雲　贈
鹽運司知事從九品陶萬選　從九品陳永年　從九品謝耀曾

從九品易暉　從九品李兆祺　從九品曾慶緣　從九品王貴麟　從九品黃濟霖　從九品周錫金　從九品金益三　江甯經承陸某　五品銜千總陳雲貴　贈守禦所千總千總程開有常州陣亾　千總銜把總鍾庭槐　把總陳玉亭　把總陳得勝　外把總沙殿奎湖北陣亾　三品封典外委汪春熙　外委田仕德　外委汪萬年　外委彭四明　外委林金彪　外委林光明○以上見備考　八品頂戴萬德燧六年陣亾　江南宜興城守營都司方錦榮蘭山嘴捕盜被戕　都司湯正宏八年湖州陣亾　贈都司守備銜哨官趙元新嘉定陣亾○以上續訪

士

贈鹽運司知事廩生朱期銘妻錢氏贈鹽運司知事文生期鎔淵瀚期鎔妻伍氏舉人期保母唐氏期保妻秦氏　歲貢生金鼇先正有傳○子婦張氏　贈鹽運司知事廩生

俞恩綬有傳○廩生恩綸　嫂張氏　弟婦節婦謝氏　姪春泉
女婉貞　月貞　姪女麗貞　淑貞　子雙兒　坤兒
贈鹽運司知事廩生涂煊有傳○文生
嚬兆芳　廩生錢萬青母汪氏
妻沈氏
氏　弟婦何氏　王氏　妹江錢氏　子婦王氏　女恩姐　舉
姐　姪女秀姐　珠姐　洪姐　綠姐　香林　貢琛·來琛
㮚琛　慶子　贈鹽運司知事廩生張峻妻汪氏　女舜英　淑
僕王氏　英　廷柱　炳孝　炳
悌　炳德　炳儀○六品軍功　增生張勤之妻黃　增生倪自
炳禮　文生炳仁　聘妻高氏　氏
新　妻鄭　增生程教文附傳○妻張氏　子文童福臻　文童祿
氏　臻　文童壽臻　福臻妻馬氏　女挂琴
姑　贈鹽運司知事文生張林妻王氏　女　文生張廣仁弟
碧姑　連子　安子　廣
德　妻郎氏　文生　文生張福安妻姜氏　子訓導芸軒　喜
維翰　均殉安慶難　保　子婦馬氏　女榮姑
連姑　贈鹽運司知事文生焦楷母宰氏　妻梅氏　弟兆槐
三姑　彭齡妻節婦譚氏　松齡妻席
氏　嵩齡妻汪氏　弟婦俞氏○松齡女大　文生車懋勳妻毛
龍姑　二龍姑　姪女全姑　表妹汪換姑　氏
子耆男　文生懋員　佾生受田　增生懋正　懋賞　懋員妻
程氏　懋正妻翁氏　懋正嫂鄒氏　懋正弟婦王氏　女一
贈鹽運司知事文生陳自超附傳　母潘氏　妹三姑　文生
四姑　姪女大姑　二姑

楊邦杰　附傳○叔母翁氏　教諭文杰妻金氏　文生程淦　母傅氏　妻傅氏　子二　保　弟炘南　姪連寶

嫂節婦楊氏　沈氏　弟婦胡氏　王氏　大女換姑　姪女如姑　文生徐士義　母金　氏　文生徐

長青　妻王氏　弟婦邢氏　嘉堯　嘉　楨　嘉堯妻唐氏　姪婦王氏　贈鹽運司知事文生余

長虹　姪順齡　母王氏　妻王氏　嫂龔氏　姪女王姑　從九品頂齡妻許氏　僕一　文生朱嘉林　文　生

嘉樹　監　生嘉楠　贈鹽運司知事文生陳沅　妻　孫　氏　贈鹽運司知事文

生陳大鏞　妻高　氏　文生陳傚曾　妻杜氏　姪文生燮　文生鑑　姪婦文氏　孫女大安姑○十年

均殉蘇　州難　文生孔廣培　女大　姑　文生李宗沂　母節婦林氏　子連妹燮姑　文

生管子書　附傳○弟子輝　姪文生近忠　文生近悅　文生近　思　文生近昭　文生近誠　文童近祥　文童近康

文童近求　姪孫文童之楨　文童之揖　文童之彬　文童

之模　文童之棣　胞兄妾魏氏　弟婦劉氏　丁氏　姪婦翁

氏　許氏　張氏　李氏　陳氏　羅氏　姪女三姑　六姑

姪孫女二如姐　四如姐　五如姐　六如姐　監生子棨　族

姪起文　孫文童之楢　之棟　子婦舒氏　劉氏　劉氏　朱氏　文王管氏　僕張李氏　李氏　贈鹽運司

知事文生夏溶　妻方氏　子道衡　姪生輝　嫂吳氏　陳氏　女桂姑　瑤姑　四姑　女適王　外孫女王大

姑
外孫王歡
王喜姑○蔥姑
贈鹽運司知事文生季璋妻任氏　嫂
節婦常氏
贈鹽運司知事文生葉德鈞有傳○兄德華
德榮嫂孔氏
贈鹽運司知事文生
德元妻丁氏子維
新　金沅
姪女翠姑
贈鹽運司知事文生江承和合門
殉難
文生胡毓松
子長
齡
贈鹽運司知事文生王桂森一門
殉難
文生張鵬南妻劉氏
妾劉氏
贈鹽運司知事文生張濟源妻卜
氏
文生朱其鑾一門五
人殉難
文生葉保華繼妻馬氏　文生正華繼妻汪氏從九
品桂清妻田氏　文生長榮妻節婦金氏
文生葉鈞
弟文生鈺　文生錕　從九品錫麒　從九品錫麟　母馬氏
妻陳氏　弟婦胡氏　姪婦江氏羅氏　鳳姑　二姑荷姑
翠姑
貞姑
文生錢適麇生雲鶴妻李氏佾生達妻李氏○均殉
本城難○五品銜佾生允諧○八年秣陵關
陳
亾
文生焦長齡有傳○文生光俊妻王氏　金氏　冬姑適秦
蓉姑　周氏　張氏　三姑　二姑陳氏
徐氏　鄉兒　四姑　芷姑　王氏　沈氏　平姑　森姑
徐氏　芮氏　五姑　富姑　洪氏○守節二十三年　賞姑
蓮姑　蕙姑　從九品子深　耀曾　長齡　楨　子法　喬齡
繹齡　棨　子洋　杰　康齡　富齡　錦衷　子洪　述曾
培　大姑　二姑　三姑
四姑　女僕葉四　張貴
贈鹽運司知事文生楊鳳藻啟泰
大

生　大奎　妻王氏　承錫　金姑　翠姑　彩姑　承錫叔母王氏　承錫妻張氏　**文生談葆華**妻駱氏

文童鍾麟　貢生致華妻陳氏　承湛妻焦氏　同善妻焦氏　**文生龔長華**文生長炘　長華　妻張氏　女字秦

全姑　長炘妻童氏　文生　杰妻朱氏　文生乃琦妻吳氏　**文生孫春如**女大　姑　**文生陳源**

家屬十　三八　**文生陳性善**子文童　子鑑　**文生袁某**家屬十餘八同殉○　均佚名○住彩霞街

文生談承慶子逸名　孫石明　**文生金佑廷**子恩　蔭　**監生姚豫章**妻某　氏

女大姑　二姑　姪婦周氏　**監生姚兆鳳**有傳○岐鳳　姪孫幼子　姪錫恩　姪婦范氏　**監生王**

壽廷姊適上官○守　節三十二年　**監生張自榮**妻周氏　兄自安　自安妻　陳氏　子贈鹽運司知事增

生　鎮　文童鏡　姪贈鹽運司知事從九品祐宗　華宗　孫之　欣　之勷　姪孫之鼎　孫女雙福姐　雙壽姐　小玉姐　子

婦金氏　于氏　姪婦呂氏　龔氏　女舉姐　楉姐　姪孫女　祥齡姐　壽齡姐　玉齡姐　鳳齡姐　男僕舒貴　女僕李王

氏　**監生湯世徵**妻朱氏　廷杰　廷杰妻羅　氏　女素馨　榮姑　七姑　**監生杜春泉**繼　妻

楊氏　子嗣如　獅子　張氏　**監生周銓**妻王氏　子婦鄔氏　朱氏　子監　生慶　孫百壽　孫二　姑母適高

監生劉延齡妻張氏　延印　寶子　賓來　母韓氏　賓來妻　鮑氏　叔母佘氏　妹大姑　二姑　三姑　僕

陳氏監生楊寅生妻劉氏子文生祝堯子婦王氏女福姐監生佘杰妻張氏子文生灝
子婦孫氏子澍外孫女龔百祿孫女同姑三姑監生陸紹裘僕泰升監生王大
延子監生增監生江志鋐妻周氏弟志鈞弟婦程氏女喜姑允麟允鳳監生徐大
成妻江氏子鳳舉兄如桂監生張桂新妻吳氏弟桂榮弟婦吳氏姪永椿女小姐監
生徐茂林妻蔡氏妾曹氏弟恩林姪珍珠弟婦程氏女從周從朱婿周二朱連春外孫周哥
外孫女周大姑外孫朱哥外孫女朱大姑姪女閏姑僕解氏監生朱崑溶有傳○妻袁氏子贈鹽
運司知事增生嘉彬孫恩雲崑源子婦丁氏陳氏○青年守節孫女霞姑期鳳監生吳聯奎妻王
氏女六姑監生陳國璋母王氏姪孫家聲嫂孫氏項氏田氏姪婦蔡氏姪女大姑二姑
三姑大姑二姑姪恩慶鄰婦欒董氏監生陳忠妻楊氏姪增祺姪婦談氏姪孫女王陳氏二姑
監生陳仁山妻毛氏姪婦程氏子婦秦氏孫女二姑監生陳鳳書女三姑○均殉浙江
難監生李毓瑛妻許氏子愔敘愔頤○孫三順官監生許長松妻王氏子婦曾氏孫
吉祥孫女柯姑貞姑監生仲鑑妻蔡氏子維一維三維五孫紹曾紹福子婦萬氏潘氏

劉氏　葛氏　孫女　大姑　二姑　三姑
監生於偉聯　存順　啓明　啓林　存順　妻趙氏　子婦節婦陳氏
孫女香姑　存義　存義母蔡氏　存義　妻藍氏　啓昌　啓昌妻王氏　女僕一
監生吳寶華　女陶　吳氏
監生虞錦祿　妻安氏　子婦楊氏　孫女銀姐　開姐　侑生昌吉　子春　僕一
監生西紹賢　監　生
瑾
監生高官全　監生官盛　贈鹽運司知事從九品崇仁　長　齡　文杰　文生丙炎母周氏　丙炎妻吳氏
孫氏　楊氏　王氏　董氏　朱氏　朱氏　陶氏　萬氏　孫氏　李氏
監生陶秉衡　福遐　應　達　妻王氏
監生何飛熊　妻路氏　子　五　女三
監生方信成　繼母胡氏　妻張氏　與　子婦楊氏
孫女大姑　二姑　三姑
監生張以泰　妻馬氏　文生林　延然　林妻王氏　氏　孫女連子　安子　女僕陳氏
監生張廷相　妻董氏　嫂胡　氏　葉氏　龍
監生吳汝珍　妻王氏　贈鹽運　司知事文生建中
姑　之　松　龔氏　方氏　之　松妻葉氏　女六　姪孫女喜姑　庚姑　姪女節婦倪吳氏
監生蕭耀曾　妻　張
氏　嫂程氏　炳　垣　未婚妻麗氏
監生包世璜　世瑾家屬十　餘　八五年均殉難
監生魯世
杰　子澤棠　澤榕　子婦王氏　女大紅　楊氏　張氏
監生余斌　妻梁氏　妾王氏　德仁　德信　昌恆
恆妻王氏　壽齡　昌
監生金耀章　煥章　文貞　文魁　文瑞　連保　德保　文政　文貞妻鄔氏　文

魁妻陳氏

監生王大林妻汪氏　妾張氏　必貴　必達　昌和　昌鑫　昌泰　昌安　吉祥　陶氏　陶氏　湯氏　夏氏　戚劉　錦堂　僕張媽　吳媽

監生陶時述妻王氏

監生馬瀅妻夏氏

監生馬鶴年妻陳氏

監生李大興妻王氏　監生鎮　國釗　國　鈺　國忠　國鑒　七十　鎮　妻佘氏　國忠　妻潘氏　國鑒　妻何氏　國釗　妻王氏　國鈺　妻吳氏　鏄女大姑

監生宰和羹鳳儀　鳳高

監生蔡光祖贈布政司都事議敍八品　光廷　明鑑　明安　正　棨　正瑩　正浩　康齡　正瀛　壽彭　陸氏　張氏　劉　氏　淑貞

監生芮遐元繼妻蔡氏　子婦葉氏　贈鹽運司知事從九品培先　世魁　世保　世成　姪婦王氏　李氏　王氏○青年守節　大姪孫婦夏氏　世成妻孫氏　僕韓氏

監生邱樹庭妻張氏女麗姑　使女秋桂

監生張炳祿文生金元祖　母節婦郭氏

監生佘淦妻管氏　子士柵

監生李月溪妻張氏○有傳

倘生陳逢年有傳○妻張氏　弟婦節婦張氏　女存姑　二姑　子婦李氏　孫女來喜　孫來順

倘生方智龍監生爲龍○陣亾

倘生金德鎮德銓

文童王復伯母周氏

監生楊鑾有傳○母金氏　鑑妻節婦黃氏　女三姐　鏈　黃氏　姪文濬　姪女芳姐　鎔妻黃氏　鎔子長春　鎔女蘭姐　月姐　轉姐　全姐　鑾妻羅　氏　鑾子如意　意誠　女杏姐　錫妻翁氏　錫女好姐　鎮

族姪文結文童汪新元妻王氏女大復姑雙復姑五姐文童劉欣以庶母趙氏
妻楊氏嫂楊氏女聽姑美姑文童金昌璧昌僩昌沅傳鏕傳勳傳鏕妻蘇氏傳勳妻丁
氏傳純妻楊氏昌頤妻王氏王氏僕張氏李氏鄭氏○三年均殉安慶省難文童陳夏嫂許氏
姪女銀姑文童蔡嘉德妻汪氏文童郭啓鸞母魏氏肇堂妻戴氏艮臣妻嚴氏
文童馮蔭堂妻陶氏女平姑家培家蘭岳母陶張氏文童龔錫綬妻劉氏武童懷仁武
生懷源妻梁氏文童嚴嘉祿母張氏妻蔣氏子佾生雋鴻桐生妻姊趙蔣氏妹適吳外甥吳春
甥女美姑二姑文童朱勇運和連彭連柯兒三年均殉安慶難文童焦長炘母余
氏文童方培文廷杰妻呂氏文童羅永康妻費氏永吉永昌永鈞言績言經
言緯文生訓元妻節婦沈氏增監生金釗妻常氏文釗子婦徐氏金釗女蕊娥元鈞妻黃氏翠姐戚黃增美
文童潘長源妻席氏文童趙德生妻蔣氏士石文童周家楨家屬八人
文童胡光照妻陳氏文童錢德強妻王氏女菊姑光彬光杰光才僕陳小福
文童汪廷恩妻金氏文童何鳳笙妻郜氏其發妻朱氏女紅姑御姑慕友陳

悳鏞妻鮑氏〇三年均殉安慶難以上見邑志　舉人陳燮附傳〇子婦金氏劉氏　貤贈

運司知事文生周觀海妻王氏子文童起東文童起雙文童起崇〇均陣亾　文生陳

沅弟湘灝弟婦栢氏羅氏　文生丁調元子三妻某氏女大姑二姑三姑　文生徐

芝彥子外妾凱　文生周福錫繼妻蔡氏女三姑五姑六姑七姑　文生王允中母高

氏妻張氏　文生柳之麒母王氏〇有傳〇妻金氏妹適陳外甥陳二官　監生周春濤

妻某氏子婦王氏　監生劉子厚妻周氏　監生劉裕堂妻高氏女大姑　監生朱

遐齡姪在中妻劉氏姪婦帥氏　文童胡光耀叔母彭氏　文童李長魁妻某氏

文童杭鳳君子逸名繼母龔氏妻黃氏　武生馬天驊弟武生公驊　武童龔懷

仁嫂節婦〇以上見梁氏備考

以上一門殉難

贈鹽運司知事歲貢生何其誠　貢生蔡昭　廩生章鼎有傳　贈

鹽運司知事廩生林鳳翔　廩生吳元慶　增生陸炎　文生張

兆登　文生張雲翔　文生王燕詒　文生王家聲　文生王葆
恬　文生楊際春　文生汪珏　文生周銘恩　文生周綸紱十年
殉蘇州難　贈鹽運司知事文生劉步元　贈鹽運司知事文生江峻
文生徐士瀛　文生徐斌　文生胡光華　文生胡承恩　文
生陳勳元　文生陳志平　文生陳士勤附見孫長華傳　文生項廷楨
文生李惠熙　文生李實　文生李存惠　贈鹽運司知事文
生李登甲　文生孫增祥　文生張潮　文生張德鯤　文生鄒
廷甲　文生蔣士宏　文生戴淼　文生郜士純　文生鄭蘭
文生盧峻　文生錢棠　文生金兆奎　文生高溶　文生方錦
文生馮錫疇　文生張兆豐　文生楊師奇　文生吳殿華
文生任兆祺　文生馬承安　贈鹽運司知事文生戴安禮　文
生沈鍪　文生佘焜　文生柳思聯　文生端木洪疇　文生朱

華　文生吳湛恩　奉祀生程鈺　監生王光進　監生張旭初
監生張旭書　監生張德誠　監生周泰來　監生周仲友　監
生鄒松林　監生吳光斗　監生孫保魁八年殉難　監生朱碩齡內應
死　監生李藻　監生陸登瀛　監生龔長聯　監生韓步雲
監生蕭國恩　監生李如松　監生蔣永華　監生蔣松年　監
生任祥和　文童張兆奎　文童周曾堂　文童諶桂芬　文童
徐正錦　文童吳方桂　文童陳友　文童秦樹　文童郃汝賢
文童夏文信　文童陶應齡　文童沈文蕙　文童馬恩甲
文童丁方健三年殉安慶難　文童李祚忠　文童王昌海三年殉安慶難　文
童王蔭南三年殉安慶難　文童汪炳陽三年殉安慶難　文童張瀛　武舉唐
國棟　武副榜馬得龍　武生蔣長清　武生陳某佚名〇攻浦口陣亾
武生龔燦　武生胡榮　武童毛禾生死內應事　幕友劉芾〇以上俱見邑

志 廪生劉一桂 廪生周煊 廪生柏宜崑大柏郵人罵賊死 文生張維翰 文生程化春 文生吳綸紱 文生李培 文生高鵬飛 文生陶在鎔 文生陳德祥 文生業金炎 監生鍾承業 監生蕭國安 監生吳廷松 監生劉克家 監生石年貴 監生陳樹基 監生周元慶 佾生蕭永祿 文童陳某 文童孫棠 文童謝肇莽 文童顧長炘 文童顧乃德 文童邵汝賢 文童張鳳翔 文童金鐸 藍翎武生陶澤〇以上見備考

兵勇團丁

朱有貴弟大中在善橋陣亡 陳定旺定揚定志定武 章安瀾安玉 華世成如川如楠〇有傳〇世發志盛志興志禮志美志全志書 王清琪母陳氏 葉永清妻孫氏 李宗一大廣大和附見孫長華傳 蔡德勝德安 魯宗海妻李氏姪勇丁仁和道〇以上見和邑志 六品軍功錢祐母孫氏妹潤姐 團丁何大忠大〇以上清見備

考

以上一門殉難

六品軍功徐汝璜　六品軍功辜世發廬州陣亡　六品軍功王志明　六品軍功張洪熙　六品軍功鄧錦章　五品軍功李金明　六品軍功李儀江　六品軍功蔣士純　五品軍功沈在成　八品徐錫恆　八品羅印震　八品部長福　漕標兵丁王克城　張金標　李玉勝　馮萬春　黃映舉　楊大章　强占魁　張占元　蕭廣居　陳士玲　顧廣清　王永振　陳敬安　張懷亮　孫倉林　牛書錦　丁玉琢　殷占元　曠明德　劉心勝以上十九名均老鼠峽陣亡　戰兵周殿邦　守兵王尚英　鳥鎗守兵楊占魁　弓箭戰兵張金標以上四名均三年老鼠峽陣亡　鄷國有陣亡　鄒佩珩　許得修　辛科　閆景蘭以上四名均隨徐州鎮陣亡　林長發　陳昌睢

楊萬發以上三名均六年攻江浦城力戰陣亡　前營勇丁胡志高　選鋒前營勇
丁段玉勝　胡大內應殉難佚名　胡梓　倪德滋　倪在書　倪學餘
陳廷敬　陳光林　陳大志　殷鸞　田啟才　田章林　焦
如藻　高廣和　高士能　曹啟壽　王義齋　王錫爵　王啟
盛　王得元　王開禮　王廷松　王永興　王翰春　王百平
張懷子　張世祥　張桐　張志義　楊正興　湯志順　勇
丁伍曉壽　湯永福　經兆錦　劉以和　李永興　李良純
史歡子　呂長興附見張士義傳　趙本信　趙小全　耿志　戴元廣
陳士勤附見孫長華傳　卞大　謝國富　廖有福　翟錫恩　柏萬
春　葉儉魁　胡長清　曹鉉升　元山團丁姜開業　周昌隆
胡加盛　翟昌德〇以上見邑志　五品軍功馬長發　六品軍功
施克復　六品軍功盧桂芳陣亡　六品軍功辛肇怡內應死　六品

軍功鄒錦章　捷勇章大寬　勇丁陳得鄉　團丁李大　續勇韓正剛十一年陣亡　保勇李松林　捷勇翟少宗　勇丁錢得勝　續勇郭正方　安勇田學富　續勇葉有光　勇丁王德富　續勇鄭成　續勇張立成　勇目王克仁　勇丁汪得勝同治三年陣亡　續勇汪得勝十一年陣亡　撫勇歐景陽　續勇王貴龍　○以上見備考

民

布政司書吏薛鑑堂妻嚴氏九皋　布政司書吏江壽之母杜氏妻任氏子鋇官　江甯書吏孫潮妻王氏女二姑　書吏孫大年妻王氏　江甯府書吏毛某佚其名住鐵作坊家屬十餘人　布政司書吏王森堂堂叔心培　布政司書吏王朝柱子錫爵　書吏王應鳴妻吳氏妾張氏女蘭姑大姑才姑姪女荷姑槐姑　糧道書吏張溶子禮女從王從葉　書吏湯某佚其名住理問廳後家屬七人　布政司書吏梁益庶母應氏妻郭氏弟生明子婦陳氏陳氏姪婦程氏朱氏蘭氏僕鄒貴

李氏布政司書吏周克昌母某氏妻邵氏總督書吏周守源母薛氏弟守本
本原布政司書吏許文淵庶母湯氏妹蓉姐姪女改姐大順小四書吏杜與
春妻葉氏布政司書吏顧寶善姪侶儔姪婦朱氏僕張貴布政司書吏孫
餘九妻王氏岳母沈氏布政司書吏陳其祚妻朱氏姪焜午女歡姑其祥妻魯氏姪婦
吳氏姪女如玉理問廳書吏張德綬葛氏孀母黃氏女素玉素貞姪女轉女糧
道書吏周文明文光文斗文元家瑜家墉家福家瑞家槐家楨家桂家埜蔡氏香姐
金氏王氏張氏龔氏王氏阮氏小姐喜姐大姑封鑣子婦吳氏聶氏長福長興
童繼昌母李氏妻周氏妹大姑童蜀江燮堂燮堂妻鄭氏熊子懷妻胡氏子實保
女大姑馮湧家屬二十餘人馮壽籌瑞松雙源德源桂源湧源寶源家駒家龍家培
家潤家慶家俊家奎家年蕭氏陶氏遲氏徐氏周氏鄒氏張氏平姐勒姐小紅小翠小
鳳小俊大踹二踹戚陶張氏僕王張氏洪大林長全龔硯田女庚姑三富三妻某氏
僕一龔劍妻王氏子全安八十女大平二平江觀本妻唐氏女大姑江漑園孫女

太姑**施雲松**兄一嫂一僕二**隨命典**命新命車命庸妻張氏命新妻李氏命誥妻王氏曉秋妻節婦胡氏姊節婦甘隨氏命新女字蕭曉秋女從錢**郗朝元**朝星朝元妻呂氏**徐嘉燮**照吳氏鄧氏香姑**徐元福**家屬八人**劉起勛**弟起榮母馬氏妻費氏姪三官五官子婦繆氏**李澄**母舉人芳妻金氏叔母麐生華妻吳氏妻侯氏弟沅弟婦湯氏**徐茂春**妻蔡氏女轉姑換姑茂全二川五典茂全妻陳氏牛姑**徐松齡**妻吳氏子一女大姑二姑三姑弟恩齡弟婦師氏姪幼子**徐茂先**妻蔡氏**余大生**大和**朱景堂**妻周氏子婦陳氏**朱春年**妻徐氏**朱樹德**妻茹氏樹堂妻王氏**俞秉仁**內應死妻嚴氏**俞炳龍**妻胡氏**俞松**有傳○母吳氏妻王氏弟婦諶氏二松三元賡言**吳浩**弟涫妻冷氏子婦龔氏孫元昌涫妻宋氏女字涂孫女發姑**吳元盛**一家四十五人**吳萬順**萬春**胡長源**妻韋氏子永發子婦沈氏長齡孫那保女貞女適徐**倪松年**妻陳氏**陳廷佐**蔭克明湘史氏吳氏王氏**陳安直**安正民仁民垚和尚顧氏氏龔氏張氏琴姑改姑**陳士禮**子一弟婦王氏女大姑**陳恭祥**兄一**陳淮東**妻邵氏子沅子婦孫氏

陳逢妻杜氏進桂元進妻周氏桂元妻余氏潘氏姪女愛姑戚張孫氏陳士榮妻吳氏弟士

貴弟婦顧氏子恩祐恩祐恩禕恩福恩祚恩祿恩祥姪恩祺大鬧子小鬧子子婦何氏李氏盧

氏孫小龍小花女大美小美姪女黑姑陳淮妻顧氏三年均殉安慶難陳厚森母王氏

妻隨氏女容姑二姑興武衛九幫旗丁秦鳳高母王氏妻熊氏秦宗泗熾盛

秦必達母余氏潘永發子承德姪承興承澤孫長庚姪孫銓起祥起森長槐承德妻濮

氏承興妻劉氏沈氏釗妻俞氏○銓妻張氏永發妻張氏釗女安姑孫翰英妻陳氏予汝霖子婦

芮氏孫女小發韓印金印科三印炳華子某馮氏郤氏大姑二姑三姑四姑五姑姪女

大姑韓蔚亭妻琴氏維春韓廣興弟婦姜氏順興發興祥興姪女香姑弟婦萬氏孫氏

祥興子正全祥興女美姑祥興岳母魏氏錢培恩妻蔣氏長齡長齡妻蕭氏姚某佚其名住

仙鶴街家屬十餘人姚玉光玉安妻節婦袁氏蕭某佚其名住來鳳街家屬十餘人高

文學母青年守節王氏女招姑貴姑陶保元妻許氏永川陶善培母韓氏妻王氏妹秀

姑曹家善妻唐氏曹鴻飛嫂蔡氏姪婦蔡氏何連喜妻蔡氏貴齡庚齡愛齡

子瑞齡大好三好子 羅正倫妻金氏 羅得貴妻常氏 王祚林映萬映富
映貴○孚氏 王作民母馬氏○妹素蘭 王坤元妻某氏 王廣恩廣華嘉賓廣來
王子文子襄卿子婦滕氏孫一 王錦芳妻孫氏十年均殉崑山縣難 王德官永福
妻朱氏長春妻徐氏 王湘周妻嚴氏蒲生連生 王應魁鑫 王原錕妻賴氏
甥女鄭紹姑十年均殉蘇州難 王正賓正揚正禹母詹氏孀母詹氏子婦曾氏 王槐祖母黃氏
母霍氏姊瀛姑 王宗來宗泰母李氏 王某佚其名住七家灣家屬八人僕一 張保和
母李氏 張暇香妻顧氏女紅姑 張壽生母范氏 張萬元妻沈氏 張景文
妻楊氏景祿克恭孫大元二元景祿妻陸氏克恭妻文氏克寬妻節婦沈氏 張德堉繼妻李氏德
鴻兆鐸德鯤妻節婦陳氏德鴻妻于氏兆鈞妻節婦李氏兆鐸妻于氏和姐香姐杏姐芷姐巧子五子
僕一 張長福弟長年子大興大魁子婦吳氏郭氏孫元祥孫女招姑二姑 張松皓
妻陳氏 張中和妻王氏姪克培姪婦文氏 楊和安燾張氏張氏安氏蘭姑 楊
作梅連保妻劉氏子婦張氏 楊輝翰輝昌李氏 楊士杰妻陳氏 汪大雙二雙

汪松崖妻王氏妾樂氏獅子自焚女童汪氏外孫女童幼姑汪朝棟子婦李氏孫女登姑
戚李二姑黃必潤弟必仁子家芸家來嫂余氏姪家燮女賴黃氏唐德培才喜
房映明業文蔡氏孫氏梁本侯本伯金氏茹氏朱氏劉氏諶氏劉氏杏姐葱姐大
香小香僕張初子章燮堂中和承和姜盛芳繼妻夏氏嫂蔣氏趙氏姪婦謝氏程裕
孫婦邵氏式金妻陶氏孫女安貞程戴仁妻王氏女翠雲十年均殉淞江難丁紹堂妻向氏
遐齡鶴齡長齡松亭桂小菊遐齡妻陸氏鶴齡妻王氏孫女大姑小姑松亭岳母張氏尤輝
母劉氏妹如姑周熙節婦宋氏周氏周文茂妻邵氏周錫之妻徐氏女大姑二姑
周某住剪子巷佚其名家屬十餘人同殉劉守德樊氏劉雲貴九兒湆兒張氏楊氏
王氏湯氏李氏小和劉小元母周氏姊大紅小紅劉國璧唐氏鄧氏連姐劉錦
堂妻陳氏劉瑞廷妻黃氏禮懷子瑞劉長庚妻錢氏女平姑馬發昆妻劉氏
林天慶母周氏伯母董氏任煥文妻周氏女喜姐長青子婦張氏孫女谷姐長青妻李氏
任錦堂妻鄭氏談鍾福妻黃氏子致家子婦劉氏董雲祥妻某氏女大姑李

德鈞母陳氏妻張氏長魁長華長楨長松長元長齡長洪永培永基永城弟婦查氏劉氏長魁妻席氏女一**李年官**二官秦氏陸氏張氏陳氏鄭氏僕劉福女僕曹陳氏**李兆榮**祖母胡氏嫂潘氏雍氏妻徐氏姪女如姑子紹榮紹祿**李長榮**楊氏靳氏顧氏周氏**李德官**王氏孫氏琳女四官二姑八姑**李松滋**子六十妻莫氏妹王李氏養媳韓氏自焚**李德官**福官培元祖母秦氏陸氏張氏陳氏鄭氏**李城**妻侯氏弟婦楊氏**李永謙**永福世復世升實有啟元金氏陳氏巧姑**李崇沂**母程氏湯氏**李德福**母張氏妻胡氏女雲姐**李星章**姪大柯弟婦汪氏女字花姪女扣姑字范**李文治**子長福**許鶴年**妻王氏子婦曾氏孫女科姑吉祥**管芝軒**大雄二雄妻陳氏**趙允恭**妻沈氏子榴子**馬承廉**妻葉氏女轉姑承楨承功澐妻節婦李氏**馬文源**妻韓氏子彥林彥桐**賈宗安**宗新宗揚宗壽宗知國良國序國儀國科國仕國芳泰珍泰春泰恆泰如泰和慶榮興魯宗壽妻王氏任氏**沈得年**鶴年華年雲路雲魁雲程劉氏吳氏蕙姑如姑呂氏玉姑鳳姑姚氏**火某**佚其名住虎賁倉家屬五人**沈文**妻某氏子和子婦孫氏女大

姑
沈國楨 妻楊氏
沈蕙 女二姑鄰女王全姑
徐慶恆 妻彭氏
王阮 妻某氏
費二 母某氏
顧圻 妻沈氏子文釗孫宗田子婦張氏女大姑
顧鉅高 鼎曾陳氏鼎曾母節婦王氏女一節婦盧氏張氏
顧寶德 妻張氏獻之妻節婦盧氏
顧長庚 妻某氏○附見俞松傳○鄰潘氏子
顧宗霖 文魁文釗宗田
賀廷耀 繼妻焦氏女六姑
謝本富 妻夏氏本茂傳宣傳書本茂妻柏氏大姑二姑大姐戚陶某陶妻某氏子女
孟長生 母劉氏女大姑二姑三姑
鄭學海 附傳○妻汪氏女二姑
鄭萬鍾 妻某氏女大姑
陸鴻儀 祖母吳氏母汪氏妹字金
郭培壎 翰
端木塏 增堦錫慶錫九錫光陳氏方氏龍氏朱氏素貞秀貞
葉某 佚其名佳玉振街家屬十餘人
業承乾 妻周氏承榮承榮妻周氏姑母周業氏嚴業氏妹王業氏
葉鑑泉 母梁氏妻吳氏嬸母于氏嫂賈氏德鳳均海德鳳妻呂氏均海妻部氏
宮秋帆 竹泉姪芝山
江以居 妻金氏女新姐二姐
江施五 母葉氏
宜元烺 母張氏妻鄧氏戚二僕一
徐炳南 妻秦氏子麟位三永福子麟妻顧氏范氏應森母應森妻葉氏
徐二安 母王氏三安
余肇槐 母方氏妻高氏妹四姑

女荷姑和尙**胡永福**母孫氏永壽**吳景恆**妻曹氏景乾從海從江茂林茂松紹賢妻
陸氏景乾妻曹氏從發妻徐氏從祿妻鄔氏景升女大姑大姑**吳錫縏**妻王氏淏洳培基懋有懋
煌增喜女龍姑嫂陸氏子婦邵氏姪婦許氏黃氏姪孫女勤姑貞姑淏洳妻楊氏鏡懷妻楊氏淏洳女
三姑存姑順姑鏡懷女才姑春庭女愛姑戚嚴大姑戚楊裕**吳金哥**祖母彭氏陳氏張氏伯母宗
氏母靳氏叔母張氏張氏姑倈吳氏姊才姐乙姐鄰戴謝氏**吳大觀**母趙氏妻陳氏大元妻蕭
氏**陳吉人**吉士吉魁德滋德堃二咬吉士妻張氏女安姑林姑改姑更姑吉魁妻祁氏
吉魁女桂姑郭過子**陳永元**二連彬妻節婦王氏女蘭姑庸妻節婦王氏淦妻節婦陶氏淦女改姑
聞澄母芮氏守節四十年妻陳氏子保齡遐齡女蘭芳瑞芳三姑姑母端木氏閶氏表姪婦端木范氏
表姪女端木字張女僕吳氏李氏**魯兆富**妻方氏**李斌**母汪氏妹扣姑**孫順兒**桂楨
妻劉氏女巧姑**孫作霖**培霖**欒學齡**母何氏妹戎欒氏二姑**先成盛**成卓
田永年妻杭氏女小秀獅子**蕭起壽**妻周氏慶安慶盛慶齡慶昭慶春成榮慶安妻沈
氏慶春母馮氏慶盛妻劉氏成榮聘妻劉氏慶昭母曹氏慶春妹紅姐慶安女如姐慶昭女三姑改姐慶春

女大姑**姚永成**妻李氏**蕭偕**妻單氏妾王氏揖**高翼安**妻陶氏子婦周氏甘

氏姊吳高氏**陶應芳**祖母張氏母談氏嫂邱氏**何德盛**妻華氏妾杜氏弟婦曹氏**佘**

正彬母陳氏妻王氏**王和軒**妻鄭氏女大姑德明**王承曾**母司氏妻倪氏子婦張氏太

聰富曾妻皮氏富曾女美姑**王長源**老二弟婦某氏**王嘉炎**國梁國來國楗妻江

氏嘉輝妻葛氏國桐妻節婦吳氏姊饒王氏僕一**王長元**長發叩兒長發妻張氏**王椿**

妻潘氏**張葆如**榮光妻李氏二姑**張長源**妻姜氏長海長淮戴之長海妻毛氏長淮妻

毛氏**張慧保**安保鳳儀妻班氏鳳諸妾葛氏鳳鳴妾劉氏監生紹祖妻阮氏監生逢淦妻顧氏**汪**

連生家言母彭氏堂嫂阮氏楊氏姑母王汪氏姪女大姑三姐四香姐**潘承宣**母葛氏妻楊氏

楊永恩永祥監生鈖妻費氏柏年妻方氏女秀姐書年妻劉氏書年妾汪氏女明珠姐**章順**

祥臣勳福嫂鄭氏臣勳妻于氏**梁文炳**文瀾文山培榮培文培祥楊氏孫氏張氏秀姑

煥姑珍姑巧姑**丁燕山**妻楊氏有德有義有海鵬年子婦萬氏朱氏魏氏孫女才保

小聰順子玉子秀子**周易**湧官遐齡康齡蔭齡芝齡頤齡寶齡維新維城智妻羅氏湧

妻江氏官妻孫氏遐齡妻蔡氏陰齡妻韓氏康齡妻蔡氏芝齡妻江氏昺齡妻翁氏僕李氏 **周舉年**

妻徐氏子二 **劉兆熊** 女大姑 **林菊子** 太平美妹 **金壽昌** 妻吳氏長源潤昌登瀛

登甲登鰲鼎鼐筠笙縣丞元溥母張氏元溥妻李氏元溥妹淑貞季貞元溥女采蘅采芷長源妻

王氏潤昌妻陳氏僕郭順僕王氏桂香 **沈國璽** 國瑩母常氏 **沈文錦** 祖母于氏妹彩姑

馬榴福 連保妹財保巧姑 **李佩和** 妻汪氏春圃芷香繩宗子婦湯氏萬氏汪氏

孫女趙李氏捷姑七姑冬姑一盡姑順姑姊大姑外孫趙小了 **李文濤** 母陳氏妻何氏妾朱氏

女翠姐 **李學梁** 德餘子婦方氏 **李文範** 妻蘇氏士洪女秀女 **李厚之** 母張氏

妻胡氏女聘鄧 **江庸** 母張氏 **蔣啟發** 妻姚氏 **魯承基** 祖母江氏伯母鄧氏母陶氏

庶母高氏姑母焦魯氏妹周魯氏妹大姑二姑 **鄭長發** 弟婦湯氏長春長年來興來旺妹蔡鄭

氏姪女采姑喜姑長年妻穆氏 **陸天源** 映堂大長生二長生子婦陳氏沈氏 **劉文梓**

嫂文生文楨妻殷氏姪耀廷姪孫女槐姐四姐張劉氏葉劉氏 **葉長敖** 松齡 **李榮燦** 妻李

氏殉揚州難 **湯輔治** 輔澄 **袁金鑑** 弟行五機匠家屬十四人 **俞士福** 妻某氏 **丁**

益恭子婦俞氏　丁官憲妻申氏子崧年女適陶適鄧張氏金玉金玉子婦王氏三女十一姑

裴春陽妻孫氏子發官　蕭慶招慶麟承榮啟壽慶安慶春慶彧曹氏周氏沈氏馮

氏劉氏劉氏紅姑三女四女改女　孫學書母王氏妹二姑　童元鎮妻解氏子官保

子婦蘇氏女僕徐氏　劉國弼母李氏密興姐妻唐氏妹母舅李永昌　業醫陳炳南家屬十餘

人　章中和承和　張廣泰彭齡　吳福慶晉慶鴻慶楫慶喜慶源耀正妻高氏福

慶髮妻姜氏晉慶妻常氏鴻慶妻蔡氏喜慶妻徐氏逸名妻魯氏杏姐臘姐　盧佩之有傳○妻戴氏弟

婦曹氏姪婦張氏三女字文生徐家駒女小姑　陳家駿家騏王氏翁氏姚氏賞姑六姑男僕

李某　張國泰國清　楊聚奎妻李氏　姚峯五妻潘氏子尚仁向義孫秀山子婦邵

氏繆氏孫婦傅氏曾孫女葱姑懷子戚繆某　楊五橋妻何氏妻父何某女大姑岳母何有氏

金長春長松母吳氏嬸母節婦周氏女芷姑鴉姑長松母方氏寶啟順長松妻彭氏長松女來姑閏

姑改姑　全龍祖母吳氏母稟生鍾妻楊氏姊大姑二姑　李金殿芝祥慶麟慶昌笪氏

王氏劉氏　李東海妻琴氏長鑑長榮長德大保二保三保子婦胡氏　李世謙妻張氏

李秋章妻某氏　哈桐妻伍氏女大姑　郭如璧妻楊氏銑鑑燊鋆鎰鑄鑾妻楊

氏炳焱妻張氏鑄妻馬氏　熊朝陞匯川妻章氏匯川女連姑　周宏謐妻姚氏子一　陳四

柱妻童氏　俞德綏妻某氏　田鑫智　黃殷華思敬　周惠來桂仁本立

節婦費氏張氏　金貴元謝成　李得貴家屬四人　傅巖週吉劉錢氏龔氏鄭氏

速潤和妻某氏　郭進德妻顧氏　徐幹臣仲勳　于家駿母巫氏　李映

初一門同殉　李連母趙氏　葉德魁子永清子婦孫氏　高松年母張氏〇以妻某氏上

見邑志　書吏張某住胭脂巷一門三十餘人同殉　江邦餘住興復巷一門殉難　朱某住道

庫廳一門殉難　朱某住文思巷家屬二十七人　徐兆元弟監生兆昌子長庚姪長松長椿妻袁氏

弟婦倪氏女大姑姪女二姑　袁長生妹二桐姑　醫士徐某家屬十一人　徐子霖

住嚴家杅子家屬九人　孫應齡應棠母芮氏弟婦趙氏　醫士徐治安住馬路街家屬同殉

陳靜山顧氏張氏龔氏　袁某住安園後家屬四人　余庭三母某氏妻陶氏妹四姑

陳樾弟虎家屬十四人同殉　朱公益子巧生　陳某住油坊巷一門六人同殉　陳淇

住油坊巷一門殉難　殷彭年彭壽曾氏嚴氏冬姑杏姑　卞文善母鞠氏　業鳳鳴
姪允連妻陳氏　允中允元允宜姪孫承華承升○姪婦范氏夏氏姪孫婦某氏于氏　司徒世
泉住顏料坊家屬五人　趙幼子母某氏姊才姑　萬恒甫妻宋氏　季培根兄培源祖母節婦余氏
守節三十三年妹秀英　萬旭住府署東一門殉難　顧配三妻劉氏　芮世成孫氏　應二子女
同殉　李星泉妻陳氏弟婦陳氏趙氏　李崇沂母程氏嫂湯氏　李履之一門殉難
醫士李侃妻蘇氏女大姑　李厚一門五人　醫士李景陶住牛市一門五人　管之
桐姪女大姑　蔣模子長恩長龍妻羅氏子婦周氏石銘妻蔣氏　毛福一門殉難　武大頭
住許家巷一門殉難　錢金綬子宏藻女翠姐如姐　高承燕妻陶氏甘氏　子婦周氏姊節婦吳
高氏　何某住顏料坊一門七八殉　王吉坪弟吉墳母陸氏　王小臘兄玉齡伯母周氏叔
母戴氏妹秀珍○　王某家屬八人　王某一門十二人　周幼子母田氏　金彥和
子德璘某官　王汝詹住四聖堂一門殉難　王三葩妻嫂姪及子婦等七八同殉　周某妻方
氏等六人同殉　王吉均弟吉增姪鑫母滕氏嫂洪氏妹秀姑　劉祥泰弟祥貴祥興祥旗

祥連嫂節婦楊氏弟婦常氏 張春泉妻王氏子婦王氏孫婦養媳高氏○薛張郇人均殉難 金煥
嫂節婦王氏 楊某母某氏妹大姑 黃家桂弟家成弟婦施氏女小姑 姜盛書弟盛賢
姪允發若東小興陳氏鄧氏姚氏俞氏大姑二姑三姑 陶詩妻孫氏妻唐氏孫某孫女小
姐女大姑子婦○以上見任氏女僕某氏備考 殷長齡母張氏 趙佐三弟五妻某
氏○均懷時歷一本赴水死 丁遐齡姪慶保弟婦袁氏姪○以上女貞姑○均殉揚州難續訪
以上一門殉難
糧道書吏周宏謹 書吏沈毓仁 書吏胡國椿有傳 江甯書吏
王聲遠 江甯書吏王鑑亭八年殉青浦難 書吏周鳳樓 布政司書
吏呂仁軒 江淮五幫旗丁陳某佚其名 洪滄洲 鍾琨 雍宗
錫 旗丁敖松齡 施元愷 朱財寶 朱淵瀚 俞甫之 虞
全錄死內應事 吳佩 吳榮旺 吳致祥 吳興隆 吳煥祖 吳
勳 太 吳瑤 吳銘 胡長清 盧年子 于存義 于霈之

陳順　陳兆縉　陳佩　陳實　旗丁陳信　陳邦慶　陳鴻緯
　陳增祺　陳金朋十年殉難　陳鋆殉河南難　秦鏞　潘恩培　潘萬
興　潘振新　韓得琦　韓杏　田進良　姚長杰　姚大宏
姚松桂　曹七官　曹激羣　何正祥　王義齋　王守卿　王
福　王明洪　王大沛　王安豫　王鈞　張礽子　張玉　張
士義有傳　張宗繹十年殉難　楊萬發　楊綸齋　楊寅　方執中
黃增賢　黃竹亭十年殉句容難　程金斗　丁君達　丁萬成　周東
起　劉福　劉某佚其名○住蕭公廟　劉文星　劉松年　劉達發　劉
文華九年殉丹陽難　劉從喜九年殉丹陽難　裘松雙殉宣城難　金國琛　金世
忠　李文煥　李祚恩　李亭結　李大十年殉徽州難　呂仲　王復
　魯振揚　武受之　馬脩慶　夏士福　夏文倍　蔣大連
沈雲卿　沈文蕙　顧孝順　顧慈承　戴大榕　戴淇興　郜

某佚其名住荷花塘 孟滄洲 祝榮 陸繼山 陸大誠 郭替生
葉長敖 龔樹棠 龔長年 徐申濟 朱慶瑞 朱承恩 吳
辛才 吳楷 虞明如 倪長庚 陳宣子 陳橋 陳維周
陳嶸 秦錫園 秦玉農 張祖勳 張鈞生 張五 張長年
張文魁 張貴興 張雙齡 張培官 潘承春 武長榮
馬某舉人馬鼎弟 楊發春 楊繼武 湯學 章安瀾 梁慶祥
唐白 丁孝嵐 任均丁 金昌應 甘作霖 馬國林 李寶
李存惠 李開鐸 李長福 李承興 李良純 李良榦
醫士李鶴年 蔡承恩 鄧開元 謝士成 仲培元 張大全
郭廣祥 解元財 陳均衡 丁從熙三年殉安慶難 於光達 火
二元 彭行五 許同和 李鳳山 劉世揚 任祥和 蔡順
有傳○以上見邑志 馮某 龔印兒 龔芝 徐二 徐加住張都堂巷

徐誠寶　胡老素住孝順里　吳某住徐家巷　吳士和　倪克錦　陳某
死內應事　陳某住三山街　郭象陣亾　柏三駝　郜某住荷花塘　夏士貴
夏如隆　趙殿元住司署口　顧啟明住驢子市　沈某　李亭結　王宗
來　王麻子　許某　王老吉　王椿　王大仙　蔣順　王明
庚　紀某住甘雨巷　張某行二住泰倉巷　王吉　張某行五住紅土橋　錢某住九
曆坡　張文遠　蕭二住府署旁　張郁芳　蕭某住南捕廳　曹廷秀　興
夫楊某住司署口　陶時釗三甲郵人　楊維　陶科　道士湯煥章　姜
允堯　丁從德　丁萬漣　劉禎　劉德全住儀鳳門內　劉書林
金永義　金昌慶　藍客人　查某　朱如川　朱某住甘雨巷○以上
見備考　辛肇怡四年○以上殉難續訪

續纂江寧府志卷十四之十中　終